#수능공략
#단기간 학습

수능전략
과학탐구 영역

Chunjae Makes Chunjae

▼

[수능전략] 물리학 I

기획총괄	김덕유
편집개발	김은숙, 김은송, 김선영, 김화영
디자인총괄	김희정
표지디자인	윤순미, 심지영
내지디자인	박희춘, 이혜미
조판	한서기획
제작	황성진, 조규영

발행일	2022년 2월 1일 초판 2022년 2월 1일 1쇄
발행인	(주)천재교육
주소	서울시 금천구 가산로9길 54
신고번호	제2001-000018호
고객센터	1577-0902
교재 내용문의	(02)3282-8739

※ 정답 분실 시에는 천재교육 교재 홈페이지에서 내려받으세요.

수능전략

과·학·탐·구·영·역

물리학 I

수능에 꼭 나오는
필수 유형 ZIP 1

차례 ❶ 권

수능에 꼭 나오는
필수 유형 ZIP

01 위치 - 시간 그래프

2021 7월 학평 3번 유사

수능 전략 Key 위치 − 시간 그래프에서 접선의 기울기는 물체의 속도를 의미하고, 시간에 따른 접선의 기울기의 변화량은 가속도를 의미한다는 사실을 알아야 한다.

그림은 직선상에서 운동하는 물체의 위치를 시간에 따라 나타낸 것이다. 구간 A, B, C에서 물체는 각각 등속 운동 또는 등가속도 운동을 한다. A~C에서 물체의 운동에 대한 설명으로 옳은 것만을 |보기|에서 있는 대로 고른 것은?

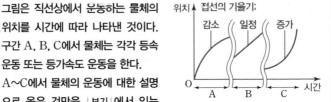

┌─ 보기 ┐
ㄱ. A에서 가속도의 방향은 물체의 운동 방향과 같다.
ㄴ. B에서 물체의 이동 거리는 시간에 비례한다.
ㄷ. 가속도의 방향은 A와 C에서 서로 같다.

① ㄱ ② ㄴ ③ ㄱ, ㄷ ④ ㄴ, ㄷ ⑤ ㄱ, ㄴ, ㄷ

개념 꼭! * 위치 − 시간 그래프에서 접선의 기울기는 물체의 ❶▢▢▢ 를 의미한다.

자료 해석 * 구간 A: 접선의 기울기가 감소 ➡ 가속도 < 0
* 구간 B: 접선의 기울기가 일정 ➡ 가속도 = 0, ❷▢▢▢ 직선 운동
* 구간 C: 접선의 기울기가 증가 ➡ 가속도 > 0

답 ❶ 속도 ❷ 등속

Point 해설 ㄱ. A에서 물체의 위치는 원점에서 계속 멀어지므로 운동 방향은 (+)이고, 속력이 점점 감소하므로 가속도의 방향은 (−)이다. 즉, 가속도의 방향과 물체의 운동 방향은 반대이다.
ⓛ 등속 직선 운동 하는 물체의 이동 거리는 시간에 비례한다.
ㄷ. A에서 접선의 기울기는 감소하고, C에서 접선의 기울기는 증가한다. 따라서 가속도의 방향은 A와 C에서 서로 반대이다.

답 ②

전략 비법 노트

● 위치 − 시간 그래프 ➡ 접선의 기울기 = 속도
● 위치 − 시간 그래프 ➡ 접선의 기울기의 변화량 = 가속도

속도 - 시간 그래프

수능 전략 Key 속도 – 시간 그래프에서 기울기는 물체의 가속도를 의미하고, 그래프와 시간 축이 이루는 넓이는 이동 거리(변위)를 의미한다는 사실을 알아야 한다.

그림은 직선상에서 운동하는 물체의 속도를 시간에 따라 나타낸 것이다. 물체의 운동에 대한 설명으로 옳은 것만을 |보기|에서 있는 대로 고른 것은?

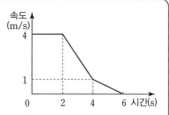

┌ 보기 ┐
ㄱ. 0초부터 2초까지 이동 거리는 8 m이다.
ㄴ. 2초부터 6초까지 평균 속력은 2 m/s이다.
ㄷ. 가속도의 크기는 3초일 때가 5초일 때의 2배이다.

① ㄱ   ② ㄴ   ③ ㄷ   ④ ㄱ, ㄴ   ⑤ ㄴ, ㄷ

개념 꼭! * 속도–시간 그래프에서 기울기는 물체의 **❶** ⃞ 를 의미하고, 그래프와 시간 축이 이루는 넓이는 **❷** ⃞ 를 의미한다.

자료 해석 * 0초부터 2초까지 물체는 4 m/s의 속력으로 **❸** ⃞ 직선 운동을 하고, 이때 이동한 거리는 8 m이다.

* 2초부터 4초까지 물체는 -1.5 m/s^2의 가속도로 등가속도 직선 운동을 하고, 이때 이동한 거리는 5 m이다.

* 4초부터 6초까지 물체는 -0.5 m/s^2의 가속도로 등가속도 직선 운동을 하고, 이때 이동한 거리는 1 m이다. **답** ❶ 가속도 ❷ 이동 거리(변위) ❸ 등속

Point 해설 ㄱ. 0초부터 2초까지 그래프와 시간 축이 이루는 넓이는 8 m이다.

ㄴ. 2초부터 6초까지 물체가 이동한 거리는 총 6 m이고, 걸린 시간은 4초이므로 평균 속력은 $\dfrac{6 \text{ m}}{4 \text{ s}} = 1.5 \text{ m/s}$이다.

ㄷ. 가속도의 크기는 3초일 때(1.5 m/s^2)가 5초일 때의 3배(0.5 m/s^2)이다. **답** ①

전략 비법 노트

● 속도 - 시간 그래프 → 기울기 = 가속도   ● 속도 - 시간 그래프 → 넓이 = 변위

03 가속도 – 시간 그래프

2018 6월 모평 3번 유사

수능 전략 Key ▸ 가속도 – 시간 그래프에서의 그래프와 시간 축이 이루는 넓이는 속도 변화량임을 안다.

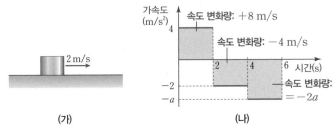

그림 (가)는 0초일 때 속력이 2 m/s인 물체가 직선 운동 하는 모습을, (나)는 물체의 가속도를 시간에 따라 나타낸 것이다. 물체는 6초일 때 정지한다.

이에 대한 설명으로 옳은 것만을 |보기|에서 있는 대로 고른 것은?

┌─ 보기 ─
ㄱ. 2초일 때 물체의 속력은 8 m/s이다.
ㄴ. 2초부터 4초까지 물체가 이동한 거리는 16 m이다.
ㄷ. 5초일 때 물체의 가속도의 크기는 3 m/s²이다.
└─

① ㄱ   ② ㄷ   ③ ㄱ, ㄷ   ④ ㄴ, ㄷ   ⑤ ㄱ, ㄴ, ㄷ

개념 꼭! * 가속도 – 시간 그래프에서 넓이는 ❶ [　　　] 변화량을 의미한다.

자료 해석 * 0초부터 2초까지 물체의 속력은 8 m/s ❷ [　　　]하므로 2초일 때 물체의 속력은 10 m/s이고, 2초부터 4초까지 물체의 속력은 4 m/s ❸ [　　　]하므로 4초일 때 물체의 속력은 6 m/s이다.   답 ❶ 속도 ❷ 증가 ❸ 감소

Point 해설 ㄱ. 2초일 때 속력은 0초일 때의 속력 2 m/s보다 8 m/s 증가한 10 m/s이다.

Ⓛ 2초부터 4초까지 평균 속력은 $\dfrac{10\ \text{m/s}+6\ \text{m/s}}{2}=8$ m/s이므로 이 구간에서 이동한 거리는 8 m/s × 2 s = 16 m이다.

ⓒ 4초부터 6초까지 물체의 속력은 2a만큼 감소하여 6초일 때 정지하므로 $6-2a=0$에서 $a=3$ m/s²이다.   답 ④

전략 비법 노트

● 가속도 – 시간 그래프 → 넓이 = 속도 변화량

2022 9월 모평 1번 유사

수능 전략 Key 일상생활에서 볼 수 있는 여러 가지 운동에서 속력만 변하는 운동, 운동 방향만 변하는 운동, 속력과 운동 방향이 모두 변하는 운동을 구분할 수 있어야 한다.

그림 (가)~(다)는 각각 나무에서 떨어지는 사과, 원 궤도를 따라 지구 주위를 공전하는 인공위성, 야구 선수가 친 공의 운동을 나타낸 것이다.

자유 낙하 운동   등속 원운동   포물선 운동

(가)   (나)   (다)

이에 대한 설명으로 옳은 것만을 |보기|에서 있는 대로 고른 것은?

> **보기**
>
> ㄱ. (가)에서 사과의 속력은 일정하다.
> ㄴ. (나)에서 인공위성의 운동 방향은 일정하다.
> ㄷ. (다)에서 공은 속력과 운동 방향이 모두 변한다.

① ㄱ   ② ㄴ   ③ ㄷ   ④ ㄱ, ㄴ   ⑤ ㄴ, ㄷ

개념 꼭! * 등속 원운동 하는 물체는 **❶**⬚ 이 일정하고, 운동 방향(=원의 **❷**⬚ 방향)은 변하는 운동을 한다.

자료 해석 * (가)에서 사과는 **❸**⬚ 을 받아 운동 방향이 변하지 않은 채 속력이 점점 증가하는 운동을 한다.

답 ❶ 속력 **❷** 접선 **❸** 중력

Point 해설 ㄱ. 사과의 속력은 점점 증가한다.

ㄴ. 등속 원운동 하는 물체의 운동 방향은 원의 접선 방향이므로, 운동 방향이 일정하지 않다.

ⓒ 포물선 운동 하는 물체는 속력과 운동 방향이 모두 변한다.

답 ③

전략 비법 노트

● 등속 원운동 하는 물체의 운동 방향 → 원의 **접선** 방향

등가속도 직선 운동(1)

등가속도 직선 운동을 하는 물체의 이동 거리는 평균 속력과 걸린 시간의 곱으로 구할 수 있음을 알아야 한다.

그림과 같이 등가속도 직선 운동을 하는 자동차 A, B가 기준선 P, R를 각각 $2v$, $3v$의 속력으로 동시에 지난 후, 기준선 Q를 동시에 지난다. P에서 Q까지 A의 이동 거리는 $2L$이고, R에서 Q까지 B의 이동 거리는 L이다. 가속도의 방향은 A와 B가 서로 같고, 가속도의 크기는 A가 B의 2배이다.

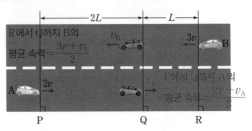

이에 대한 설명으로 옳은 것만을 ⌐보기⌐에서 있는 대로 고른 것은? (단, 자동차의 크기는 무시한다.)

⌐ 보기 ⌐
ㄱ. Q에서 속력은 A가 B의 6배이다.

ㄴ. A의 가속도의 크기는 $\dfrac{4v^2}{L}$이다.

ㄷ. R에서 Q까지 이동하는 동안 B의 평균 속력은 $2v$이다.

① ㄱ   ② ㄴ   ③ ㄷ   ④ ㄱ, ㄴ   ⑤ ㄱ, ㄷ

* 등가속도 직선 운동을 하는 물체의 평균 속력은 $\dfrac{\boxed{❶} + 나중\ 속력}{2}$으로 구할 수 있다.

* 등가속도 직선 운동을 하는 물체의 이동 거리는 '평균 속력 × 걸린 $\boxed{❷}$'으로 구할 수 있다.

* 등가속도 직선 운동을 하는 물체의 가속도는 $\dfrac{\boxed{❸} - 처음\ 속력}{걸린\ 시간}$으로 구할 수 있다.

답 ❶ 처음 속력 ❷ 시간 ❸ 나중 속력

자료 해석

* Q에서 A와 B의 속력을 각각 v_A, v_B라고 하면 P에서 Q까지 이동하는 동안 A의 평균 속력은 **❹**[　　　　]이고, R에서 Q까지 이동하는 동안 B의 평균 속력은 $\dfrac{3v+v_B}{2}$이다.

* A와 B가 각각 P, R를 지난 후 Q까지 이동하는 데 걸린 시간을 t라고 하면 t 동안 A, B의 이동 거리는 각각 $\dfrac{2v+v_A}{2}\times t=2L$ … ①, $\dfrac{3v+v_B}{2}\times t=L$ … ②이다.

* A, B의 P와 R에서의 속력은 B가 A보다 더 크지만, 같은 시간 동안 A의 이동 거리가 더 크기 때문에 A, B의 가속도의 방향은 **❺**[　　　　]의 이동 방향과 같다.

* A의 가속도의 크기는 $\dfrac{v_A-2v}{t}$, B의 가속도의 크기는 **❻**[　　　　]이고, 가속도의 크기는 A가 B의 2배이므로 $\dfrac{v_A-2v}{t}=2\times$ **❻**[　　　　] … ③이다.

* ①, ②, ③의 식을 연립하면 $v_A=6v$, $v_B=v$, $t=\dfrac{L}{2v}$이고, A, B의 가속도의 크기를 각각 a_A, a_B라고 하면 $a_A=\dfrac{8v^2}{L}$, $a_B=\dfrac{4v^2}{L}$이다.

답 ❹ $\dfrac{2v+v_A}{2}$ ❺ A ❻ $\dfrac{3v-v_B}{t}$

Point 해설

ㄱ. Q에서 A의 속력은 $6v$, B의 속력은 v이므로, Q에서 속력은 A가 B의 6배이다.

ㄴ. P와 Q에서 A의 속력은 각각 $2v$, $6v$이므로, $\dfrac{2v+6v}{2}t=2L$에서 $t=\dfrac{L}{2v}$이다. t 동안 A의 속력은 $6v-2v=4v$만큼 변했으므로 A의 가속도의 크기는 $\dfrac{4v}{t}=\dfrac{4v}{\dfrac{L}{2v}}=\dfrac{8v^2}{L}$이다.

ㄷ. R에서 Q까지 이동하는 동안 B의 평균 속력은 $\dfrac{3v+v}{2}=2v$이다. **답 ⑤**

전략 비법 노트

● 등가속도 직선 운동을 하는 물체 → 평균 속력 $=\dfrac{처음\ 속력+나중\ 속력}{2}$

06 등가속도 직선 운동(2)

등가속도 직선 운동 공식을 이용하면, 평균 속력이나 그래프 등을 이용하지 않고도 문제를 해결할 수 있다.

그림은 직선 도로에서 자동차기 시간 $t=0$일 때 기준선 P를 20 m/s의 속력으로 통과한 뒤 기준선 R까지 등가속도 직선 운동 하는 모습을 나타낸 것이다. $t=6$초일 때 기준선 Q를 통과하고 $t=8$초일 때 R를 통과한다. Q와 R 사이의 거리는 12 m이다.

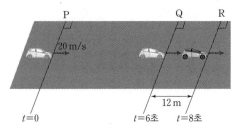

자동차의 운동에 대한 설명으로 옳은 것만을 |보기|에서 있는 대로 고른 것은? (단, 자동차의 크기는 무시한다.)

┌ 보기 ┐

ㄱ. $t=3$초부터 $t=4$초까지 이동 거리는 13 m이다.

ㄴ. 가속도의 크기는 2 m/s^{2}이다.

ㄷ. 자동차가 정지하는 지점은 기준선 P로부터 96 m만큼 떨어진 지점이다.

① ㄱ   ② ㄴ   ③ ㄷ   ④ ㄱ, ㄴ   ⑤ ㄱ, ㄷ

---

* 등가속도 직선 운동 하는 물체의 가속도를 a, 처음 속력을 v_0, t초 후의 속력을 v, t초 동안의 변위(이동 거리)를 s라고 할 때 다음 세 가지 식이 성립한다.

* $v=v_0+$ ❶ ☐

* $s=v_0t+$ ❷ ☐

* ❸ ☐ $=v^2-v_0^2$

🔑 ❶ at ❷ $\dfrac{1}{2}at^2$ ❸ $2as$

자료 해석

* 자동차가 0초부터 8초까지 이동한 거리와 0초부터 6초까지 이동한 거리의 차가 12 m이므로 $20 \times 8 + \frac{1}{2} \times a \times 8^2 - \left(20 \times 6 + \frac{1}{2} \times a \times 6^2\right) = $ ❹ 에서 $a = -2$ m/s²이다.

* 자동차가 3초부터 4초까지 이동한 거리 s는 0~4초 동안 이동한 거리와 0~3초 동안 이동한 거리의 차이므로

$$s = 20 \times 4 + \frac{1}{2} \times (-2) \times 4^2 - \left(20 \times 3 - \frac{1}{2} \times (-2) \times 3^2\right) = 13(\text{m})\text{이다.}$$

[별해] 자동차의 $t = 3$초, $t = 4$초일 때의 속력은 각각 $20 - 2 \times 3 = 14$(m/s), $20 - 2 \times 4 = 12$(m/s)이다. 따라서 $2as = v^2 - v_0^2$에서

$$s = \frac{\boxed{❺}}{2 \times (-2)} = 13(\text{m})\text{이다.}$$

* 자동차가 정지할 때까지 이동한 거리는 $s = \dfrac{0^2 - 20^2}{2 \times (-2)} = 100$(m)이다.

[별해] 자동차가 정지할 때까지 걸린 시간을 t라고 하면, $20 - 2t = \boxed{❻}$에서 $t = 10$초이다. 자동차가 0~10초 동안 이동한 거리는

$$v_0 t + \frac{1}{2} a t^2 = 20 \times 10 + \frac{1}{2} \times (-2) \times 10^2 = 100(\text{m})\text{이다.}$$

답 ❹ 12 ❺ $12^2 - 14^2$ ❻ 0

Point 해설

㉠ $t = 3$초부터 $t = 4$초까지 이동 거리는 $s = v_0 t + \frac{1}{2} a t^2$ 식을 활용하면 13 m 임을 알 수 있다.

㉡ 자동차의 가속도 크기는 문제의 조건을 $s = v_0 t + \frac{1}{2} a t^2$ 식에 적용하면 2 m/s² 임을 알 수 있다.

ㄷ. 자동차가 정지할 때까지 이동한 거리는 $2as = v^2 - v_0^2$ 식을 활용하면 100 m 임을 알 수 있다. 즉, 자동차는 기준선 P로부터 100 m만큼 떨어진 지점에서 정지한다.

답 ④

전략 비법 노트

* 등가속도 직선 운동 식 이용
  - 나중 속도를 구할 때 → $v = v_0 + at$
  - 변위(이동 거리)를 구할 때 → $s = v_0 t + \frac{1}{2} a t^2$
  - 시간이 주어지지 않았을 때 → $2as = v^2 - v_0^2$

등가속도 직선 운동(3)

수능 전략 Key 수평면에서 두 물체 사이의 시간 간격과 빗면에서 두 물체 사이의 시간 간격이 같음을 알아야 한다.

그림 (가)는 수평면에서 $10L$의 간격을 유지하며 일정한 속력 $5v$로 운동하던 물체 A, B가 $t=0$일 때, B가 빗면의 시작점 p를 통과하는 모습을, (나)는 잠시 후 A가 빗면 위의 점 q를 $4v$의 속력으로 지나는 순간에 B는 점 r를 $3v$의 속력으로 지나는 모습을 나타낸 것이다. $t=t_0$일 때 A와 B는 빗면에서 서로 충돌한다.

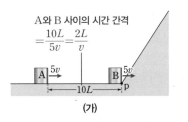

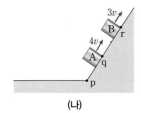

| (가) | (나) |

이에 대한 설명으로 옳은 것만을 |보기|에서 있는 대로 고른 것은? (단, A, B는 동일 연직면에서 운동하며, 물체의 크기, 공기 저항과 모든 마찰은 무시한다.)

┌─ 보기 ┌──────────────────────────
ㄱ. p와 r 사이의 거리는 $16L$이다.

ㄴ. 빗면에서 A의 가속도의 크기는 $\dfrac{v^2}{2L}$이다.

ㄷ. $t_0 = \dfrac{11L}{v}$이다.

① ㄱ   ② ㄷ   ③ ㄱ, ㄴ   ④ ㄴ, ㄷ   ⑤ ㄱ, ㄴ, ㄷ

개념 꼭!

* 수평면에서 일정한 간격을 유지하며 일정한 속력으로 운동하던 두 물체 사이의 **❶** 간격은 빗면 구간에 들어가서도 일정하게 유지된다.

* (가)에서 A와 B의 시간 간격이 t초라면, (나)에서 A와 B의 시간 간격 역시 t초이다. 이는 A가 t초만큼의 시간 차이를 두고 B를 따라간다고 할 수 있다. 또는 A의 위치는 **❷** 초 이전 B의 위치라고도 할 수 있다.

* 동일한 빗면에서 운동하는 두 물체의 **❸** 의 크기는 같다.

답 ❶ 시간 **❷** t **❸** 가속도

자료 해석

* (가)에서 A와 B는 $5v$의 일정한 속력으로 움직이면서 거리 간격을 $10L$로 유지하고 있기 때문에 A와 B 사이의 시간 간격은 $\dfrac{10L}{5v} =$ ❹ 이다.

* (나)에서 A와 B 사이의 시간 간격은 (가)에서와 같은 $\dfrac{2L}{v}$이므로 B는 A의 $\dfrac{2L}{v}$ 후 위치로 볼 수 있다. 따라서 $\dfrac{2L}{v}$ 후 A는 점 ❺ 를 $3v$의 속력으로 지나게 되므로 빗면에서 물체의 가속도의 크기는 $\dfrac{4v-3v}{\dfrac{2L}{v}} = \dfrac{v^2}{2L}$이다.

답 ❹ $\dfrac{2L}{v}$ ❺ r

Point 해설

ㄱ B가 점 p를 통과한 후 점 r를 지나는 데까지 걸리는 시간을 t_1이라고 하면 $3v = 5v - \dfrac{v^2}{2L}t_1$에서 $t_1 = \dfrac{4L}{v}$이다. p와 r 사이의 거리는 B가 $\dfrac{4L}{v}$만큼의 시간 동안 평균 속력 $\dfrac{5v+3v}{2} = 4v$으로 움직인 거리이므로 $4v \times \dfrac{4L}{v} = 16L$이다.

ㄴ 빗면에서 물체는 $\dfrac{2L}{v}$의 시간 동안 속도가 v만큼 감소하기 때문에 가속도의 크기는 $\dfrac{v^2}{2L}$이다.

ㄷ (나)에서 $\dfrac{2L}{v}$ 후 A는 점 r를 $3v$의 속력으로 통과하기 때문에 q와 r 사이의 거리는 $\dfrac{4v+3v}{2} \times \dfrac{2L}{v} = 7L$이다. (나)의 상황에서 A와 B가 만나는 데 걸리는 시간을 t_2라고 하면 t_2 동안 A의 변위는 B의 변위보다 $7L$만큼 더 커야 하므로 $4vt_2 - \dfrac{1}{2}\dfrac{v^2}{2L}t_2^2 = 7L + 3vt_2 - \dfrac{1}{2}\dfrac{v^2}{2L}t_2^2$에서 $t_2 = \dfrac{7L}{v}$이다.

따라서 $t_0 = t_1 + t_2 = \dfrac{4L}{v} + \dfrac{7L}{v} = \dfrac{11L}{v}$이다.

답 ⑤

전략 비법 노트

● 일정한 시간 간격 t초를 두고 움직이는 두 물체의 운동 → 뒤에서 따라가는 물체는 앞서가는 물체의 t초 이전의 위치(모습)이다.
● 동일한 빗면에서 운동하는 두 물체 → 두 물체의 가속도의 크기는 같다.

08 뉴턴 운동 법칙(1)

2022 6월 모평 8번 유사

수능 전략 Key 정지해 있거나 등속 운동 하는 물체에 작용하는 알짜힘은 0임을 알아야 한다.

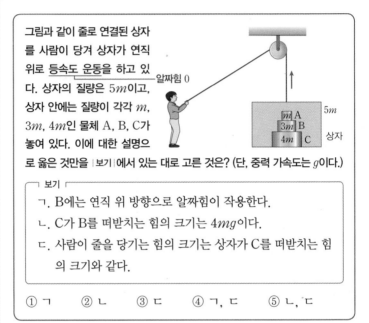

그림과 같이 줄로 연결된 상자를 사람이 당겨 상자가 연직 위로 **등속도 운동**을 하고 있다. 상자의 질량은 $5m$이고, 상자 안에는 질량이 각각 m, $3m$, $4m$인 물체 A, B, C가 놓여 있다. 이에 대한 설명으로 옳은 것만을 |보기|에서 있는 대로 고른 것은? (단, 중력 가속도는 g이다.)

┌ 보기 ┐
ㄱ. B에는 연직 위 방향으로 알짜힘이 작용한다.
ㄴ. C가 B를 떠받치는 힘의 크기는 $4mg$이다.
ㄷ. 사람이 줄을 당기는 힘의 크기는 상자가 C를 떠받치는 힘의 크기와 같다.

① ㄱ　　② ㄴ　　③ ㄷ　　④ ㄱ, ㄷ　　⑤ ㄴ, ㄷ

개념 꼭!
* 정지해 있거나 등속 운동 하는 물체에 작용하는 [❶　　　　]은 0이다.

자료 해석
* A에 작용하는 힘: A에 작용하는 [❷　　　　](mg)＝B가 A를 떠받치는 힘(mg)

* B에 작용하는 힘: A가 B를 누르는 힘(mg)＋B에 작용하는 중력$(3mg)$＝C가 B를 떠받치는 힘$(4mg)$

* C에 작용하는 힘: B가 C를 누르는 힘$(mg＋3mg)$＋C에 작용하는 중력$(4mg)$＝상자가 C를 떠받치는 힘$([❸　　　　])$　　**답** ❶ 알짜힘 ❷ 중력 ❸ $8mg$

Point 해설
ㄱ. B에 작용하는 알짜힘은 0이다.
ⓛ C가 B를 떠받치는 힘의 크기는 B가 C를 누르는 힘의 크기인 $4mg$와 같다.
ㄷ. 사람이 줄을 당기는 힘의 크기는 A, B, C와 상자에 작용하는 중력의 합인 $13mg$로 상자가 C를 떠받치는 힘$(8mg)$보다 크다.　　**답** ②

전략 비법 노트

● 정지해 있거나 등속 운동 하는 물체 → 작용하는 **알짜힘이 0**

2021 6월 모평 8번 유사

수능 전략 Key 뉴턴 운동 제2법칙(가속도 법칙)과 제3법칙(작용 반작용 법칙)을 이해하고, 문제의 상황에 맞게 적용할 수 있어야 한다.

그림은 물체 A, B, C가 수평 방향으로 20 N의 힘을 받아 함께 등가속도 직선 운동을 하는 모습을 나타낸 것이다. A, B, C의

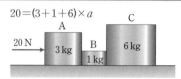

$$20 = (3+1+6) \times a$$

질량은 각각 3 kg, 1 kg, 6 kg이다. 이에 대한 설명으로 옳은 것만을 |보기|에서 있는 대로 고른 것은?

> **보기**
> ㄱ. A의 가속도의 크기는 2 m/s²이다.
> ㄴ. B가 A에 작용하는 힘과 B가 C에 작용하는 힘은 작용 반작용 관계에 있다.
> ㄷ. C가 B에 작용하는 힘의 크기는 12 N이다.

① ㄱ   ② ㄴ   ③ ㄷ   ④ ㄱ, ㄷ   ⑤ ㄴ, ㄷ

개념 꼭!

* 물체의 가속도는 물체에 작용하는 힘의 크기에 [❶   ]하고, 물체의 [❷   ]에 반비례한다.

* A가 B에 힘을 가하면 B도 A에 힘을 가하는데, 이때 A가 B에 가하는 힘을 작용이라 하면, B가 A에 가하는 힘을 [❸   ]이라고 한다.

답 ❶ 비례 ❷ 질량 ❸ 반작용

Point 해설

ㄱ A, B, C의 가속도의 크기는 $\dfrac{20 \text{ N}}{(3+1+6) \text{ kg}} = 2 \text{ m/s}^2$로 동일하다.

ㄴ B가 A에 작용하는 힘(14 N)은 A가 B에 작용하는 힘(14 N)과 **작용 반작용** 관계에 있다.

ㄷ C가 B에 작용하는 힘의 크기는 B가 C에 작용하는 힘의 크기와 같고 이는 C에 작용하는 알짜힘의 크기로 6 kg × 2 m/s² = 12 N이다.   **답** ④

전략 비법 노트

● 뉴턴 운동 제2법칙 → **가속도 법칙** ($F = ma$)
● 뉴턴 운동 제3법칙 → **작용 반작용 법칙**

10 뉴턴 운동 법칙(3)

수능 전략 Key 뉴턴 운동 법칙을 바탕으로 운동하는 물체의 운동 방정식을 세울 수 있어야 한다.

그림 (가), (나)는 물체 A, B를 실로 연결한 후 가만히 놓았을 때 A, B가 L 만큼 이동한 순간의 모습을 나타낸 것이다. 물체 A의 질량은 m이고, (가), (나)에서 A, B가 L만큼 운동하는 데 걸린 시간은 각각 t_1, t_2이다. 물체 B의 가속도의 크기는 (가)에서가 (나)에서의 2배이다.

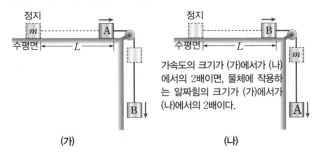

가속도의 크기가 (가)에서가 (나)에서의 2배이면, 물체에 작용하는 알짜힘의 크기가 (가)에서가 (나)에서의 2배이다.

이에 대한 설명으로 옳은 것만을 |보기|에서 있는 대로 고른 것은? (단, 중력 가속도는 g이고, 실의 질량, 공기 저항과 모든 마찰은 무시한다.)

┌─ 보기 ────────────────────
ㄱ. B의 질량은 $2m$이다.

ㄴ. $\dfrac{t_2}{t_1}=2$이다.

ㄷ. 실이 A를 당기는 힘의 크기는 (가)에서가 (나)에서보다 크다.
└──────────────────────────

① ㄱ   ② ㄴ   ③ ㄷ   ④ ㄱ, ㄷ   ⑤ ㄴ, ㄷ

개념 꼭! 실로 연결되어 같이 운동하는 물체의 운동 방정식 세우는 방법

* 실로 연결되어 같이 운동하는 물체는 속력과 **❶** 가 같다.

* 물체 전체에 작용하는 알짜힘=운동하는 물체의 전체 **❷** ×물체의 가속도

* (가)에서 물체 전체에 작용하는 알짜힘의 크기=B에 작용하는 **❸**

* (나)에서 물체 전체에 작용하는 알짜힘의 크기=A에 작용하는 **❸**

답 ❶ 가속도 ❷ 질량 ❸ 중력

자료 해석

* B의 질량을 m_B, (가)와 (나)에서 물체의 가속도를 각각 $a_{(가)}$, $a_{(나)}$, 실의 장력을 각각 $T_{(가)}$, $T_{(나)}$라고 한다.

(가)에서의 운동 방정식은 $m_B g = (m + m_B)a_{(가)}$ … ①

(나)에서의 운동 방정식은 $mg = (m + m_B)a_{(나)}$ … ②

문제의 조건에서 $a_{(가)} = 2a_{(나)}$ … ③

①, ②, ③을 연립하면 $m_B = 2m$, $a_{(가)} = \dfrac{2}{3}g$, $a_{(나)} = \dfrac{1}{3}g$이다.

* 등가속도 직선 운동의 $s = v_0 t + \dfrac{1}{2}at^2$ 식을 이용하면 (가), (나)에서의 이동 거리는 $L = \dfrac{1}{2}a_{(가)}t_1^2 = $ ❹ 이다. 따라서 $\dfrac{t_2}{t_1} = \sqrt{2}$이다.

* (가)에서 A, B에 대한 운동 방정식을 각각 적용해 보면, $m \times \dfrac{2}{3}g = $ ❺ ,

$2m \times \dfrac{2}{3}g = 2mg - T_{(가)}$로 $T_{(가)} = \dfrac{2}{3}mg$이고, 이 힘이 곧 실이 A와 B를 당기는 힘의 크기이다.

* (나)에서 A, B에 대한 운동 방정식을 각각 적용해 보면,

❻ $= mg - T_{(나)}$, $2m \times \dfrac{1}{3}g = T_{(나)}$로 $T_{(나)} = \dfrac{2}{3}mg$이고, 이 힘이 곧 실이 A와 B를 당기는 힘의 크기이다.　　**답** ❹ $\dfrac{1}{2}a_{(나)}t_2^2$ ❺ $T_{(가)}$ ❻ $m \times \dfrac{1}{3}g$

Point 해설

ㄱ. (가), (나)에서 물체 전체에 대한 운동 방정식을 세우고, 문제의 조건을 적용하면 B의 질량은 $2m$이다.

ㄴ. 등가속도 직선 운동 식 $s = v_0 t + \dfrac{1}{2}at^2$을 이용하면 $\dfrac{t_2}{t_1} = \sqrt{2}$이다.

ㄷ. (가)와 (나)에서 실이 A를 당기는 힘의 크기는 실이 B를 당기는 힘의 크기, 즉 실의 장력과 같고, 이는 (가)와 (나)에서 모두 $\dfrac{2}{3}mg$로 같다.　　**답** ①

전략 비법 노트

● 운동 방정식($F = ma$)으로 문제 해결하기 → 같이 움직이는 물체 전체에 대한 운동 방정식 세우기(같이 움직이는 물체의 **가속도의 방향과 크기는 같음**)

수능 전략 Key
물체의 속도 – 시간 그래프를 통해 물체의 가속도를 알아낸 후, 이를 이용해 물체의 운동 방정식을 세울 수 있어야 한다.

그림 (가)는 0초일 때 물체 A, B, C가 실로 연결되어 6 m/s의 속력으로 운동하고 있는 모습을, (나)는 B의 속력을 0초부터 3초까지 나타낸 것이다. B의 질량은 2 kg이고, 2초일 때 B와 C를 연결하고 있던 실이 끊어진다.

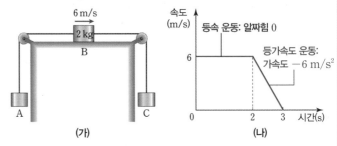

이에 대한 설명으로 옳은 것만을 |보기|에서 있는 대로 고른 것은? (단, 중력 가속도는 10 m/s^2이고, 실의 질량, 공기 저항과 모든 마찰은 무시한다.)

> 보기
>
> ㄱ. C의 질량은 3 kg이다.
>
> ㄴ. 2.5초일 때, 실이 A를 당기는 힘의 크기는 18 N이다.
>
> ㄷ. 0초부터 3초까지 A가 이동한 거리는 18 m이다.

① ㄱ　　　② ㄴ　　　③ ㄷ　　　④ ㄱ, ㄷ　　　⑤ ㄴ, ㄷ

개념 꼭!

* 속도 – 시간 그래프에서 그래프의 기울기는 물체의 ❶ □□□ 를 의미한다.

* 속도 – 시간 그래프에서 그래프가 시간 축과 이루는 ❷ □□ 는 물체의 이동 거리(변위)를 의미한다.

* 등속 운동을 하는 물체의 속도 – 시간 그래프는 시간 축과 나란하다.

* 등속 운동을 하는 물체에 작용하는 알짜힘은 ❸ □ 이다.

🄰 ❶ 가속도 ❷ 넓이 ❸ 0

자료 해석

* (나)에서 0초부터 2초까지 A, B, C는 6 m/s의 일정한 속력으로 같이 운동하므로 세 물체가 받는 알짜힘은 **❹** 이다. 따라서 A와 C의 질량은 같다.

* (나)에서 2초부터 3초까지 B는 가속도가 -6 m/s^{2}인 운동을 한다.

* B와 C를 연결하고 있던 실이 끊어진 후 A에 작용하는 **❺** 이 알짜힘이 되어 A, B가 처음의 운동 방향과 반대 방향으로 가속도의 크기가 6 m/s^{2}인 운동을 하게 된다.

  A의 질량을 m이라고 할 때, A, B에 대한 운동 방정식을 세우면 $10m=(m+2)\times6$에서 $m=3$ kg이다.

* A와 C의 질량은 같으므로 C의 질량은 3 kg이다.

* 2.5초일 때 실이 A 또는 B를 당기는 힘의 크기를 T라고 하고, A, B에 대한 운동 방정식을 각각 세우면 $3\times6=3\times10-T$, $T=2\times6$에서 $T=12$ N이다. 즉, 2.5초일 때 실이 A 또는 B를 당기는 힘의 크기는 12 N이다.

* 0초부터 3초까지 A가 이동한 거리는 B가 이동한 거리와 같다. (나)의 그래프에서 B가 이동한 거리가 $6\times2+\frac{1}{2}\times6\times1=15$(m)이므로 A가 이동한 거리는 **❻** m이다. **답 ❹ 0 ❺ 중력 ❻ 15**

Point 해설

ㄱ. 실이 끊어지기 전 세 물체에 작용하는 알짜힘이 0이므로 C의 질량은 A의 질량과 같은 3 kg이다.

ㄴ. 2.5초일 때 A 또는 B 중 어느 한 물체의 운동 방정식만 세워도 실이 A를 당기는 힘의 크기(＝실이 B를 당기는 힘의 크기＝실의 장력)는 12 N임을 알 수 있다.

ㄷ. 0초부터 3초까지 A가 이동한 거리는 B가 이동한 거리와 같다. (나)의 그래프에서 0초부터 3초까지 그래프와 시간 축이 이루는 넓이를 통해 A가 이동한 거리는 15 m임을 알 수 있다. **답 ①**

전략 비법 노트

● 속도-시간 그래프 → 기울기＝**가속도**
● 등속 운동을 하는 물체 → 작용하는 **알짜힘이 0**
● 두 개의 물체가 실로 연결되어 함께 움직일 때 실에 걸리는 장력 → **한 물체에 대한 운동 방정식만 세워도 구할 수 있다.**

수능 전략 Key

빗면에 있는 물체에는 빗면 아래 방향으로 힘이 작용한다는 사실과 등속 운동 하는 물체에 작용하는 알짜힘은 0임을 알아야 한다.

그림 (가)와 같이 질량이 각각 3 kg, 2 kg인 물체 A와 B가 실로 연결되어 있으며 A에는 수평면과 나란하게 왼쪽으로 크기가 F인 힘이 작용하고 있다. 그림 (나)는 (가)에서 F의 크기를 시간에 따라 나타낸 것이다. A의 속력은 0초일 때 0이고, 2~4초 동안의 속력은 일정하였다. B는 0~6초 동안 점 p에서 점 q까지 L만큼 이동하였다.

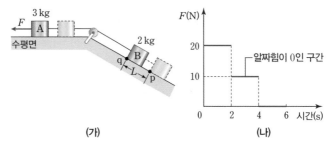

(가)   (나)

이에 대한 설명으로 옳은 것만을 보기 에서 있는 대로 고른 것은? (단, 물체의 크기, 실의 질량, 모든 마찰과 공기 저항은 무시한다.)

┌─ 보기 ┌

ㄱ. 1초일 때 B의 속력은 2 m/s이다.

ㄴ. 5초일 때 실이 A에 작용하는 힘의 크기는 6 N이다.

ㄷ. $L=14$ m이다.

① ㄱ   ② ㄴ   ③ ㄷ   ④ ㄱ, ㄴ   ⑤ ㄱ, ㄷ

개념 꼭!

* 빗면에 있는 물체에는 빗면 ❶ [　　　] 방향으로 힘이 작용한다.

* 등속 운동 하는 물체에 작용하는 알짜힘은 ❷ [　　　]이다.

* 실이 A를 당기는 힘의 크기＝실이 B를 당기는 힘의 크기＝실의 ❸ [　　　]

답 ❶ 아래 ❷ 0 ❸ 장력

자료 해석

* 2~4초 동안 속력이 일정한 **❹** [　　　　] 운동을 하였으므로 이 구간에서 A, B에 작용하는 알짜힘은 0이다. 따라서 B가 빗면 아래 방향으로 받는 힘의 크기는 F 의 크기와 같은 10 N이다.

* 0~2초 동안 A, B의 가속도를 a_1이라고 할 때, A, B에 대한 운동 방정식을 세워 보면 $20-10=(3+2) \times a_1$에서 $a_1=2 \text{ m/s}^2$이다.

* 4~6초 동안 A, B의 가속도를 a_2라고 할 때, A, B에 대한 운동 방정식을 세워 보면 $10=(3+2) \times a_2$에서 $a_2=2 \text{ m/s}^2$이다. 이때 가속도의 방향은 물체의 운동 방향과 **❺** [　　　　]이며, 이는 0~2초 동안 물체의 가속도 방향과도 반대이다.

* 5초일 때 실이 A에 작용하는 힘을 T라고 할 때, T가 A에 작용하는 **❻** [　　　　] 이므로 $T=3 \text{ kg} \times 2 \text{ m/s}^2=6 \text{ N}$이다.

* 위의 결과를 바탕으로 A 또는 B의 시간에 따른 속도 그래프를 그려 보면 다음과 같다.

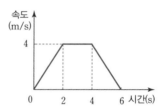

* 위의 속도–시간 그래프에서 0~6초 동안 그래프와 시간 축이 이루는 넓이는 16 m이므로 0~6초 동안 B가 이동한 거리 $L=16 \text{ m}$이고, 1초일 때 A, B의 속도는 모두 2 m/s이다.

답 ❹ 등속 **❺** 반대 **❻** 알짜힘

Point 해설

㉠ 정지해 있던 B가 1초 동안 2 m/s^2의 일정한 가속도로 운동하므로 속력이 증가한다. 따라서 1초일 때 B의 속력은 2 m/s이다.

㉡ 5초일 때 A 또는 B에 대한 운동 방정식을 세우면 실이 A에 작용하는 힘의 크기는 6 N임을 알 수 있다.

ㄷ. 0~6초 동안 속도–시간 그래프의 넓이를 통해 $L=16 \text{ m}$임을 알 수 있다.

답 ④

전략 비법 노트

● 가속도가 변하는 경우 물체의 이동 거리를 구할 때 → 물체의 속도–시간 그래프를 그린 후 그래프의 **넓이로 이동 거리**를 구한다.

13 운동량과 충격량(1)

2021 4월 학평 6번 유사

수능 전략 Key 충돌 시 물체가 받는 충격량은 물체의 운동량의 변화량과 같음을 알아야 한다.

그림은 물체 A가 $2v_0$의 속력으로 등속도 운동을 하다가 v_0의 속력으로 등속도 운동 하고 있는 물체 B와 충돌한 후 A, B가 같은 방향으로 각각 등속도 운동을 하는 모습을 나타낸 것이다. A, B의 질량은 각각 $2m$, $4m$이고, 충돌 후 속력은 B가 A의 1.5배이다.

충돌하는 동안 B가 A로부터 받은 충격량의 크기는?

① mv_0 ② $\dfrac{3}{2}mv_0$ ③ $2mv_0$ ④ $\dfrac{5}{2}mv_0$ ⑤ $3mv_0$

개념 꼭!
* 운동량 보존 법칙: 두 물체가 서로 충돌할 때 서로에게 작용하는 힘 외에 다른 힘이 없다면 충돌 전과 충돌 후의 운동량의 총합은 항상 **❶   **.
* 충돌 시 물체가 받은 충격량은 물체의 운동량의 **❷   **과 같다.

자료 해석
* 충돌 전 두 물체의 운동량의 합은 $2m \times 2v_0 + 4m \times v_0 = 8mv_0$이다.

* 충돌 후 A의 속도를 v, B의 속도를 $\dfrac{3}{2}v$라고 하면, 충돌 후 두 물체의 운동량의 합은 $2m \times v + 4m \times \dfrac{3}{2}v = 8mv$이다.

* 운동량 보존 법칙에 의해 충돌 전후 운동량의 총합은 같으므로 $8mv_0 = 8mv$에서 $v = v_0$이다. 따라서 충돌 후 A와 B의 속도는 각각 v_0, $\dfrac{3}{2}v_0$이다.

* B가 A로부터 받은 충격량=B의 운동량의 변화량=$4m\left(\dfrac{3}{2}v_0 - v_0\right) = 2mv_0$

답 ❶ 같다 ❷ 변화량

Point 해설 운동량 보존 법칙을 이용해 충돌 후 B의 속도를 구한 후 B의 운동량의 변화량으로 B가 받은 충격량을 구하면 $2mv_0$이다.

답 ③

전략 비법 노트

● 충격량 ➡ 운동량의 변화량과 같음

2019 7월 학평 4번 유사

수능 전략 Key 물체가 충돌할 때 물체가 받는 힘의 크기를 시간에 따라 나타낸 힘-시간 그래프에서 그래프의 넓이는 물체가 받는 충격량의 크기와 같다는 것을 알아야 한다.

그림 (가)는 수평면 위에서 질량이 $2\ kg$인 물체 A가 $4\ m/s$의 속력으로 정지해 있는 질량이 $2\ kg$인 물체 B를 향해 운동하고 있는 모습을, (나)는 (가)에서 A와 B가 충돌할 때 A가 B로부터 받는 힘의 크기를 시간에 따라 나타낸 것이다. (나)의 그래프 아래의 넓이는 $4\ N \cdot s$이다.

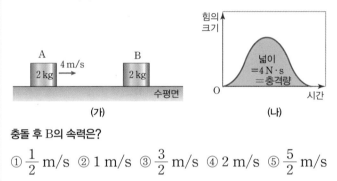

(가)   (나)

충돌 후 B의 속력은?

① $\dfrac{1}{2}$ m/s ② 1 m/s ③ $\dfrac{3}{2}$ m/s ④ 2 m/s ⑤ $\dfrac{5}{2}$ m/s

개념 꼭! * 힘-시간 그래프에서 그래프의 넓이는 충돌 과정에서 물체가 받는 [❶   ]과 같다.

* 두 물체가 충돌할 때 두 물체가 받는 충격량의 크기는 같고 방향은 서로 [❷   ]이다.

자료 해석 * 충돌하는 동안 A가 B로부터 받는 충격량의 크기는 $4\ N \cdot s$이다.

* B가 A로부터 받는 충격량의 크기도 $4\ N \cdot s$이므로 충돌 후 B의 속도를 v라고 하면 '충격량=운동량의 변화량'에 의해 $4=2(v-0)$에서 $v=2\ m/s$이다.

답 ❶ 충격량 ❷ 반대

Point 해설 힘-시간 그래프의 넓이로 구한 B가 A로부터 받는 충격량(=A가 B로부터 받는 충격량)이 B의 운동량의 변화량과 같다. 이를 활용하면 충돌 후 B의 속도는 $2\ m/s$임을 알 수 있다.

답 ④

전략 비법 노트

● 힘-시간 그래프 → 넓이=충격량

수능 전략 Key
물체가 충돌하는 동안 물체가 받는 평균 힘의 크기(충격력)는 물체가 받는 충격량을 충돌 시간으로 나누어 구할 수 있음을 알아야 한다.

다음은 충돌에 대한 실험이다.

| 실험 과정 |

(가) 그림과 같이 힘 센서에 수레 A 또는 B를 충돌시켜서 충돌 전과 반대 방향으로 튀어나오게 한다. A, B의 질량은 각각 3 kg, 2 kg이다.

속력 센서

힘 센서

수레

수평면

(나) (가)에서 충돌 전후 수레의 속력, 충돌하는 동안 수레가 받는 힘의 크기를 측정한다.

| 실험 결과 |

• 속력 센서로 측정한 속력

	A의 속력(cm/s)		B의 속력(cm/s)	
	충돌 전	충돌 후	충돌 전	충돌 후
	4	2	5	4

충돌 전 속도: +4 cm/s
충돌 후 속도: −2 cm/s

충돌 전 속도: +5 cm/s
충돌 후 속도: −4 cm/s

• 힘 센서로 측정한 힘의 크기 그래프의 넓이＝충격량

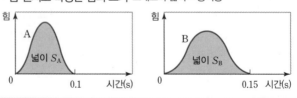

이에 대한 설명으로 옳은 것만을 |보기|에서 있는 대로 고른 것은? (단, 모든 마찰과 공기 저항은 무시한다.)

┌─ 보기 ┐

ㄱ. $S_A : S_B = 1 : 1$이다.

ㄴ. 충돌하는 동안 A가 받는 평균 힘의 크기는 1.8 N이다.

ㄷ. 충돌 전후 속도 변화량의 크기는 A가 B보다 더 크다.

① ㄴ   ② ㄷ   ③ ㄱ, ㄴ   ④ ㄱ, ㄷ   ⑤ ㄴ, ㄷ

개념 꼭!

* 충돌할 때 물체가 받는 충격량은 충격력(=평균 힘)의 크기와 충돌 시간에 각각 ❶[　　　]한다.

자료 해석

* A의 충돌 전 속도는 0.04 m/s, 충돌 후 속도는 ❷[　　　] m/s이므로, A의 운동량의 변화량(=충격량)은 $3 \times (-0.02 - 0.04) = -0.18$ kg·m/s이다.

* B의 충돌 전 속도는 0.05 m/s, 충돌 후 속도는 -0.04 m/s이므로, B의 운동량의 변화량(=충격량)은 $2 \times (-0.04 - 0.05) = -0.18$ kg·m/s이다.

* A와 B가 받는 충격량은 모두 왼쪽 방향이고, 그 크기는 0.18 N·s로 같기 때문에 힘-시간 그래프에서 그래프의 넓이 또한 모두 0.18 N·s로 같다.

* 충돌하는 동안 A가 받는 ❸[　　　]의 크기 = $\dfrac{충격량}{충돌\ 시간} = \dfrac{0.18}{0.1} = 1.8(N)$이다.

* 충돌하는 동안 B가 받는 평균 힘의 크기 = $\dfrac{충격량}{충돌\ 시간} = \dfrac{0.18}{0.15} = 1.2(N)$이다.

답 ❶ 비례 ❷ -0.02 ❸ 평균 힘

Point 해설

ㄱ. A, B의 운동량의 변화량이 같기 때문에 충격량이 같고, 따라서 힘-시간 그래프의 넓이도 같다.

ㄴ. 충돌하는 동안 A와 B가 받는 평균 힘의 크기는 각각 1.8 N, 1.2 N으로, 이는 물체가 받은 충격량을 충돌 시간으로 나누어 구할 수 있다.

ㄷ. 운동 방향을 고려하여 A와 B의 속도 변화량의 크기를 구하면 A는 0.06 m/s, 0.09 m/s로 속도 변화량의 크기는 B가 A보다 더 크다. **답** ③

전략 비법 노트

● 충돌하는 동안 물체가 받는 평균 힘(충격력)의 크기 → 운동량의 변화량으로 충격량을 구한 후, 충격량을 충돌 시간으로 나누어 구한다.

16 운동량과 충격량(4)

수능 전략 Key 물체의 운동량은 물체의 질량과 속도의 곱임을 알고, 이를 바탕으로 여러 가지 자료를 해석할 수 있어야 한다.

그림 (가)와 같이 마찰이 없는 수평면에서 벽을 향해 2 m/s의 일정한 속력으로 운동하던 물체 A가 0초일 때 점 p를 통과하고, 2초일 때 점 q를 지나는 순간 A에 1초 동안 힘이 작용하였다. 그 후 A는 벽에 충돌한 후 튀어나와 반대 방향으로 운동하였다. A는 일직선상에서만 운동한다. 그림 (나)는 A의 운동량을 시간에 따라 나타낸 것으로, 벽은 A에 2초 동안 힘을 작용하였다. ┌─ 운동량=질량×속도

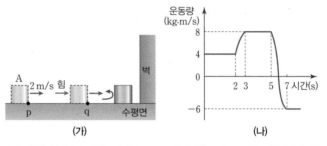

(가)   (나)

이에 대한 설명으로 옳은 것만을 |보기|에서 있는 대로 고른 것은? (단, 물체의 크기, 모든 마찰과 공기 저항은 무시한다.)

┌─ 보기 ─
ㄱ. p와 q 사이의 거리는 4 m이다.
ㄴ. A가 벽에 충돌하는 동안 속도 변화량의 크기는 7 m/s이다.
ㄷ. A가 받은 평균 힘의 크기는 벽에 충돌할 때가 2~3초 구간의 $\frac{7}{2}$배이다.

① ㄱ   ② ㄴ   ③ ㄷ   ④ ㄱ, ㄴ   ⑤ ㄱ, ㄷ

개념 꼭!

* 운동량은 운동하는 물체의 운동 정도를 나타내는 양으로, 질량과 **❶** [____]에 각각 비례한다.

* 운동량-시간 그래프에 제시된 운동량의 값을 **❷** [____]으로 나눈 후 그래프를 다시 그리면 물체의 속도-시간 그래프를 얻을 수 있다.

답 ❶ 속도 ❷ 질량

자료 해석

* 물체가 2 m/s의 속력으로 운동하는 0~2초 구간에서 물체의 운동량은 4 kg·m/s이므로 물체의 질량은 $\frac{4}{2}=$ ❸ ☐ (kg)이다.

* p와 q 사이의 거리는 물체가 2 m/s의 일정한 속력으로 2초 동안 이동한 거리이므로 2 m/s×2 s=4 m이다.

* 2~3초 구간에서 물체의 운동량의 변화량은 4 kg·m/s이므로 이 구간에서 물체가 받은 평균 힘의 크기는 $\frac{4}{1}=4$(N)이다.

* 물체가 벽에 충돌하는 5~7초 구간에서 물체의 운동량의 변화량의 크기는 ❹ ☐ kg·m/s이므로 이 구간에서 받은 평균 힘의 크기는 $\frac{14}{2}=7$(N)이다.

* 물체의 시간에 따른 속도 그래프는 다음과 같다. 이 그래프에서 물체가 벽에 충돌하기 전 속도는 4 m/s, 벽에 충돌한 후의 속도는 −3 m/s이므로 속도 변화량의 크기는 7 m/s이다.

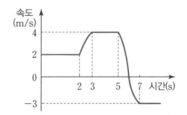

답 ❸ 2 ❹ 14

Point 해설

㉠ p와 q 사이의 거리는 물체가 2 m/s로 2초 동안 등속 운동을 한 거리이므로 4 m이다.

㉡ 5초일 때와 7초일 때 물체의 속도는 각각 4 m/s, −3 m/s이므로 속도 변화량의 크기는 7 m/s이다.

ㄷ. A가 받은 평균 힘의 크기는 2~3초 구간에서 4 N, 5~7초 구간에서 7 N이다. 즉, 벽에 충돌할 때가 2~3초 구간에서 받은 평균 힘의 크기의 $\frac{7}{4}$배이다.

답 ④

전략 비법 노트

● 운동량-시간 그래프에서 속도를 구하려고 할 때 → 그래프에 제시된 **운동량을 물체의 질량으로 나누어** 구한다.

17 운동량과 충격량(5)

수능 전략 Key 시간에 따른 두 물체 사이의 거리 그래프에서 그래프의 기울기는 두 물체 사이의 상대 속도임을 알아야 한다.

그림 (가)와 같이 마찰이 없는 수평면에서 물체 A, B, C가 등속도 운동을 한다. A와 B는 C를 향해 운동하고 A의 속력은 2 m/s이다. C의 운동 방향은 B의 운동 방향과 반대이고, B와 C 사이의 거리는 4 m이다. A와 B의 질량은 각각 2 kg, m이다. 그림 (나)는 (가)에서 A와 B 사이의 거리를 시간 t에 따라 나타낸 것으로, 2초일 때 B와 C가 충돌한 후 C는 운동 방향이 바뀌어 1 m/s의 속력으로 운동하고, 4초일 때 A와 B가 충돌한 후 A는 정지한다. A, B, C는 일직선상에서 운동한다.

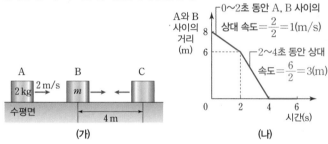

이에 대한 설명으로 옳은 것만을 |보기|에서 있는 대로 고른 것은? (단, 물체의 크기, 모든 마찰과 공기 저항은 무시한다.)

보기
ㄱ. $m = 4$ kg이다.
ㄴ. 0~4초 동안 B의 변위는 2 m이다.
ㄷ. 5초일 때 C의 운동량의 크기는 8 kg·m/s이다.

① ㄱ ② ㄴ ③ ㄷ ④ ㄱ, ㄴ ⑤ ㄱ, ㄷ

개념 꼭!
* 시간에 따른 두 물체 사이의 거리 그래프에서 기울기는 두 물체 사이의 ❶ 를 의미한다.
* 서로 가까워지던 두 물체 사이의 거리가 0이 되는 순간 두 물체는 ❷ 한다.

답 ❶ 상대 속도 ❷ 충돌

자료 해석

* 0~2초 동안 A와 B 사이의 거리는 1초당 1 m씩 가까워지고 있으므로 두 물체 사이의 상대 속력은 1 m/s이다. 따라서 B의 속력은 A의 속력인 2 m/s보다 1 m/s 작은 **❸**   m/s이다.

* B와 C는 2초일 때 충돌하므로 B와 C가 0~2초 동안 이동한 거리의 합은 4 m 이다. C의 속력을 v라고 할 때, $(1+v) \times 2 = 4$에서 $v = 1$ m/s로, C는 B와 충돌 전 왼쪽으로 1 m/s의 속력으로 운동을 한다.

* 2초일 때 B와 C가 충돌한 후 A와 B 사이의 상대 속력은 3 m/s가 되므로 B는 C와 충돌 후 왼쪽으로 1 m/s의 속력으로 운동한다.

* 4초일 때 A와 B가 충돌 후 A는 정지하는데, A와 B 사이의 거리가 계속 0으로 유지되므로 두 물체는 충돌 후 한 물체가 되어 정지함을 알 수 있다. A와 B의 충돌 전후 운동량은 **❹**   되므로 $2 \times 2 + m \times (-1) = (2+m) \times 0$에서 $m = 4$ kg이다.

* B와 C의 충돌 전후 **❺**   도 보존되므로 C의 질량을 m_C라고 하면, $4 \times 1 + m_C \times (-1) = 4 \times (-1) + m_C \times 1$에서 $m_C = 4$ kg임을 알 수 있다.

* B는 0~2초 동안 오른쪽으로 1 m/s의 속력으로 운동한 후, 2~4초 동안 왼쪽으로 1 m/s의 속력으로 운동하므로 0~4초 동안 B의 변위는 0이다.

* 5초일 때 C의 속력은 1 m/s이므로 C의 운동량의 크기는 $4 \times 1 = 4$(kg·m/s) 이다.

                                        답 ❸ 1 ❹ 보존 ❺ 운동량

Point 해설

㉠ A와 B 사이의 거리를 통해 B가 A와 충돌하기 전후의 속도를 구한 후 운동량 보존 법칙을 활용하면 B의 질량이 4 kg임을 알 수 있다.

ㄴ. B는 0~2초 동안 오른쪽으로 2 m, 2~4초 동안 왼쪽으로 2 m 이동하여 4초 일 때 제자리로 돌아와 변위는 0이다.

ㄷ. 5초일 때 C의 속도는 1 m/s, C의 질량은 4 kg이기 때문에 운동량의 크기는 4 kg·m/s이다.

                                        답 ①

전략 비법 노트

● 시간에 따른 두 물체 사이의 거리 그래프 → 그래프의 **기울기는 두 물체의 상대 속도**를 의미

18 역학적 에너지 보존(1)

역학적 에너지 보존 법칙과 일-운동 에너지 정리에 대해 알아야 한다.

그림과 같이 질량이 m인 물체가 높이가 $3h$인 곳에서 속력 v로 출발하여 궤도를 따라 운동한다. 물체는 수평 구간 A, 빗면 구간 B를 지난 후 높이가 h인 곳을 속력 $3v$로 지난다. 물체는 A, B 구간에서 각각 운동 방향으로 힘을 받아 A에서 등가속도 직선 운동을, B에서 속력 $2v$로 등속도 운동을 하였다. A, B 구간의 길이는 각각 L_1, L_2이고, 물체가 A, B 구간을 지나는 데 걸리는 시간은 B에서가 A에서의 2배이다.

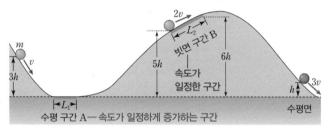

이에 대한 설명으로 옳은 것만을 |보기|에서 있는 대로 고른 것은?(단, 물체의 크기, 마찰과 공기 저항은 무시한다.)

┌ 보기 ┌
ㄱ. 물체가 A를 지나는 데 걸리는 시간은 $\dfrac{L_2}{4v}$이다.

ㄴ. A에서 물체가 받는 힘의 크기는 $\dfrac{2mv^2}{L_1}$이다.

ㄷ. $\dfrac{L_1}{L_2} = \dfrac{5}{8}$이다.

① ㄱ   ② ㄴ   ③ ㄷ   ④ ㄱ, ㄴ   ⑤ ㄱ, ㄷ

* 역학적 에너지 보존 법칙: 공기 저항이나 마찰이 없는 경우 물체의 운동 에너지와 중력 **❶ [　　　]** 에너지의 합인 역학적 에너지는 항상 일정하게 보존된다.

* 중력에 의한 역학적 에너지 보존: $\dfrac{1}{2}mv^2 + mgh =$ 일정

* 일-운동 에너지 정리: 물체에 작용하는 알짜힘이 한 일은 물체의 **❷ [　　　]** 에너지 변화량과 같다.   답 ❶ 퍼텐셜 ❷ 운동

자료 해석

* 수평 구간 A에 들어가기 직전의 속력을 v_1, A를 통과한 직후의 속력을 v_2라고 하고, A를 통과하는 데 걸린 시간을 t, B를 통과하는 데 걸린 시간을 $2t$라고 하자.

  물체는 구간 B에서 등속도 운동을 하므로 $L_2 = 2v \times 2t$에서 $t = \dfrac{L_2}{4v}$이다. 즉, 물체가 A를 지나는 데 걸린 시간은 $\dfrac{L_2}{4v}$이고, B를 지나는 데 걸린 시간은 $\dfrac{L_2}{2v}$이다.

* 높이가 $3h$인 지점과 구간 A에 들어가기 직전, 구간 A를 통과한 직후와 높이가 $5h$인 지점, 높이가 $6h$인 지점과 높이가 h인 지점에 각각 ❸ 을 적용하면,

  $$\frac{1}{2}mv^2 + 3mgh = \frac{1}{2}mv_1^2 \cdots ① \qquad \frac{1}{2}mv_2^2 = \frac{1}{2}m(2v)^2 + 5mgh \cdots ②$$
  $$\frac{1}{2}m(2v)^2 + 6mgh = \frac{1}{2}m(3v)^2 + mgh \cdots ③$$

  이다. ③에서 $v^2 = 2gh$이고, 이를 ①, ②에 대입하면 $v_1 = 2v$, $v_2 = 3v$이다.

* A에서 물체의 가속도의 크기는 $\dfrac{v_2 - v_1}{t} = \dfrac{3v - 2v}{\dfrac{L_2}{4v}} = \dfrac{4v^2}{L_2}$이므로, A에서 물체에 작용하는 알짜힘의 크기는 ❹ 이다.

* A에서 물체에 작용한 알짜힘이 한 일의 양은 물체의 ❺ 변화량과 같다.
  따라서 $\dfrac{4mv^2}{L_2} \times L_1 = \dfrac{5}{2}mv^2$에서 $\dfrac{L_1}{L_2} = \dfrac{5}{8}$이다.

  답 ❸ 역학적 에너지 보존 법칙 ❹ $\dfrac{4mv^2}{L_2}$ ❺ 운동 에너지

Point 해설

ㄱ. 물체가 등속 운동으로 빗면 구간 B를 통과하는 데 걸린 시간을 통해 수평 구간 A를 통과하는 데 걸린 시간을 구해 보면 $\dfrac{L_2}{4v}$이다.

ㄴ. A에서 물체가 받는 힘의 크기는 A에서의 가속도와 물체의 질량을 곱한 $\dfrac{4mv^2}{L_2}$이다.

ㄷ. A에서 물체에 작용한 알짜힘이 한 일의 양이 물체의 운동 에너지 변화량과 같다는 점을 이용해 정리하면 $\dfrac{L_1}{L_2} = \dfrac{5}{8}$이다.

  답 ⑤

전략 비법 노트

● 물체의 운동 에너지와 중력 퍼텐셜 에너지의 합 → **일정하게 보존**
● 물체에 작용한 알짜힘이 한 일의 양 → 물체의 **운동 에너지 변화량과 같음**

수능 전략 Key
두 개 이상의 물체가 실로 연결되어 운동할 때에도 역학적 에너지 보존 법칙이 성립함을 알아야 한다.

그림 (가)와 같이 물체 A, C와 실로 연결된 물체 B를 $x=0$인 지점에 가만히 놓았더니 A, B, C가 등가속도 운동을 하다가 B가 $x=L$인 지점을 지나는 순간 A와 B를 연결하고 있던 실이 끊어진다. B, C의 질량은 각각 m, $2m$이다. 그림 (나)는 B의 운동 에너지를 B의 위치 x에 따라 나타낸 것이다.

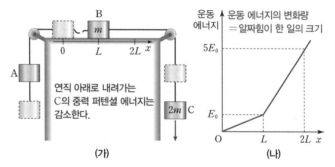

(가)

연직 아래로 내려가는 C의 중력 퍼텐셜 에너지는 감소한다.

운동 에너지

운동 에너지의 변화량 = 알짜힘이 한 일의 크기

(나)

이에 대한 설명으로 옳은 것만을 ㅣ보기ㅣ에서 있는 대로 고른 것은? (단, 중력 가속도는 g이고, 물체의 크기, 모든 마찰과 공기 저항은 무시한다.)

> **보기**
>
> ㄱ. A의 질량은 $\dfrac{9}{7}m$이다.
>
> ㄴ. $E_0 = \dfrac{mgL}{6}$이다.
>
> ㄷ. B가 $x=0$에서 $x=L$까지 운동하는 동안, A, B의 역학적 에너지 증가량은 $10E_0$이다.

① ㄴ ② ㄷ ③ ㄱ, ㄷ ④ ㄴ, ㄷ ⑤ ㄱ, ㄴ, ㄷ

개념 꼭!

* 실로 연결되어 여러 물체가 함께 운동할 때, 운동하는 물체 전체의 **❶**⬚ 에너지는 항상 일정하게 보존된다.

* 실로 연결되어 함께 움직이는 여러 물체의 속력은 같으므로, 각 물체의 운동 에너지는 **❷**⬚ 에 비례한다.

답 ❶ 역학적 ❷ 질량

자료 해석

* (나)에서 B가 $x=0$에서 $x=L$로 이동하는 동안 증가한 운동 에너지의 양은 E_0이고, $x=L$에서 $x=2L$로 이동하는 동안 증가한 운동 에너지의 양은 $4E_0$이다. $x=0{\sim}L$ 구간에서 B에 작용한 알짜힘의 크기를 F_1, $x=L{\sim}2L$ 구간에서 B에 작용한 알짜힘의 크기를 F_2라고 하면, 일 $-$ **❸** 에너지 정리에 의해 $F_1 \times L = E_0$, $F_2 \times L = 4E_0$에서 $F_2 = 4F_1$이다.

* B에 작용하는 알짜힘의 크기는 실이 끊어진 후가 끊어지기 전의 4배이므로, B의 가속도 역시 실이 끊어진 후가 실이 끊어지기 전의 4배이다.

* 실이 끊어지기 전 A의 질량을 m_A, 가속도를 a_1이라고 할 때 $(2m-m_A)g = (m_A+m+2m)a_1$에서 $a_1 = \dfrac{2m-m_A}{3m+m_A}g$이다. 실이 끊어진 후 B, C의 가속도를 a_2라고 할 때 $2mg = (m+2m)a_2$에서 $a_2 = \dfrac{2}{3}g$이다.

* $a_2 = 4a_1$이므로 $\dfrac{2}{3}g = 4 \times \dfrac{2m-m_A}{3m+m_A}g$이다. 이를 정리하면 $m_A = \dfrac{9}{7}m$이다.

* B가 $x=L$에서 $x=2L$로 운동하는 동안 B의 운동 에너지 증가량은 $4E_0$이고, C의 운동 에너지 증가량은 질량이 C가 B의 2배이기 때문에 $8E_0$이다. B, C의 운동 에너지 증가량의 합은 C의 **❹** 에너지 감소량과 같기 때문에 $2mgL = 4E_0 + 8E_0$에서 $E_0 = \dfrac{mgL}{6}$이다.

* B가 $x=0$에서 $x=L$로 운동하는 동안 A, B의 역학적 에너지 증가량은 A의 중력 퍼텐셜 에너지 증가량과 A, B의 **❺** 에너지 증가량의 합이므로 $\dfrac{9}{7}mgL + \dfrac{9}{7}E_0 + E_0$이다. $mgL = 6E_0$를 대입해서 정리하면 $10E_0$이다.

답 ❸ 운동 ❹ 중력 퍼텐셜 ❺ 운동

Point 해설

ㄱ. 실이 끊어지기 전후 B의 가속도 차이를 이용해 계산하면 A의 질량은 $\dfrac{9}{7}m$이다.

ㄴ. 역학적 에너지 보존 법칙을 활용하면 $E_0 = \dfrac{mgL}{6}$이다.

ㄷ. A, B의 역학적 에너지 증가량은 'A의 중력 퍼텐셜 에너지 증가량 + A의 운동 에너지 증가량 + B의 운동 에너지 증가량'이므로 $10E_0$이다.

답 ⑤

전략 비법 노트

● 실로 연결되어 함께 운동하는 물체의 운동 에너지 → 물체의 **질량에 비례**

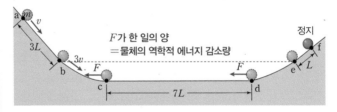

중력 이외의 다른 힘이 물체에 작용하면 역학적 에너지 보존 법칙은 성립하지 않음을 알아야 한다.

그림과 같이 질량이 m인 물체가 마찰이 없는 연직면상의 궤도를 따라 운동한다. 물체는 왼쪽 빗면상의 점 a, b, 수평면상의 점 c, d, 오른쪽 빗면상의 점 e를 지나 점 f에 도달한다. a와 b 사이의 거리는 $3L$이고, e와 f 사이의 거리는 L이다. 물체가 a, b를 지나는 순간의 속력은 각각 v, $3v$이고, e~f 구간을 통과하는 데 걸리는 시간은 a~b 구간을 통과하는 데 걸리는 시간의 $\frac{4}{3}$배이다. 물체는 c~d 구간에서 운동 방향과 반대 방향으로 크기가 F인 일정한 힘을 받는다. b와 e의 높이는 같다.

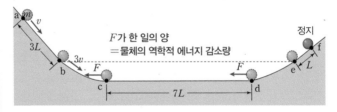

이에 대한 설명으로 옳은 것만을 |보기|에서 있는 대로 고른 것은? (단, 물체의 크기와 공기 저항은 무시한다.)

보기

ㄱ. 물체가 e~f 구간을 통과하는 데 걸리는 시간은 $\frac{2L}{v}$이다.

ㄴ. $F = \frac{4mv^2}{3L}$이다.

ㄷ. F의 크기는 e~f 구간에서 물체에 작용하는 알짜힘의 크기보다 작다.

---

① ㄱ ② ㄴ ③ ㄱ, ㄷ ④ ㄴ, ㄷ ⑤ ㄱ, ㄴ, ㄷ

* 등가속도 직선 운동 하는 물체의 ❶ ⬚ $= \dfrac{\text{처음 속력} + \text{나중 속력}}{2}$

* 운동하고 있는 물체에 운동 방향과 같은 방향으로 알짜힘이 작용하면 물체의 운동 에너지는 ❷ ⬚ 하고, 운동 방향과 반대 방향으로 알짜힘이 작용하면 물체의 운동 에너지는 ❸ ⬚ 한다.

📋 ❶ 평균 속력 ❷ 증가 ❸ 감소

자료 해석

* 물체가 a~b 구간을 통과하는 데 걸리는 시간을 t_1이라고 하면, a~b 구간에서의 평균 속력은 $\dfrac{v+3v}{2}=$ **❹** 이므로 $2v \times t_1 = 3L$에서 $t_1 = \dfrac{3L}{2v}$이다.

* 물체가 e~f 구간을 통과하는 데 걸리는 시간을 t_2, e에서 물체의 속력을 v'라고 하면, e~f 구간에서의 평균 속력은 $\dfrac{v'+0}{2}=\dfrac{v'}{2}$이므로 $\dfrac{v'}{2} \times t_2 = L$에서 $t_2 = \dfrac{2L}{v'}$이다. $t_2 = \dfrac{4}{3}t_1$이므로 $\dfrac{2L}{v'}=\dfrac{4}{3} \times \dfrac{3L}{2v}$에서 $v'=v$이다.

* a~b 구간에서 물체에 작용한 알짜힘의 크기를 F_1이라고 하면, **❺** -운동 에너지 정리에 의해 $F_1 \times 3L = \dfrac{1}{2}m((3v)^2-v^2)$에서 $F_1 = \dfrac{4mv^2}{3L}$이다.

* e~f 구간에서 물체에 작용한 알짜힘의 크기를 F_2라고 하면, 일-운동 에너지 정리에 의해 $F_2 \times L = \dfrac{1}{2}m(v^2-0)$에서 $F_2 = \dfrac{mv^2}{2L}$이다.

* F가 작용하는 구간이 없다면 b와 e의 높이는 같으므로 역학적 에너지 보존 법칙에 의해 두 지점에서의 **❻** 이 같아야 한다. 하지만 b에서의 속력은 $3v$, e에서의 속력은 v로 운동 에너지가 $\dfrac{1}{2}m((3v)^2-v^2)=4mv^2$만큼 감소하였다. 감소한 운동 에너지는 수평 구간 c~d에서 F가 한 일의 양과 같으므로 $F \times 7L = 4mv^2$에서 $F = \dfrac{4mv^2}{7L}$이다. **답 ❹ $2v$ ❺ 일 ❻ 속력**

Point 해설

ㄱ. 평균 속도를 이용하면 물체가 e~f 구간을 통과하는 데 걸리는 시간은 $\dfrac{2L}{v}$임을 알 수 있다.

ㄴ. b점과 e점에서의 운동 에너지 차이가 F가 한 일의 양과 같으므로 $F = \dfrac{4mv^2}{7L}$이다.

ㄷ. $F = \dfrac{4mv^2}{7L}$이고, e~f 구간에서 물체에 작용하는 알짜힘의 크기는 $\dfrac{mv^2}{2L}$이므로 F가 더 크다. **답 ①**

전략 비법 노트

● 물체의 운동 에너지가 감소 → 물체의 운동 방향과 반대 방향으로 알짜힘이 작용
● 물체의 운동 에너지 변화량 → 알짜힘이 물체에 한 일의 양과 같음

수능 전략 Key 중력 이외의 외력이 작용하지 않을 때, 중력과 탄성력에 의한 역학적 에너지는 보존됨을 알아야 한다.

그림 (가)와 같이 질량이 각각 3 kg, 5 kg, 2 kg인 물체 A, B, C가 용수철 상수가 100 N/m인 용수철과 실에 연결되어 정지해 있다. 그림 (나)는 (가)의 C에 연결된 실이 끊어진 후, A가 연직선상에서 운동하여 용수철이 원래 길이에서 0.2 m만큼 늘어난 순간의 모습을 나타낸 것이다.

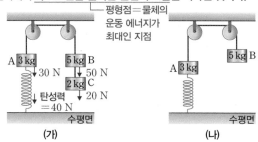

(가)   (나)

이에 대한 설명으로 옳은 것만을 │보기│에서 있는 대로 고른 것은? (단, 중력 가속도는 10 m/s²이고, 실과 용수철의 질량, 모든 마찰과 공기 저항은 무시한다.)

┌─ 보기 ┐

ㄱ. (가)에서 용수철에 저장된 탄성 퍼텐셜 에너지는 6 J이다.

ㄴ. (나)에서 A의 속력은 $\frac{1}{2}$ m/s이다.

ㄷ. C에 연결된 실을 제거한 후 A가 연직선상에서 운동할 때, (나)의 순간이 B의 운동 에너지가 최대인 순간이다.

① ㄱ   ② ㄷ   ③ ㄱ, ㄴ   ④ ㄱ, ㄷ   ⑤ ㄴ, ㄷ

개념 꼭!

* 탄성력: $F = kx$(k: 용수철 상수, x: 용수철의 [❶＿＿＿＿]된 길이)

* 중력과 탄성력에 의한 역학적 에너지 보존 법칙:

$$\frac{1}{2}mv^2 + \frac{1}{2}kx^2 + mgh = [❷＿＿＿＿]$$

답 ❶ 변형 ❷ 일정

자료 해석

* (가)에서 모든 물체가 정지 상태에 있기 때문에 물체 또는 용수철에 작용하는 알짜 힘은 모두 **❸** 이다. 따라서 용수철이 원래 길이에서 늘어난 길이를 x라고 하면, $50+20-30=100x$에서 $x=0.4$ m이다. 따라서 (가)에서 용수철이 늘어난 길이는 0.4 m이고, 용수철에 저장된 탄성 퍼텐셜 에너지는 $\frac{1}{2} \times 100 \times (0.4)^2 = 8(J)$이다.

* (나)에서 용수철은 원래 길이에서 0.2 m만큼 늘어난 상태이다. 즉, (나)에서는 (가)에서보다 A의 높이는 0.2 m만큼 낮아졌고, B의 높이는 0.2 m만큼 높아졌으므로 (가)에서 A, B의 높이를 기준으로 한다면 (나)에서 물체의 증가한 중력 퍼텐셜 에너지는 $(5-3) \times 10 \times 0.2 = 4(J)$이라고 할 수 있다.

   따라서 (나)에서 A, B의 **❹** 에너지는 물체의 속도를 v라고 하고, (가)에서 중력 퍼텐셜 에너지를 0이라고 하면

   $\frac{1}{2} \times 100 \times (0.2)^2 + 4 + \frac{1}{2} \times (3+5) \times v^2$이고, 이는 (가)에서 용수철에 저장된 탄성 퍼텐셜 에너지인 8 J과 같아야 한다. 따라서 $v = \frac{\sqrt{2}}{2}$ m/s이다.

* (나)에서 용수철의 새로운 평형점을 찾아보면 $50-30=100 \times 0.2$에서 용수철이 0.2 m만큼 늘어난 순간이 용수철의 새로운 평형점이고 이 순간이 바로 (나)인 순간이다. 따라서 (나)의 상태일 때가 물체 A, B의 운동 에너지가 **❺** 인 순간이다.

   답 ❸ 0 **❹** 역학적 **❺** 최대

Point 해설

ㄱ. (가)에서 용수철이 늘어난 길이는 0.4 m이므로 용수철에 저장된 탄성 퍼텐셜 에너지는 8 J이다.

ㄴ. (가)에서 용수철의 탄성 퍼텐셜 에너지의 값과 (나)에서 '중력 퍼텐셜 에너지＋용수철의 탄성 퍼텐셜 에너지＋물체 A, B의 운동 에너지'의 값이 같으므로 A의 속력은 $\frac{\sqrt{2}}{2}$ m/s가 된다.

ㄷ. (나)의 순간은 중력과 탄성력이 힘의 평형을 이루는 위치로 A, B의 운동 에너지가 최대인 순간이다.

   답 ②

전략 비법 노트

● 역학적 에너지 보존 법칙이 성립하는 문제에서 운동 에너지가 최대인 지점 → '중력 ＝탄성력'인 평형 위치

● 평형 위치에서의 역학적 에너지＝탄성 퍼텐셜 에너지＋중력 퍼텐셜 에너지＋운동 에너지

22 열역학 과정

기체의 내부 에너지 증가량은 외부에서 기체가 흡수한 열량에서 기체가 외부에 한 일을 뺀 값과 같다는 열역학 제1법칙을 알아야 한다.

그림 (가)와 같이 단열된 실린더에 각각 같은 양의 동일한 이상 기체 A, B 가 들어 있고, 단면적이 같은 단열된 두 피스톤이 정지해 있다. A에 120 J 의 열량을 공급하였더니 A가 20 J의 일을 하면서 피스톤이 천천히 이동한 후 정지하였다. 그림 (나)는 A의 압력과 부피를 나타낸 것으로 a는 A에 열 량이 공급되기 전 A의 상태이고, 열량이 공급되어 피스톤이 이동한 후 정 지하였을 때 A의 상태가 b이다.

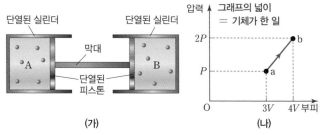

(가)   (나)

이에 대한 설명으로 옳은 것만을 |보기|에서 있는 대로 고른 것은?

보기
ㄱ. (나)에서 PV의 값은 $\dfrac{40}{3}$ J이다.

ㄴ. b에서 절대 온도는 A가 B의 4배이다.

ㄷ. a → b 과정에서 B의 내부 에너지 증가량은 100 J이다.

① ㄱ   ② ㄴ   ③ ㄷ   ④ ㄱ, ㄴ   ⑤ ㄱ, ㄷ

* 압력 – 부피 그래프에서 그래프의 넓이는 기체가 한 [❶   ] 의 양을 나타낸다.

* 샤를 법칙: 기체의 압력이 일정할 때 기체의 부피는 절대 온도에 [❷   ] 한다.

* 보일 법칙: 기체의 온도가 일정할 때 기체의 부피는 압력에 [❸   ] 한다.

* 열역학 제1법칙: 기체가 흡수한 열은 기체가 외부에 한 일과 기체의 내부 에너지 증가량의 합과 같다. → $Q = W + \varDelta U$ 답 ❶ 일 ❷ 비례 ❸ 반비례

자료 해석

* A에 120 J의 열을 공급하였을 때 A가 한 일의 양은 20 J이므로, 열역학 제1법칙에 의해 a → b 과정에서 A의 내부 에너지 증가량은

$\Delta U_A = Q_A - W_A = 120\,J - 20\,J = 100\,J$이다.

* 압력−부피 그래프에서 그래프의 넓이는 기체가 한 **❹** 을 의미한다. (나)의 a → b 과정에서 그래프의 넓이는 $\dfrac{P+2P}{2} \times V$이므로 $\dfrac{3}{2}PV = 20\,J$에서 $PV = \dfrac{40}{3}\,J$이다.

* B는 단열된 실린더와 피스톤으로 둘러싸여 있으므로 B의 a → b 과정은 **❺** 과정이다. 이때 A가 B에 20 J의 일을 하므로 B가 받는 일의 양은 20 J이다. 따라서 B의 내부 에너지 변화량은 열역학 제1법칙에 의해

$\Delta U_B = Q_B - W_B = 0 - (-20\,J) = 20\,J$이므로, a → b 과정에서 B의 내부 에너지는 20 J만큼 증가한다. 이를 정리하면 B는 20 J의 일을 받아 내부 에너지가 20 J 증가한다.

* b 상태에서 피스톤은 정지 상태에 있기 때문에 A와 B의 압력은 모두 $2P$로 같다. a → b 과정에서 A의 부피는 V만큼 증가했으므로, B의 부피는 V만큼 감소해야 한다. 따라서 b 상태에서 B의 부피는 $3V - V = 2V$이다. 즉, b 상태일 때 A의 압력과 부피는 각각 $2P$, $4V$이고, B의 압력과 부피는 각각 $2P$, $2V$이다.

* 샤를 법칙에 의하면, 기체의 압력이 일정할 때 기체의 부피는 **❻** 에 비례한다. 따라서 b 상태일 때 A, B의 압력은 같고 부피는 A가 B의 2배이므로 절대 온도는 A가 B의 2배이다.

답 ❹ 일 **❺** 단열 **❻** 절대 온도

Point 해설

ㄱ. 그래프의 넓이로 PV의 값은 $\dfrac{40}{3}\,J$ 임을 알 수 있다.

ㄴ. 압력이 일정할 때 기체의 부피는 절대 온도에 비례하므로, b일 때 절대 온도는 A가 B의 2배이다.

ㄷ. 열역학 제1법칙에 의해 a → b 과정에서 B의 내부 에너지 증가량은 20 J이다.

답 ①

전략 비법 노트

● 압력이 일정할 때 기체의 부피는 → 절대 온도에 비례함
● 압력−부피 그래프에서 그래프의 넓이 → 기체가 한 일의 양을 의미
● 기체가 흡수한 열의 양 → 기체가 외부에 한 일과 기체의 내부 에너지 증가량의 합

23 열효율

수능 전략 Key 열기관의 열효율을 구하는 방법을 알아야 한다.

그림은 고열원에서 Q_1의 열을 흡수하여 W의 일을 하고, 저열원으로 Q_2의 열을 방출하는 열기관을 모식적으로 나타낸 것이다. 표는 이 열기관에서 두 가지 상황 A, B의 Q_1, W, Q_2를 나타낸 것이다.

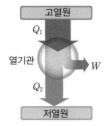

구분	A	B
Q_1	㉠	20 kJ
W	50 kJ	㉡
Q_2	50 kJ	㉢

이에 대한 설명으로 옳은 것만을 |보기|에서 있는 대로 고른 것은? (단, 열기관의 열효율은 일정하다)

┌ 보기 ┌
ㄱ. 열기관의 열효율은 0.25이다.
ㄴ. ㉠은 100 kJ이다.
ㄷ. ㉡+㉢의 값은 20 kJ이다.

① ㄱ ② ㄷ ③ ㄱ, ㄴ ④ ㄴ, ㄷ ⑤ ㄱ, ㄴ, ㄷ

개념 꼭! * 열기관의 열효율은 공급된 **❶** (Q_1)에 대해 한 **❷** (W)의 비율이다. 한 일은 공급된 열량(Q_1)과 방출된 열량(Q_2)의 차와 같다. **目** ❶ 열량 ❷ 일

Point 해설 ㄱ, ㉡ $Q_1=W+Q_2$이므로 ㉠$=Q_1=100$ kJ이고, 열효율은 $\dfrac{50}{100}=0.5$이다.

㉢ B에서의 열효율도 0.5이므로 $\dfrac{㉡}{20}=0.5$에서 ㉡은 10 kJ이다. $Q_2=Q_1-W$에서 ㉢$=20-10=10$ kJ이다. **目** ④

전략 비법 노트

● **열기관의 열효율** → $e=\dfrac{W}{Q_1}=\dfrac{Q_1-Q_2}{Q_1}$

---

24 열기관

2021 수능 12번 유사

수능 전략 Key 열역학 제1법칙을 바탕으로 등압 과정과 단열 과정에서 일어나는 변화를 알아야 한다.

그림은 **열효율이 0.8인 열기관**에서 일 정량의 이상 기체가 상태 A → B → C → D → A를 따라 순환하는 동안 기체의 압력과 부피를 나타낸 것이다. A → B, B → C, C → D, D → A의 네 번의 과정 중, **두 번의 과정에서는 열 출입이 없고**, **A → B 과정에서 흡수 또는 방출하는 열량은 100 J**이다. 이에 대한 설명으로 옳은 것만을 |보기|에서 있는 대로 고른 것은?

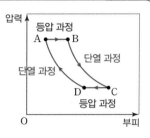

> **보기**
> ㄱ. B → C 과정에서 기체가 하는 일의 양은 0이다.
> ㄴ. C → D 과정에서 기체가 방출하는 열량은 80 J이다.
> ㄷ. D → A 과정에서 기체의 온도는 증가한다.

① ㄱ 　② ㄷ 　③ ㄱ, ㄴ 　④ ㄱ, ㄷ 　⑤ ㄴ, ㄷ

개념 꼭! * 단열 과정: 기체가 외부와의 **❶〔　　　〕**이 없는 상태에서 부피가 변하는 과정

자료 해석 * A → B 과정은 열을 흡수하는 등압 과정, C → D 과정은 열을 방출하는 **❷〔　　　〕** 과정이다. B → C 과정은 단열 팽창하는 과정으로 기체가 외부에 일을 하고, 내부 에너지는 감소하며, D → A 과정은 단열 압축하는 과정으로 기체가 외부로부터 일을 받고, 내부 에너지는 증가한다. 　📗 ❶ 열 출입 ❷ 등압

Point 해설 ㄱ. B → C 과정에서 부피가 커지므로 기체는 외부에 일을 한다.

ㄴ. 열기관의 열효율이 0.8이므로 열기관이 하는 일은 80 J이다. 따라서 C → D 과정에서 기체가 방출하는 열량은 100 J − 80 J = 20 J이다.

ⓒ D → A 과정은 기체가 외부로부터 일을 받아 온도가 증가하는 단열 압축 과정이다. 　📗 ②

전략 비법 노트

● **열출입이 없는** 과정(단열 과정) → 단열 팽창, 단열 압축

25 특수 상대성 이론(1)

특수 상대성 이론의 두 가지 가정인 광속 불변 원리와 상대성 원리를 알고, 특수 상대성 이론에 의한 여러 현상을 알아야 한다.

그림과 같이 관찰자 P에 대해 별 A, B가 같은 거리만큼 떨어져 정지해 있고, 관찰자 Q가 탄 우주선이 $0.9c$의 속력으로 A에서 B를 향해 등속도 운동 하고 있다. P의 관성계에서 Q가 P를 스쳐 지나는 순간 A, B가 동시에 빛을 내며 폭발한다.

이에 대한 설명으로 옳은 것만을 |보기|에서 있는 대로 고른 것은? (단, c는 빛의 속력이다.)

┌ 보기 ┌
ㄱ. A와 B 사이의 거리는 P의 관성계에서 측정할 때가 Q의 관성계에서 측정할 때보다 더 길다.
ㄴ. B가 폭발할 때 발생한 빛의 속도는 Q의 관성계에서 측정할 때가 P의 관성계에서 측정할 때보다 더 빠르다.
ㄷ. Q의 관성계에서, B가 A보다 먼저 폭발한 것으로 관측한다.

① ㄱ   ② ㄴ   ③ ㄱ, ㄴ   ④ ㄱ, ㄷ   ⑤ ㄴ, ㄷ

* 특수 상대성 이론의 두 가지 가정
┌ 상대성 원리: 모든 관성 좌표계에서 ❶ [   ]은 동일하게 성립한다.
└ 광속 불변 원리: 모든 관성 좌표계에서 보았을 때, 진공 중에서 진행하는 빛의 속도는 관찰자나 광원의 속도에 관계없이 ❷ [   ].

📋 ❶ 물리 법칙 ❷ 일정하다

자료 해석

* P와 A 사이의 거리와 P와 B 사이의 거리는 각각 고유 거리이다. 이때 문제의 조건에 의해 두 고유 거리의 길이는 같다. P의 관성계에서 측정할 때, Q가 P를 스쳐지나는 순간에 A와 B가 동시에 빛을 내며 폭발하였기 때문에 P의 관성계에서는 A와 B가 폭발할 때 발생한 빛이 동시에 P에 도달하게 된다. ⋯ ①

* A와 B에서 폭발한 빛이 각각 Q를 향해 이동할 때, A에서 발생한 빛이 Q를 향해 이동할 때 Q는 A로부터 멀어지는 방향으로 이동하고, B에서 발생한 빛이 Q를 향해 이동할 때 Q는 B와 가까워지는 방향으로 이동한다. 즉, Q의 관성계에서는 B에서 발생한 빛이 A에서 발생한 빛보다 더 먼저 도달한다. 따라서 Q의 관성계에서는 B가 A보다 먼저 폭발하는 것으로 관측하게 된다. ⋯ ②

* ①, ②를 종합해 보면, P의 관성계에서는 A와 B가 동시에 폭발하는 것으로 관측하고, Q의 관성계에서는 B가 A보다 먼저 폭발하는 것으로 관측한다. 이와 같이 한 관찰자에게는 동시에 일어난 사건이 다른 관찰자에게는 동시에 일어나지 않을 수 있는데, 이를 두 사건의 ❸ □□□ 이라고 한다.

* 빛의 속도는 관찰자나 광원의 속도와는 무관하게 모든 관성 좌표계에서 일정하다. 따라서 Q의 관성계에서 측정한 B에서 발생한 빛의 속도와 P의 관성계에서 측정한 B에서 발생한 빛의 속도는 ❹ □□□ .

* Q는 A, B에 대해 $0.9c$의 속도로 상대적인 운동을 하고 있기 때문에 길이 수축에 의해 A와 B 사이의 거리는 Q의 관성계에서 측정한 거리가 P의 관성계에서 측정한 거리보다 ❺ □□□ .　　　　　　　　　　　　**답** ❸ 동시성 ❹ 같다 ❺ 짧다

Point 해설

ㄱ A와 B 사이의 거리는 A, B에 대해 상대적으로 운동하고 있는 Q의 관성계에서 더 짧게 측정한다.

ㄴ. 광속 불변 원리에 의해 빛의 속도는 항상 일정하다.

ㄷ Q의 관성계에서는 B에서 발생한 빛이 Q에 먼저 도달하기 때문에 B가 A보다 먼저 폭발하는 것으로 관측한다.　　　　　　　　　　　　　　　　　　**답** ④

전략 비법 노트

● 특수 상대성 이론의 두 가지 가정 ➔ **상대성 원리와 광속 불변 원리**

● 특수 상대성 이론에 의한 현상 ➔ 두 사건의 동시성, **길이 수축, 시간 지연**

수능 전략 Key
특수 상대성 이론의 현상인 시간 지연과 길이 수축을 이해하고, 고유 시간과 고유 길이의 개념을 알아야 한다.

그림과 같이 관찰자 P가 관측할 때 우주선 A, B는 길이가 같고, 같은 방향으로 각각 속력 v_A, v_B로 직선 운동을 한다. A에 탄 민수가 측정한 B의 길이는 A의 길이보다 크다. A, B의 고유 길이는 각각 L_A, L_B이다. 한편, 민수와 B에 탄 영희가 각각 우주선 바닥에 있는 광원에서 동일한 높이의 거울을 향해 운동 방향과 수직으로 빛을 쏘았다. 민수가 측정할 때 A의 광원에서 빛을 쏘아 거울에 반사되어 되돌아오는 데 걸린 시간은 t_A이고, 영희가 측정할 때 B의 광원에서 빛을 쏘아 거울에 반사되어 되돌아오는 데 걸린 시간은 t_B이다. 또한, P가 측정할 때 A의 광원에서 나온 빛이 거울에 반사되어 되돌아오는 데 걸린 시간은 t_1이고, B의 광원에서 나온 빛이 거울에 반사되어 되돌아오는 데 걸린 시간은 t_2이다. 확대한 그림은 각각의 우주선 안에서 볼 때의 빛의 진행 경로를 나타낸 것이다.

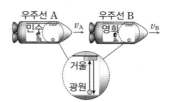

우주선 A   우주선 B

민수 v_A 영희 v_B

거울
광원

P   P는 광원에서 나온 빛이 대각선 경로를 따라 진행하는 것으로 관측한다.

이에 대한 설명으로 옳은 것만을 |보기|에서 있는 대로 고른 것은?

┌ 보기 ┌
ㄱ. $L_B > L_A$이다.
ㄴ. $t_2 > t_1 > t_A = t_B$이다.
ㄷ. P가 측정할 때, 민수의 시간은 영희의 시간보다 느리게 간다.

① ㄱ   ② ㄴ   ③ ㄷ   ④ ㄱ, ㄴ   ⑤ ㄱ, ㄷ

개념 꼭!

* 특수 상대성 이론에 의한 현상

┌ 시간 지연: 정지한 관찰자가 광속에 가까운 속도로 빠르게 운동하는 관찰자를
│ 보면 상대편의 시간이 **❶** 가는 것으로 관측된다.

└ 길이 수축: 정지한 관찰자가 볼 때 광속에 가까운 속도로 빠르게 운동하는 물체
　의 길이가 **❷** 것으로 관측된다. **閆 ❶** 느리게 **❷** 줄어든

자료 해석

* 민수가 측정할 때 A의 길이는 **❸** 인 L_A이고, B의 길이는 고유 길이 L_B
보다 수축된 $L_B{}'$이다. 이때 $L_B{}' > L_A$이므로 $L_B > L_A$이다.

* P가 측정할 때 A, B의 길이는 모두 고유 길이인 L_A, L_B보다 수축된 $L_A{}'$, $L_B{}'$로
측정한다. 이때 $L_A{}' = L_B{}'$에서 $L_B > L_A$이므로 B의 길이 수축 정도는 A보다 더
커야 한다. 따라서 우주선의 속도는 B가 A보다 더 빨라야 하므로 $v_B > v_A$이다.

* 광원에서 나온 빛이 P에게는 대각선 경로를 따라 이동하는 것으로 보이는데,
$v_B > v_A$이므로 빛이 왕복하는 동안 이동하는 거리는 B에서가 A에서 보다 더 크
다. 따라서 $t_2 > t_1$이다. 한편, t_A와 t_B는 같은 사건을 측정한 **❹** 으로 같다.
따라서 $t_2 > t_1 > t_A = t_B$이다.

* P가 측정할 때 $v_B > v_A$로, 영희가 타고 있는 B가 민수가 타고 있는 A보다 더 빠
르다. 속도가 빠를수록 시간 지연이 더 커지기 때문에 P가 측정할 때는 영희의 시
간이 민수의 시간보다 더 느리게 간다. **閆 ❸** 고유 길이 **❹** 고유 시간

Point 해설

㉠ 민수가 측정할 때 B의 길이는 수축된 길이임에도 A의 고유 길이보다 크게
측정되므로, 고유 길이는 B가 A보다 크다.

㉡ t_A, t_B는 고유 시간이고, 우주선의 속도는 B가 A보다 빠르기 때문에
$t_2 > t_1 > t_A = t_B$이다.

ㄷ. B의 속도가 A보다 빠르기 때문에 P가 측정할 때 영희의 시간이 민수의 시간보
다 느리게 간다. **閆 ④**

전략 비법 노트

● 정지한 관찰자가 광속에 가까운 속도로 운동하는 관찰자를 보면 상대편의 시간이 느
리게 가는 것으로 관측됨 → **시간 지연**

● 정지한 관찰자가 광속에 가까운 속도로 운동하는 물체를 보면 물체의 길이가 수축된
것으로 관측됨 → **길이 수축**

27 핵분열 반응

2021 4월 학평 3번 유사

수능 전략 Key 핵분열 반응 시 질량수와 전하량은 보존된다는 것과 질량 결손에 의해 에너지가 발생함을 알아야 한다.

> 그림은 우라늄 원자핵과 중성자가 반응하여 바륨 원자핵과 원자핵 A가 생성되면서 중성자 3개와 에너지를 방출하는 핵반응을 나타낸 것이다.
>
>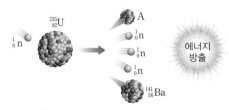
>
> 이에 대한 설명으로 옳은 것만을 |보기|에서 있는 대로 고른 것은?
>
> ┌ 보기 ┌
> ㄱ. 핵융합 반응이다.
> ㄴ. 원자핵 A의 양성자수는 38이다.
> ㄷ. 반응 과정에서 질량 결손이 일어나 에너지가 방출된다.
>
> ① ㄱ   ② ㄷ   ③ ㄱ, ㄴ   ④ ㄴ, ㄷ   ⑤ ㄱ, ㄴ, ㄷ

개념 꼭!

* 핵분열 반응 전후 전하량과 $\boxed{❶}$ 는 보존된다.

* 핵분열 과정에서 반응 후 질량의 총합이 반응 전 질량의 총합보다 작아 $\boxed{❷}$ 에 해당하는 만큼의 에너지가 방출된다.

답 ❶ 질량수 ❷ 질량 결손

Point 해설

ㄱ. 원자 번호가 큰 원자핵이 작은 원자핵으로 분열하는 핵분열 반응이다.

ㄴ. 원자핵 A의 양성자수를 a, 질량수를 b라고 할 때, 핵반응 전후 질량수는 보존되므로 $1+235=141+1\times3+b$에서 $b=92$이다.
또한, 핵반응 전후 전하량은 보존되므로 $0+92=56+0\times3+a$에서 $a=36$이다. 즉, A의 양성자수는 36이다.

ⓒ 핵분열 과정에서 반응 후 질량의 총합이 반응 전 질량의 총합보다 작다. **답** ②

전략 비법 노트

● 핵반응 전후 **전하량과 질량수는 → 보존됨**

---

28 핵융합 반응

2021 10월 학평 3번 유사

수능 전략 Key 핵융합 반응 시 질량수와 전하량은 보존된다는 것과 질량 결손에 의해 에너지가 발생함을 알아야 한다.

다음은 A, B 두 가지의 핵반응이다.

A: $\boxed{\ominus} + {}_{1}^{3}\text{H} \longrightarrow {}_{2}^{4}\text{He} + {}_{1}^{1}\text{H} + {}_{0}^{1}\text{n} + 12.1 \text{ MeV}$

B: ${}_{2}^{3}\text{He} + {}_{1}^{3}\text{H} \longrightarrow {}_{2}^{4}\text{He} + \boxed{\bigcirc} + 14.3 \text{ MeV}$

이에 대한 설명으로 옳은 것만을 |보기|에서 있는 대로 고른 것은?

┌ 보기 ┐
ㄱ. A는 핵융합, B는 핵분열 반응이다.
ㄴ. 핵반응 과정에서 질량 결손은 A가 B보다 더 크다.
ㄷ. ⊙과 ⓒ의 질량수의 합은 5이다.

① ㄱ   ② ㄷ   ③ ㄱ, ㄴ   ④ ㄴ, ㄷ   ⑤ ㄱ, ㄴ, ㄷ

개념 꼭!
* 핵융합 과정에서 반응 후 질량의 총합이 반응 전 질량의 총합보다 작아 질량 결손에 해당하는 만큼의 **❶** 가 방출된다.

자료 해석
* ⊙의 양성자수를 a, 질량수를 b라고 할 때 전하량 보존에 의해 $a+1=2+1$에서 a는 2이고, 질량수 보존에 의해 $b+3=4+1+1$에서 b는 3이다. 즉, ⊙은 ${}_{2}^{3}\text{He}$이다.

* ⓒ의 양성자수를 c, 질량수를 d라고 할 때 전하량 보존에 의해 $2+1=2+c$에서 c는 1이고, 질량수 보존에 의해 $3+3=4+b$에서 b는 2이다. 즉 ⓒ은 ${}_{1}^{2}\text{H}$이다.

* A와 B 과정은 모두 핵융합 반응으로, B의 과정에서 방출되는 에너지가 더 많기 때문에 질량 결손은 B에서가 A에서보다 더 **❷** .   📋 ❶ 에너지 ❷ 크다

Point 해설
ㄱ. A와 B 모두 핵융합 반응이다.
ㄴ. 방출되는 에너지의 양이 더 많은 B가 A보다 질량 결손이 더 크다.
ㄷ. ⊙의 질량수는 3, ⓒ의 질량수는 2이므로, 질량수의 합은 5이다.   📋 ②

전략 비법 노트

● 핵반응시 **질량 결손이 클수록** → **방출되는 에너지의 양이 많음**

---

memo

수능전략

과·학·탐·구·영·역

물리학Ⅰ

BOOK 1

BOOK 1
1주, 2주

BOOK 2
1주, 2주

BOOK 3
정답과 해설

본책인 BOOK 1과 BOOK2의 구성은 아래와 같습니다.

주 도입

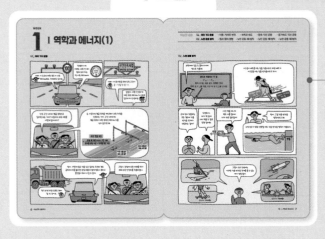

본격적인 학습에 앞서, 재미있는 만화를
살펴보며 이번 주에 학습할 내용을 확인해
봅니다.

1일

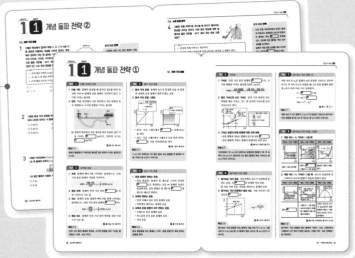

개념 돌파 전략

수능을 대비하기 위해 꼭 알아야 할 핵심
개념을 익힌 뒤, 간단한 문제를 풀며 개념을
잘 이해했는지 확인해 봅니다.

2일, 3일

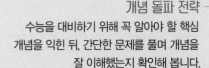

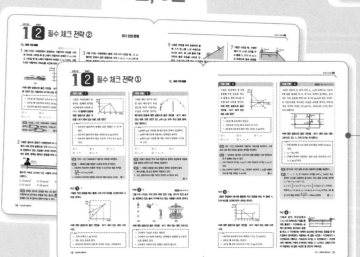

필수 체크 전략

기출문제에서 선별한 대표 유형 문제와 쌍둥이
문제를 함께 풀며 문제에 접근하는 과정과 해결
전략을 체계적으로 익혀 봅니다.

부록 수능에 꼭 나오는 필수 유형 ZIP

본 책에서 다룬 대표 유형과 그 해결 전략을 집중적으로
연습할 수 있도록 권두 부록을 구성했습니다.
부록을 뜯으면 미니북으로 활용할 수 있습니다.

주 마무리 학습

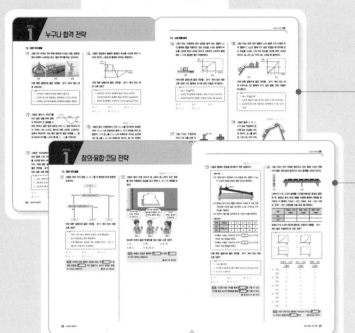

누구나 합격 전략
수능 유형에 맞춘 기초 연습 문제를 풀며
학습 자신감을 높일 수 있습니다.

창의·융합·코딩 전략
수능에서 요구하는 융복합적 사고력과
문제 해결력을 기를 수 있습니다.

권 마무리 학습

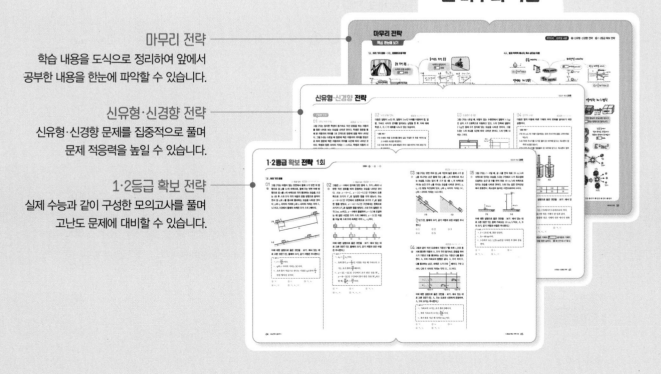

마무리 전략
학습 내용을 도식으로 정리하여 앞에서
공부한 내용을 한눈에 파악할 수 있습니다.

신유형·신경향 전략
신유형·신경향 문제를 집중적으로 풀며
문제 적응력을 높일 수 있습니다.

1·2등급 확보 전략
실제 수능과 같이 구성한 모의고사를 풀며
고난도 문제에 대비할 수 있습니다.

이 책의 차례

1강_ 여러 가지 운동

2강_ 뉴턴 운동 법칙

개념 돌파 전략 ①

개념 **1** 이동 거리와 변위

1 **이동 거리** 물체가 운동할 때 움직인 경로를 따라 측정한 거리 ➡ 물체의 운동 방향은 고려하지 않고 크기만 가지는 물리량

2 **변위** 처음 위치에서 나중 위치까지 직선 방향의 위치 변화량 ➡ 크기와 방향을 가지는 물리량

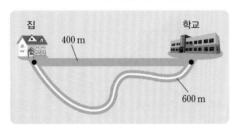

집 400 m 학교
600 m

ⓔ 집에서 학교까지 곡선 경로를 따라 운동한 경우 이동 거리는 ❶ [ ] m이고, 변위의 크기는 ❷ [ ] m이다.

🔲 ❶ 600 ❷ 400

확인Q1

물체가 출발했다가 제자리로 돌아온 경우 변위의 크기는 얼마인지 쓰시오.

개념 **2** 속력과 속도

1 **속력** 물체의 빠르기를 나타내는 물리량으로, 단위 시간 동안 물체가 이동한 거리이다.

$$속력 = \frac{이동\ 거리}{시간},\ v = \frac{s}{t}\ [단위:\ \text{m/s}]$$

2 **평균 속력** 물체의 일정 시간 동안 ❶ [ ] 를 걸린 시간으로 나눈 값

3 **속도** 물체의 운동 방향과 빠르기를 함께 나타내는 물리량으로, 단위 시간 동안 물체의 ❷ [ ] 이다.

$$속도 = \frac{변위}{시간},\ v = \frac{s}{t}\ [단위:\ \text{m/s}]$$

4 **평균 속도** 물체의 일정 시간 동안 변위를 걸린 시간으로 나눈 값

🔲 ❶ 이동 거리 ❷ 변위

확인Q2

단위 시간 동안 물체의 변위로, 크기와 방향을 모두 가지는 물리량은 (속력 , 속도)이다.

개념 **3** 등속 직선 운동

1 **등속 직선 운동** 물체의 속도가 일정한 운동 ➡ 물체의 속력과 운동 방향이 변하지 않는 운동

2 **등속 직선 운동 그래프**

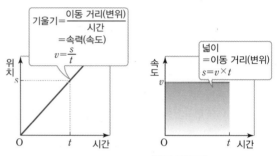

기울기 $= \dfrac{이동\ 거리(변위)}{시간}$
$=$속력(속도)
$v = \dfrac{s}{t}$

위치 s
O t 시간

넓이 $=$이동 거리(변위)
$s = v \times t$

속도 v
O t 시간

• 위치 – 시간 그래프에서 ❶ [ ] 는 속력(속도)을 의미
• 속도 – 시간 그래프에서 그래프가 시간 축과 이루는 ❷ [ ] 는 이동 거리(변위)를 의미

🔲 ❶ 기울기 ❷ 넓이

확인Q3

3 m/s의 속력으로 2초 동안 등속 직선 운동을 한 물체의 이동 거리는 몇 m인지 구하시오.

개념 **4** 여러 가지 운동

1 **운동 방향만 변하는 운동**
• 등속 원운동: 물체가 원 궤도를 그리며 일정한 ❶ [ ] 으로 회전하는 운동 ➡ 물체의 속력은 일정하지만, 운동 방향은 원 궤도의 ❷ [ ] 방향으로 매순간 변한다.

2 **속력만 변하는 운동**
• 연직 아래나 위로 던진 물체의 운동
• 빗면에서 내려오는 물체의 운동

3 **속력과 운동 방향이 모두 변하는 운동**
• 수평으로 던진 물체의 운동
• 비스듬히 던져 올린 물체의 운동
• 진자 운동

🔲 ❶ 속력 ❷ 접선

확인Q4

등속 원운동을 하는 물체는 (속력 , 운동 방향)만 계속 변하는 운동을 한다.

개념 **5** 가속도

1 가속도 단위 시간 동안 물체의 **❶** [　　　]으로, 크기와 방향을 가지는 물리량 [단위: m/s^2]

$$가속도 = \frac{속도\ 변화량}{시간} = \frac{나중\ 속도 - 처음\ 속도}{시간}$$

2 평균 가속도와 순간 가속도 일정 시간 동안의 속도 변화를 평균 가속도, 어느 한 순간의 가속도를 순간 가속도라고 한다.

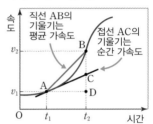

- $t_1 \sim t_2$ 동안 평균 가속도
$$= \frac{\overline{BD}}{\overline{AD}} = \frac{v_2 - v_1}{t_2 - t_1}$$
- t_1일 때 순간 가속도
$$= \frac{\overline{CD}}{\overline{AD}}$$

3 가속도 방향과 운동 방향에 따른 속력 변화
- 운동 방향과 가속도 방향이 같으면 속력 **❷** [　　　]
- 운동 방향과 가속도 방향이 반대이면 속력 감소

답 ❶ 속도 변화량 ❷ 증가

확인 Q 5

직선상에서 20 m/s의 속력으로 운동하던 물체가 2초 후 속력이 30 m/s가 되었다면 2초 동안 물체의 평균 가속도는 몇 m/s^2인지 구하시오.

개념 **6** 등가속도 직선 운동

1 등가속도 직선 운동 직선상에서 속도가 일정하게 변하는 운동, 즉 **❶** [　　　]가 일정한 직선 운동
 예 자유 낙하 운동, 빗면을 내려오는 물체의 운동

2 등가속도 직선 운동에서 평균 속도 처음 속도와 나중 속도의 **❷** [　　　] 값

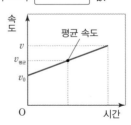

$$v_{평균} = \frac{v_0 + v}{2}$$

답 ❶ 가속도 ❷ 중간

확인 Q 6

등가속도 직선 운동을 하는 물체의 처음 속도가 2 m/s, 나중 속도가 8 m/s일 때, 이 물체의 평균 속도는 몇 m/s인지 구하시오.

개념 **7** 등가속도 직선 운동 식

처음 속도가 v_0인 물체가 a의 일정한 가속도로 운동하여 t초 후 속도가 v가 되었을 때, t초 동안 물체의 변위를 s라고 하면 다음 식이 성립한다.

$$v = \boxed{❶} + at$$
$$s = v_0 t + \boxed{❷}$$
$$2as = v^2 - v_0^2$$

답 ❶ v_0 ❷ $\frac{1}{2}at^2$

확인 Q 7

처음 속도가 0인 물체가 2 m/s^2의 일정한 가속도로 등가속도 직선 운동을 할 때 2초 후 속도는 몇 m/s인지 구하시오.

개념 **8** 등가속도 직선 운동 그래프

1 처음 속도>0, 가속도>0일 때

가속도-시간 그래프	속도-시간 그래프	위치-시간 그래프
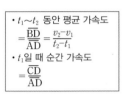 넓이 =속도 증가량 =at	$v = v_0 + at$ 기울기=가속도 $\frac{1}{2}at^2$ at v_0	$s = v_0 t + \frac{1}{2}at^2$ 기울기 =순간 속도
넓이=속도 증가량	• 넓이= **❶** [　　　] • 기울기: (+)로 일정	접선의 기울기: 점점 증가

2 처음 속도>0, 가속도<0일 때 속도가 일정하게 감소하다가 속도의 방향이 처음과 반대가 된다.

가속도-시간 그래프	속도-시간 그래프	위치-시간 그래프
$2t$ 시간 넓이 =속도 감소량 =$-at$ $-a$	처음 방향으로 이동한 거리 t　$2t$ 시간 반대 방향으로 이동한 거리	운동 방향이 바뀌는 순간 s t　$2t$ 시간
넓이: **❷** [　　　]	• 기울기: (−)로 일정 • 속도의 부호가 바뀔 때, 물체의 운동 방향이 바뀐다.	t까지 속도의 크기가 감소하다가 운동 방향이 바뀐 t 이후부터 속도의 크기가 증가한다.

답 ❶ 이동 거리(변위) ❷ 속도 감소량

확인 Q 8

등가속도 직선 운동을 하는 물체의 가속도-시간 그래프에서 그래프와 시간 축이 이루는 넓이는 (이동 거리 , 속도 변화량)을 의미한다.

개념 돌파 전략 ①

개념 1 힘

1 힘 물체의 운동 상태나 모양을 변화시키는 원인

- 힘의 표시: 힘의 3요소인 힘의 **①**〔 〕, 힘의 방향, 힘의 작용점을 화살표로 나타낸다.

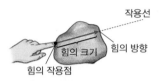

작용선
힘의 방향
힘의 크기
힘의 작용점

- 힘의 단위: **②**〔 〕

2 알짜힘(합력) 한 물체에 작용하는 모든 힘들을 합성하여 하나의 힘으로 나타낸 것

두 힘이 같은 방향으로 작용할 때	두 힘이 반대 방향으로 작용할 때
$F_1 = 10\,\text{N}$ $F_2 = 20\,\text{N}$ $F_{합력} = 30\,\text{N}$	$F_1 = 10\,\text{N}$ $F_2 = 20\,\text{N}$ $F_{합력} = 10\,\text{N}$
• 합력의 크기: 두 힘의 합 • 합력의 방향: 두 힘의 방향	• 합력의 크기: 두 힘의 차 • 합력의 방향: 큰 힘의 방향

달 **①** 크기 **②** N(뉴턴)

확인 Q1

한 물체에 반대 방향으로 크기가 각각 5 N, 10 N인 두 힘이 일직선상에서 작용할 때 물체에 작용하는 알짜힘의 크기는 ( ) N이다.

개념 2 힘의 평형

1 힘의 평형 알짜힘이 0인 경우 물체에 작용하는 힘들이 **①**〔 〕을 이룬다고 한다.

2 물체에 작용하는 힘들이 평형을 이루는 경우 물체의 운동 물체의 가속도는 **②**〔 〕이므로 물체는 등속 직선 운동 또는 정지

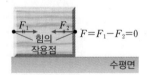

F_1 F_2
힘의 작용점
$F = F_1 - F_2 = 0$
수평면

달 **①** 평형 **②** 0

확인 Q2

일직선상에서 한 물체에 작용하는 두 힘의 크기가 같고 방향이 반대이면 물체에 작용하는 알짜힘의 크기는 ( )이다.

개념 3 뉴턴 운동 제1법칙

1 관성 물체가 처음의 **①**〔 〕를 계속 유지하려는 성질

- 물체의 질량이 클수록 관성이 크다. ➡ 물체의 질량이 클수록 물체의 운동 상태를 바꾸기가 어렵다.

2 뉴턴 운동 제1법칙(관성 법칙) 물체에 작용하는 알짜힘이 0일 때 운동하던 물체는 계속 등속 직선 운동을 하고, 정지해 있던 물체는 계속 **②**〔 〕 상태를 유지한다.

달 **①** 운동 상태 **②** 정지

확인 Q3

물체가 처음의 운동 상태를 계속해서 유지하려는 성질을 ( )이라고 한다.

개념 4 관성에 의한 현상

1 정지 관성에 의한 현상 정지해 있는 물체는 계속 정지 상태를 유지하려고 한다.

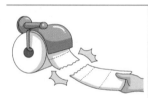	
휴지를 갑자기 잡아당기면 휴지가 풀리지 않고 **①**〔 〕.	옷을 막대기로 두드리면 먼지가 떨어진다.

2 운동 관성에 의한 현상 운동하던 물체는 계속 운동 상태를 유지하려고 한다.

망치 자루를 바닥에 치면 헐거워진 망치 머리가 고정된다.	달리던 사람이 돌부리에 걸려 **②**〔 〕.

달 **①** 끊어진다 **②** 넘어진다

확인 Q4

정지해 있던 버스가 갑자기 앞으로 출발하면 정지 관성에 의해 사람은 (앞으로 , 뒤로) 넘어진다.

개념 5 가속도와 힘 및 질량의 관계

1 가속도와 힘의 관계 물체의 질량이 일정할 때 가속도의 크기는 알짜힘의 크기에 **❶**[　　　　]한다.

➡ 가속도 ∝ 알짜힘

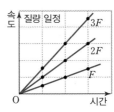 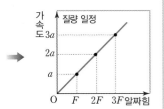

2 가속도와 질량의 관계 알짜힘이 일정할 때 가속도의 크기는 물체의 질량에 **❷**[　　　　]한다.

➡ 가속도 ∝ $\dfrac{1}{질량}$

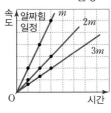 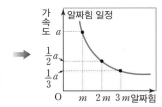

답 ❶ 비례 **❷** 반비례

확인 Q 5

물체의 질량이 일정할 때 물체에 작용하는 알짜힘이 점점 커지면, 물체의 가속도의 크기는 점점 (작아진다 , 커진다).

개념 6 뉴턴 운동 제2법칙

1 뉴턴 운동 제2법칙(가속도 법칙) 질량이 m인 물체에 알짜힘 F가 작용하여 물체가 운동할 때, 물체의 **❶**[　　　　] a는 작용하는 알짜힘 F에 비례하고, 질량 m에 반비례한다.

$$가속도 = \frac{알짜힘}{질량}, \ a = \frac{F}{m} \ \Rightarrow \ F = ma$$

2 알짜힘과 가속도의 방향 알짜힘의 방향과 가속도의 방향은 항상 **❷**[　　　　].

• 알짜힘의 방향과 물체의 운동 방향이 같으면 속력이 증가한다.

• 알짜힘의 방향과 물체의 운동 방향이 반대이면 속력이 감소한다.

답 ❶ 가속도 **❷** 같다

확인 Q 6

질량이 2 kg인 물체에 4 N의 알짜힘이 작용할 때 물체의 가속도의 크기는 몇 m/s²인지 구하시오.

개념 7 뉴턴 운동 제3법칙

1 뉴턴 운동 제3법칙(작용 반작용 법칙) 물체 A가 물체 B에 힘을 가하면 B도 A에 힘을 가하는데, 이때 A가 B에 가하는 힘을 작용이라 하면, B가 A에 가하는 힘을 **❶**[　　　　]이라고 한다.

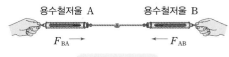
용수철저울 A　　　　용수철저울 B
$F_{BA} \longrightarrow$ 　　 $\longleftarrow F_{AB}$

$$F_{AB} = -F_{BA}$$

• 서로 다른 두 물체 사이에서 쌍으로 나타난다.
• 작용 반작용은 크기가 같고 **❷**[　　　　]이 반대
• 같은 작용선상에서 서로 다른 물체에 동시에 작용

2 작용 반작용의 예
• 배를 타고 갈 때 노를 뒤로 저으면 그 반작용으로 배가 앞으로 나아간다.
• 로켓이 날아갈 때 로켓 뒤로 가스를 내뿜으면 그 반작용으로 로켓이 앞으로 나아간다.

답 ❶ 반작용 **❷** 방향

확인 Q 7

작용 반작용은 크기가 (　　　　), 방향이 (　　　　)이다.

개념 8 작용 반작용과 힘의 평형

구분	힘의 평형	작용 반작용
공통점	두 힘의 크기가 같고 힘의 방향이 반대이다.	
다른점	힘 ⟷●⟷ 힘 ① 두 힘 모두 한 물체에 작용한다. ➡ 힘의 작용점이 같다. ② 합성하면 **❶**[　　　] 이 0이다.	작용 ●‥‥▸ 반작용 ① 서로 다른 두 물체에 작용한다. ➡ 힘의 **❷**[　　　]이 다르다. ② 두 힘을 합성할 수 없다.
예	F_1: 지구가 책을 당기는 힘 F_2: 책이 지구를 당기는 힘 F_3: 책이 책상을 누르는 힘 F_4: 책상이 책을 떠받치는 힘 • 작용 반작용 관계인 두 힘: F_1과 F_2, F_3과 F_4 • 힘의 평형 관계인 두 힘: F_1과 F_4	

답 ❶ 알짜힘(합력) **❷** 작용점

확인 Q 8

지구가 책을 당기는 힘에 대한 반작용은 (　　　　)이 (　　　　)를 당기는 힘이다.

개념 돌파 전략 ②

1강_ 여러 가지 운동

1 그림은 학교에서 집까지 학생 A, B, C가 서로 다른 경로로 이동하는 모습을 나타낸 것이다. 학교에서 집까지 가는 데 걸리는 시간은 A, B, C가 각각 200초, 300초, 400초이다. 이에 대한 설명으로 옳은 것만을 | 보기 |에서 있는 대로 고른 것은? (단, A는 직선 경로를 따라 이동한다.)

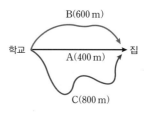

┌ 보기 ┐
ㄱ. A의 평균 속력은 2 m/s이다.
ㄴ. A, B, C 중 평균 속력이 가장 큰 것은 B이다.
ㄷ. C의 평균 속도의 크기는 1 m/s이다.

① ㄱ   ② ㄷ   ③ ㄱ, ㄴ
④ ㄱ, ㄷ   ⑤ ㄴ, ㄷ

문제 해결 전략

- 속력은 단위 시간 동안 물체가 이동한 거리이고, 속도는 단위 시간 동안 물체의 변위이다.
- 평균 속력은 물체가 일정한 시간 동안 이동한 거리를 **❶** 으로 나눈 값이고, **❷** 는 물체의 일정 시간 동안 변위를 걸린 시간으로 나눈 값이다.

답 ❶ 걸린 시간 ❷ 평균 속도

---

2 그림은 등속 직선 운동을 하는 물체의 위치를 시간에 따라 나타낸 것이다. 이 물체의 속력은?

① 1 m/s   ② 2 m/s
③ 3 m/s   ④ 4 m/s
⑤ 5 m/s

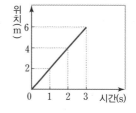

문제 해결 전략

- 위치 – 시간 그래프에서 기울기는 **❶** 을 의미한다.
- 등속 직선 운동을 하는 물체의 위치 – 시간 그래프에서 기울기는 **❷** .

답 ❶ 속력 ❷ 일정하다

---

3 그림은 직선상에서 2 m/s의 속력으로 움직이던 물체에 일정한 힘이 작용하여 1초 후 물체의 속력이 6 m/s가 된 모습을 나타낸 것이다.

1초 동안 물체가 이동한 거리 s는? (단, 공기 저항과 마찰은 무시한다.)

① 1 m   ② 2 m   ③ 3 m
④ 4 m   ⑤ 5 m

문제 해결 전략

v_0는 처음 속도, v는 나중 속도, t는 걸린 시간, s는 변위, a는 가속도일 때 등가속도 직선 운동에서는 다음과 같은 식이 성립한다.

$$v = v_0 + \boxed{❶}$$
$$s = \boxed{❷} + \frac{1}{2}at^2$$
$$2as = v^2 - v_0^2$$

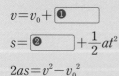

답 ❶ at ❷ $v_0 t$

2강_ 뉴턴 운동 법칙

4 그림은 옷을 막대기로 두드릴 때 먼지가 떨어지는 현상을 나타낸 것이다. 이와 같은 현상에 대한 설명으로 옳은 것만을 | 보기 |에서 있는 대로 고른 것은?

┌─ 보기 ────────────────────────────────
ㄱ. 관성에 의해 나타나는 현상이다.
ㄴ. 달리던 사람이 돌부리에 걸려 넘어지는 현상과 그 까닭이 같다.
ㄷ. 물체가 처음의 운동 상태를 계속 유지하려는 성질 때문에 나타나는 현상이다.
└───────────────────────────────────────

① ㄱ   ② ㄷ   ③ ㄱ, ㄴ
④ ㄴ, ㄷ   ⑤ ㄱ, ㄴ, ㄷ

> **문제 해결 전략**
>
> • 뉴턴 운동 제1법칙(관성 법칙): 물체에 작용하는 알짜힘이 0일 때 운동하던 물체는 계속 **❶** 운동을 하고, 정지해 있던 물체는 계속 정지 상태를 유지한다.
> • 물체가 처음 운동 상태를 계속 유지하려는 성질을 **❷** 이라고 한다.
>
> 답 ❶ 등속 직선 ❷ 관성

---

5 그림은 질량이 각각 2 kg인 물체 A, B를 실로 연결한 후, 물체가 운동하지 않도록 손으로 잡고 있던 B를 놓은 직후의 모습을 나타낸 것이다. A의 가속도는? (단, 중력 가속도는 10 m/s^2이고, 실의 질량, 공기 저항과 모든 마찰은 무시한다.)

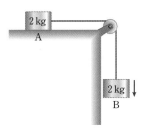

① 1 m/s^2 ② 2 m/s^2
③ 3 m/s^2 ④ 4 m/s^2
⑤ 5 m/s^2

> **문제 해결 전략**
>
> 뉴턴 운동 제2법칙(가속도 법칙)에 의해 물체의 가속도는 물체에 작용하는 알짜힘에 **❶** 하고, 물체의 질량에 **❷** 한다.
>
> 답 ❶ 비례 ❷ 반비례

---

6 그림은 책상 위에 책 A와 B가 놓여 정지해 있는 모습을 나타낸 것이다. 이에 대한 설명으로 옳은 것만을 | 보기 |에서 있는 대로 고른 것은?

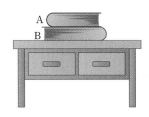

┌─ 보기 ────────────────────────────────
ㄱ. A에 작용하는 알짜힘은 0이다.
ㄴ. A에 작용하는 중력에 대한 반작용은 B가 A를 떠받치는 힘이다.
ㄷ. 책상이 B를 떠받치는 힘은 B에 작용하는 중력의 크기와 같다.
└───────────────────────────────────────

① ㄱ   ② ㄷ   ③ ㄱ, ㄴ
④ ㄴ, ㄷ   ⑤ ㄱ, ㄴ, ㄷ

> **문제 해결 전략**
>
> • 뉴턴 운동 제3법칙(작용 반작용 법칙): 물체 A가 물체 B에 힘을 가하면 B도 A에 힘을 가하는데, 이때 A가 B에 가하는 힘을 **❶** 이라 하면, B가 A에 가하는 힘을 반작용이라고 한다.
> • 작용 반작용 관계의 두 힘은 항상 크기가 **❷** , 방향은 반대이다.
> • 작용 반작용은 항상 동일 직선상에서 서로 다른 두 물체 사이에 작용한다.
>
> 답 ❶ 작용 ❷ 같고

대표 기출 1

그림은 직선상에서 운동하는 물체의 위치를 시간에 따라 나타낸 것이다. 이 물체의 운동에 대한 설명으로 옳은 것만을 | 보기 |에서 있는 대로 고른 것은?

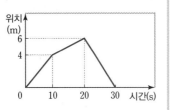

| 보기 |
ㄱ. 0초부터 30초까지 물체의 운동 방향은 두 번 바뀐다.
ㄴ. 0초부터 20초까지 평균 속력은 0.3 m/s이다.
ㄷ. 0초부터 30초까지 평균 속도의 크기는 0.4 m/s 이다.

① ㄴ   ② ㄷ   ③ ㄱ, ㄴ
④ ㄱ, ㄷ   ⑤ ㄴ, ㄷ

Tip 위치-시간 그래프에서 기울기는 속력을 의미한다.

풀이 ㄱ. 물체의 운동 방향은 20초일 때 한 번 바뀐다.
ㄴ. 0초부터 20초까지 이동한 거리는 6 m이므로 평균 속력은 $\dfrac{6\ m}{20\ s}$=0.3 m/s이다.
ㄷ. 0초부터 30초까지 변위는 0이므로 평균 속도는 0이다. **답** ①

대표 기출 2

그림은 배구 선수가 서브를 넣은 배구공이 곡선 경로를 따라 이동하는 모습을 나타낸 것이다.

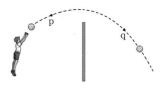

배구공의 운동에 대한 설명으로 옳은 것만을 | 보기 |에서 있는 대로 고른 것은? (단, p와 q는 모두 곡선 경로 중에 있는 점이다.)

| 보기 |
ㄱ. p에서 q로 이동할 때 배구공의 속력이 일정하다.
ㄴ. p에서 배구공에 작용하는 알짜힘은 0이다.
ㄷ. p에서 q로 이동할 때 이동 거리가 변위의 크기보다 크다.

① ㄱ   ② ㄴ   ③ ㄷ
④ ㄴ, ㄷ   ⑤ ㄱ, ㄴ, ㄷ

Tip 포물선 운동은 연직 아래 방향으로 중력이 일정하게 작용해 운동 방향과 속력이 모두 변하는 운동이다.

풀이 ㄱ. 포물선 운동을 하는 물체의 속력은 일정하지 않다.
ㄴ. 배구공에는 매 순간 중력이 작용하고 있다.
ㄷ. 곡선 경로이므로 이동 거리가 변위의 크기보다 크다. **답** ③

확인 1-1

그림은 직선 운동을 하는 물체 A와 B의 위치를 시간에 따라 나타낸 것이다.

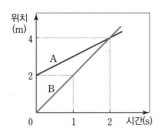

이에 대한 설명으로 옳은 것만을 | 보기 |에서 있는 대로 고르시오.

| 보기 |
ㄱ. A의 속력은 1 m/s이다.
ㄴ. B는 등속 운동을 한다.
ㄷ. 0초부터 2초까지 A와 B 사이의 거리는 가까워진다.

확인 2-1

2021 6월 모평 1번

그림 (가)~(다)는 각각 연직 위로 던진 구슬, 선수가 던진 농구공, 회전하고 있는 놀이 기구에 타고 있는 사람을 나타낸 것이다.

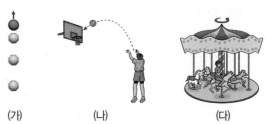

(가)   (나)   (다)

이에 대한 설명으로 옳은 것만을 | 보기 |에서 있는 대로 고르시오.

| 보기 |
ㄱ. (가)에서 구슬의 속력은 변한다.
ㄴ. (나)에서 농구공에 작용하는 알짜힘의 방향과 농구공의 운동 방향은 같다.
ㄷ. (다)에서 사람의 운동 방향은 변하지 않는다.

대표 기출 ❸

그림은 원점에서 동시에 출발해 직선 운동을 하는 두 물체 A, B의 속도를 시간에 따라 나타낸 것이다. 이에 대한 설명으로 옳은 것만을 |보기|에서 있는 대로 고른 것은?

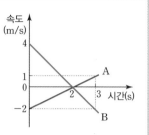

┌ 보기 ┐
ㄱ. 2초일 때 A와 B가 만난다.

ㄴ. 가속도의 크기는 B가 A보다 더 크다.

ㄷ. 0초부터 3초까지 B의 이동 거리는 5 m이다.
└────────┘

① ㄴ   ② ㄷ   ③ ㄱ, ㄴ

④ ㄴ, ㄷ   ⑤ ㄱ, ㄴ, ㄷ

Tip 속도-시간 그래프에서 기울기는 가속도를 의미하고, 그래프와 시간 축이 이루는 넓이는 변위를 의미한다.

풀이 ㄱ. 0초부터 2초까지 A와 B의 운동 방향은 서로 반대이므로 두 물체는 만날 수 없다.

ㄴ. A의 가속도의 크기는 1 m/s^2, B의 가속도의 크기는 2 m/s^2이다.

ㄷ. B는 0초부터 2초까지 4 m, 2초부터 3초까지 1 m를 이동하므로 총 이동 거리는 5 m이다.   **답** ④

확인 ❸-1

그림은 원점에서 동시에 출발해 직선 운동을 하는 두 물체 A, B의 속도를 시간에 따라 나타낸 것이다.

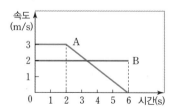

이에 대한 설명으로 옳은 것만을 |보기|에서 있는 대로 고르시오.

┌ 보기 ┐
ㄱ. 0초부터 6초까지 A의 변위의 크기는 12 m이다.

ㄴ. 6초일 때 A와 B는 만난다.

ㄷ. 4초일 때 A의 가속도의 크기는 2 m/s^2이다.
└────────┘

대표 기출 ❹
2022 6월 모평 12번 유사

그림은 자동차 A, B가 각각 v_1, v_2의 속력으로 기준선 P와 Q를 통과한 뒤 A, B 모두 속력이 증가하는 등가속도 직선 운동을 하여 4초 후 12 m/s의 같은 속력으로 기준선 R를 지나치는 모습을 나타낸 것이다. P와 Q 지점 사이의 거리는 72 m이고, 가속도의 크기는 B가 A의 2배이다.

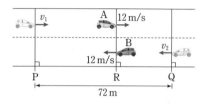

이에 대한 설명으로 옳은 것만을 |보기|에서 있는 대로 고르시오. (단, A, B의 크기는 무시한다.)

┌ 보기 ┐
ㄱ. P를 통과한 후 4초 동안 A의 평균 속력은 8 m/s이다.

ㄴ. $v_1 = 2v_2$이다.

ㄷ. P에서 R까지 이동하는 동안 A의 가속도의 크기는 1 m/s^2이다.
└────────┘

Tip 등가속도 직선 운동 공식을 이용하여 문제를 해결한다.

풀이 ㄱ, ㄴ, ㄷ. A, B 가속도의 크기를 각각 a, $2a$라고 하고, 문제의 조건을 이용하여 등가속도 직선 운동 공식을 세우면 $v_1 + 4a = v_2 + 8a = 12$,

$v_1 \times 4 + \frac{1}{2} \times a \times 4^2 + v_2 \times 4 + \frac{1}{2} \times (2a) \times 4^2 = 72$이다.

따라서 $v_1 = 8 \text{ m/s}$, $v_2 = 4 \text{ m/s}$, $a = 1 \text{ m/s}^2$이고, 4초 동안 A의 평균 속력은 $\frac{8+12}{2} = 10(\text{m/s})$이다.   **답** ㄴ, ㄷ

확인 ❹-1

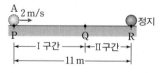

그림과 같이 직선상에서 2 m/s의 속력으로 P점을 통과한 물체가 I 구간에서는 속력이 증가하는 등가속도 운동을 하고, II 구간에서는 속력이 감소하는 등가속도 운동을 한 후 R점에서 정지하였다. 이동하는 데 걸린 시간은 I 구간에서가 II 구간에서의 2배이고, 가속도의 크기는 II 구간에서가 I 구간에서의 3배이며, P에서 R까지의 거리는 11 m이다. Q에서 R까지 이동하는 데 걸린 시간은 몇 초인지 구하시오.

대표 기출 5

2020 6월 모평 19번

그림과 같이 수평면에서 운동하던 물체가 왼쪽 빗면을 따라 올라간 후 곡선 구간을 지나 오른쪽 빗면을 따라 내려온다. 물체가 왼쪽 빗면에서 거리 L_1과 L_2를 지나는 데 걸린 시간은 각각 t_0으로 같고, 오른쪽 빗면에서 거리 L_3을 지나는 데 걸린 시간은 $\frac{t_0}{2}$이다.

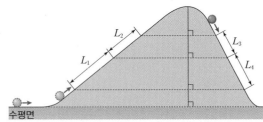

$L_2 = L_4$일 때, $\frac{L_1}{L_3}$은? (단, 물체의 크기, 마찰과 공기 저항은 무시한다.)

① $\frac{3}{2}$ ② $\frac{5}{2}$ ③ 3

④ 4   ⑤ 6

Tip 등가속도 직선 운동을 하는 물체의 이동 거리는 평균 속력 $\left(= \frac{처음\ 속력 + 나중\ 속력}{2} \right)$에 걸린 시간을 곱하여 구할 수 있다.

풀이

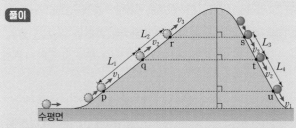

위 그림의 점 p, q, r에서 물체의 속력을 각각 v_1, v_2, v_3이라고 하면 역학적 에너지 보존 법칙에 의해 점 u, t, s에서 물체의 속력도 각각 v_1, v_2, v_3이다. 또한, 왼쪽과 오른쪽 빗면에서 물체의 가속도의 크기는 각각 일정하고, L_1과 L_2를 이동하는 데 걸리는 시간이 같아 각 구간에서의 속도 변화량이 같기 때문에 L_3와 L_4를 이동하는 데 걸리는 시간도 $\frac{t_0}{2}$으로 같아야 한다. 여기에 등가속도 직선 운동을 하는 물체의 평균 속력 공식을 각각 적용해 보면

$L_1 = \frac{v_1 + v_2}{2} t_0$, $L_2 = \frac{v_2 + v_3}{2} t_0$,

$L_3 = \frac{v_2 + v_3}{2} \frac{t_0}{2}$, $L_4 = \frac{v_1 + v_2}{2} \frac{t_0}{2}$이다.

$L_2 = L_4$이므로 $\frac{v_1 + v_2}{v_2 + v_3} = 2$이다.

따라서 $\frac{L_1}{L_3} = \frac{v_1 + v_2}{v_2 + v_3} \times 2 = 4$가 된다.

답 ④

확인 5 -1

그림은 물체가 점 P에서 v의 속력으로 출발하여 동일한 빗면 위의 점 Q, R, S를 차례대로 지나가는 모습을 나타낸 것이다. 각 구간의 길이 L_1, L_2, L_3은 각각 4 m, 2 m, $\frac{1}{4}$ m이고, R에서 물체의 속력은 $\frac{1}{5} v$이다. 물체가 P에서 R까지 이동하는 데 걸린 시간은 2초이다.

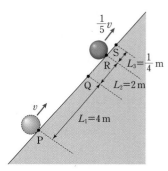

이 물체의 운동에 대한 설명으로 옳은 것만을 | 보기 |에서 있는 대로 고르시오. (단, 물체의 크기, 마찰과 공기 저항은 무시한다.)

> **보기**
> ㄱ. 빗면에서 물체의 가속도의 크기는 2 m/s²이다.
> ㄴ. 물체가 L_1 구간을 이동하는 데 걸린 시간은 1.5초이다.
> ㄷ. S에서 물체의 속력은 $\frac{1}{2}$ m/s이다.

대표 기출 6 　　　2020 수능 20번

그림 (가)는 물체 A, B가 운동을 시작하는 순간의 모습을, (나)는 A와 B의 높이가 (가) 이후 처음으로 같아지는 순간의 모습을 나타낸 것이다. 점 p, q, r, s는 A, B가 직선 운동을 하는 빗면 구간의 점이고, p와 q, r와 s 사이의 거리는 각각 L, $2L$이다. A는 p에서 정지 상태에서 출발하고, B는 q에서 속력 v로 출발한다. A가 q를 v의 속력으로 지나는 순간에 B는 r를 지난다.

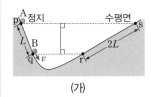 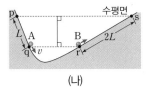

| (가) | (나) |

A와 B가 처음으로 만나는 순간, A의 속력은? (단, 물체의 크기, 마찰과 공기 저항은 무시한다.)

① $\frac{1}{8}v$　　　② $\frac{1}{6}v$　　　③ $\frac{1}{5}v$

④ $\frac{1}{4}v$　　　⑤ $\frac{1}{2}v$

Tip B도 A와 마찬가지로 p에서 정지 상태에서 출발한 경우라고 생각할 수 있다.

풀이 (가)에서 (나)가 되었을 때, q에서 A의 속력이 처음 B의 속력인 v와 같기 때문에 B 역시 p에서 정지 상태에서 출발한 경우로 생각할 수 있다. 역학적 에너지가 보존되기 때문에 p에서 정지 상태에서 출발한 A는 s에서 정지하게 되므로 B도 s에서 정지하게 된다.

(가)에서 (나)가 되는 데 걸리는 시간을 t_0이라고 하면 A의 t_0 후의 운동 상태는 항상 B의 운동 상태와 같다. 왼쪽 빗면에서의 가속도의 크기를 a라고 하면 $2aL=v^2-0^2$ 식이 성립해 $a=\frac{v^2}{2L}$이 된다. 오른쪽 빗면에서의 가속도의 크기를 a'라고 하면 $2(-a')2L=0^2-v^2$ 식이 성립해 $a'=\frac{v^2}{4L}$이 된다. 즉, 가속도의 크기는 왼쪽 빗면에서가 오른쪽 빗면에서의 2배이다.

(나)의 상태에서 t_0의 시간이 더 흐르면 A는 r 지점을 v의 속력으로 지나게 된다. 이때 B는 r 지점으로부터 $\frac{3}{2}L$만큼 떨어진 지점을 $\frac{1}{2}v$의 속력으로 지나게 된다(∵ 왼쪽 빗면에서 t_0 동안 속력이 v만큼 변하였으므로 가속도의 크기가 $\frac{1}{2}$배인 오른쪽 빗면에서는 t_0 동안 속력이 $\frac{1}{2}v$만큼 변하고, A가 왼쪽 빗면에서 $\frac{1}{2}v$의 평균 속력으로 t_0 동안 이동한 거리가 L이기 때문에 B가 오른쪽 빗면에서 $\frac{3}{4}v$의 평균 속력으로 t_0 동안 이동한 거리는 $\frac{3}{2}L$이다.). 즉,

(나)에서 t_0의 시간이 지나 A가 r에 위치하면 A와 B는 모두 오른쪽 빗면에서 운동하게 된다.

이때 A와 B는 $\frac{3}{2}L$만큼 떨어져 있기 때문에 t초 후 두 물체가 만난다고 하면, A의 변위는 B의 변위보다 $\frac{3}{2}L$만큼 더 커야 한다.

따라서 $vt-\frac{1}{2}a't^2=\frac{1}{2}vt-\frac{1}{2}a't^2+\frac{3L}{2}$이 되어 $t=\frac{3L}{v}$이므로 A와 B가 처음으로 만나는 순간 A의 속력은

$$v-a't=v-\left(\frac{v^2}{4L}\right)\left(\frac{3L}{v}\right)=\frac{v}{4}$$이다.

답 ④

확인 6-1 　　　2020 수능 20번 유사

그림 (가)는 질량이 m인 물체 A가 $t=0$일 때 점 p에서 정지 상태로 출발하는 모습을, (나)는 $t=t_0$일 때 A가 점 q를 지나는 순간 질량이 $2m$인 물체 B가 p에서 정지 상태로 출발하는 모습을 나타낸 것이다. 점 p, q, r, s는 A와 B가 직선 운동을 하는 빗면 구간의 점이고, p와 q, r와 s 사이의 거리는 각각 L, $4L$이다. $t=3t_0$일 때 A는 r를 처음으로 지난다.

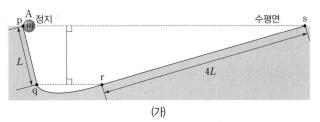

(가)

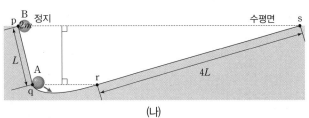

(나)

이에 대한 설명으로 옳은 것만을 |보기|에서 있는 대로 고르시오. (단, 물체의 크기, 마찰과 공기 저항은 무시한다.)

┌─ 보기 ─────────────────────────┐
ㄱ. $t=3t_0$일 때 B는 q와 r 사이를 지나고 있다.
ㄴ. $t=4t_0$일 때 A와 B 사이의 거리는 $\frac{7}{4}L$이다.
ㄷ. A와 B는 $t=7.5t_0$일 때 처음으로 만난다.
└────────────────────────────┘

1강_ 여러 가지 운동

2018 6월 모평 3번 유사

1 그림 (가)는 수평면에서 운동하는 자동차의 모습을 나타낸 것으로, 0초일 때 점 p에서 자동차의 속력은 8 m/s이고, 6초일 때 점 q에서 자동차의 속력은 4 m/s이다. 그림 (나)는 자동차의 가속도를 시간에 따라 나타낸 것이다.

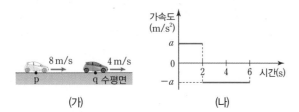

(가) (나)

이에 대한 설명으로 옳은 것만을 |보기|에서 있는 대로 고른 것은? (단, 자동차의 크기와 모든 마찰은 무시한다.)

┌─ 보기 ─
ㄱ. 4초일 때 자동차의 가속도의 크기는 2 m/s²이다.
ㄴ. 3초일 때 자동차의 속력은 10 m/s이다.
ㄷ. 2초부터 6초까지 자동차가 이동한 거리는 32 m이다.
└─

① ㄱ   ② ㄷ   ③ ㄱ, ㄴ
④ ㄴ, ㄷ   ⑤ ㄱ, ㄴ, ㄷ

Tip 가속도-시간 그래프에서 그래프와 시간 축이 이루는 넓이는 **①**[ ]을 의미하고, 가속도의 부호가 (−)인 구간에서는 속도가 **②**[ ]한다.   답 **①** 속도 변화량 **②** 감소

2 그림은 철수와 영희가 수평면상의 60 m만큼 떨어진 지점에서 서로 반대 방향으로 각각 10 m/s, 5 m/s의 속력으로 운동하고 있는 모습을 나타낸 것이다. 이후 철수는 등가속도 운동, 영희는 등속도 운동을 하여 2초 후에 만난다.

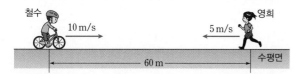

철수의 가속도 크기는? (단, 사람의 크기와 모든 마찰은 무시한다.)

① 14 m/s²   ② 15 m/s²   ③ 16 m/s²
④ 17 m/s²   ⑤ 18 m/s²

Tip 영희는 등속도 운동을 하는 2초 동안 **①**[ ] m를 이동하므로 등가속도 운동을 하는 철수는 **②**[ ] m를 이동해야 2초 후 철수와 영희가 만날 수 있다.   답 **①** 10 **②** 50

3 그림 (가)는 수평면에서 물체 A와 B가 0초일 때, 12 m 떨어진 곳에서 같은 방향으로 각각 2 m/s, 4 m/s의 속력으로 운동하고 있는 모습을, (나)는 A와 B의 시간에 따른 속도를 나타낸 것이다.

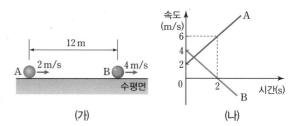

(가) (나)

A와 B가 처음으로 충돌하는 시각은 몇 초인지 구하시오. (단, 물체의 크기와 모든 마찰은 무시한다.)

Tip A와 B가 충돌할 때까지 변위의 크기는 A가 B보다 **①**[ ] m만큼 커야 하며, A와 B의 가속도의 크기는 같고 방향은 **②**[ ]이다.   답 **①** 12 **②** 반대

2019 수능 11번 유사

4 그림과 같이 기준선을 v_0의 속도로 통과한 자동차가 직선 구간 A, B, C에서 각각 등속도, 등가속도, 등속도 운동을 한다. 구간 A, B, C의 길이는 모두 같고, 자동차가 지나는 데 걸리는 시간은 A 구간에서 $2T$, C 구간에서 T이다.

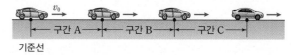

이에 대한 설명으로 옳은 것만을 |보기|에서 있는 대로 고른 것은? (단, 자동차의 크기와 모든 마찰은 무시한다.)

┌─ 보기 ─
ㄱ. 평균 속력은 B 구간에서가 A 구간에서의 $\frac{3}{2}$배이다.
ㄴ. B 구간에서 가속도의 크기는 $\frac{3v_0}{4T}$이다.
ㄷ. 구간을 지나는 데 걸리는 시간은 B 구간에서가 C 구간에서의 $\frac{3}{4}$배이다.
└─

① ㄱ   ② ㄷ   ③ ㄱ, ㄴ
④ ㄱ, ㄷ   ⑤ ㄴ, ㄷ

Tip C 구간에서의 속력이 A 구간에서의 2배이므로 C 구간에서의 속력은 **①**[ ]이며, 등가속도 운동을 하는 B 구간에서의 평균 속력은 **②**[ ]이다.   답 **①** $2v_0$ **②** $\frac{3}{2}v_0$

5 그림은 빗면을 따라 운동하던 물체 A가 점 p를 v_0의 속력으로 지나는 순간, 점 q에 물체 B를 가만히 놓은 모습을 나타낸 것

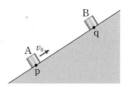

이다. A와 B는 B를 놓는 순간부터 등가속도 운동을 하여 시간 T 후에 만난다. A와 B가 만나는 순간 B의 속력은 $2v_0$이다. 이에 대한 설명으로 옳은 것만을 |보기|에서 있는 대로 고른 것은? (단, 물체의 크기와 모든 마찰은 무시한다.)

┌─── 보기 ───
ㄱ. p와 q 사이의 거리는 $v_0 T$이다.
ㄴ. A와 B는 p에서 만난다.
ㄷ. A가 최고점에 도달한 순간 A와 p 사이의 거리는 $\frac{1}{2}v_0 T$이다.
└────────

① ㄱ   ② ㄴ   ③ ㄱ, ㄴ
④ ㄱ, ㄷ   ⑤ ㄴ, ㄷ

Tip A와 B의 ❶_____의 크기는 같으므로 T 동안 A, B의 속도 변화량은 ❷_____.   📖 ❶ 가속도 ❷ 같다

6 표는 활주로에 착륙한 비행기의 시간에 따른 위치를 나타낸 것이다. 비행기는 착륙 후 등가속도 직선 운동을 하며, 착륙 후 20초가 지났을 때 정지한다.

시간(s)	0	3	6	9
위치(m)	0	555	1020	1395

이에 대한 설명으로 옳은 것만을 |보기|에서 있는 대로 고른 것은? (단, 비행기의 크기와 모든 마찰은 무시한다.)

┌─── 보기 ───
ㄱ. 3초일 때 비행기의 속도의 크기는 180 m/s이다.
ㄴ. 비행기의 가속도의 크기는 10 m/s²이다.
ㄷ. 비행기가 착륙한 후, 정지할 때까지 이동한 거리는 2000 m이다.
└────────

① ㄱ   ② ㄷ   ③ ㄱ, ㄴ
④ ㄴ, ㄷ   ⑤ ㄱ, ㄴ, ㄷ

Tip 구간별 이동 거리를 통해 각 구간에서의 ❶_____를 구한다. 그 후 일정 시간 동안의 평균 속도 변화량을 통해 비행기의 ❷_____를 구한다.   📖 ❶ 평균 속도 ❷ 가속도

7 그림은 0초일 때, 수평면에서 20 m의 간격을 두고 물체 A, B가 10 m/s의 속력으로 등속 운동을

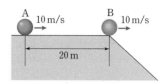

하고 있는 순간을 나타낸 것이다. A가 빗면에 진입할 때 B는 빗면의 처음 위치에서 30 m만큼 진행한 거리에 있다. 이에 대한 설명으로 옳은 것만을 |보기|에서 있는 대로 고른 것은? (단, 물체의 크기와 모든 마찰은 무시한다.)

┌─── 보기 ───
ㄱ. 빗면에서 물체의 가속도 크기는 5 m/s²이다.
ㄴ. 0초부터 4초까지 A의 이동 거리는 50 m이다.
ㄷ. 6초일 때 A의 속력은 30 m/s이다.
└────────

① ㄱ   ② ㄴ   ③ ㄷ
④ ㄴ, ㄷ   ⑤ ㄱ, ㄴ, ㄷ

Tip A와 B는 ❶_____초의 시간 간격을 두고 같은 운동을 하게 된다. 따라서 A가 빗면에 진입하는 시각은 ❷_____초일 때이다.   📖 ❶ 2 ❷ 2

2020 9월 모평 9번

8 그림과 같이 빗면을 따라 등가속도 운동을 하는 물체 A, B가 각각 점 p, q를 10 m/s, 2 m/s의

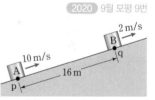

속력으로 지난다. p와 q 사이의 거리는 16 m이고, A와 B는 q에서 만난다. 이에 대한 설명으로 옳은 것만을 |보기|에서 있는 대로 고른 것은? (단, A, B는 동일 연직면상에서 운동하며, 물체의 크기와 모든 마찰은 무시한다.)

┌─── 보기 ───
ㄱ. q에서 만나는 순간, 속력은 A가 B의 4배이다.
ㄴ. A가 p를 지나는 순간부터 2초 후 B와 만난다.
ㄷ. B가 최고점에 도달했을 때, A와 B 사이의 거리는 8 m이다.
└────────

① ㄱ   ② ㄷ   ③ ㄱ, ㄴ
④ ㄴ, ㄷ   ⑤ ㄱ, ㄴ, ㄷ

Tip B는 ❶_____ 직선 운동을 하므로 B가 최고점에서 정지한 후 다시 q점을 통과할 때의 속력은 ❷_____ m/s이다.   📖 ❶ 등가속도 ❷ 2

대표 기출 1

2021 9월 모평 9번 유사

그림은 벽면에 있는 물체에 크기가 F 인 힘을 가했을 때, 질량이 각각 m, $2m$인 물체 A와 B가 떨어지지 않고 정지해 있는 모습을 나타낸 것이다.

이에 대한 설명으로 옳은 것만을 |보기|에서 있는 대로 고른 것은? (단, 중력 가속도는 g이다.)

| 보기 |
ㄱ. A에 작용하는 알짜힘의 크기는 mg이다.
ㄴ. 벽이 B에 작용하는 힘의 크기는 F이다.
ㄷ. A에 작용하는 힘 F와 B가 A에 작용하는 힘은 작용 반작용의 관계에 있다.

① ㄱ   ② ㄴ   ③ ㄷ
④ ㄱ, ㄴ   ⑤ ㄴ, ㄷ

Tip 정지한 물체에 작용하는 알짜힘의 크기는 0이다.

풀이 ㄱ. A는 정지해 있으므로 작용하는 알짜힘의 크기는 0이다.
ㄴ. B가 벽을 미는 힘의 크기는 F이므로, 작용 반작용에 의해 벽이 B를 미는 힘의 크기도 F이다.
ㄷ. 두 힘은 힘의 평형 관계에 있다.   답 ②

확인 1-1

2021 수능 10번

그림 (가)는 저울 위에 놓인 물체 A, B가 정지해 있는 모습을, (나)는 (가)의 A에 크기가 F인 힘을 연직 방향으로 가할 때 A, B가 정지해 있는 모습을 나타낸 것이다. 저울에 측정된 힘의 크기는 (나)에서가 (가)에서의 2배이다.

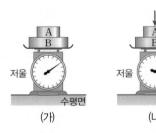

이에 대한 설명으로 옳은 것만을 |보기|에서 있는 대로 고르시오.

| 보기 |
ㄱ. (가)에서 A에 작용하는 중력과 B가 A에 작용하는 힘은 작용 반작용 관계이다.
ㄴ. (나)에서 B가 A에 작용하는 힘의 크기는 F보다 크다.
ㄷ. (나)의 저울에 측정된 힘의 크기는 $3F$이다.

대표 기출 2

그림 (가)는 수평면에 놓인 물체 A와 B를 실로 연결한 후, 양쪽에서 각각 크기가 $7F$, $2F$의 힘으로 당기고 있는 모습을, (나)는 A와 B를 F'의 힘으로 당기고 있는 모습을 나타낸 것이다. A와 B의 질량비(A : B)는 2 : 3 이고, 가속도의 크기는 (나)에서가 (가)에서의 2배이다.

(가)   (나)

이에 대한 설명으로 옳은 것만을 |보기|에서 있는 대로 고른 것은? (단, 실의 질량과 모든 마찰은 무시한다.)

| 보기 |
ㄱ. $F' = 10F$이다.
ㄴ. (가)에서 B에 작용하는 알짜힘의 크기는 $3F$이다.
ㄷ. (나)에서 실이 A를 당기는 힘의 크기는 실이 B를 당기는 힘의 크기보다 크다.

① ㄱ   ② ㄴ   ③ ㄱ, ㄴ
④ ㄱ, ㄷ   ⑤ ㄴ, ㄷ

Tip 물체에 작용하는 알짜힘의 크기는 물체의 질량과 가속도의 크기에 각각 비례한다.

풀이 ㄱ. (가)와 (나)에서 두 물체의 총 질량은 같은데, 가속도의 크기는 (나)에서가 (가)에서의 2배이므로 알짜힘의 크기는 (나)에서가 (가)에서의 2배이다. 따라서 $F' = 2 \times (5F) = 10F$이다.
ㄴ. A의 질량을 $2m$, B의 질량을 $3m$이라고 하면, (가)에서 B의 가속도는 $\dfrac{5F}{5m} = \dfrac{F}{m}$이므로 B에는 $3m \times \dfrac{F}{m} = 3F$의 알짜힘이 작용한다.
ㄷ. 실의 장력은 일정하므로 두 힘의 크기는 같다.   답 ③

확인 2-1

그림은 마찰이 없는 수평면에서 질량이 각각 2 kg, 3 kg, m 인 물체 A, B, C를 실로 연결한 후 10 N의 힘으로 당기고 있는 모습을 나타낸 것이다. A에 작용하는 알짜힘의 크기는 2 N이다.

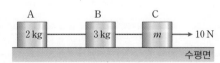

m은 몇 kg인지 구하시오.

대표 기출 3

그림 (가)는 수평면에서 물체 A와 B를 실로 연결한 후 6 N의 힘으로 당기고 있는 모습을, (나)는 B의 속도를 시간에 따라 나타낸 것이다. A의 질량은 2 kg이다.

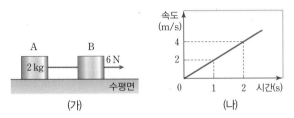

(가)

(나)

이에 대한 설명으로 옳은 것만을 │보기│에서 있는 대로 고른 것은? (단, 실의 질량과 모든 마찰은 무시한다.)

┌─ 보기 ┐
ㄱ. B의 질량은 1 kg이다.
ㄴ. 실이 B를 당기는 힘의 크기는 4 N이다.
ㄷ. A가 1초부터 2초까지 이동한 거리는 6 m이다.
└─────┘

① ㄱ   ② ㄴ   ③ ㄷ
④ ㄱ, ㄴ   ⑤ ㄴ, ㄷ

Tip 속도–시간 그래프에서 기울기는 가속도를, 그래프와 시간 축이 이루는 넓이는 이동 거리(변위)를 의미한다.

풀이 ㄱ. 가속도가 2 m/s²이므로 A에 작용하는 알짜힘은 4 N, B에 작용하는 알짜힘은 2 N이다. 따라서 B의 질량은 1 kg이다.

ㄴ. A에 작용하는 알짜힘이 4 N이므로 실이 A 또는 B를 당기는 힘의 크기는 4 N이다.

ㄷ. 1초부터 2초까지 속도–시간 그래프에서 그래프와 시간 축이 이루는 넓이는 3 m이다.

답 ④

확인 ❸-1

그림 (가)는 수평면에 놓인 질량이 2 kg인 물체에 F와 10 N의 힘이 동시에 작용하는 모습을, (나)는 물체의 위치에 따른 가속도를 나타낸 것이다. 물체는 원점에서 정지 상태에 있다가 두 힘을 받으면 오른쪽으로 움직이기 시작한다. 물체가 왼쪽으로 받는 힘의 크기 F는 0~1 m 구간에서는 F_1, 1~1.5 m 구간에서는 F_2이다.

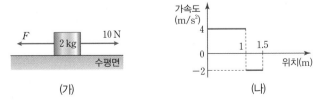

(가)

(나)

F_1과 F_2의 크기는 몇 N인지 각각 구하시오. (단, 물체의 크기와 마찰은 무시한다.)

대표 기출 4

그림 (가)와 (나)는 실로 연결한 물체 A와 B가 움직이는 모습을 나타낸 것이다. A의 질량은 $2m$이고, B의 질량은 A의 질량보다 크며, 가속도의 크기는 (나)에서가 (가)에서의 3배이다.

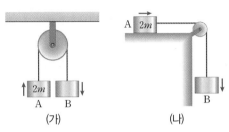

(가)

(나)

이에 대한 설명으로 옳은 것만을 │보기│에서 있는 대로 고르시오. (단, 중력 가속도는 g이고, 실의 질량과 모든 마찰은 무시한다.)

┌─ 보기 ┐
ㄱ. B의 질량은 $3m$이다.
ㄴ. 실이 A를 당기는 힘의 크기는 (나)에서가 (가)에서의 2배이다.
ㄷ. (나)에서 B에 작용하는 알짜힘의 크기는 $\frac{3}{5}mg$이다.
└─────┘

Tip 운동 방정식을 이용하면 물체의 질량과 가속도를 구할 수 있다.

풀이 ㄱ. B의 질량을 m_B라고 하면 $(m_B - 2m)g = (2m + m_B)a$, $m_B g = (2m + m_B)3a$이므로 $m_B = 3m$이다.

ㄴ. (가)에서 가속도는 $\frac{1}{5}g$, (나)에서 가속도는 $\frac{3}{5}g$이므로 실이 A를 당기는 힘의 크기는 (가)에서 $\frac{12}{5}mg$, (나)에서 $\frac{6}{5}mg$이다.

ㄷ. (나)에서 B에 작용하는 알짜힘의 크기는 $3m \times \frac{3}{5}g = \frac{9}{5}mg$이다.

답 ㄱ

확인 ❹-1

그림은 물체 A, B, C가 실 p, q에 연결되어 움직이고 있는 모습을 나타낸 것이다. A, B, C의 질량은 각각 $4m$, $2m$, $3m$이다. p가 A를 당기는 힘을 T_p, q가 B를 당기는 힘을 T_q라고 할 때, $T_p - T_q$를 구하시오. (단, 중력 가속도는 g이고, 실의 질량과 모든 마찰은 무시한다.)

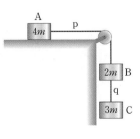

대표 기출 5 2020 4월 학평 20번

그림 (가)와 같이 질량이 각각 $2m$, m, $2m$인 물체 A, B, C가 실로 연결된 채 각각 빗면에서 일정한 속력 v로 운동한다. 그림 (나)는 (가)에서 A가 점 p에 도달하는 순간, A와 B를 연결하고 있던 실이 끊어져 A, B, C가 각각 등가속도 직선 운동을 하는 모습을 나타낸 것이다. (나)에서 실이 B에 작용하는 힘의 크기는 $\frac{5}{6}mg$이고, 실이 끊어진 순간부터 A가 최고점에 도달할 때까지 C는 d만큼 이동한다.

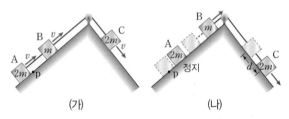

(가)   (나)

d는? (단, 중력 가속도는 g이고, 물체의 크기, 실의 질량과 모든 마찰은 무시한다.)

① $\frac{8v^2}{3g}$ ② $\frac{10v^2}{3g}$ ③ $\frac{4v^2}{g}$

④ $\frac{14v^2}{3g}$ ⑤ $\frac{16v^2}{3g}$

Tip 물체가 같은 빗면에 있을 때 물체에 빗면 아래 방향으로 작용하는 힘의 크기는 물체의 질량에 비례한다.

풀이 (가)에서 A, B, C가 등속 운동을 하고 있기 때문에 A, B, C에 작용하는 알짜힘이 0이다. 따라서 B에 빗면 아래 방향으로 작용하는 힘의 크기를 F라고 하면, A에는 $2F$, C에는 $3F$의 힘이 각각 작용한다.

실이 끊어진 후 B, C의 가속도의 크기를 a라고 하면,

B의 운동 방정식은 $\frac{5}{6}mg - F = ma$,

C의 운동 방정식은 $3F - \frac{5}{6}mg = 2ma$이다.

이를 정리하면 $F = \frac{1}{2}mg$이고, $a = \frac{1}{3}g$이다.

실이 끊어진 후 A의 가속도의 크기를 a_1이라고 하면 $2F = 2ma_1$이기 때문에 $a_1 = \frac{g}{2}$이다. 따라서 실이 끊어진 후 A가 정지할 때까지 걸린 시간은 $v - \frac{g}{2}t = 0$에서 $t = \frac{2v}{g}$이다.

또, 실이 끊어진 후 C가 이동한 거리 d는 $s = vt + \frac{1}{2}at^2$에서

$v\left(\frac{2v}{g}\right) + \frac{1}{2}\left(\frac{1}{3}g\right)\left(\frac{2v}{g}\right)^2 = \frac{8v^2}{3g}$이다.   **답** ①

확인 5-1

그림은 실 p, q, r로 연결한 물체 A, B, C, D가 모두 정지 상태에 있는 모습을 나타낸 것이다. 이 상태에서 p를 끊으면 B, C, D는 등가속도 운동을 하는데, 이때 q와 r의 장력은 각각 $\frac{11}{4}mg$, $\frac{25}{8}mg$이다. D의 속력이 v가 될 때까지 걸린 시간을 t_0이라고 하고, t_0일 때 r를 끊는다. r를 끊은 후 $\frac{t_0}{4}$의 시간이 지났을 때 B의 속력은 v'이다. C의 질량은 m이다.

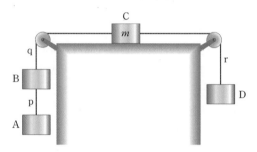

이에 대한 설명으로 옳은 것만을 |보기|에서 있는 대로 고르시오. (단, 중력 가속도는 g이고, 실의 질량과 모든 마찰은 무시한다. 또, A, B, D는 연직 방향으로만 움직이고, C는 수평면상에서만 움직인다.)

|보기|
ㄱ. A의 질량은 $3m$이다.
ㄴ. $t_0 = \frac{8v}{3g}$이다.
ㄷ. $v' = \frac{5}{9}v$이다.

대표 기출 6

2020 10월 학평 19번

그림 (가)는 물체 A와 실로 연결된 물체 B에 수평 방향으로 힘 F와 실이 당기는 힘 T가 작용하는 모습을, (나)는 (가)에서 F의 크기를 시간에 따라 나타낸 것이다. A, B는 0~2초 동안 정지해 있다. F의 방향은 0~4초 동안 일정하고, T의 크기는 3초일 때가 5초일 때의 4배이다.

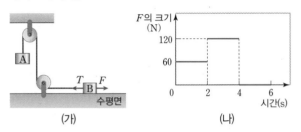

(가)   (나)

B의 질량 m_B와 B가 0~6초 동안 이동한 거리 L_B로 옳은 것은? (단, 중력 가속도는 10 m/s²이고, 실의 질량, 모든 마찰과 공기 저항은 무시한다.)

	m_B	L_B		m_B	L_B
①	2 kg	30 m	②	2 kg	48 m
③	4 kg	12 m	④	4 kg	24 m
⑤	6 kg	20 m			

Tip 물체가 정지해 있을 때 물체에 작용하는 알짜힘은 0이다.

풀이 0~2초 동안 A, B는 정지해 있으므로 A와 B에 작용하는 알짜힘은 0이다. 따라서 0~2초 동안 A와 B에 대한 운동 방정식은 $T-10m_A=m_A\times0$, $60-T=m_B\times0$이 되고, 이로부터 $m_A=6$ kg임을 알 수 있다. 3초일 때 T의 크기를 T_1, 가속도의 크기를 a_1이라고 하면 작용하는 힘의 크기 F가 60 N 보다 크기 때문에 A, B에 대한 운동 방정식은 $T_1-60=6a_1$, $120-T_1=m_Ba_1$이 된다. 5초일 때 T의 크기를 T_2, 가속도의 크기를 a_2라고 하면 A, B에 대한 운동 방정식은 F가 0이기 때문에 $60-T_2=6a_2$, $T_2=m_Ba_2$가 된다. 3초일 때와 5초일 때 A, B에 작용하는 알짜힘의 크기는 60 N으로 같고 방향이 반대이기 때문에 가속도의 크기는 $a_1=a_2$이고, $T_1=4T_2$이다. 따라서 이를 이용해 운동 방정식을 정리하면 가속도의 크기는 6 m/s², $m_B=4$ kg이다. 이 결과를 이용해 물체의 속도-시간 그래프를 그리고, 그래프 아래의 넓이를 통해 0~6초 동안 물체의 이동 거리를 구하면 24 m이다.

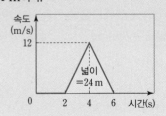

답 ④

확인 6-1

2021 9월 모평 10번 유사

그림 (가)는 실 p, q로 물체 A, B, C를 연결한 후 힘 F로 당기는 모습을, (나)는 C의 속도를 시간에 따라 나타낸 것이다. 0~2초, 2~6초, 6~8초 동안 F의 크기는 각각 F_1, F_2, F_3이고 각 구간에서의 힘의 크기는 일정하다. 또, 0~8초 동안 F의 방향은 일정하다. 2초일 때 p가 끊어지고, 4초일 때 q가 끊어진다. A와 C의 질량은 각각 0.2 kg, 2 kg이다.

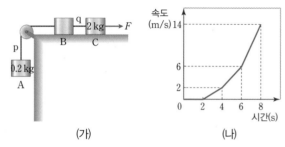

(가)   (나)

이에 대한 설명으로 옳은 것만을 | 보기 |에서 있는 대로 고르시오. (단, 중력 가속도는 10 m/s²이고, 실의 질량과 모든 마찰은 무시한다.)

┌ **보기** ┐
ㄱ. B의 질량은 1 kg이다.
ㄴ. F_2의 크기는 4 N이다.
ㄷ. $F_3=2F_1+F_2$이다.
└　　　　　　　　　　　　　┘

필수 체크 전략 ②

2강_ 뉴턴 운동 법칙

1 그림은 수평면에 놓인 질량이 각각 m, $3m$인 물체 A, B를 $2mg$의 힘으로 누를 때, 물체가 정지해 있는 모습을 나타낸 것이다. 이에 대한 설명으로 옳은 것만을 | 보기 |에서 있는 대로 고르시오. (단, 중력 가속도는 g이다.)

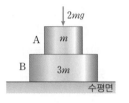

┌ 보기 ┐
- ㄱ. A에 작용하는 알짜힘의 크기는 $2mg$이다.
- ㄴ. A에 작용하는 중력에 대한 반작용은 B가 A를 떠받치는 힘이다.
- ㄷ. 수평면이 B를 떠받치는 힘의 크기는 $6mg$이다.

> **Tip** 정지해 있는 물체에 작용하는 알짜힘은 **❶** 이고, A에 작용하는 중력에 대한 반작용은 A가 **❷** 를 당기는 힘이다. **답 ❶ 0 ❷ 지구**

2 그림 (가)는 움직 도르래와 고정 도르래를 실로 연결한 후, 움직 도르래에는 질량이 4 kg인 물체 A를 매달고 실에는 질량이 m인 물체 B를 매달아 정지 상태에서 일정한 힘 F로 당기기 시작하는 모습을, (나)는 B의 시간에 따른 속도를 나타낸 것이다. 2초일 때 실을 당기던 손을 놓는다.

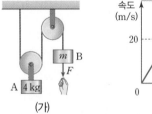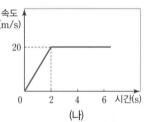

(가)   (나)

m(kg)과 F(N)의 크기를 각각 구하시오. (단, 중력 가속도는 10 m/s²이고, 실과 도르래의 질량, 모든 마찰은 무시한다.)

> **Tip** B를 2 m만큼 당기면, 움직 도르래에 연결된 A는 **❶** m만큼 이동한다. 따라서 가속도의 크기는 B가 A의 **❷** 배이다. **답 ❶ 1 ❷ 2**

3 그림은 질량이 m인 상자에 앉아 있는 질량이 60 kg인 사람이 상자와 연결된 줄을 700 N의 힘으로 연직 아래 방향으로 당겨 상자와 사람이 연직 위로 등가속도 운동을 하고 있는 모습을 나타낸 것이다. 사람의 가속도 크기는 4 m/s²이다. 이에 대한 설명으로 옳은 것만을 | 보기 |에서 있는 대로 고른 것은? (단, 중력 가속도는 10 m/s²이고, 줄의 질량과 모든 마찰은 무시한다.)

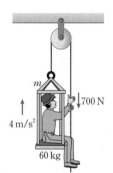

┌ 보기 ┐
- ㄱ. $m = 40$ kg이다.
- ㄴ. 상자에 작용하는 알짜힘의 크기는 140 N이다.
- ㄷ. 상자 바닥이 사람을 떠받치는 힘의 크기는 200 N이다.

① ㄱ   ② ㄴ   ③ ㄱ, ㄴ
④ ㄴ, ㄷ   ⑤ ㄱ, ㄴ, ㄷ

> **Tip** 사람이 줄을 잡아당기는 힘을 작용이라 하면, **❶** 이 **❷** 을 잡아당기는 힘을 반작용이라고 한다. **답 ❶ 줄 ❷ 사람**

4 그림 (가)는 실로 연결된 물체 A, B, C가 연직 아래 방향으로 $\frac{2}{3}g$의 가속도로 운동하는 모습을, (나)는 A와 C의 위치를 바꾸었을 때 정지한 모습을 나타낸 것이다. B의 질량은 $2m$이다. A의 질량을 구하시오. (단, 중력 가속도는 g이고, 실의 질량과 모든 마찰은 무시한다.)

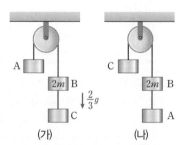

(가)   (나)

> **Tip** 물체가 정지해 있을 때, 물체에 작용하는 **❶** 은 0이고, 물체가 가속도 운동을 할 때 가속도의 방향은 **❷** 이 작용하는 방향과 같다. **답 ❶ 알짜힘 ❷ 알짜힘**

정답과 해설 **8쪽**

2021 9월 모평 10번 유사

5 그림 (가)는 0초일 때, 수평면 위에 놓인 질량이 3 kg인 물체 A와 질량이 각각 m, 5 kg인 물체 B와 C가 실로 연결된 상태에서 정지해 있는 모습을, (나)는 B의 시간에 따른 속도를 나타낸 것이다. 1초일 때 실 p는 끊어진다.

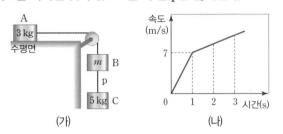

(가)　　　　(나)

이에 대한 설명으로 옳은 것만을 |보기|에서 있는 대로 고르시오. (단, 중력 가속도는 10 m/s²이고, 실의 질량과 모든 마찰은 무시한다.)

┌─ 보기 ─────────────────────┐
ㄱ. $m = 2$ kg이다.

ㄴ. 3초일 때 B의 속력은 15 m/s이다.

ㄷ. 1초부터 2초까지 A가 이동한 거리는 9 m이다.
└───────────────────────────┘

Tip 0초부터 1초까지 B, C에 작용하는 ❶[　　　]의 합이 A, B, C 전체에 작용하는 ❷[　　　]이다. **탑** ❶ 중력 ❷ 알짜힘

---

6 그림은 $t=0$일 때 실로 연결되어 정지해 있던 물체 A, B, C가 $\frac{1}{6}g$의 가속도로 움직이고 있는 모습을 나타낸 것이다. B의 질량은 m이고, $t=t_0$일 때 실 p가 C를 당기는 힘의 크기는 $\frac{5}{2}mg$이며, $t=3t_0$일 때 p가 끊어진다. 이에 대한 설명으로 옳은 것만을 |보기|에서 있는 대로 고르시오. (단, 중력 가속도는 g이고, 실의 질량과 모든 마찰은 무시한다.)

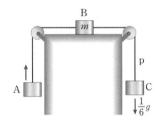

┌─ 보기 ─────────────────────┐
ㄱ. A의 질량은 $2m$이다.

ㄴ. $2t_0$일 때, 실이 A를 당기는 힘의 크기는 $\frac{7}{3}mg$이다.

ㄷ. $3t_0$부터 $4t_0$까지 A의 변위의 크기는 $\frac{gt_0^{\,2}}{6}$이다.
└───────────────────────────┘

Tip C에 작용하는 알짜힘은 실 p의 ❶[　　　]과 C에 작용하는 ❷[　　　]의 합력으로 구할 수 있다. **탑** ❶ 장력 ❷ 중력

2021 6월 모평 8번 유사

7 그림 (가), (나)는 물체 A, B, C가 수평 방향으로 24 N의 힘을 받아 함께 등가속도 직선 운동을 하는 모습이다. A, B, C의 질량은 각각 4 kg, 6 kg, 2 kg이고, (가)와 (나)에서 B가 C에 작용하는 힘의 크기는 각각 F_1, F_2이다.

(가)　　　　(나)

$F_1 : F_2$는? (단, 모든 마찰은 무시한다.)

① 1 : 2　　　② 1 : 3　　　③ 1 : 4

④ 1 : 5　　　⑤ 1 : 6

Tip (가)에서 B가 C에 작용하는 힘이 C의 ❶[　　　]이다. (나)에서는 24 N의 힘과 B가 C에 작용하는 힘의 ❷[　　　]이 C의 알짜힘이다. **탑** ❶ 알짜힘 ❷ 합력

2021 6월 모평 18번

8 그림 (가)와 같이 물체 A, B에 크기가 각각 F, $4F$인 힘이 수평 방향으로 작용한다. 실로 연결된 A, B는 함께 등가속도 직선 운동을 하다가 실이 끊어진 후 각각 등가속도 직선 운동을 한다. 그림 (나)는 B의 속력을 시간에 따라 나타낸 것이다. A의 질량은 1 kg이다.

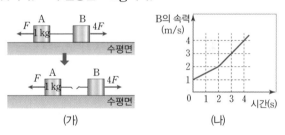

(가)　　　　(나)

이에 대한 설명으로 옳은 것만을 |보기|에서 있는 대로 고른 것은? (단, 실의 질량과 모든 마찰은 무시한다.)

┌─ 보기 ─────────────────────┐
ㄱ. B의 질량은 3 kg이다.

ㄴ. 3초일 때, A의 속력은 1.5 m/s이다.

ㄷ. A와 B 사이의 거리는 4초일 때가 3초일 때보다 2.5 m만큼 크다.
└───────────────────────────┘

① ㄱ　　　② ㄴ　　　③ ㄱ, ㄷ

④ ㄴ, ㄷ　　　⑤ ㄱ, ㄴ, ㄷ

Tip 실이 끊어지기 전 두 물체 A, B의 가속도의 크기는 ❶[　　　] m/s²으로 같고, 실이 끊어진 후 B의 가속도의 크기는 ❷[　　　] m/s²이다. **탑** ❶ 0.5 ❷ 1

1강_ 여러 가지 운동

01 그림 (가)~(다)는 각각 무빙 워크에 서 있는 사람, 정류장에서 속력이 느려지는 버스, 멀리 뛰기를 하는 선수이다.

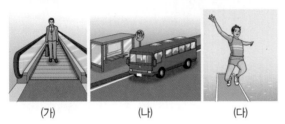

(가)   (나)   (다)

이에 대한 설명으로 옳은 것만을 | 보기 | 에서 있는 대로 고르시오.

┌ 보기 ┐
ㄱ. (가)에서 사람의 속력은 변하지 않는다.
ㄴ. (나)의 버스에 작용하는 알짜힘의 크기는 0이다.
ㄷ. (다)에서 선수에 작용하는 알짜힘의 방향은 변한다.

02 그림은 철수가 자전거를 타고 굽은 길을 따라 집에서 학교까지 간 경로를 나타낸 것이다. 굽은 길의 길이는 600 m, 집과 학교의 직선 거리는 400 m이고, 철수의 이동 시간은 40초이다. 집에서 학교까지 가는 동안 철수의 평균 속력을 v_1, 평균 속도의 크기를 v_2라고 할 때, $v_1 : v_2$를 구하시오.

(   )

03 그림은 직선상에서 운동하는 물체 A와 B의 위치를 시간에 따라 나타낸 것이다. 이에 대한 설명으로 옳은 것만을 | 보기 | 에서 있는 대로 고른 것은?

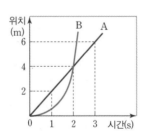

┌ 보기 ┐
ㄱ. A는 속력이 2 m/s인 등속 운동을 한다.
ㄴ. 0초부터 2초까지 A, B의 평균 속력은 같다.
ㄷ. 1.5초일 때 A의 위치는 2.5 m이다.

① ㄱ   ② ㄷ   ③ ㄱ, ㄴ
④ ㄱ, ㄷ   ⑤ ㄴ, ㄷ

04 그림은 원점에서 출발한 물체의 속도를 시간에 따라 나타낸 것이다. t초일 때 물체의 위치는 원점이다.

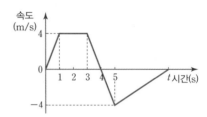

이에 대한 설명으로 옳은 것만을 | 보기 | 에서 있는 대로 고른 것은?

┌ 보기 ┐
ㄱ. 0초부터 t초까지 물체의 평균 속도는 0이다.
ㄴ. 1초부터 5초까지 물체의 평균 속력은 3 m/s이다.
ㄷ. 6초일 때 물체의 가속도의 크기는 0.8 m/s²이다.

① ㄱ   ② ㄴ   ③ ㄱ, ㄷ
④ ㄴ, ㄷ   ⑤ ㄱ, ㄴ, ㄷ

2022 9월 모평 11번 유사

05 그림과 같이 수평면에서 간격 10 m를 유지하며 일정한 속력 10 m/s로 운동하던 물체 A, B가 빗면을 따라 운동한다. A가 점 p를 6 m/s의 속력으로 지나는 순간에 B는 점 q를 2 m/s의 속력으로 지난다. 점 O는 빗면의 시작점이다.

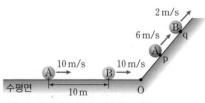

이에 대한 설명으로 옳은 것만을 | 보기 | 에서 있는 대로 고른 것은? (단, A, B는 동일 연직면에서 운동하며, 물체의 크기, 모든 마찰은 무시한다.)

┌ 보기 ┐
ㄱ. B가 O점을 지난 후 1초 뒤에 A가 O점을 지난다.
ㄴ. p와 q 사이의 거리는 4 m이다.
ㄷ. A는 O점을 지난 후 3초 뒤에 q점에 도달한다.

① ㄱ   ② ㄷ   ③ ㄱ, ㄴ
④ ㄱ, ㄷ   ⑤ ㄴ, ㄷ

2강_ 뉴턴 운동 법칙

06 그림 (가)는 수평면에 정지 상태로 놓여 있는 질량이 m인 물체에 힘을 작용하고 있는 모습을, (나)는 물체의 속도를 시간에 따라 나타낸 것이다. 0초부터 2초까지 물체에는 4 N의 일정한 힘이 작용하였다.

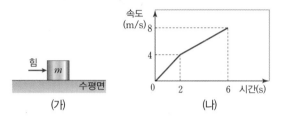

(가)　　　　　(나)

이에 대한 설명으로 옳은 것만을 | 보기 |에서 있는 대로 고른 것은? (단, 물체의 크기와 모든 마찰은 무시한다.)

보기
ㄱ. $m = 1$ kg이다.
ㄴ. 5초일 때 물체에 작용하는 힘의 크기는 2 N이다.
ㄷ. 0초부터 6초까지 물체가 이동한 거리는 28 m이다.

① ㄱ　　　② ㄴ　　　③ ㄷ
④ ㄱ, ㄴ　　⑤ ㄴ, ㄷ

07 그림 (가)는 수평면에 자석 A와 B를 다른 극끼리 마주보게 하여 놓은 것을, (나)는 A와 B를 같은 극끼리 마주보게 하였을 때 A가 떠 있는 것을 나타낸 것이다. 이에 대한 설명으로 옳은 것만을 | 보기 |에서 있는 대로 고른 것은? (단, 나무 막대의 질량과 모든 마찰은 무시한다.)

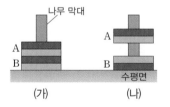

(가)　　　　(나)

보기
ㄱ. 수평면이 B를 떠받치는 힘은 (나)에서가 (가)에서보다 크다.
ㄴ. A에 작용하는 알짜힘의 크기는 (가)에서가 (나)에서보다 크다.
ㄷ. (나)에서 A가 B를 미는 힘의 크기는 B가 A를 미는 힘의 크기와 같다.

① ㄴ　　　② ㄷ　　　③ ㄱ, ㄴ
④ ㄱ, ㄷ　　⑤ ㄴ, ㄷ

08 그림 (가)는 빗면 위의 질량이 m인 물체 A와 수평면 위의 질량이 2 kg인 물체 B가 실로 연결된 채 정지해 있는 모습을, (나)는 A와 B의 속도를 시간에 따라 나타낸 것이다. 실 q와 p는 각각 0초, 2초일 때 끊어진다.

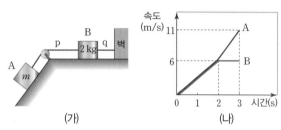

(가)　　　　　(나)

이에 대한 설명으로 옳은 것만을 | 보기 |에서 있는 대로 고르시오. (단, 물체의 크기, 실의 질량, 모든 마찰은 무시한다.)

보기
ㄱ. $m = 3$ kg이다.
ㄴ. 1초일 때 p가 A를 당기는 힘의 크기는 6 N이다.
ㄷ. 2.5초일 때 A에 작용하는 알짜힘의 크기는 5 N이다.

2022 6월 모평 13번 유사

09 그림은 물체 A, B, C, D가 실로 연결되어 정지해 있는 모습을 나타낸 것이다. 실 q를 끊으면, C와 D는 각각 가속도의 크기가 $\frac{5}{3}$ m/s², 5 m/s²인 등가속도 운동을 하고, 그 후 실 p를 끊으면 B는 가속도의 크기가 $\frac{4}{3}$ m/s²인 등가속도 운동을 한다. A, B, C, D의 질량은 각각 3 kg, 1 kg, 2 kg, m이다. 이에 대한 설명으로 옳은 것만을 | 보기 |에서 있는 대로 고른 것은? (단, 실의 질량과 모든 마찰은 무시하고, 각 물체들은 처음의 빗면 위에서만 움직인다.)

보기
ㄱ. $m = 2$ kg이다.
ㄴ. p를 끊은 후 A의 가속도의 크기는 2 m/s²이다.
ㄷ. 처음 정지 상태에 있을 때, q가 C를 잡아당기는 힘의 크기는 2 N이다.

① ㄱ　　　② ㄷ　　　③ ㄱ, ㄴ
④ ㄱ, ㄷ　　⑤ ㄴ, ㄷ

1강_ 여러 가지 운동

2020 7월 학평 11번 유사

01 그림은 여러 가지 운동 A, B, C를 각 특징에 맞게 분류한 도표이다.

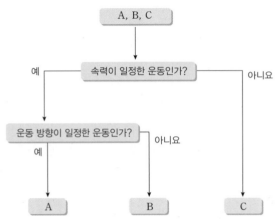

이에 대한 설명으로 옳은 것만을 | 보기 |에서 있는 대로 고른 것은?

┌─ 보기 ┐
ㄱ. 자유 낙하 하는 물체의 운동은 A에 해당한다.
ㄴ. 등속 원운동은 B에 해당한다.
ㄷ. C에 해당하는 운동을 하는 물체의 위치 – 시간 그래프의 기울기는 일정하다.
└─────────────────────┘

① ㄱ   ② ㄴ   ③ ㄱ, ㄷ
④ ㄴ, ㄷ   ⑤ ㄱ, ㄴ, ㄷ

> **Tip** 속력과 운동 방향이 일정한 운동, 즉 ❶[   ]가 일정한 운동은 ❷[   ] 직선 운동이고, 속도가 변하는 운동은 가속도 운동이다.   🔑 ❶ 속도 ❷ 등속

02 그림과 같이 수영 선수가 점 p에서 점 q까지 곡선 경로를 따라 이동하는 모습을 보고 학생 A, B, C가 대화를 하였다.

제시한 의견이 옳은 학생만을 있는 대로 고른 것은?

① A   ② B   ③ A, B
④ B, C   ⑤ A, B, C

> **Tip** 포물선 운동은 물체의 ❶[   ]과 운동 ❷[   ]이 모두 변하는 운동이다.   🔑 ❶ 속력 ❷ 방향

2019 6월 모평 6번 유사

03 다음은 물체의 운동을 분석하기 위한 실험이다.

| 실험 과정 |

(가) 그림과 같이 빗면에서 직선 운동을 하는 질량이 2 kg 인 수레의 운동을 동영상 촬영 장치로 촬영한다.

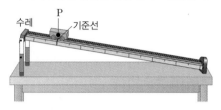

(나) 동영상 분석 프로그램을 이용하여 수레의 한 지점 P를 기준선에 가만히 놓은 순간부터 0.2초 간격으로 P의 위치를 기록한다.

(다) 빗면의 기울기를 다르게 한 후, (가)와 (나)를 반복한다.

| 실험 결과 |

과정	시간(s)	0	0.2	0.4	0.6	0.8
(나)	위치(cm)	0	6	24	54	㉠
(다)		0	2	8	18	32

• (나)에서 수레는 가속도의 크기가 ㉡ m/s²인 등가속도 직선 운동을 하였다.

• (다)에서 수레는 가속도의 크기가 ㉢ m/s²인 등가속도 직선 운동을 하였다.

이에 대한 설명으로 옳은 것만을 | 보기 |에서 있는 대로 고른 것은?

| 보기 |

ㄱ. ㉠은 96이다.

ㄴ. (나)에서 0.6초일 때 수레의 속도는 1.8 m/s이다.

ㄷ. ㉡+㉢=4이다.

① ㄱ   ② ㄴ   ③ ㄱ, ㄷ

④ ㄴ, ㄷ   ⑤ ㄱ, ㄴ, ㄷ

> **Tip** 구간별 이동 거리를 통해 ❶ 를 구할 수 있고, 구간별 평균 속도의 변화량을 통해 ❷ 를 구할 수 있다.
>
> 답 ❶ 평균 속도 ❷ 가속도

04 그림 (가)는 연직 아래로 떨어지고 있는 물체, (나)는 컨베이어 벨트 위에 놓여 움직이고 있는 물체를 나타낸 것이다.

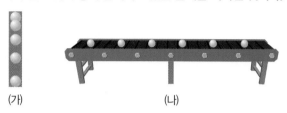

(가)   (나)

나현이가 (가), (나)의 물체를 디지털카메라로 동영상 촬영한 후, 동영상 분석 프로그램을 이용해 물체의 운동을 분석하여 각 물체의 가속도–시간 그래프, 속도–시간 그래프, 변위–시간 그래프를 다음 표로 제시하였다.

구분	가속도–시간 그래프	속도–시간 그래프	변위–시간 그래프
(가)			
(나)			

표에서 (가), (나)의 빈칸에 들어갈 그래프의 개형을 | 보기 |에서 골라 적절하게 짝 지은 것은?

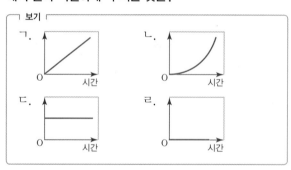

		가속도–시간 그래프	속도–시간 그래프	변위–시간 그래프
①	(가)	ㄱ	ㄹ	ㄴ
	(나)	ㄷ	ㄴ	ㄱ
②	(가)	ㄱ	ㄴ	ㄷ
	(나)	ㄹ	ㄱ	ㄷ
③	(가)	ㄴ	ㄱ	ㄷ
	(나)	ㄹ	ㄷ	ㄴ
④	(가)	ㄷ	ㄴ	ㄱ
	(나)	ㄹ	ㄷ	ㄱ
⑤	(가)	ㄷ	ㄱ	ㄹ
	(나)	ㄹ	ㄱ	ㄴ

> **Tip** 자유 낙하 하는 물체의 가속도의 크기는 ❶ 하고, 속도는 일정하게 ❷ 한다.
>
> 답 ❶ 일정 ❷ 증가

2강_ 뉴턴 운동 법칙

2019 9월 모평 4번

05 다음은 힘, 질량, 가속도 사이의 관계를 알아보기 위한 실험이다.

> **｜ 실험 과정 ｜**
> (가) 그림과 같이 수레에 용수철저울을 연결하고 용수철저울의 눈금이 4 N으로 유지되도록 수레를 당기면서 수레의 운동을 동영상으로 촬영한다.
>
>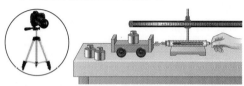
>
> (나) 동영상 분석 프로그램을 이용하여 수레의 위치를 0.1초 간격으로 기록한다.
> (다) (가)에서 용수철저울이 수레를 당기는 힘만 변화시킨 후 과정 (가), (나)를 반복한다.
> (라) (가)에서 수레의 질량만 변화시킨 후 과정 (가), (나)를 반복한다.
>
> **｜ 실험 결과 ｜**
>
> | | 시간(s) | 0 | 0.1 | 0.2 | 0.3 |
> |---|---|---|---|---|---|
> | (나) | 위치 (cm) | 0 | 2 | 6 | 12 |
> | (다) | | 0 | 4 | 12 | ㉠ |
> | (라) | | 0 | 1 | 3 | 6 |

이에 대한 설명으로 옳은 것만을 ｜보기｜에서 있는 대로 고른 것은?

> **┌ 보기 ┐**
> ㄱ. ㉠은 24이다.
> ㄴ. (다)에서 수레에 작용하는 알짜힘의 크기는 8 N이다.
> ㄷ. (라)에서 사용된 수레의 질량은 $\frac{1}{2}$ kg이다.

① ㄱ   ② ㄷ   ③ ㄱ, ㄴ
④ ㄱ, ㄷ   ⑤ ㄴ, ㄷ

> **Tip** 물체의 가속도는 물체에 작용하는 ❶[　　　]에 비례하고, 물체의 ❷[　　　]에 반비례한다. **답** ❶ 알짜힘 ❷ 질량

06 다음은 힘과 가속도 사이의 관계를 알아보기 위한 실험이다.

> **｜ 준비물 ｜**
> 수레, 질량이 같은 추 4개, 운동 센서, 도르래, 실
>
> **｜ 실험 과정 ｜**
> (가) 그림과 같이 수레와 추를 도르래를 통해 실로 연결한 후 수레를 가만히 놓고 운동 센서를 이용하여 수레의 가속도를 측정한다.
>
>
>
> (나) 표와 같이 추의 위치를 바꾸어 가면서 과정 (가)를 반복한다.
>
> | 실험 | 실에 매달린 추의 수 | 수레 위의 추의 수 |
> |---|---|---|
> | Ⅰ | 1 | 3 |
> | Ⅱ | 2 | 2 |
> | Ⅲ | 3 | 1 |
> | Ⅳ | 4 | 0 |

실험 Ⅰ~Ⅳ에서 수레의 가속도를 나타낸 것으로 가장 적절한 것은?

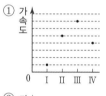 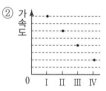

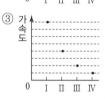 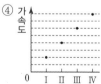

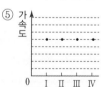

> **Tip** 실험 Ⅰ~Ⅳ로 진행될수록 실에 매달린 추의 수는 늘어나 전체 수레와 추에 작용하는 ❶[　　　]의 크기는 일정하게 증가하지만, 운동하는 수레와 추의 전체 질량은 일정하다. 따라서 ❷[　　　]의 크기는 일정하게 증가한다.
> **답** ❶ 알짜힘 ❷ 가속도

07 그림과 같이 수평면에 놓인 질량이 각각 2 kg, 3 kg, 1 kg인 물체 A, B, C에 양쪽에서 각각 20 N, 8 N의 힘이 작용하고 있는 모습을 보고 학생 A, B, C가 대화를 하였다.

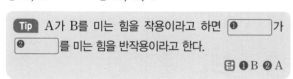

학생 A   학생 B   학생 C

제시한 의견이 옳은 학생만을 있는 대로 고른 것은? (단, 모든 마찰은 무시한다.)

① A   ② B   ③ A, B
④ B, C   ⑤ A, B, C

> **Tip** A가 B를 미는 힘을 작용이라고 하면 ❶[ ]가 ❷[ ]를 미는 힘을 반작용이라고 한다.
>
> 답 ❶ B ❷ A

2020 9월 모평 16번 유사

08 그림 (가)는 저울 위에 고정된 수직 봉을 따라 연직 방향으로 운동할 수 있는 로봇을 수직 봉에 매달고 로봇이 정지한 상태에서 저울의 측정값을 0으로 맞춘 모습을 나타낸 것이고, (나)는 로봇의 움직임을 각 시간대별로 정리한 것이다. 로봇의 질량은 0.2 kg이고, 0초일 때 정지해 있다.

시간(초)	로봇의 운동
0~1	정지
1~2	-2 m/s^{2}의 가속도로 등가속도 운동
2~4	등속도 운동
4~6	$+1$ m/s^{2}의 가속도로 등가속도 운동

로봇에 작용하는 알짜힘의 방향이 연직 위일 때 가속도의 부호는 (＋)이다.

(가)   (나)

이에 대한 설명으로 옳은 것만을 | 보기 |에서 있는 대로 고른 것은?

> **보기**
> ㄱ. 1.5초일 때 저울의 눈금은 0.4 N이다.
> ㄴ. 3초일 때 로봇의 속력은 2 m/s이다.
> ㄷ. 5초일 때 저울의 눈금은 0.2 N이다.

① ㄱ   ② ㄷ   ③ ㄱ, ㄴ
④ ㄴ, ㄷ   ⑤ ㄱ, ㄴ, ㄷ

> **Tip** 로봇이 ❶[ ]에 작용하는 힘을 작용이라고 하면, 봉이 로봇에 작용하는 힘은 ❷[ ]이라고 한다.
>
> 답 ❶ 봉 ❷ 반작용

3강_ 운동량과 충격량

4강_ 열과 역학적 에너지, 특수 상대성 이론

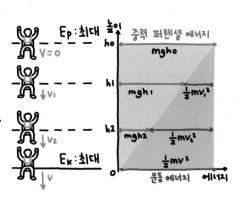

개념 돌파 전략 ①

개념 **1** 운동량

1 운동량 운동하는 물체의 운동 정도를 나타내는 양으로, 크기와 방향을 가진 물리량이다.

2 운동량(p)의 크기 물체의 질량(m)과 속도(v)에 각각 ❶⬜ 한다.

> 운동량=질량×속도, $p=mv$ [단위: kg·m/s]

3 운동량의 방향 물체의 ❷⬜ 의 방향과 같다.

4 운동량의 부호 직선상에서 두 물체가 서로 반대 방향으로 운동할 때 한쪽 방향에 (＋)부호를 붙이면, 반대 방향에는 (－)부호를 붙인다.

4 m/s ← A 2 kg   B 2 kg 4 m/s →

A의 운동량: −8 kg·m/s   B의 운동량: ＋8 kg·m/s

> 탑 ❶ 비례 ❷ 속도

확인 Q 1

질량이 2 kg인 물체가 3 m/s의 일정한 속력으로 운동하고 있을 때, 물체의 운동량의 크기는 몇 kg·m/s인지 구하시오.

개념 **2** 운동량의 변화량

1 운동량의 변화 물체에 알짜힘이 작용하면 물체의 속도가 변하므로 물체의 운동량도 변한다.

2 운동량의 변화량(Δp) 물체의 ❶⬜ 운동량과 처음 운동량의 차이

> $\Delta p=mv-mv_0=m(v-v_0)=m\Delta v$ [단위: kg·m/s]
> (질량 m, 처음 속도 v_0, 나중 속도 v)

3 운동량의 변화량의 방향 ❷⬜ 의 방향과 같다.

- 운동 방향으로 알짜힘이 작용할 때: 물체의 속력이 증가 ➡ 물체의 운동량의 크기가 증가
- 운동 반대 방향으로 알짜힘이 작용할 때(단, 운동 방향이 바뀌기 전까지): 물체의 속력이 감소 ➡ 물체의 운동량의 크기가 감소

> 탑 ❶ 나중 ❷ (알짜)힘

확인 Q 2

2 m/s의 속도로 움직이는 질량이 2 kg인 물체에 일정한 알짜힘이 작용하여 물체의 속도가 4 m/s가 되었다. 물체의 운동량의 변화량의 크기는 몇 kg·m/s인지 구하시오.

개념 **3** 운동량 보존 법칙

1 운동량 보존 법칙 물체가 상호 작용(충돌, 분열, 융합 등) 할 때 외력이 작용하지 않으면 물체들 사이의 상호 작용 전후 ❶⬜ 의 총합은 항상 같다.

- 충돌할 때 물체가 주고받는 힘은 작용 ❷⬜ 관계에 있다. ➡ 두 힘의 크기는 같고 방향은 반대

충돌 전   충돌 중   충돌 후

> 충돌 전 두 물체의 운동량 합＝충돌 후 두 물체의 운동량 합
> $m_A v_A+m_B v_B=m_A v_A{'}+m_B v_B{'}$

> 탑 ❶ 운동량 ❷ 반작용

확인 Q 3

외부에서 힘이 작용하지 않으면 충돌 전후 운동량의 합은 일정하게 보존된다. 이를 (   ) 법칙이라고 한다.

개념 **4** 운동량 보존의 예

1 두 물체가 충돌 후 한 덩어리가 될 때 충돌 전 물체 A, B의 운동량의 합은 충돌 후 한 덩어리가 되어 운동하는 물체의 ❶⬜ 과 같다.

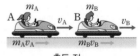 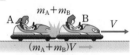

충돌 전   충돌 후

> $m_A v_A+m_B v_B=(m_A+m_B)V$

2 한 물체가 두 물체로 분열될 때 분열 전 정지해 있던 물체가 두 물체 A, B로 분열되면, 분열 전 운동량이 0이므로 분열 후 두 물체는 서로 ❷⬜ 방향으로 같은 크기의 운동량을 가진다.

분열 전   분열 후

> $0=m_A v_A+m_B v_B$

> 탑 ❶ 운동량 ❷ 반대

확인 Q 4

충돌 전 같은 방향으로 운동하던 두 물체의 운동량의 크기가 각각 2 kg·m/s, 3 kg·m/s이었다. 충돌 후 한 덩어리가 되었을 때 운동량의 크기는 몇 kg·m/s인지 구하시오.

개념 **5** 충격량

1 **충격량** 물체가 충돌할 때 물체가 받은 충격의 정도를 나타내는 양으로, 크기와 방향을 가진 물리량이다.

2 **충격량(I)의 크기** 충돌하는 동안 물체에 작용한 힘(F)과 물체에 힘이 작용한 ❶ ▢▢▢ (Δt)에 각각 비례한다.

> 충격량=힘×시간, $I=F\Delta t$ [단위: N·s, kg·m/s]

3 **충격량의 방향** 힘의 방향(가속도의 방향)과 같다.

4 **충격량과 운동량의 관계** 물체가 받은 충격량은 물체의 운동량의 ❷ ▢▢▢ 과 같다.

> v_0의 속도로 운동하던 질량이 m인 물체에 시간 Δt 동안 크기가 F인 힘이 작용하여 속도가 v로 변하였다면
>
> $$F=ma=m\left(\frac{v-v_0}{\Delta t}\right)=\frac{mv-mv_0}{\Delta t}$$
>
> $$\Rightarrow F\Delta t=mv-mv_0,\ I=\Delta p$$

답 ❶ 시간 ❷ 변화량

확인 Q 5

어떤 물체에 5 N의 일정한 힘이 3초 동안 작용했을 때 물체가 받은 충격량의 크기는 몇 N·s인지 구하시오.

개념 **6** 충격력

1 **충격력** 충돌할 때 물체가 받는 힘 ➡ 단위 시간 동안 운동량의 ❶ ▢▢▢ 과 같다.

> $$I=F\Delta t \Rightarrow F=\frac{I}{\Delta t}=\frac{\Delta p}{\Delta t}$$

2 **힘-시간 그래프와 충격량의 관계** 힘 - 시간 그래프에서 그래프가 시간 축과 이루는 넓이는 물체가 받은 ❷ ▢▢▢ (운동량의 변화량)과 같다.

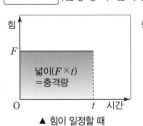
▲ 힘이 일정할 때

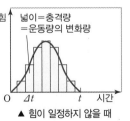
▲ 힘이 일정하지 않을 때

답 ❶ 변화량 ❷ 충격량

확인 Q 6

어떤 물체에 일정한 힘이 작용하여 물체의 운동량이 3초 동안 12 kg·m/s만큼 변했다. 이 물체에 작용한 충격력의 크기는 몇 N인지 구하시오.

개념 **7** 충격력과 시간의 관계

1 **충격력과 시간의 관계** 물체가 받는 충격량이 같을 때 충돌 시간이 길수록 충격력이 작아진다.

2 **동일한 두 컵 A, B를 같은 높이에서 각각 시멘트 바닥과 방석 위에 떨어뜨렸을 때** 바닥과 충돌 직전 A, B의 속도가 같고, 충돌 직후 속도도 0으로 같아 A, B의 ❶ ▢▢▢ 은 같다. ➡ 충격량이 같을 때 충돌 시간이 길어지면 컵이 받는 ❷ ▢▢▢ 의 크기가 작아진다. 따라서 B가 받은 충격력이 더 작아 컵이 깨지지 않은 것이다.

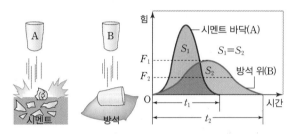

답 ❶ 충격량(운동량의 변화량) ❷ 충격력

확인 Q 7

물체가 받는 충격량이 같을 때 충돌 (   )이 길어지면 충격력의 크기가 작아진다.

개념 **8** 충격량을 크게 하는 예, 충격력을 줄이는 예

1 **충돌 시간을 길게 하여 충격량을 크게 하는 예 (단, 힘은 일정)**
- 포신의 길이를 길게 하여 포탄이 ❶ ▢▢▢ 을 오랫동안 받도록 하면 포탄이 멀리 날아간다.
- 골프채로 골프공을 끝까지 밀어주면 골프공이 힘을 오랫동안 받아 골프공이 멀리 날아간다.
- 테니스 채를 끝까지 휘두르면 테니스공이 힘을 오랫동안 받아 테니스공이 빨리 날아간다.

2 **충돌 시간을 길게 하여 물체가 받는 충격력을 줄이는 예 (단, 충격량은 일정)**
- 자동차가 충돌할 때 ❷ ▢▢▢ 이 작동한다.
- 포수가 야구공을 받을 때 손을 뒤로 빼면서 받는다.
- 깨지기 쉬운 상품을 포장할 때 에어캡을 사용한다.
- 높은 곳에서 뛰어 내릴 때 무릎을 구부린다.

답 ❶ 힘 ❷ 에어백

확인 Q 8

포수가 야구공을 받을 때 손을 뒤로 빼면서 받으면 충돌 시간이 길어져 포수가 받는 충격력은 (커진다 , 작아진다).

개념 돌파 전략 ①

4강_ 열과 역학적 에너지, 특수 상대성 이론

개념 1 일

1 **일** 물체에 힘을 작용하여 물체가 힘의 방향으로 이동했을 때, 힘이 물체에 일을 하였다고 한다.
- 일의 양: 물체에 작용한 힘의 크기와 힘의 방향으로 물체가 ❶ ☐☐☐☐의 곱이다.

> 일＝힘의 크기×힘의 방향으로 이동한 거리, $W=Fs$

- 일의 단위: J(줄), N·m

2 **힘–이동 거리 그래프** 그래프 아래의 ❷ ☐☐는 힘이 한 일의 양을 나타낸다. ➡ 그래프의 형태와 관계없이 그래프 아래의 넓이는 힘이 한 일의 양이다.

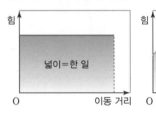
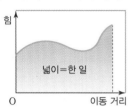

답 ❶ 이동한 거리 ❷ 넓이

확인 Q 1

어떤 물체를 5 N의 힘으로 밀어 힘의 방향으로 2 m 만큼 이동시켰을 때 힘이 물체에 한 일의 양은 몇 J인지 구하시오.

개념 2 운동 에너지

1 **운동 에너지(E_k)** 운동하는 물체가 가진 에너지
- 운동 에너지의 크기: 질량이 $m(\mathrm{kg})$인 물체가 $v(\mathrm{m/s})$의 속력으로 운동할 때 운동 에너지는 다음과 같다.

> 운동 에너지＝$\dfrac{1}{2}$×질량×(속력)², $E_k=\dfrac{1}{2}mv^2$

- 운동 에너지의 단위: 일과 에너지는 서로 ❶ ☐☐되므로 일의 단위와 같은 J을 사용한다.

2 **일·운동 에너지 정리** 물체에 작용한 알짜힘이 한 일은 물체의 운동 에너지 ❷ ☐☐☐과 같다.

$$W=Fs=\frac{1}{2}mv^2-\frac{1}{2}mv_0^2=\varDelta E_k$$

답 ❶ 전환 ❷ 변화량

확인 Q 2

질량이 2 kg인 물체가 2 m/s의 속력으로 움직이고 있을 때, 물체의 운동 에너지의 크기는 몇 J인지 구하시오.

개념 3 퍼텐셜 에너지

1 **중력 퍼텐셜 에너지(E_p)** 중력이 작용하는 공간에서 물체를 등속으로 들어 올렸을 때, 그 지점에서 물체가 가지는 에너지 [단위: J(줄)]

> 중력 퍼텐셜 에너지＝질량×중력 가속도×높이
> $E_p=mgh$

- ❶ ☐☐☐이 달라지면 높이가 달라지므로 중력 퍼텐셜 에너지도 달라진다.

2 **탄성 퍼텐셜 에너지(E_p)** 용수철과 같은 ❷ ☐☐☐가 변형되었을 때 가지는 에너지

> 탄성 퍼텐셜 에너지＝$\dfrac{1}{2}$×용수철 상수×(변형된 길이)²
> $E_p=\dfrac{1}{2}kx^2$

답 ❶ 기준면 ❷ 탄성체

확인 Q 3

기준면으로부터 5 m 높이에 있는 질량이 2 kg인 물체의 중력 퍼텐셜 에너지는 몇 J인지 구하시오. (단, 중력 가속도는 10 m/s²이다.)

개념 4 역학적 에너지 보존

1 **역학적 에너지** 운동 에너지와 퍼텐셜 에너지의 합

2 **역학적 에너지 보존 법칙** 마찰이나 공기 저항이 없으면 물체의 역학적 에너지는 위치에 관계없이 항상 일정하게 보존된다.

3 **중력에 의한 역학적 에너지 보존** 중력만을 받아 운동하는 물체의 각 지점에서 ❶ ☐☐ 에너지와 중력 퍼텐셜 에너지의 합은 항상 같다.

4 **탄성력에 의한 역학적 에너지 보존** 용수철에 매달린 물체가 용수철의 평형 위치를 중심으로 진동을 할 때, 각 지점에서 운동 에너지와 ❷ ☐☐ 퍼텐셜 에너지의 합은 항상 같다.

답 ❶ 운동 ❷ 탄성

확인 Q 4

마찰이나 공기 저항이 없으면 물체의 역학적 에너지는 항상 일정하게 보존되는데, 이를 ( ) 법칙이라고 한다.

개념 **5** 기체가 하는 일

1 기체가 하는 일 기체가 일정한 압력 P를 유지하면서 부피 ΔV만큼 팽창하면 외부에 W만큼의 일을 한다.

$$W = P\Delta V$$

2 기체의 압력-부피 그래프 기체가 한 일은 그래프 아래의 **❶** 와 같다.

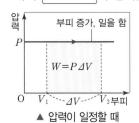
▲ 압력이 일정할 때

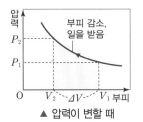
▲ 압력이 변할 때

➡ 부피가 증가하면 기체가 한 일은 (+), 부피가 감소하면 기체가 한 일은 **❷** 값을 가진다.

3 기체의 내부 에너지 기체의 내부 에너지(U)는 기체 분자의 수(N)와 절대 온도(T)에 비례한다.

$$U \propto N \times T$$

답 ❶ 넓이 **❷** (−)

확인 Q 5

기체의 부피가 증가하면 기체가 한 일은 ((+) , (−))의 값을 가진다.

개념 **6** 열역학 제1법칙과 열기관

1 열역학 제1법칙 기체를 가열하였을 때, 기체가 흡수한 열량(Q)은 기체의 **❶** (ΔU)과 기체가 외부에 한 일(W)의 합과 같다.

$$Q = \Delta U + W$$

2 열기관 반복되는 순환 과정을 거쳐 열을 일로 바꾸는 장치

• **열기관의 열효율(e):** 열기관에 공급된 열량 Q_1에 대해 열기관이 한 일 W의 비율 ➡ 한 일 W는 공급된 열량 Q_1과 방출된 열량 Q_2의 차이와 같다.

$$e = \frac{W}{Q_1} = \frac{❷}{Q_1} = 1 - \frac{Q_2}{Q_1}$$

답 ❶ 내부 에너지 변화량 **❷** $Q_1 - Q_2$

확인 Q 6

흡수한 열량이 $5Q_0$, 방출한 열량이 $3Q_0$인 열기관의 열효율을 구하시오.

개념 **7** 열역학 과정

1 등압 과정 압력이 일정한 과정

$$Q = \Delta U + W = \Delta U + P\Delta V$$

2 등적 과정 부피가 일정한 과정 ➡ 기체가 외부에 한 일이 0이므로 가한 열이 모두 **❶** 증가에 사용된다.

$$Q = \Delta U + W = \Delta U + 0 \Rightarrow Q = \Delta U$$

3 등온 과정 온도가 일정한 과정 ➡ 온도가 일정하므로 내부 에너지는 변하지 않고, 가한 열이 모두 기체가 외부에 **❷** 을 하는 데 사용된다.

$$Q = \Delta U + W = 0 + W \Rightarrow Q = W$$

4 단열 과정 열의 출입이 없는 과정 ➡ 열의 출입이 없으므로 Q가 0인 과정

$$Q = 0 = \Delta U + W \Rightarrow W = -\Delta U$$

답 ❶ 내부 에너지 **❷** 일

확인 Q 7

단열 과정에서 기체가 외부로부터 일을 받으면 기체의 내부 에너지는 (증가 , 감소)한다.

개념 **8** 특수 상대성 이론, 질량과 에너지

1 특수 상대성 이론의 두 가지 가정

• **상대성 원리:** 모든 관성 좌표계에서 물리 법칙은 동일하게 성립한다.
• **광속 불변 원리:** 관찰자나 광원의 속도에 관계없이 진공 중에서 빛의 속도는 항상 **❶** .

2 특수 상대성 이론에 의한 현상

• 동시성의 상대성
• 시간 지연(시간 팽창)
• 길이 수축(거리 수축)

3 질량과 에너지 질량과 에너지는 서로 전환될 수 있다. ➡ 질량 m에 해당하는 에너지는 $E = mc^2$(c: 진공에서 빛의 속력)이다.

• 핵반응 과정에서 반응 전후 질량 결손이 일어나 질량 결손에 해당하는 **❷** 가 방출된다.

답 ❶ 일정하다 **❷** 에너지

확인 Q 8

정지한 관찰자가 빠르게 운동하는 다른 관찰자를 보면 상대방의 시간이 (빠르게 , 느리게) 가는 것으로 관측된다.

개념 돌파 전략 ②

3강_ 운동량과 충격량

1 그림은 질량이 각각 2 kg, 1 kg인 물체 A와 B가 충돌 전에 각각 2 m/s, 1 m/s의 속력으로 운동하다가 충돌 후, A의 속력이 1 m/s가 된 것을 나타낸 것이다.

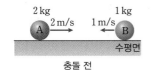

충돌 전   충돌 후

충돌 후 B의 속력은?

① 1 m/s   ② 2 m/s   ③ 3 m/s

④ 4 m/s   ⑤ 5 m/s

> **문제 해결 전략**
>
> • 운동량은 물체의 질량과 **❶** 의 곱으로 구한다.
> • 외력이 작용하지 않으면 물체들 간의 상호 작용(충돌, 분열, 융합 등)이 일어나기 전과 후의 운동량의 총합은 보존되는데, 이를 **❷** 법칙이라고 한다.
>
> 답 ❶ 속도 ❷ 운동량 보존

2 그림은 정지해 있던 질량이 m인 물체에 작용한 힘의 크기를 시간에 따라 나타낸 것이다. 그래프 아래의 넓이는 $\dfrac{3}{2}mv_0$이다. 힘이 작용하고 난 후, 물체의 속력은?

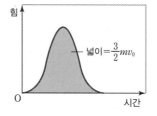

넓이 $= \dfrac{3}{2}mv_0$

① $\dfrac{1}{2}v_0$ ② v_0

③ $\dfrac{3}{2}v_0$ ④ $2v_0$

⑤ $\dfrac{5}{2}v_0$

> **문제 해결 전략**
>
> • 충격량은 충돌하는 동안 물체에 작용한 힘과 힘이 작용한 시간의 곱으로 구하며, 이는 물체의 **❶** 의 변화량과 같다.
> • 힘 – 시간 그래프에서 그래프 아래의 넓이는 **❷** (운동량의 변화량)을 의미한다.
>
> 답 ❶ 운동량 ❷ 충격량

3 그림은 질량이 같은 유리컵 A, B를 단단한 바닥과 부드러운 바닥에 같은 높이에서 떨어뜨렸을 때, 바닥에 부딪치는 동안 유리컵에 작용하는 힘을 시간에 따라 나타낸 것이다. 이에 대한 설명으로 옳은 것만을 | 보기 |에서 있는 대로 고른 것은?

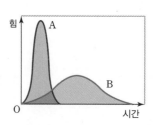

┌ 보기 ┐
ㄱ. 그래프 아래의 넓이는 B가 A보다 더 크다.
ㄴ. 컵이 받는 평균 힘의 크기는 B가 A보다 더 크다.
ㄷ. A와 B가 받는 충격량의 크기는 같다.
└──────┘

① ㄱ   ② ㄷ   ③ ㄱ, ㄴ

④ ㄱ, ㄷ   ⑤ ㄴ, ㄷ

> **문제 해결 전략**
>
> 동일한 두 컵을 같은 높이에서 떨어뜨리면 바닥과 충돌하기 직전의 속도가 같고, 바닥과 충돌한 직후 두 컵은 모두 정지하므로 두 컵의 **❶** 의 변화량은 같다. 따라서 두 컵이 받는 **❷** 도 같다.
>
> 답 ❶ 운동량 ❷ 충격량

4강_ 열과 역학적 에너지, 특수 상대성 이론

4 그림은 용수철 상수가 k인 용수철에 질량이 m인 물체를 연결하고 평형점 O로부터 L만큼 잡아당긴 모습을 나타낸 것이다. 물체를 놓은 후 용수철이 늘어난 길이가 $\dfrac{L}{2}$인 지점을 지날 때, 물체의 속력은? (단, 물체의 크기, 용수철의 질량, 모든 마찰은 무시한다.)

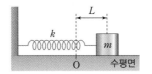

① $\sqrt{\dfrac{kL^2}{4m}}$ ② $\sqrt{\dfrac{kL^2}{2m}}$ ③ $\sqrt{\dfrac{3kL^2}{4m}}$

④ $\sqrt{\dfrac{kL^2}{m}}$ ⑤ $\sqrt{\dfrac{5kL^2}{4m}}$

문제 해결 전략

용수철에 질량이 m인 물체를 매달고 평형점으로부터 당겼다가 놓았을 때, 각 지점에서 물체의 운동 에너지와 **❶** 퍼텐셜 에너지의 합은 항상 일정하다. 용수철을 당겼다가 놓으면 용수철의 감소한 탄성 퍼텐셜 에너지만큼 물체의 **❷** 에너지가 증가한다.

탭 ❶ 탄성 **❷** 운동

---

5 그림은 단열된 실린더에 들어 있는 이상 기체가 A → B → C → D → A 과정을 따라 변할 때 기체의 압력과 부피를 나타낸 것이다. 기체가 외부에 일을 하는 등압 과정에서 기체가 한 일의 양은?

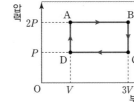

① PV ② $2PV$

③ $3PV$ ④ $4PV$

⑤ $5PV$

문제 해결 전략

• 기체가 한 일의 양은 '기체의 압력 × **❶** 변화량'으로 구할 수 있다.
• 등압 과정은 **❷** 이 일정한 과정으로, 기체가 흡수한 열량은 내부 에너지 변화량과 기체가 외부에 한 일의 양의 합과 같다.

탭 ❶ 부피 **❷** 압력

---

6 그림은 철수가 탄 우주선이 $0.9c$의 속도로 행성 A에서 B로 등속 운동을 하는 모습을 나타낸 것이다. 영희가 측정했을 때 A와 B 사이의 거리는 L_0이다. 이에 대한 설명으로 옳은 것만을 | 보기 |에서 있는 대로 고른 것은? (단, 빛의 속력은 c이고, 영희는 A, B에 대해 정지해 있다.)

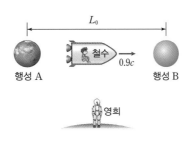

| 보기 |
ㄱ. 철수가 측정할 때 A와 B 사이의 거리는 L_0보다 크다.
ㄴ. 영희가 측정할 때 철수의 시간이 영희의 시간보다 빠르게 간다.
ㄷ. 영희가 측정할 때 철수가 탄 우주선이 A를 지나 B까지 도착하는 데 걸린 시간은 $\dfrac{10L_0}{9c}$이다.

① ㄱ   ② ㄴ   ③ ㄷ

④ ㄱ, ㄴ   ⑤ ㄴ, ㄷ

문제 해결 전략

• 정지한 관찰자가 빠르게 운동하는 다른 관찰자를 보면 상대방의 시간이 느리게 가는 것으로 관측된다. 이를 시간 **❶** (또는 시간 팽창)이라고 한다.
• 정지한 관찰자가 빠르게 움직이는 물체를 볼 때 물체의 길이가 수축되는 것으로 관측된다. 이를 길이 **❷** (또는 거리 **❷**)이라고 한다.

탭 ❶ 지연 **❷** 수축

대표 기출 ①

그림 A, B, C는 충격량과 관련된 예를 나타낸 것이다.

A. 골프채를 휘두르는 속도를 더 크게 하여 공을 친다.　B. 글러브를 뒤로 빼면서 공을 받는다.　C. 사람을 안전하게 구조하기 위해 낙하 지점에 에어 매트를 설치한다.

이에 대한 설명으로 옳은 것만을 |보기|에서 있는 대로 고르시오.

┌─ 보기 ─────────────────────
ㄱ. A에서는 공이 받는 충격량이 커진다.

ㄴ. B에서는 충돌 시간이 늘어나 글러브가 받는 평균 힘이 작아진다.

ㄷ. C에서는 사람의 운동량의 변화량과 사람이 받는 충격량이 같다.
└────────────────────────

> **Tip** 물체가 받는 충격량은 물체의 운동량의 변화량과 같다.

> **풀이** ㄱ. 골프채의 속도를 크게 하여 공을 치면 공의 운동량의 변화량이 커져 공이 받는 충격량이 커진다.
> ㄴ. 힘을 받는 시간이 길어지면 평균 힘은 작아진다.
> ㄷ. 운동량의 변화량은 충격량과 같다.　**답** ㄱ, ㄴ, ㄷ

확인 ①-1

그림 A, B, C는 충격량과 관련된 예를 나타낸 것이다.

A. 자동차가 충돌할 때 에어백이 작동한다.　B. 대포의 포신을 길게 한다.　C. 테니스 채를 끝까지 휘둘러 공을 친다.

이에 대한 설명으로 옳은 것만을 |보기|에서 있는 대로 고르시오.

┌─ 보기 ─────────────────────
ㄱ. A에서 충돌 시간이 줄어 사람이 받는 평균 힘이 작아진다.

ㄴ. B에서 포신이 길어지면 포탄에 힘이 작용하는 시간이 길어져 충격량이 커진다.

ㄷ. C에서 충돌 시간이 길어져 충격량이 작아진다.
└────────────────────────

대표 기출 ②

그림 (가)와 같이 수평면에서 물체 A가 정지해 있는 물체 B를 향해 등속 직선 운동을 한다. 그림 (나)는 A가 $x=0$인 지점을 통과한 순간부터 A와 B의 위치 x를 시간에 따라 나타낸 것이다.

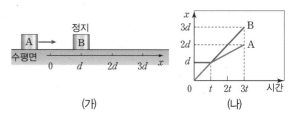

(가)　(나)

A, B의 질량을 각각 m_A, m_B라고 할 때, $\dfrac{m_B}{m_A}$는? (단, A, B의 크기는 무시한다.)

① $\dfrac{1}{2}$　② 1　③ $\dfrac{3}{2}$

④ 4　⑤ $\dfrac{5}{2}$

> **Tip** 위치-시간 그래프로 충돌 전후 A, B의 속도를 구할 수 있다.

> **풀이** 위치-시간 그래프에서 기울기가 속도를 의미하므로, 충돌 전 A의 속도는 $\dfrac{d}{t}$이고, 충돌 후 A와 B의 속도는 각각 $\dfrac{d}{2t}$, $\dfrac{d}{t}$이다. 충돌 전후 운동량은 보존되므로
> $$m_A \dfrac{d}{t} = m_A \dfrac{d}{2t} + m_B \dfrac{d}{t}$$에서 $\dfrac{m_B}{m_A} = \dfrac{1}{2}$이다.　**답** ①

확인 ②-1

그림 (가)는 마찰이 없는 수평면에서 물체 A가 정지해 있는 물체 B를 향해 운동하는 모습을, (나)는 A의 위치를 시간에 따라 나타낸 것이다. A, B의 질량은 각각 m_A, m_B이고, 충돌 후 운동 에너지는 B가 A의 3배이다.

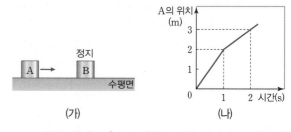

(가)　(나)

$m_A : m_B$를 구하시오. (단, A와 B는 동일 직선상에서 운동한다.)

대표 기출 **3**
2019 7월 학평 4번 유사

그림 (가)는 수평면에서 질량이 각각 2 kg, 6 kg인 물체 A, B가 오른쪽으로 각각 4 m/s, 2 m/s의 속력으로 등속 직선 운동을 하는 것을 나타낸 것이다. 그림 (나)는 A와 B가 충돌할 때 B가 A로부터 받는 힘의 크기를 시간에 따라 나타낸 것으로, 시간 축과 곡선이 만드는 넓이 S는 6 N·s이다.

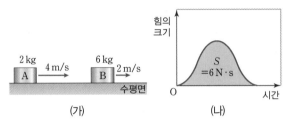

(가)　　　　　　　(나)

이에 대한 설명으로 옳은 것만을 │보기│에서 있는 대로 고른 것은?

┌─ 보기 ─────────────────────┐
ㄱ. 충돌 후 A의 속력은 1 m/s이다.
ㄴ. 충돌 후 B의 운동량의 크기는 15 kg·m/s이다.
ㄷ. 충돌 과정에서 A가 B로부터 받은 충격량의 크기는 3 N·s이다.
└──────────────────────────┘

① ㄱ　　　　② ㄴ　　　　③ ㄱ, ㄷ
④ ㄴ, ㄷ　　　⑤ ㄱ, ㄴ, ㄷ

Tip 힘–시간 그래프에서 그래프 아래의 넓이는 충돌 과정에서 물체가 받는 충격량의 크기와 같다.

풀이 ㄱ. A가 B로부터 받는 힘과 B가 A로부터 받는 힘은 작용 반작용 관계이므로 크기는 같고 방향은 반대이다. 따라서 A가 받는 충격량은 B가 받는 충격량과 크기는 같고 방향은 반대이다. A와 B가 충돌할 때 A는 왼쪽으로 6 N·s의 충격량을 받으므로 충돌 후 속력을 v라고 하면 $-6=2\times(v-4)$에서 $v=1$ m/s이다.

ㄴ. B는 오른쪽으로 6 N·s의 충격량을 받으므로 B의 운동량의 크기는 충돌 전보다 6 kg·m/s만큼 증가한 18 kg·m/s이다.

ㄷ. A가 B로부터 받은 충격량의 크기는 B가 A로부터 받은 충격량의 크기와 같은 6 N·s이다.　**답** ①

확인 **3**-1

그림 (가)는 수평면 위에서 질량이 4 kg인 물체 A가 2 m/s의 속력으로 질량이 2 kg인 정지해 있는 물체 B를 향해 운동하는 모습을, (나)는 충돌 과정에서 A가 B로부터 받는 힘의 크기를 시간에 따라 나타낸 것이다. 충돌 후 A와 B의 속력은 각각 1 m/s, 2 m/s이다.

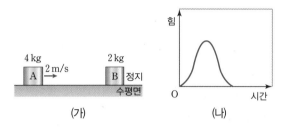

(가)　　　　　　　(나)

이에 대한 설명으로 옳은 것만을 │보기│에서 있는 대로 고르시오.

┌─ 보기 ─────────────────────┐
ㄱ. (나)에서 그래프 아래의 넓이는 4 N·s이다.
ㄴ. 충돌 후 A의 운동 방향은 충돌 전과 반대 방향이다.
ㄷ. 충돌 과정에서 물체의 운동 에너지의 합은 보존된다.
└──────────────────────────┘

대표 기출 4

그림 (가)는 달걀이 단단한 마룻바닥에 떨어져 깨진 모습을, (나)는 동일한 달걀이 같은 높이에서 푹신한 방석에 떨어져 깨지지 않은 모습을, (다)는 (가), (나)의 달걀이 시간에 따라 받는 힘의 크기를 각각 나타낸 것이다.

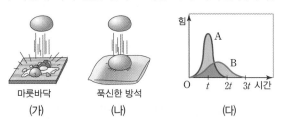

마룻바닥 (가) · 푹신한 방석 (나) · (다)

이에 대한 설명으로 옳은 것만을 | 보기 |에서 있는 대로 고르시오.

┌─ 보기 ─────────────────────────────┐
ㄱ. 충돌 시 달걀이 받는 평균 힘의 크기는 (가)에서가 (나)에서의 $\frac{2}{3}$배이다.

ㄴ. (다)에서 A는 (가)를 나타낸 그래프이다.

ㄷ. (다)에서 곡선 A, B의 아래의 넓이는 같다.
└──────────────────────────────────┘

Tip 달걀의 운동량의 변화량은 (가)에서와 (나)에서가 같다.

풀이 ㄱ. 달걀이 받는 충격량은 같고, 충돌 시간은 A가 B의 $\frac{2}{3}$배이므로 평균 힘의 크기는 (가)에서가 (나)에서의 $\frac{3}{2}$배이다.

ㄴ. 충돌 시간이 짧은 A가 (가)를 나타낸 그래프이다.

ㄷ. (가)와 (나)에서 달걀이 받는 충격량은 같으므로 곡선 A, B 아래의 넓이는 같다. **답** ㄴ, ㄷ

확인 ④-1

그림 (가)는 마찰이 없는 수평면에서 질량이 각각 $2m$, m인 물체 A와 B가 v, $2v$의 속도로 벽에 수직으로 충돌한 후 정반대 방향으로 튀어나오는 것을 모식적으로 나타낸 것이고, (나)는 A와 B가 벽과 충돌할 때 받는 힘의 크기를 시간에 따라 나타낸 것이다. (나)에서 곡선과 시간 축이 이루는 넓이는 $4mv$이다.

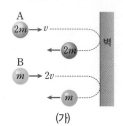

A $2m \to v$, $2m$, B $m \to 2v$, m, 벽 (가)

힘, A, B, $4mv$, O, 시간 (나)

충돌 후 A와 B의 속력을 각각 구하시오. (단, A와 B는 각각 동일 직선상에서 운동한다.)

대표 기출 5

그림 (가)는 질량이 4 kg인 물체 A가 2 m/s의 속력으로 수평면에서 등속도 운동을 하는 모습을, (나)는 A가 벽과 수직으로 충돌한 후 반대 방향으로 2 m/s의 속력으로 등속도 운동을 하는 모습을 나타낸 것이다. A와 벽의 충돌 시간은 0.5초이다.

A 4 kg 2 m/s · 벽 · 수평면 (가) · 2 m/s A 4 kg · 벽 · 수평면 (나)

이에 대한 설명으로 옳은 것만을 | 보기 |에서 있는 대로 고르시오.

┌─ 보기 ─────────────────────────────┐
ㄱ. 충돌 전후 A의 운동량의 크기는 같다.

ㄴ. A가 벽으로부터 받은 충격량의 크기는 8 N·s이다.

ㄷ. 충돌하는 동안 A가 벽으로부터 받은 평균 힘의 크기는 32 N이다.
└──────────────────────────────────┘

Tip 충격량의 크기는 평균 힘의 크기와 시간에 각각 비례한다.

풀이 ㄱ. 충돌 전후 A의 운동량의 크기는 8 kg·m/s로 같다.

ㄴ. 운동량의 변화량(충격량)의 크기는 16 kg·m/s이다.

ㄷ. 평균 힘 = $\dfrac{충격량}{충돌\ 시간} = \dfrac{16\ N \cdot s}{0.5\ s} = 32$ N이다. **답** ㄱ, ㄷ

확인 ⑤-1

그림 (가)는 마찰이 없는 직선상에서 질량이 각각 2 kg, m인 물체 A와 B가 각각 3 m/s, 4 m/s의 일정한 속력으로 서로 마주 보며 운동하는 모습을, (나)는 충돌 후 A와 B가 한 덩어리가 되어 2 m/s의 일정한 속력으로 운동하는 모습을 나타낸 것이다. A와 B의 충돌 시간은 0.2초이다.

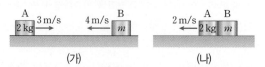

A 2 kg 3 m/s → · 4 m/s ← B m (가) · 2 m/s → A 2 kg B m (나)

이에 대한 설명으로 옳은 것만을 | 보기 |에서 있는 대로 고르시오.

┌─ 보기 ─────────────────────────────┐
ㄱ. $m = 5$ kg이다.

ㄴ. 충돌 과정에서 A가 B로부터 받는 평균 힘의 크기는 10 N이다.

ㄷ. 충돌 과정에서 B가 A로부터 받는 충격량의 크기는 10 N·s이다.
└──────────────────────────────────┘

대표 기출 6
2021 6월 모평 9번

다음은 역학 수레를 이용한 실험이다.

| 실험 과정 |

(가) 그림과 같이 질량이 1 kg인 수레 A에 달린 용수철을 압축시켜 고정시킨 후 질량이 2 kg인 수레 B를 가만히 접촉시킨다.

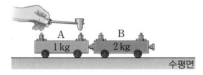

(나) A의 용수철 고정 장치를 해제하여, 정지해 있던 A와 B가 서로 반대 방향으로 운동하게 한다.

(다) A와 B가 분리된 이후부터 시간에 따라 이동한 거리를 측정한다.

| 실험 결과 |

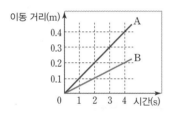

이에 대한 설명으로 옳은 것만을 | 보기 |에서 있는 대로 고른 것은?

| 보기 |

ㄱ. 2초일 때, A의 속력은 0.2 m/s이다.

ㄴ. 3초일 때, B의 운동량의 크기는 0.4 kg·m/s 이다.

ㄷ. 4초일 때, 운동량의 크기는 A와 B가 같다.

① ㄱ   ② ㄷ   ③ ㄱ, ㄴ

④ ㄴ, ㄷ   ⑤ ㄱ, ㄴ, ㄷ

Tip A와 B의 처음 운동량의 합이 0이므로 분리된 후에도 A와 B의 운동량의 합은 0으로 보존된다.

풀이 ㄱ. 이동 거리–시간 그래프에서 기울기는 물체의 속력을 나타내므로 A의 속력은 $\dfrac{0.2 \text{ m}}{2 \text{ s}}=0.1$ m/s, B의 속력은 $\dfrac{0.1 \text{ m}}{2 \text{ s}}=0.05$ m/s이다.

ㄴ. 3초일 때, B의 속력은 0.05 m/s, B의 질량은 2 kg이므로 B의 운동량의 크기는 2 kg×0.05 m/s=0.1 kg·m/s이다.

ㄷ. 4초일 때 A의 운동량의 크기는 1 kg×0.1 m/s=0.1 kg·m/s, B의 운동량의 크기는 2 kg×0.05 m/s=0.1 kg·m/s이다. 따라서 운동량의 크기는 같다. **답** ②

확인 6-1
2020 10월 학평 16번 유사

다음은 충돌에 대한 실험이다.

| 실험 과정 |

(가) 그림과 같이 수레 A를 벽면에 매달린 용수철을 향해 운동시킨다. A의 질량은 8 kg, 용수철의 용수철 상수는 200 N/m 이다.

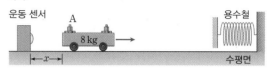

(나) 수레가 용수철과 충돌하기 전부터 충돌한 후까지 고정된 운동 센서와 수레 사이의 거리 x를 측정한다. (수레는 용수철을 최대한 압축시킨 뒤 정지하였다가 반대 방향으로 다시 움직인다.)

| 실험 결과 |

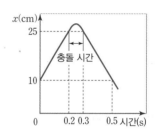

이에 대한 설명으로 옳은 것만을 | 보기 |에서 있는 대로 고르시오. (단, 수레의 크기, 용수철의 질량, 공기 저항과 모든 마찰은 무시한다.)

| 보기 |

ㄱ. 충돌 전 수레의 운동량의 크기는 6 kg·m/s이다.

ㄴ. 충돌하는 동안 수레가 용수철로부터 받은 평균 힘의 크기는 120 N이다.

ㄷ. 용수철이 최대한 압축되었을 때 압축된 용수철의 길이는 0.1 m이다.

3강_ 운동량과 충격량

1 그림 (가)는 일직선상에서 질량이 m인 물체 A가 v의 일정한 속력으로 질량이 각각 $2m$, $3m$인 정지한 물체 B와 C를 향해 이동하고 있는 모습을, (나)는 A와 B의 운동량을 시간에 따라 나타낸 것이다. A와 B는 t_0일 때 충돌하고, B와 C는 $5t_0$일 때 충돌한 후 $7t_0$일 때 B가 정지한다.

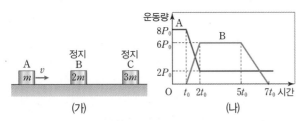

(가) (나)

이에 대한 설명으로 옳은 것만을 | 보기 |에서 있는 대로 고르시오. (단, 모든 마찰은 무시한다.)

┌─ 보기 ┐
ㄱ. 충돌 과정에서 B가 A로부터 받는 평균 힘의 크기와 C가 B로부터 받는 평균 힘의 크기는 같다.

ㄴ. $3t_0$일 때, B의 속력은 A의 속력의 $\frac{3}{2}$배이다.

ㄷ. $7t_0$이후, C의 속력은 $\frac{1}{4}v$이다.
└─────────┘

> **Tip** B와 C가 충돌할 때 B의 운동량이 $6P_0$만큼 ❶▢▢▢▢하고, C의 운동량은 ❷▢▢▢▢만큼 증가한다. **답** ❶ 감소 ❷ $6P_0$

2 그림과 같이 기울기가 일정한 마찰이 없는 빗면의 p점에 질량이 2 kg인 물체를 가만히 놓았다. p~q, r~s 구간의 거리는 각각 8 m, 10 m이고, q~r 구간에서는 일정한 크기의 힘이 운동 반대 방향으로 작용하여 물체는 등속 운동을 한다. q점에서 물체의 운동 에너지는 64 J이다.

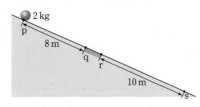

p~q 구간과 r~s 구간에서 물체가 받은 평균 힘의 크기는 몇 N인지 각각 구하시오. (단, 물체의 크기는 무시한다.)

> **Tip** p~q 구간과 r~s 구간에서 물체는 ❶▢▢▢가 일정한 등가속도 직선 운동을 하므로 두 구간에서 받는 평균 힘의 크기는 ❷▢▢. **답** ❶ 가속도 ❷ 같다

3 그림 (가)는 일직선상에서 같은 방향으로 운동하던 질량이 각각 4 kg, 2 kg인 물체 A, B가 충돌하기 전의 모습을, (나)는 A, B의 위치를 시간에 따라 나타낸 것이다.

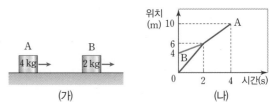

(가) (나)

이에 대한 설명으로 옳은 것만을 | 보기 |에서 있는 대로 고르시오. (단, (나)는 A는 4초, B는 2초까지 나타낸 것이다.)

┌─ 보기 ┐
ㄱ. 1초일 때, A의 운동량의 크기는 12 kg·m/s이다.

ㄴ. 4초일 때, B의 위치는 12 m이다.

ㄷ. 충돌 과정에서 A가 받는 충격량의 크기는 4 N·s이다.
└─────────┘

> **Tip** 위치 – 시간 그래프에서 ❶▢▢▢는 속력을 나타내므로 충돌 전 A의 속력은 ❷▢▢▢이다. **답** ❶ 기울기 ❷ 3 m/s

2018 4월 학평 7번 유사

4 그림 (가)는 사람이 정지해 있는 축구공 A와 B를 발로 차는 모습을, (나)는 A, B의 운동량을 시간에 따라 나타낸 것이다. A와 B의 질량은 각각 $2m$, m이다.

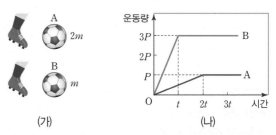

(가) (나)

이에 대한 설명으로 옳은 것만을 | 보기 |에서 있는 대로 고르시오. (단, A, B의 크기는 무시한다.)

┌─ 보기 ┐
ㄱ. 축구공이 사람으로부터 받는 충격량의 크기는 B가 A의 3배이다.

ㄴ. $3t$일 때 축구공의 속력은 B가 A의 6배이다.

ㄷ. 축구공이 사람으로부터 받는 평균 힘의 크기는 A가 B의 3배이다.
└─────────┘

> **Tip** 충돌 시 물체가 받는 평균 힘의 크기는 ❶▢▢▢을 충돌 ❷▢▢으로 나누어 구할 수 있다. **답** ❶ 충격량 ❷ 시간

2022 6월 모평 17번 유사

5 그림 (가)는 p점에 정지 상태로 있던 질량이 2 kg인 물체에 각 구간별로 일정한 힘이 작용하여 물체가 q점을 지나 r점에서 정지한 모습을, (나)는 물체에 작용한 힘의 크기를 p점으로부터 거리에 따라 나타낸 것이다. p와 q 사이의 거리와 q와 r 사이의 거리는 각각 4 m, 2 m이다.

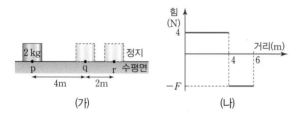

(가)　　　　　　　　(나)

이에 대한 설명으로 옳은 것만을 |보기|에서 있는 대로 고르시오. (단, 물체의 크기와 모든 마찰은 무시한다.)

> **보기**
>
> ㄱ. q~r 구간에서 물체가 받는 평균 힘의 크기는 6 N이다.
> ㄴ. q에서 r까지 이동하는 동안 물체에 작용한 충격량의 크기는 8 N·s이다.
> ㄷ. 물체가 p에서 r까지 이동하는 데 걸린 시간은 3초이다.

Tip 충격량의 크기는 '❶◻◻◻◻× 시간'으로 구하거나, 운동량의 ❷◻◻◻으로 구할 수 있다. 🔲 ❶ (평균) 힘 ❷ 변화량

2020 3월 학평 19번 유사

6 그림 (가)는 마찰이 없는 수평면에서 질량이 3 kg인 물체 A와 질량이 m인 물체 B가 각각 2 m/s, v의 일정한 속력으로 이동하고 있는 모습을, (나)는 B가 두 번의 충돌 과정에서 받는 힘의 크기를 시간에 따라 나타낸 것으로 곡선과 시간 축이 이루는 넓이는 각각 S, 2S이다. (가)에서 질량이 2 kg인 물체 C는 정지해 있고, A는 B와 충돌 후 속력이 $\frac{5}{3}$ m/s가 되고, B는 A와 충돌 후 C와 충돌한다.

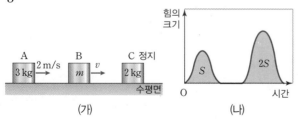

(가)　　　　　　　　(나)

B와 충돌한 후, C의 속력은 몇 m/s인지 구하시오.

Tip C의 운동량의 ❶◻◻◻의 크기는 B가 C로부터 받는 ❷◻◻◻의 크기와 같다. 🔲 ❶ 변화량 ❷ 충격량

2022 6월 모평 17번 유사

7 그림 (가)와 같이 0초일 때 마찰이 없는 수평면에서 물체 A, B, C가 등속도 운동을 한다. A와 C는 B를 향해 운동하고 B의 속력은 2 m/s, C의 속력은 A의 속력의 2배이다. A, B, C의 질량은 각각 4 kg, 2 kg, 2 kg이다. 그림 (나)는 (가)에서 A와 B 사이의 거리를 시간에 따라 나타낸 것이다. A, B, C는 동일 직선상에서 운동한다.

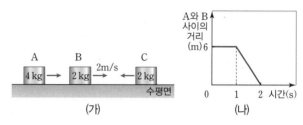

(가)　　　　　　　　(나)

이에 대한 설명으로 옳은 것만을 |보기|에서 있는 대로 고른 것은? (단, 물체의 크기는 무시한다.)

> **보기**
>
> ㄱ. 0초일 때, A의 속력은 2 m/s이다.
> ㄴ. 0초일 때, B와 C 사이의 거리는 4 m이다.
> ㄷ. 0초부터 2초까지 C가 이동한 거리는 9 m이다.

① ㄱ　　　② ㄴ　　　③ ㄷ
④ ㄴ, ㄷ　　　⑤ ㄱ, ㄴ, ㄷ

Tip B와 C는 ❶◻초일 때 충돌하고, 충돌 후 A와 B 사이의 상대 속도의 크기는 ❷◻ m/s이다. 🔲 ❶ 1 ❷ 6

2022 9월 모평 18번

8 그림 (가)는 마찰이 없는 수평면에서 물체 A가 정지해 있는 물체 B를 향하여 등속도 운동을 하는 모습을, (나)는 (가)에서 A와 B 사이의 거리를 시간에 따라 나타낸 것이다. 벽에 충돌 직후 B의 속력은 충돌 직전과 같다. A, B는 질량이 각각 m_A, m_B이고, 동일 직선상에서 운동한다.

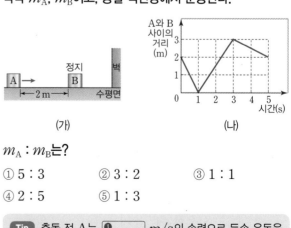

(가)　　　　　　　　(나)

$m_A : m_B$는?

① 5 : 3　　　② 3 : 2　　　③ 1 : 1
④ 2 : 5　　　⑤ 1 : 3

Tip 충돌 전 A는 ❶◻ m/s의 속력으로 등속 운동을 하고, ❷◻초일 때 A와 B는 충돌한다. 🔲 ❶ 2 ❷ 1

대표 기출 1

그림은 0초일 때 점 p에 정지해 있던 물체 B와 물체 A, C가 실로 연결된 채 등가속도 운동을 하는 모습을 나타낸 것이다. B는 1초 후 점 q를 통과한다. B가 q를 지나는 순간부터 점 r에 도착할 때까지 일정한 크기의 힘 F가 운동 반대 방향으로 작용한다. p와 q 사이의 거리와 q와 r 사이의 거리는 각각 1 m, L이고, B의 운동 에너지는 r에서가 q에서의 4배이다. 또한, B가 q에서 r로 이동할 때 C의 감소한 중력 퍼텐셜 에너지는 A, B, C의 운동 에너지 증가량의 5배이다. A, B, C의 질량은 각각 3 kg, 2 kg, m이다.

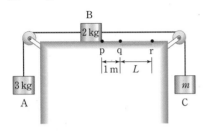

이에 대한 설명으로 옳은 것만을 |보기|에서 있는 대로 고른 것은? (단, 중력 가속도는 10 m/s²이고, 실의 질량과 공기 저항, 모든 마찰은 무시한다.)

보기
ㄱ. $m=4$ kg이다.
ㄴ. $L=6$ m이다.
ㄷ. F의 크기는 5 N이다.

① ㄱ   ② ㄴ   ③ ㄱ, ㄷ
④ ㄴ, ㄷ   ⑤ ㄱ, ㄴ, ㄷ

Tip 물체에 작용하는 알짜힘이 한 일의 양은 물체의 운동 에너지 변화량과 같다.

풀이 ㄱ. 0초부터 1초까지 가속도 크기를 a라고 하면 $(3+2+m) \times a = (m-3) \times 10$이다. 또한, 0초부터 1초까지 a의 가속도로 1 m 이동하였으므로 $\frac{1}{2} \times a \times 1^2 = 1$이다.

이 두 식을 정리하면 $a=2$ m/s², $m=5$ kg이다.

ㄴ. q에서 B의 속력은 $v_0 + at = 0 + 2 \times 1 = 2$(m/s)이고, 운동 에너지의 크기는 r에서가 q에서의 4배이므로 r에서 B의 속력은 q에서의 2배인 4 m/s이다. q에서 r로 이동할 때, C의 중력 퍼텐셜 에너지 감소량 $5 \times 10 \times L$은 A, B, C의 운동 에너지 증가량 $\frac{1}{2} \times (3+2+5) \times (4^2 - 2^2) = 60$(J)의 5배이므로

$L=6$ m이다.

ㄷ. q~r 구간에 A, B, C에 작용한 알짜힘이 한 일의 양은 $(50-30-F) \times 6$이다. 이는 A, B, C의 운동 에너지 증가량인 60 J과 같아야 하므로 $F=10$ N이다.

답 ②

확인 1-1

2018 6월 모평 20번 유사

그림은 물체 B와 실로 연결되어 있는 물체 A를 수평면 위의 점 P에 가만히 놓았더니 오른쪽으로 운동하여 점 Q를 지나는 모습을 나타낸 것이다. A가 Q를 지나는 순간부터 운동 방향과 반대 방향으로 일정한 힘 F를 받아 점 R에서 속력이 0이 되었다. A가 Q에서 R까지 운동하는 동안, A의 운동 에너지 감소량은 B의 중력 퍼텐셜 에너지 감소량의 $\frac{3}{4}$배이다. A, B의 질량은 각각 $3m$, $4m$이고, A가 P에서 R까지 운동하는 데 걸린 시간은 t이다.

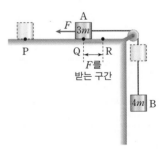

이에 대한 설명으로 옳은 것만을 |보기|에서 있는 대로 고르시오. (단, 중력 가속도는 g이고, 실의 질량, 모든 마찰과 공기 저항은 무시한다.)

보기
ㄱ. $F=10mg$이다.
ㄴ. Q에서의 속력은 $\frac{4}{11}gt$이다.
ㄷ. P와 Q 사이의 거리를 L_1, Q와 R 사이의 거리를 L_2라고 할 때 $L_1 : L_2 = 7 : 4$이다.

대표 기출 **2** [2021] 6월 모평 20번

그림 (가)와 같이 동일한 용수철 A, B가 연직선상에 x 만큼 떨어져 있다. 그림 (나)는 (가)의 A를 d만큼 압축시키고 질량이 m인 물체를 올려놓았더니 물체가 힘의 평형을 이루며 정지해 있는 모습을, (다)는 (나)의 A를 $2d$만큼 더 압축시켰다가 가만히 놓는 순간의 모습을, (라)는 (다)의 물체가 A와 분리된 후 B를 압축시킨 모습을 나타낸 것이다. B가 $\frac{1}{2}d$만큼 압축되었을 때 물체의 속력은 0이다.

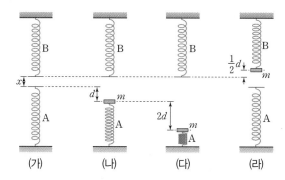

(가)　(나)　(다)　(라)

이에 대한 설명으로 옳은 것만을 | 보기 |에서 있는 대로 고른 것은? (단, 중력 가속도는 g이고, 물체의 크기, 용수철의 질량, 공기 저항과 마찰은 무시한다.)

┌ 보기 ┐
ㄱ. 용수철 상수는 $\frac{mg}{d}$이다.

ㄴ. $x=\frac{7}{8}d$이다.

ㄷ. 물체가 운동하는 동안 물체의 운동 에너지 최댓값은 $2mgd$이다.
└──────┘

① ㄱ　　② ㄷ　　③ ㄱ, ㄴ
④ ㄱ, ㄷ　　⑤ ㄱ, ㄴ, ㄷ

Tip 역학적 에너지 보존 법칙에 의해 물체의 운동 에너지와 중력 퍼텐셜 에너지, 용수철의 탄성 퍼텐셜 에너지의 총합은 항상 일정하게 보존된다.

풀이 ㄱ. (나)에서 물체가 정지해 있으므로 물체에 작용하는 중력의 크기와 용수철 A에 의한 탄성력의 크기가 같다. 따라서 용수철 상수를 k라고 하면 $kd=mg$에서 $k=\frac{mg}{d}$이다.

ㄴ. (다)에서 중력 퍼텐셜 에너지를 0이라고 하면, (다)에서 탄성 퍼텐셜 에너지 $\frac{1}{2}k(3d)^2=\frac{9}{2}mgd$와 (라)에서 탄성 퍼텐셜 에너지와 중력 퍼텐셜 에너지의 합이 같아야 한다.

즉, $mg\left(\frac{7d}{2}+x\right)+\frac{1}{2}k\left(\frac{1}{2}d\right)^2=\frac{9}{2}mgd$에서 $x=\frac{7}{8}d$

이다.

ㄷ. 물체가 평형점을 지날 때 운동 에너지가 가장 크다. 따라서 운동 에너지를 E_k라고 하면, 평형점에서 역학적 에너지는

$2mgd+\frac{1}{2}kd^2+E_k=\frac{9}{2}mgd$이므로 $E_k=2mgd$이다.

답 ⑤

확인 2-1 [2021] 9월 모평 20번

그림 (가)는 물체 A와 실로 연결된 물체 B를 원래 길이가 L_0인 용수철과 수평면 위에서 연결하여 잡고 있는 모습을, (나)는 (가)에서 B를 가만히 놓은 후, 용수철의 길이가 L까지 늘어나 A의 속력이 0인 순간의 모습을 나타낸 것이다. A, B의 질량은 각각 m이고, 용수철 상수는 k이다.

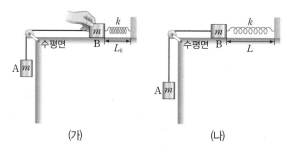

(가)　(나)

이에 대한 설명으로 옳은 것만을 | 보기 |에서 있는 대로 고르시오. (단, 중력 가속도는 g이고, 실과 용수철의 질량, 물체의 크기, 모든 마찰과 공기 저항은 무시한다.)

┌ 보기 ┐
ㄱ. $L-L_0=\frac{2mg}{k}$이다.

ㄴ. 용수철의 길이가 L일 때, A에 작용하는 알짜힘은 0이다.

ㄷ. B의 최대 속력은 $\sqrt{\frac{m}{k}}g$이다.
└──────┘

대표 기출 3

그림은 일정량의 이상 기체의 상태가 A → B → C → D → A를 따라 변할 때 압력과 절대 온도를 나타낸 것이다. A일 때 기체의 부피는 V이다. 이에 대한 설명으로 옳은 것만을 |보기|에서 있는 대로 고른 것은?

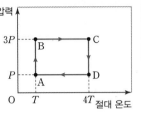

| 보기 |

ㄱ. B → C 과정에서 기체가 하는 일의 양은 0이다.

ㄴ. C → D 과정에서 기체가 흡수한 열은 모두 내부 에너지 증가에 사용된다.

ㄷ. D일 때 기체의 부피는 $4V$이다.

① ㄱ   ② ㄴ   ③ ㄷ

④ ㄱ, ㄴ   ⑤ ㄴ, ㄷ

Tip 등압 과정일 때 흡수한 열은 기체의 내부 에너지 변화와 기체가 일을 하는 데 사용되고, 등온 과정일 때 흡수한 열은 기체가 일을 하는 데에만 사용된다.

풀이 ㄱ. 등압 과정에서 온도가 증가하므로 부피가 증가한다. 따라서 기체가 하는 일은 0보다 크다.

ㄴ. 등온 과정이기 때문에 내부 에너지 변화량은 0이다.

ㄷ. 압력이 일정할 때 기체의 부피는 절대 온도에 비례한다. 🅐 ③

대표 기출 4

그림은 온도가 T_1인 열원에서 $5Q$의 열을 흡수하여 일을 한 후, 온도가 T_2인 열원으로 $2Q$의 열을 방출하는 열기관을 나타낸 것이다. 이에 대한 설명으로 옳은 것만을 |보기|에서 있는 대로 고른 것은?

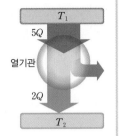

| 보기 |

ㄱ. 열기관이 한 일의 양은 $3Q$이다.

ㄴ. 열기관의 효율은 0.4이다.

ㄷ. 열효율을 높이려면 T_2를 높게 해야 한다.

① ㄱ   ② ㄷ   ③ ㄱ, ㄴ

④ ㄴ, ㄷ   ⑤ ㄱ, ㄴ, ㄷ

Tip 열기관의 열효율은 $\dfrac{Q_{흡수} - Q_{방출}}{Q_{흡수}}$이다.

풀이 ㄱ. 한 일의 양은 $5Q - 2Q = 3Q$이다.

ㄴ. 열기관의 효율은 $\dfrac{3Q}{5Q} = 0.6$이다.

ㄷ. 열기관의 열효율을 높이려면 T_1(고열원)의 온도를 높게 하고, T_2(저열원)의 온도를 낮게 해야 한다. 🅐 ①

확인 3-1

그림은 일정량의 이상 기체의 상태가 A → B → C → D → A를 따라 변할 때 압력과 부피를 나타낸 것이다. 이때 D → A는 등온 과정이고, $V_3 - V_2$는 $V_2 - V_1$보다 크다. 이에 대한 설명으로 옳은 것만을 |보기|에서 있는 대로 고르시오.

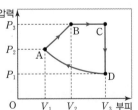

| 보기 |

ㄱ. A → B 과정에서 기체의 온도는 낮아진다.

ㄴ. C → D 과정에서 기체는 열을 흡수한다.

ㄷ. A → B, B → C, C → D, D → A 과정 중 기체가 하는 일의 양은 B → C 과정에서가 가장 크다.

확인 4-1   2021 6월 모평 14번 유사

그림은 어떤 열기관에서 일정량의 이상 기체의 상태가 A → B → C → D → A를 따라 순환하는 동안 기체의 압력과 부피를 나타낸 것이고, 표는 각 과정에서 기체가 흡수 또는 방출하는 열량과 기체가 하는 일 또는 받는 일의 양을 일부만 나타낸 것이다. A → B, C → D 과정은 등온 과정, B → C, D → A 과정은 단열 과정이다.

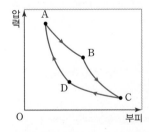

과정	열량	일
A → B		150 J
B → C	㉠	60 J
C → D	50 J	
D → A	0	㉡

이에 대한 설명으로 옳은 것만을 |보기|에서 있는 대로 고르시오.

| 보기 |

ㄱ. 열기관의 효율은 $\dfrac{2}{3}$이다.

ㄴ. ㉠은 0이다.

ㄷ. ㉡은 100 J이다.

대표 기출 **5**

2021 수능 17번

그림과 같이 관찰자 P에 대해 관찰자 Q가 탄 우주선이 $0.5c$의 속력으로 직선 운동을 하고 있다. P의 관성계에서,

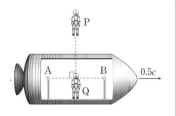

Q가 P를 스쳐 지나가는 순간 Q로부터 같은 거리만큼 떨어져 있는 광원 A, B에서 빛이 동시에 발생한다. 이에 대한 설명으로 옳은 것만을 |보기|에서 있는 대로 고르시오. (단, c는 빛의 속력이다.)

보기
ㄱ. P의 관성계에서, A와 B에서 발생한 빛은 동시에 P에 도달한다.
ㄴ. P의 관성계에서, A와 B에서 발생한 빛은 동시에 Q에 도달한다.
ㄷ. B에서 발생한 빛이 Q에 도달할 때까지 걸리는 시간은 Q의 관성계에서가 P의 관성계에서보다 크다.

Tip 어떤 사건이 관측자에 따라 동시일 수도, 아닐 수도 있다.

풀이 ㄱ. Q가 P를 스치는 순간 P에서 A와 B까지의 거리는 같다.
ㄴ. Q는 A에서 빛이 발생한 지점으로부터 멀어지고, B에서 빛이 발생한 지점으로 가까워지므로 빛이 동시에 도달하지 않는다.
ㄷ. Q의 관성계에서 Q와 B 사이의 거리는 고유 거리이고, P의 관성계에서 Q와 B 사이의 거리는 짧아진 거리이다. 또한, P의 관성계에서 Q는 B에서 발생한 빛에 가까워진다. **답** ㄱ, ㄷ

확인 **5**-1

2019 수능 12번 유사

그림은 관찰자 A에 대해 관찰자 B가 탄 우주선이 $0.8c$의 속력으로 등속도 운동을 하는 모습을 나타낸 것이다. B가 측정할 때, 광원에서 나온 빛이 검출기 P, Q, R에 동시에 도달한다. B가 측정할 때, P, Q, R는 광원으로부터 각각 거리 L_P, L_Q, L_R만큼 떨어져 있다. 이에 대한 설명으로 옳은 것만을 |보기|에서 있는 대로 고르시오. (단, c는 빛의 속력이다.)

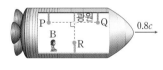

보기
ㄱ. $L_P = L_Q = L_R$이다.
ㄴ. A가 측정할 때 빛은 Q에 가장 먼저 도착한다.
ㄷ. A가 측정할 때 광원과 P 사이의 거리는 광원과 Q 사이의 거리보다 길다.

대표 기출 **6**

다음 A와 B는 태양과 원자력 발전소에서 일어나는 핵반응을 순서 없이 나타낸 것이다.

$$A: {}^1_1H + {}^2_1H \longrightarrow {}^3_2He + \gamma + 약 5.5\,MeV$$
$$B: {}^{235}_{92}U + \boxed{(가)} \longrightarrow {}^{141}_{56}Ba + {}^{92}_{36}Kr + 3\boxed{(가)} + 약 200\,MeV$$

이에 대한 설명으로 옳은 것만을 |보기|에서 있는 대로 고른 것은?

보기
ㄱ. 핵반응 과정에서 질량수가 보존되지 않는 과정은 A이다.
ㄴ. 질량 결손의 양이 더 많은 과정은 B이다.
ㄷ. (가)의 전하량은 1이다.

① ㄴ   ② ㄷ   ③ ㄱ, ㄴ
④ ㄱ, ㄷ   ⑤ ㄱ, ㄴ, ㄷ

Tip 핵반응 전후 전하량과 질량수는 보존된다. 또한, 핵반응 과정에서 질량 결손에 해당하는 에너지가 방출된다.

풀이 ㄱ. 핵반응 과정에서 전하량과 질량수는 모두 보존된다.
ㄴ. 발생하는 에너지는 B가 A보다 크기 때문에 질량 결손의 양은 B가 더 많다.
ㄷ. (가)는 중성자(${}^1_0n$)로 중성자의 전하량은 0이다. **답** ①

확인 **6**-1

그림 (가)와 (나)는 핵분열 반응과 핵융합 반응을 순서 없이 나타낸 것이다.

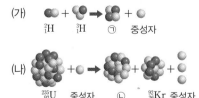

이에 대한 설명으로 옳은 것만을 |보기|에서 있는 대로 고르시오.

보기
ㄱ. (가)는 핵분열 반응이다.
ㄴ. ㉠의 질량수는 4이다.
ㄷ. ㉡의 원자 번호는 55이다.

4강_ 열과 역학적 에너지, 특수 상대성 이론

1 그림은 높이가 6 m인 빗면 위에 질량이 2 kg인 물체를 가만히 놓았을 때, 각각 일정한 크기의 힘이 운동 반대 방향으로 작용하는 구간 I, II를 차례대로 통과한 후 용수철 상수가 200 N/m인 용수철을 최대로 압축시킨 모습을 나타낸 것이다. 구간 I을 통과할 때는 등속 운동을 하고, 구간 II를 통과하기 전의 속력은 통과한 후의 2배이다. 구간 I의 연직 높이와 구간 II의 수평 거리는 각각 1 m, 15 m이다.

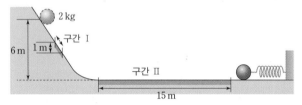

이에 대한 설명으로 옳은 것만을 │보기│에서 있는 대로 고르시오. (단, 중력 가속도는 10 m/s²이고, 물체의 크기와 모든 마찰은 무시한다.)

┌─ 보기 ─────────────────────────────
ㄱ. 구간 I에서 물체에 작용하는 알짜힘의 방향은 물체의 운동 방향과 반대 방향이다.
ㄴ. 용수철이 최대로 압축된 길이는 0.5 m이다.
ㄷ. 구간 II에서 물체에 작용하는 힘의 크기는 5 N이다.
└────────────────────────────────

Tip 구간 II에서 물체의 ❶[ ] 에너지 감소량은 구간 II에서 알짜힘이 한 ❷[ ]의 양과 같다. **답** ❶ 운동 ❷ 일

2021 수능 20번 유사

2 그림은 용수철 상수가 200 N/m인 용수철과 연결된 질량이 각각 3 kg, 6 kg인 물체 A와 B를 실로 연결한 후 손으로 B를 10 N의 힘으로 잡아당겨 정지해 있는 상태를 나타낸 것이다. 이 상태에서 B를 잡고 있던 손을 제거하였을 때,

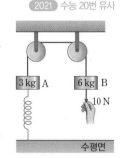

A의 최대 운동 에너지는 몇 J인지 구하시오. (단 중력 가속도는 10 m/s²이고, 실과 용수철의 질량, 모든 마찰과 공기 저항은 무시한다.)

Tip 물체를 용수철에 연결하여 당겼다가 놓으면 평형 위치에 가까워질수록 ❶[ ] 에너지가 증가하고, ❷[ ]에너지는 감소한다. **답** ❶ 운동 ❷ 탄성 퍼텐셜

2020 9월 모평 17번

3 그림과 같이 마찰이 없는 궤도를 따라 운동하는 물체 A, B가 각각 높이 $2h_0$, h_0인 지점을 v_0, $2v_0$의 속력으로 지난다. h_0인 지점에서 B의 운동 에너지는 중력 퍼텐셜 에너지의 4배이다. 궤도의 구간 I, II는 각각 수평면, 경사면이고, 구간 III은 높이가 $4h_0$인 수평면이다.

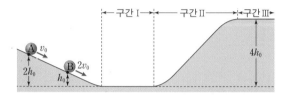

이에 대한 설명으로 옳은 것만을 │보기│에서 있는 대로 고르시오. (단, I에서 중력 퍼텐셜 에너지는 0이고, 물체는 동일 연직면상에서 운동하며, 물체의 크기는 무시한다.)

┌─ 보기 ─────────────────────────────
ㄱ. I을 통과하는 데 걸리는 시간은 A가 B의 $\frac{5}{3}$배이다.
ㄴ. II에서 A의 운동 에너지와 중력 퍼텐셜 에너지가 같은 지점의 높이는 h_0이다.
ㄷ. III에서 B의 속력은 v_0이다.
└────────────────────────────────

Tip 공기 저항이나 마찰이 없으면 물체의 ❶[ ] 에너지는 항상 일정하게 ❷[ ]된다. **답** ❶ 역학적 ❷ 보존

2019 수능 18번 유사

4 그림 (가)와 같이 질량이 각각 $3m$, $2m$, $4m$인 물체 A, B, C가 실로 연결된 채 정지해 있다. 실 p, q는 빗면과 나란하다. 그림 (나)는 (가)에서 0초일 때 q가 끊어진 후, A, B, C가 등가속도 운동 하는 모습을 나타낸 것이다.

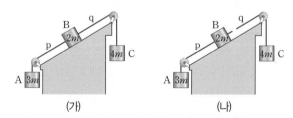

(가) (나)

0~t 동안 B의 중력 퍼텐셜 에너지 감소량을 구하시오. (단, 중력 가속도는 g이고, 실의 질량 및 모든 마찰은 무시하며, t까지 B는 한 방향으로만 운동한다.)

Tip 빗면에서 실에 매달려 정지해 있는 물체에 작용하는 실의 ❶[ ]과 빗면 아래로 내려가려는 힘의 크기가 같아 물체에 작용하는 알짜힘은 ❷[ ]이다. **답** ❶ 장력 ❷ 0

2020 9월 모평 18번 유사

5 그림 (가)의 I은 이상 기체가 들어 있는 실린더의 피스톤 위에 물체가 있는 상태에서 피스톤이 정지해 있는 모습을, II는 I에서 피스톤 위의 물체를 제거한 후 피스톤이 정지한 모습을, III은 II에서 기체에 열을 서서히 가했을 때 기체가 팽창하여 피스톤이 정지한 모습을 나타낸 것이다. 그림 (나)는 (가)의 기체 상태가 변할 때 압력과 부피를 나타낸 것이다. A, B, C는 각각 I, II, III에서의 기체 상태 중 하나이다.

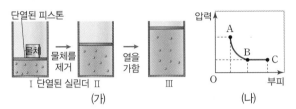

이에 대한 설명으로 옳은 것만을 | 보기 | 에서 있는 대로 고르시오. (단, 피스톤의 마찰은 무시한다.)

┌─ 보기 ┌
ㄱ. I → II 과정은 A → B 과정에 해당한다.
ㄴ. A → B 과정에서 기체의 온도는 일정하다.
ㄷ. II → III 과정에서 기체는 외부에 일을 한다.
└──

Tip 이상 기체가 단열 팽창을 하면 기체의 [❶   ]가 커지면서 [❷   ]는 낮아진다.   답 ❶ 부피 ❷ 온도

6 그림은 관찰자 A에 대해 관찰자 B가 탄 우주선이 $0.7c$의 속력으로 직선 운동 하는 모습을 나타낸 것이다. B의 관성계에서 광원과 거울 사이의 거리는 L이고, 광원에서 우주선의 운동 방향과 나란하게 발생시킨 빛은 거울에서 반사되어 광원으로 다시 돌아온다. B가 측정했을 때, 광원에서 나온 빛이 거울에 도달할 때까지 걸린 시간과 거울에서 다시 광원으로 도달할 때까지 걸린 시간은 각각 t_1, t_2이고 A가 측정했을 때 걸린 시간은 각각 t_3, t_4이다. 이에 대한 설명으로 옳은 것만을 | 보기 | 에서 있는 대로 고르시오. (단, c는 빛의 속력이다.)

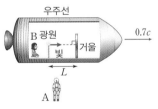

┌─ 보기 ┌
ㄱ. $t_1 = t_2$이다.   ㄴ. $t_1 + t_2 < t_3 + t_4$이다.
ㄷ. $t_3 > t_1$이다.
└──

Tip B가 측정할 때 빛이 c의 속력으로 L만큼 진행하므로 $t_1 =$ [❶   ], $t_2 =$ [❷   ]이다.   답 ❶ $\dfrac{L}{c}$ ❷ $\dfrac{L}{c}$

2018 수능 7번 유사

7 그림은 지표면에 정지해 있는 관찰자가 측정할 때, 지표면으로부터 높이 h인 곳에서 뮤온과 중성자가 모두 $0.99c$의 일정한 속도로 지표면을 향해 움직이는 것을 나타낸 것이다. 뮤온은 지표면에 도달하는 순간 붕괴한다. 정지 상태의 뮤온이 생성된 순간부터 붕괴하는 순간까지 걸리는 시간은 t_0이고, 관찰자가 측정할 때 중성자가 지표면에 도달하는 데까지 걸리는 시간은 t_1이다. 이에 대한 설명으로 옳은 것만을 | 보기 | 에서 있는 대로 고른 것은? (단, c는 빛의 속력이다.)

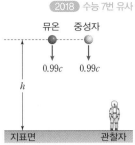

┌─ 보기 ┌
ㄱ. 관찰자가 측정한 h는 $0.99ct_0$이다.
ㄴ. 중성자가 측정할 때 뮤온이 생성되어 붕괴할 때까지 걸린 시간은 t_0이다.
ㄷ. $t_1 > t_0$이다.
└──

① ㄱ   ② ㄴ   ③ ㄷ
④ ㄴ, ㄷ   ⑤ ㄱ, ㄴ, ㄷ

Tip 관찰자가 측정했을 때 [❶   ] 상태에 있는 물체의 길이가 [❷   ]이다.   답 ❶ 정지 ❷ 고유 길이

8 다음은 핵분열 또는 핵융합 반응에 대한 설명이다.

┌──────────────
우라늄 원자핵에 저속의 중성자를 흡수시키면 불안정한 우라늄 원자핵이 분열하여 크립톤과 바륨으로 쪼개지면서 고속의 [A] 3개가 방출된다. 이 과정에서 [B]에 해당하는 만큼의 에너지가 방출된다.
└──────────────

이에 대한 설명으로 옳은 것만을 | 보기 | 에서 있는 대로 고르시오.

┌─ 보기 ┌
ㄱ. 핵융합 반응에 대한 설명이다.
ㄴ. A에 들어갈 말은 양성자이다.
ㄷ. B에 들어갈 말로 '질량 결손'이 적절하다.
└──

Tip 질량수가 큰 원자핵이 질량수가 작은 원자핵으로 쪼개지는 현상을 [❶   ] 반응이라고 하며, 이 과정에서 질량 결손이 일어나 [❷   ]가 방출된다.   답 ❶ 핵분열 ❷ 에너지

3강_ 운동량과 충격량

01 충격량이 일정할 때, 충돌 시간을 길게 하여 충격력을 줄이는 예를 |보기|에서 있는 대로 고르시오.

┌─ 보기 ┐
ㄱ. 골프공을 칠 때, 골프채를 끝까지 휘둘러 골프공을 더 멀리 날아가게 한다.
ㄴ. 농구 선수가 슛을 하려고 공중에서 다리를 뻗은 후 착지할 때 무릎을 구부린다.
ㄷ. 자동차가 충돌할 때 에어백이 작동한다.
└─────┘

02 그림 (가)는 일직선상에서 질량이 각각 $4 \ kg$, m인 물체 A와 B가 각각 $3 \ m/s$, $1 \ m/s$의 속력으로 운동하는 모습을, (나)는 A와 B가 충돌하여 속력이 각각 $2 \ m/s$, $3 \ m/s$가 된 모습을 나타낸 것이다.

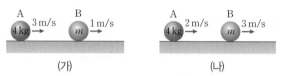

(가)   (나)

B의 질량 m은 몇 kg인지 구하시오. (단, 물체의 크기와 모든 마찰은 무시한다.)   (   )

03 그림 (가)는 마찰이 없는 수평면에서 물체 A, B, C가 각각 P_0, $2P_0$, $4P_0$의 운동량의 크기로 운동하는 모습을, (나)는 (가)에서 물체끼리 충돌이 일어난 후 A, B, C가 P_0의 운동량의 크기로 함께 운동하는 모습을 나타낸 것이다. A, B, C의 질량은 모두 같다.

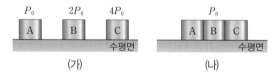

(가)   (나)

이에 대한 설명으로 옳은 것만을 |보기|에서 있는 대로 고른 것은? (단, 물체의 크기는 무시한다.)

┌─ 보기 ┐
ㄱ. (가)에서 A와 B의 운동 방향은 같다.
ㄴ. C의 운동 방향은 (가)와 (나)에서 서로 반대이다.
ㄷ. B의 속력은 (가)에서가 (나)에서의 6배이다.
└─────┘

① ㄱ   ② ㄴ   ③ ㄱ, ㄷ
④ ㄴ, ㄷ   ⑤ ㄱ, ㄴ, ㄷ

04 그림 (가)는 수평면에서 질량이 $2 \ kg$인 물체 A가 $5 \ m/s$의 속력으로 질량이 $5 \ kg$인 정지해 있는 물체 B를 향해 운동하는 모습을, (나)는 A와 B가 충돌한 다음 B가 벽과 한 번 더 충돌해 $1 \ m/s$의 속력으로 A를 향해 운동하는 모습을 나타낸 것이다. A와 B는 1초 동안 충돌하고, A는 B와 충돌한 후 정지하며, B와 벽은 3초 동안 충돌한다.

(가)   (나)

이에 대한 설명으로 옳은 것만을 |보기|에서 있는 대로 고른 것은? (단, 물체의 크기와 모든 마찰은 무시한다.)

┌─ 보기 ┐
ㄱ. B가 A와 충돌 후, 벽과 충돌하기 직전의 속력은 $2 \ m/s$이다.
ㄴ. A와 B의 충돌 과정에서 A가 B로부터 받은 충격량의 크기는 $10 \ N \cdot s$이다.
ㄷ. 충돌 과정에서 B가 A로부터 받은 평균 힘의 크기는 B가 벽으로부터 받은 평균 힘의 크기의 2배이다.
└─────┘

① ㄱ   ② ㄴ   ③ ㄱ, ㄷ
④ ㄴ, ㄷ   ⑤ ㄱ, ㄴ, ㄷ

05 그림 (가)는 0초일 때 수평면에 정지해 있는 질량이 $3 \ kg$인 물체에 힘 F가 작용하는 모습을, (나)는 물체에 작용하는 힘 F의 크기를 시간에 따라 나타낸 것이다.

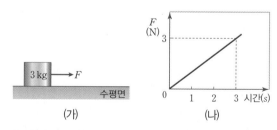

(가)   (나)

2초일 때 물체의 속력을 v_1, 3초일 때 물체의 속력을 v_2라고 할 때, $v_1 : v_2$는? (단, 물체의 크기, 공기 저항과 모든 마찰은 무시한다.)

① $4 : 9$ ② $4 : 11$ ③ $5 : 7$
④ $5 : 12$ ⑤ $6 : 13$

4강_ 열과 역학적 에너지, 특수 상대성 이론

06 그림은 질량이 각각 3 kg, m, 6 kg인 물체 A, B, C 가 실로 연결되어 0초일 때 정지해 있다가 움직이기 시작한 순간의 모습을 나타낸

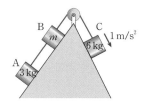

것이다. 1초일 때 C의 가속도는 1 m/s^2이며, 운동 에너지의 크기는 C가 B의 2배이다. 이에 대한 설명으로 옳은 것만을 │보기│에서 있는 대로 고른 것은? (단, 물체의 크기, 실의 질량, 공기 저항과 모든 마찰은 무시한다.)

┌─ 보기 ┐
ㄱ. $m=3$ kg이다.
ㄴ. 0초부터 1초까지 A, B, C의 중력 퍼텐셜 에너지 변화량의 합은 12 J이다.
ㄷ. 0초부터 2초까지 A, B, C에 작용한 알짜힘이 한 일의 양은 12 J이다.
└────────┘

① ㄱ   ② ㄴ   ③ ㄱ, ㄷ
④ ㄴ, ㄷ   ⑤ ㄱ, ㄴ, ㄷ

07 그림은 용수철 상수가 k이고, 용수철의 원래 길이가 L_0인 용수철에 실로 질량이 m인 물체 를 매단 후, 용수철이

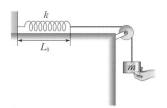

늘어나지 않도록 물체를 손으로 받쳐 정지시켜 놓은 모습을 나타낸 것이다. 손을 갑자기 치웠을 때, 이에 대한 설명으로 옳은 것만을 │보기│에서 있는 대로 고른 것은? (단, 중력 가속도는 g이고, 물체의 크기, 실과 용수철의 질량, 공기 저항과 모든 마찰은 무시한다.)

┌─ 보기 ┐
ㄱ. 물체의 최대 속도의 크기는 $\sqrt{\dfrac{m}{k}}g$이다.
ㄴ. 물체가 처음으로 정지할 때, 물체의 중력 퍼텐셜 에너지 감소량은 $\dfrac{2m^2g^2}{k}$이다.
ㄷ. 손을 갑자기 치우지 않고, 물체가 정지할 때까지 손을 서서히 내렸을 때 용수철이 늘어난 길이는 $\dfrac{2mg}{k}$이다.
└────────┘

① ㄱ   ② ㄴ   ③ ㄷ
④ ㄱ, ㄴ   ⑤ ㄴ, ㄷ

08 그림은 열기관에서 일정량의 이상 기체의 상태가 A → B → C를 따라 변할 때 기체의 압력과 부피를 나타낸 것이다. A → B 과정은

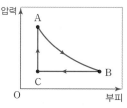

등온 과정으로 기체가 외부에 하는 일은 70 J이고, B → C 과정은 등압 과정으로 기체가 외부에 방출하는 열량은 50 J이고, C → A 과정은 등적 과정으로 기체의 내부 에너지 증가량은 30 J이다. 이 열기관의 열효율은 얼마인지 구하시오. (   )

09 그림과 같이 관찰자 A에 대해 광원 P와 Q, 검출기가 정지해 있고, 관찰자 B가 탄 우주선이 P와 검출기를 잇는 직선과 나란하게 $0.8c$의 속력으로 등속

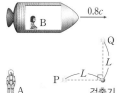

운동 한다. A의 관성계에서는 P, Q에서 동시에 빛이 발생하고, 검출기와 P, Q 사이의 거리는 각각 L로 같다. 이에 대한 설명으로 옳은 것만을 │보기│에서 있는 대로 고른 것은? (단, c는 빛의 속력이다.)

┌─ 보기 ┐
ㄱ. A의 관성계에서 P, Q에서 동시에 발생한 빛이 검출기에 동시에 도달한다.
ㄴ. B의 관성계에서 P에서 나온 빛이 Q에서 나온 빛보다 검출기에 먼저 도달한다.
ㄷ. B의 관성계에서 검출기와 P 사이의 거리는 L보다 길게 측정된다.
└────────┘

① ㄱ   ② ㄴ   ③ ㄱ, ㄷ
④ ㄴ, ㄷ   ⑤ ㄱ, ㄴ, ㄷ

10 다음은 핵반응 중 하나를 식으로 나타낸 것이다.

$$^2_1\text{H}+^3_1\text{H} \longrightarrow \boxed{\ \bigcirc\ }+^1_0\text{n}+17.6 \text{ MeV}$$

이에 대한 설명으로 옳은 것만을 │보기│에서 있는 대로 고르시오.

┌─ 보기 ┐
ㄱ. 핵분열 반응이다.   ㄴ. ㉠의 질량수는 4이다.
ㄷ. 질량의 합은 핵반응 후가 핵반응 전보다 크다.
└────────┘

3강_ 운동량과 충격량

01 그림은 학생 A, B, C가 충격량과 관련된 (가), (나), (다)의 현상에 대해 서로 대화하는 모습을 나타낸 것이다.

(가) 포수가 야구공을 받을 때 손을 뒤로 빼면서 받는다.   (나) 높은 곳에서 뛰어내릴 때 무릎을 구부린다.   (다) 같은 높이에서 달걀을 떨어뜨릴 때 방석 위에 떨어진 달걀은 깨지지 않는다.

(가)에서 포수가 손을 뒤로 빼면서 공을 받으면 포수가 받는 충격력의 크기가 작아져.

(나)에서 무릎을 구부리면서 착지를 하면 충돌 시간이 길어지는 효과가 있어.

(다)에서 달걀이 받는 충격량의 크기는 달걀을 방석에 떨어뜨릴 때보다 바닥에 떨어뜨릴 때가 더 커.

학생 A   학생 B   학생 C

제시한 내용이 옳은 학생만을 있는 대로 고른 것은?

① A   ② B   ③ C

④ A, B   ⑤ B, C

> **Tip** 물체가 받는 충격량이 같을 때 충돌 **❶**[　　]이 길어질수록 물체가 받는 **❷**[　　]의 크기는 작아진다.
>
> 답 **❶** 시간 **❷** 충격력

02 다음은 역학 수레를 이용한 실험이다.

| 실험 과정 |

(가) 질량이 각각 1 kg, 2 kg인 역학 수레 A, B를 용수철로 압축해 결합시킨 후 정지 상태를 만든다.

(나) 그림과 같이 역학 수레의 압축 장치를 고무망치로 쳐서 두 수레가 서로 반대 방향으로 움직이도록 한다.

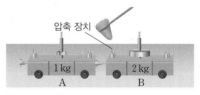

압축 장치

1 kg   A   2 kg   B

(다) 같은 시간 동안 역학 수레 A와 B가 이동한 거리를 측정한다.

(라) 역학 수레 B의 질량을 변화시킨 후 과정 (가), (나), (다)를 반복한다.

| 실험 결과 |

과정	A의 이동 거리(cm)	B의 이동 거리(cm)
(다)	2	㉠
(라)	1	4

이에 대한 설명으로 옳은 것만을 | 보기 |에서 있는 대로 고른 것은? (단, 수레의 크기와 용수철의 질량, 공기 저항과 모든 마찰은 무시한다.)

> 보기
>
> ㄱ. ㉠은 1이다.
>
> ㄴ. (라)에서 실험에 사용한 B의 질량은 0.5 kg이다.
>
> ㄷ. A와 B가 완전히 분리된 후 두 수레의 운동량의 총합은 0이다.

① ㄱ   ② ㄴ   ③ ㄱ, ㄷ

④ ㄴ, ㄷ   ⑤ ㄱ, ㄴ, ㄷ

> **Tip** 정지 상태에서 분리된 두 물체는 운동 방향이 서로 **❶**[　　]이고, 같은 크기의 **❷**[　　]을 갖는다.
>
> 답 **❶** 반대 **❷** 운동량

03 그림 (가)~(라)는 질량이 4 kg인 물체 A의 여러 충돌 상황을 다양한 방식으로 나타낸 것이다. 그림 (가)와 (나)는 A를 같은 높이에서 각각 시멘트 바닥과 방석에 떨어뜨렸을 때 A가 받는 힘을 시간에 따라 나타낸 것이고, 그림 (다)는 일직선상에서 A가 8 m/s의 일정한 속력으로 정지해 있던 B와 2초 동안 충돌한 후, B의 속력이 8 m/s가 된 모습을 나타낸 것으로, B의 질량은 2 kg이다. 그림 (라)는 A가 어떤 물체와 충돌할 때 A의 시간에 따른 속도를 나타낸 것이다.

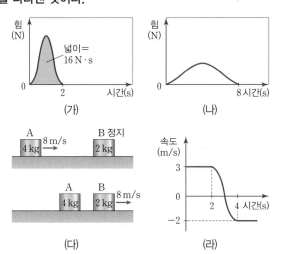

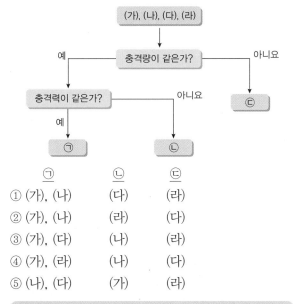

(가)~(라)의 충돌 과정에서 A에 작용하는 충격량, 충격력 등을 다음과 같이 도표화하였을 때, ㉠, ㉡, ㉢에 들어갈 상황을 옳게 짝 지은 것은?

	㉠	㉡	㉢
①	(가), (나)	(다)	(라)
②	(가), (나)	(라)	(다)
③	(가), (다)	(나)	(라)
④	(가), (라)	(나)	(다)
⑤	(나), (다)	(가)	(라)

> **Tip** 충돌 과정에서 물체가 받는 충격량의 크기는 충돌 ❶ 과 ❷ 의 크기에 각각 비례한다.
> 답 ❶ 시간 ❷ 충격력(평균 힘)

04 다음은 충격량에 대한 실험이다.

| 실험 과정 |

(가) 길이가 각각 5 cm, 10 cm, 20 cm인 빨대 3개와 물에 적신 휴지를 준비한다.

(나) 그림과 같이 빨대의 입으로 불 부분에 물에 적신 휴지를 넣고, 힘껏 불어서 날아간 거리를 측정한다.

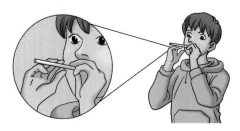

(다) (나)의 과정을 3회 반복하여 평균 거리를 구한다.

(라) 길이가 다른 빨대로 과정 (나), (다)를 반복한다.

| 실험 결과 |

빨대의 길이가 길수록 휴지가 날아가는 거리가 ㉠ .

이에 대한 설명으로 옳은 것만을 | 보기 |에서 있는 대로 고른 것은?

| 보기 |

ㄱ. ㉠에 들어갈 말로 '길어진다'가 적절하다.

ㄴ. 위 실험 결과로 충격량은 물체에 작용하는 힘의 크기에 비례한다는 사실을 알 수 있다.

ㄷ. 대포의 포신이 길수록 포탄을 멀리 보낼 수 있는 까닭을 위 실험 결과로 알 수 있다.

① ㄱ ② ㄴ ③ ㄷ
④ ㄱ, ㄷ ⑤ ㄴ, ㄷ

> **Tip** 대포의 포신이 길수록 포탄에 힘이 작용하는 ❶ 이 길어지고, 힘이 작용하는 시간이 길수록 포탄의 발사 ❷ 는 증가한다. 답 ❶ 시간 ❷ 속도

4강_ 열과 역학적 에너지, 특수 상대성 이론 `2021` 7월 학평 5번 유사

05 다음은 역학 수레를 이용한 실험이다.

| 실험 과정 |

(가) 그림과 같이 수평면으로부터 높이 h인 지점에 가만히 놓은 질량이 m인 수레가 빗면을 내려와 수평면 위의 점 p를 지나 용수철을 압축시킬 때, 용수철이 최대로 압축되는 길이 x를 측정한다.

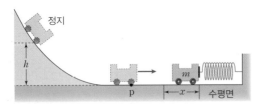

(나) 수레의 질량 m과 수레를 놓는 높이 h를 변화시키면서 과정 (가)를 반복한다.

| 실험 결과 |

실험	m(kg)	h(m)	x(m)
I	0.1	1	0.1
II	0.2	㉠	0.2
III	0.3	3	㉡

이에 대한 설명으로 옳은 것만을 | 보기 |에서 있는 대로 고른 것은? (단, 중력 가속도는 10 m/s^2이고, 용수철의 질량, 수레의 크기, 공기 저항과 모든 마찰은 무시한다.)

┌ 보기 ┐
ㄱ. ㉠+㉡＝2.3이다.
ㄴ. 실험에 사용된 용수철의 용수철 상수는 200 N/m 이다.
ㄷ. 실험 I에서 h는 변화시키지 않고, 수레의 질량만 0.2 kg로 바꾸면 p에서 수레의 속력은 더 빨라진다.

① ㄱ   ② ㄷ   ③ ㄱ, ㄴ
④ ㄴ, ㄷ   ⑤ ㄱ, ㄴ, ㄷ

Tip 역학적 에너지는 보존되므로 수레의 [❶] 퍼텐셜 에너지가 용수철의 [❷] 퍼텐셜 에너지로 전환된다.
답 ❶ 중력 ❷ 탄성

06 다음은 역학적 에너지 보존에 관한 실험이다.

| 실험 과정 |

(가) 그림과 같이 용수철 상수가 100 N/m인 용수철에 질량이 2 kg인 물체를 실로 연결하면 물체는 s의 위치에서 정지한다. O, p, q, r, s에는 각각 속도 센서가 설치되어 있으며 각 구간 사이의 거리는 0.2 m로 동일하다.

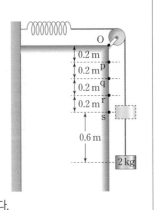

(나) s에서 정지 상태에 있는 물체를 연직 아래로 0.6 m만큼 잡아당긴 뒤 놓았을 때 각 속력 센서에 처음으로 찍히는 속력을 측정한 후 기록한다.

(다) (나)에서 물체를 당기는 길이를 0.8 m로 한 후, 과정 (나)를 반복한다.

| 실험 결과 |

위치		O	p	q	r	s
속력 (m/s)	(나)		㉠	㉡	4	㉢
	(다)	㉣	㉤			㉥

이에 대한 설명으로 옳은 것만을 | 보기 |에서 있는 대로 고른 것은? (단, 중력 가속도는 10 m/s^2이고, 실과 용수철의 질량, 물체의 크기, 모든 마찰과 공기 저항은 무시한다.)

┌ 보기 ┐
ㄱ. ㉠＝㉣이다.
ㄴ. ㉤＞㉡이다.
ㄷ. $\dfrac{㉢}{㉥}=\dfrac{3}{4}$이다.

① ㄱ   ② ㄷ   ③ ㄱ, ㄴ
④ ㄴ, ㄷ   ⑤ ㄱ, ㄴ, ㄷ

Tip 공기 저항이나 마찰이 없을 때 역학적 에너지는 보존되므로 물체의 중력 [❶] 에너지, 용수철의 탄성 퍼텐셜 에너지, 물체의 [❷] 에너지의 합은 항상 일정하다.
답 ❶ 퍼텐셜 ❷ 운동

07 다음은 어떤 열기관에서 일정량의 이상 기체의 상태가 과정 Ⅰ → Ⅱ → Ⅲ → Ⅳ를 따라 변할 때, 압력과 부피를 나타낸 그림과 과정 Ⅰ~Ⅳ에서 기체가 외부에 한 일(W), 기체가 흡수한 열량(Q), 기체의 내부 에너지 변화량(ΔU)을 일부만 나타낸 표를 보고, 학생 A, B, C가 서로 대화하는 모습을 나타낸 것이다.

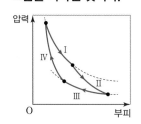

구분	Ⅰ	Ⅱ	Ⅲ	Ⅳ
W		c		
Q	a		$-b$	0
ΔU	0	$-c$	0	

과정 Ⅰ은 외부에 a의 일을 하는 등온 과정이야.

과정 Ⅳ에서 기체의 내부 에너지 변화량은 c야.

순환 과정에서 기체가 하는 일의 양은 $a+c-b$야.

학생 A 학생 B 학생 C

제시한 의견이 옳은 학생만을 있는 대로 고른 것은?

① A ② C ③ A, B
④ A, C ⑤ B, C

Tip 열역학 과정에서 내부 에너지 변화량이 0인 과정을 ❶ 과정이라고 한다. 단열 과정에서는 기체가 외부에 일을 하면 기체의 내부 에너지는 ❷ 한다.

답 ❶ 등온 ❷ 감소

08 다음은 특수 상대성 이론에 대한 사고 실험의 일부이다.

가설 Ⅰ: 모든 관성계에서 물리 법칙은 동일하다.
가설 Ⅱ: 모든 관성계에서 빛의 속력은 c로 일정하다.

관찰자 A에 대해 정지해 있는 두 천체 P, Q 사이를 관찰자 B가 탄 우주선이 광속에 가까운 속력 v로 등속도 운동을 하고 있다. B의 관성계에서 광원으로부터 우주선의 운동 방향에 수직으로 방출된 빛은 거울에서 반사되어 되돌아온다.

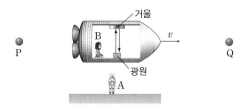

(가) 빛이 1회 왕복한 시간은 A의 관성계에서 t_A이고, B의 관성계에서 t_B이다.
(나) A의 관성계에서 t_A 동안 빛의 경로 길이는 L_A이고, B의 관성계에서 t_B 동안 빛의 경로 길이는 L_B이다.
(다) A의 관성계에서 P와 Q 사이의 거리 D_A는 P에서 Q까지 우주선의 이동 시간과 v를 곱한 값이다.
(라) B의 관성계에서 P와 Q 사이의 거리 D_B는 P가 B를 지날 때부터 Q가 B를 지날 때까지 걸린 시간과 v를 곱한 값이다.

이에 대한 설명으로 옳은 것만을 ┤보기├에서 있는 대로 고른 것은?

┌ 보기 ┐
ㄱ. $t_A > t_B$이다.
ㄴ. $L_A > L_B$이다.
ㄷ. $\dfrac{D_A}{D_B} = \dfrac{L_A}{L_B}$이다.

① ㄱ ② ㄷ ③ ㄱ, ㄴ
④ ㄴ, ㄷ ⑤ ㄱ, ㄴ, ㄷ

Tip B의 관성계에서 빛이 1회 왕복한 시간이 ❶ 시간이다. 따라서 t_A는 t_B보다 ❷ . 답 ❶ 고유 ❷ 크다

마무리 전략

1강_ 여러 가지 운동 ~ 3강_ 운동량과 충격량

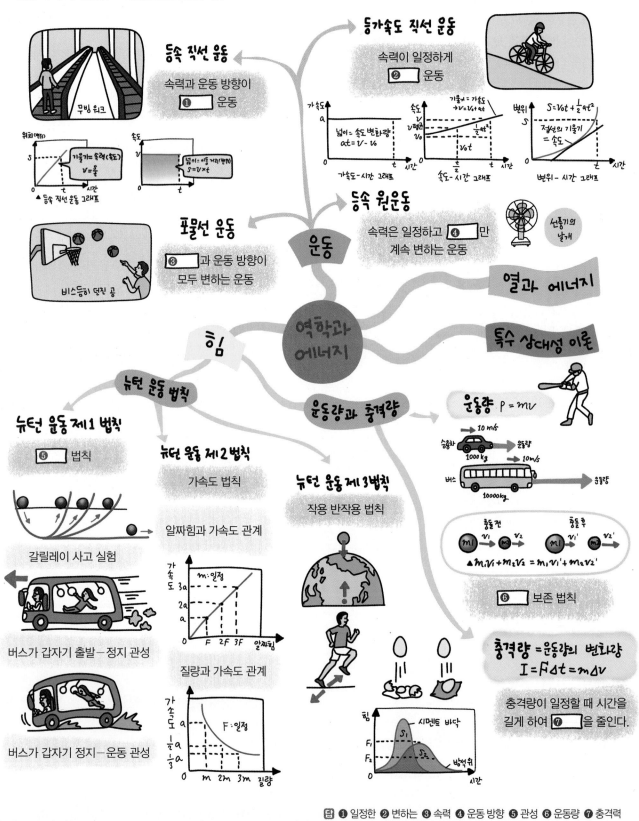

등속 직선 운동
속력과 운동 방향이 **①** 운동

무빙 워크

위치(변위)
기울기=속력(속도)
$v = \frac{s}{t}$

넓이=이동 거리(변위)
$s = v \times t$

▲ 등속 직선 운동 그래프

등가속도 직선 운동
속력이 일정하게 **②** 운동

가속도-시간 그래프
넓이=속도 변화량
$at = v - v_0$

속도-시간 그래프
기울기=가속도
$v = v_0 + at$

변위-시간 그래프
$s = v_0 t + \frac{1}{2}at^2$
접선의 기울기 = 속도

등속 원운동
속력은 일정하고 **④** 만 계속 변하는 운동

선풍기의 날개

포물선 운동
③ 과 운동 방향이 모두 변하는 운동

비스듬히 던진 공

운동

역학과 에너지

열과 에너지

특수 상대성 이론

힘

뉴턴 운동 법칙

뉴턴 운동 제1법칙
⑤ 법칙

갈릴레이 사고 실험

버스가 갑자기 출발 - 정지 관성

버스가 갑자기 정지 - 운동 관성

뉴턴 운동 제2법칙
가속도 법칙
알짜힘과 가속도 관계

m:일정

질량과 가속도 관계

F:일정

뉴턴 운동 제3법칙
작용 반작용 법칙

운동량과 충격량

운동량 $p = mv$

승용차 10 m/s 운동량
1000 kg
버스 10 m/s 운동량
10000 kg

충돌 전 충돌 후
$m_1v_1 + m_2v_2 = m_1v_1' + m_2v_2'$

⑥ 보존 법칙

충격량 = 운동량의 변화량
$I = F\Delta t = m\Delta v$

충격량이 일정할 때 시간을 길게 하여 **⑦** 을 줄인다.

시멘트 바닥
방석위

답 **①** 일정한 **②** 변하는 **③** 속력 **④** 운동 방향 **⑤** 관성 **⑥** 운동량 **⑦** 충격력

4강_ 열과 역학적 에너지, 특수 상대성 이론

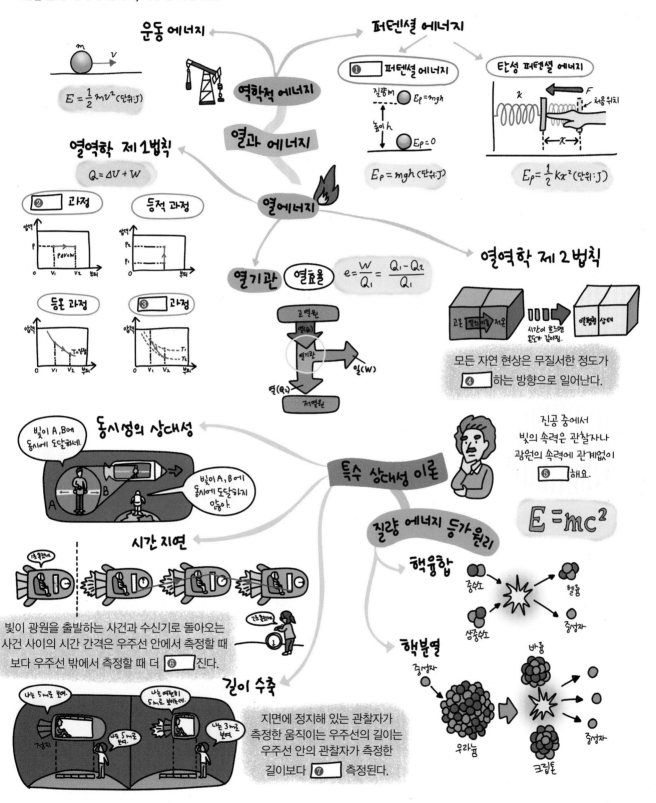

운동 에너지

$E = \frac{1}{2}mv^2$ (단위:J)

역학적 에너지

열과 에너지

열역학 제1법칙

$Q = \Delta U + W$

❷ ☐ 과정

등적 과정

$P \Delta V = W$

등온 과정

❸ ☐ 과정

퍼텐셜 에너지

❶ ☐ 퍼텐셜 에너지

질량M $E_P = mgh$

높이 h $E_P = 0$

$E_P = mgh$ (단위:J)

탄성 퍼텐셜 에너지

$E_P = \frac{1}{2}kx^2$ (단위:J)

열에너지

열기관 열효율 $e = \frac{W}{Q_1} = \frac{Q_1 - Q_2}{Q_1}$

고열원 열(Q_1)

열기관 일(W)

열(Q_2) 저열원

열역학 제2법칙

모든 자연 현상은 무질서한 정도가 ❹ ☐ 하는 방향으로 일어난다.

진공 중에서 빛의 속력은 관찰자나 광원의 속력에 관계없이 ❺ ☐ 해요.

$E = mc^2$

동시성의 상대성

빛이 A,B에 동시에 도달하네.

빛이 A,B에 동시에 도달하지 않아.

특수 상대성 이론

질량 에너지 등가원리

핵융합

중수소 헬륨
삼중수소 중성자

시간 지연

빛이 광원을 출발하는 사건과 수신기로 돌아오는 사건 사이의 시간 간격은 우주선 안에서 측정할 때 보다 우주선 밖에서 측정할 때 더 ❻ ☐ 진다.

핵분열

중성자 바륨
우라늄 크립톤 중성자

길이 수축

나는 5m로 봐.

나는 여전히 5m로 보이는데.

나는 3m로 봐.

지면에 정지해 있는 관찰자가 측정한 움직이는 우주선의 길이는 우주선 안의 관찰자가 측정한 길이보다 ❼ ☐ 측정된다.

📋 ❶ 중력 ❷ 등압 ❸ 단열 ❹ 증가 ❺ 일정 ❻ 길어 ❼ 짧게

신유형·신경향 전략

01 여러 가지 운동　2019 9월 모평 2번 유사

그림 (가)는 정지한 학생이 등가속도 직선 운동을 하는 자동차를 창문 너머로 보는 모습을 나타낸 것이다. 학생은 창문을 통해 본 자동차의 위치를 1초 간격으로 창문에 점을 찍어 나타냈다. 그림 (나)는 0초일 때 창문에 찍은 자동차의 위치를 원점으로 하여 창문에 찍은 자동차의 위치를 시간에 따라 나타낸 것이다. 학생과 창문 사이의 거리는 1 m이고, 학생과 자동차 사이의 거리는 100 m이다.

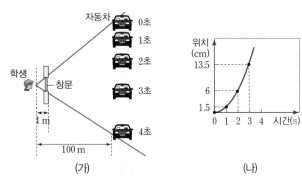

(가)　　　　(나)

이에 대한 설명으로 옳은 것만을 |보기|에서 있는 대로 고른 것은? (단, 창문과 자동차의 크기는 무시한다.)

| 보기 |
ㄱ. 0초부터 3초까지 자동차가 실제로 이동한 거리는 13.5 m이다.
ㄴ. 자동차는 실제로 가속도의 크기가 2 m/s²인 등가속도 운동을 하고 있다.
ㄷ. (나)의 그래프에서 4초일 때 자동차의 위치는 24 cm이다.

① ㄱ　　　　② ㄴ　　　　③ ㄱ, ㄷ
④ ㄴ, ㄷ　　　⑤ ㄱ, ㄴ, ㄷ

Tip 학생과 자동차 사이의 거리는 학생과 창문 사이 거리의 **①** 배이므로 자동차가 0초부터 1초까지 1.5 cm 이동한 것으로 학생에게 보였다면 실제 자동차의 이동 거리는 **②** m이다.　　답 **①** 100 **②** 1.5

02 뉴턴 운동 법칙　2018 6월 모평 10번 유사

다음은 질량이 m인 추, 질량이 $2m$인 수레를 이용하여 힘, 질량, 가속도 사이의 관계를 알아보는 실험을 한 후, 이에 대해 학생 A, B, C가 대화를 나누고 있는 모습이다.

| 실험 과정 |

(가) 수레와 추를 도르래를 통해 실로 연결한 후 추를 가만히 놓고 수레의 속도를 측정한다.
(나) 수레 위의 추와 실에 매달린 추의 수를 바꾸어 가며 과정 (가)를 반복한다.

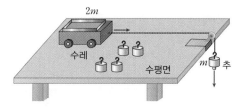

실험	수레 위의 추의 수	실에 매달린 추의 수
I	0	2
II	1	1
III	2	2

학생 A
학생 B
학생 C

제시한 내용이 옳은 학생만을 있는 대로 고른 것은?
① A　　　② B　　　③ C
④ A, B　　　⑤ B, C

Tip 물체의 가속도의 크기는 물체에 작용하는 **①** 에 비례하고, 물체의 질량에 **②** 한다.　　답 **①** 알짜힘 **②** 반비례

03 운동량과 충격량

그림 (가)는 0초일 때, 마찰이 없는 수평면에서 질량이 4 kg 인 상자 A가 오른쪽으로 이동하고 있고, A의 안쪽에 질량이 2 kg인 물체 B가 정지해 있는 모습을 나타낸 것이다. 그림 (나)는 A의 속도를 시간에 따라 나타낸 것이다. A의 안쪽 너비는 L이다.

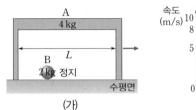
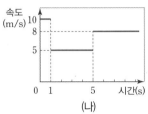

(가)   (나)

이에 대한 설명으로 옳은 것만을 | 보기 |에서 있는 대로 고른 것은? (단, B의 크기는 무시한다.)

┌─ 보기 ─────────────────────────────
ㄱ. $L=20$ m이다.
ㄴ. 9초일 때, A와 B의 3차 충돌이 일어난다.
ㄷ. B가 받는 충격량의 크기는 1초일 때가 5초일 때보다 8 N·s만큼 더 크다.
└────────────────────────────────────

① ㄱ   ② ㄴ   ③ ㄱ, ㄷ
④ ㄴ, ㄷ   ⑤ ㄱ, ㄴ, ㄷ

Tip A의 안쪽 너비는 충돌 후 A와 B의 **❶** 속도와 다음 충돌이 일어나는 데까지 걸린 **❷** 의 곱으로 구할 수 있다.

답 ❶ 상대 ❷ 시간

04 열역학 과정

다음은 열의 이동에 따른 기체의 부피 변화를 알아보기 위한 실험이다.

┌─ 실험 과정 ─────────────────────────
(가) 20 mL의 기체가 들어있는 유리 주사기의 끝을 고무마개로 막는다.
(나) (가)의 주사기를 뜨거운 물이 든 비커에 담그고, 피스톤이 멈추면 눈금을 읽는다.
(다) (나)의 주사기를 얼음물이 든 비커에 담그고, 피스톤이 멈추면 눈금을 읽는다.

(나)   (다)
└────────────────────────────────────

┌─ 실험 결과 ─────────────────────────

과정	(가)	(나)	(다)
기체의 부피(mL)	20	23	18

└────────────────────────────────────

주사기 속 기체에 대한 설명으로 옳은 것만을 | 보기 |에서 있는 대로 고른 것은?

┌─ 보기 ─────────────────────────────
ㄱ. 기체의 내부 에너지는 (가)에서가 (나)에서보다 작다.
ㄴ. (나)에서 기체가 흡수한 열은 기체가 한 일과 같다.
ㄷ. (다)에서 기체가 방출한 열은 기체의 내부 에너지 변화량과 같다.
└────────────────────────────────────

① ㄱ   ② ㄴ   ③ ㄱ, ㄷ
④ ㄴ, ㄷ   ⑤ ㄱ, ㄴ, ㄷ

Tip 기체가 흡수한 열량은 기체의 **❶** 증가량과 기체가 외부에 한 **❷** 의 양을 합한 값이다. 답 ❶ 내부 에너지 ❷ 일

신경향 전략

05 여러 가지 운동

그림은 구간 단속 카메라와 이동식 과속 단속 카메라가 각각 설치되어 있는 가상의 고속도로 위를 달리는 자동차의 모습을 나타낸 것이다. 구간 단속 카메라는 해당 구간에서 자동차의 평균 속력을 측정하고, 이동식 과속 단속 카메라는 해당 지점에서 자동차의 순간 속력을 측정한다. 자동차는 구간 단속이 시작되는 점 p를 72 km/h의 속력으로 통과하면서부터 등가속도 직선 운동을 하여 30초 후 점 q에서 108 km/h의 속력으로 이동식 과속 단속 카메라에 찍힌다. q에서부터 자동차는 다시 등가속도 직선 운동을 하여 점 r를 통과한다. 자동차가 p를 지나 r까지 도달하는 데 걸린 시간은 1분 40초이고, p~r 구간에서 구간 단속 카메라에 측정된 자동차의 속력은 90 km/h이다.

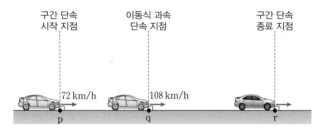

이에 대한 설명으로 옳은 것만을 | 보기 |에서 있는 대로 고른 것은? (단, 자동차의 크기는 무시한다.)

┌─ 보기 ─
ㄱ. 자동차가 r를 지나는 순간의 속력은 72 km/h이다.
ㄴ. q와 r 사이의 거리는 1750 m이다.
ㄷ. p~q 구간과 q~r 구간에서 자동차의 가속도의 크기를 각각 a_1, a_2라고 하면, $a_1 : a_2 = 2 : 1$이다.

① ㄱ   ② ㄷ   ③ ㄱ, ㄴ
④ ㄴ, ㄷ   ⑤ ㄱ, ㄴ, ㄷ

> **Tip** 일정 시간 동안 등가속도 직선 운동을 하는 물체의 평균 속도는 처음 속도와 ❶ [   ] 속도의 ❷ [   ] 값이다.
> 답 ❶ 나중 ❷ 중간

06 뉴턴 운동 법칙

그림 (가)는 질량이 70 kg인 유도 선수가 줄타기 훈련을 하면서 줄을 잡은 채 정지해 있는 모습을, (나)는 선수가 연직 위 방향으로 크기가 1 m/s²인 등가속도 직선 운동을 하고 있는 모습을, (다)는 선수가 줄을 느슨하게 잡아 미끄러지면서 연직 아래로 크기가 0.5 m/s²인 등가속도 직선 운동을 하고 있는 모습을 모식적으로 나타낸 것이다.

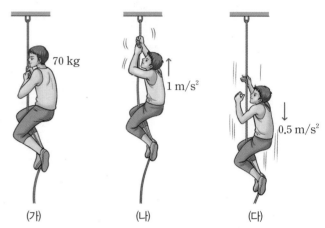

(가)   (나)   (다)

이에 대한 설명으로 옳은 것만을 | 보기 |에서 있는 대로 고른 것은? (단, 중력 가속도는 10 m/s²이고, 줄의 질량과 공기 저항은 무시한다.)

┌─ 보기 ─
ㄱ. (가)에서 줄의 장력은 700 N이다.
ㄴ. (나)에서 줄이 선수를 당기는 힘의 크기는 70 N이다.
ㄷ. (다)에서 줄과 선수 사이에 작용하는 마찰력의 크기는 35 N이다.

① ㄱ   ② ㄴ   ③ ㄷ
④ ㄱ, ㄴ   ⑤ ㄴ, ㄷ

> **Tip** 사람이 줄을 당기는 힘을 ❶ [   ]이라고 하면 줄이 ❷ [   ]을 당기는 힘은 반작용이다. 답 ❶ 작용 ❷ 사람

07 운동량과 충격량

다음은 자동차 충돌 테스트 가상 실험 일지이다.

| 실험 과정 |

1. 질량이 1000 kg인 자동차 A를 72 km/h의 속력으로 고정된 벽에 충돌시킨다.
2. 센서를 이용하여 자동차의 앞 범퍼가 찌그러지면서 자동차가 정지할 때까지 자동차가 받는 힘의 크기를 시간별로 측정한다.
3. 측정이 끝난 후 힘-시간 데이터를 분석한다.
4. 3의 결과를 이용해 시간에 따라 자동차가 받은 힘의 크기를 그래프로 나타낸다.
5. 질량이 1500 kg인 자동차 B를 36 km/h의 속력으로 고정된 벽에 충돌시킨다.
6. 과정 2~4를 반복한다.

| 실험 결과 |

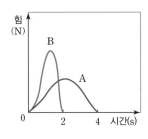

이에 대한 설명으로 옳은 것만을 | 보기 |에서 있는 대로 고른 것은?

| 보기 |

ㄱ. 실험 결과에서 그래프와 시간 축이 이루는 넓이가 더 넓은 것은 A이다.
ㄴ. 충돌 과정에서 B가 받은 충격량의 크기는 15000 N·s 이다.
ㄷ. 충돌 과정에서 받은 평균 힘의 크기는 A가 B의 $\frac{3}{2}$배 이다.

① ㄱ ② ㄷ ③ ㄱ, ㄴ
④ ㄴ, ㄷ ⑤ ㄱ, ㄴ, ㄷ

> **Tip** 72 km/h의 속력은 ❶[　　] 시간 동안 72 km를 이동할 수 있는 빠르기이다. 따라서 ❷[　　]초 동안 72000 m를 이동할 수 있다.
> 답 ❶ 1 ❷ 3600

08 질량과 에너지

다음은 핵융합로와 양전자 방출 단층 촬영 장치에 대한 설명이다.

(가) 핵융합로에서 중수소($^2_1$H)와 삼중수소($^3_1$H)가 핵융합하여 헬륨($^4_2$He), 입자 ㉠을 생성하며 에너지를 방출한다.

(나) 인체에 투입한 물질에서 방출된 *양전자가 전자와 만나 함께 소멸할 때 발생한 감마선을 양전자 방출 단층 촬영 장치로 촬영하여 질병을 진단한다.

*양전자: 전자와 전하의 종류는 다르고 질량은 같은 입자

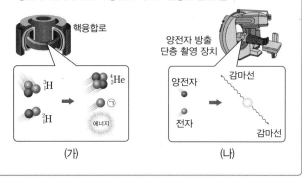

| (가) | (나) |

이에 대한 설명으로 옳은 것만을 | 보기 |에서 있는 대로 고른 것은?

| 보기 |

ㄱ. ㉠은 양성자이다.
ㄴ. (가)에서 핵융합 전후 입자들의 질량수 합은 같다.
ㄷ. (나)에서 양전자와 전자의 질량이 감마선의 에너지로 전환된다.

① ㄱ ② ㄷ ③ ㄱ, ㄴ
④ ㄴ, ㄷ ⑤ ㄱ, ㄴ, ㄷ

> **Tip** 핵반응에서 반응 전후 전하량과 ❶[　　]는 보존된다. 또한, 핵반응 시 발생한 ❷[　　] 결손에 해당하는 에너지가 방출된다.
> 답 ❶ 질량수 ❷ 질량

1강_ 여러 가지 운동

01 ∗∗ 1등급 킬러 `2021` 4월 학평 18번 유사

그림 (가)는 마찰이 없는 빗면에서 물체 A가 빗면 위 방향으로 점 p를 $2v$의 속력으로, 물체 B는 빗면 아래 방향으로 점 s를 v의 속력으로 각각 통과하는 모습을, (나)는 t초 후 A와 B가 각각 처음의 운동 방향으로 움직이면서 점 q와 r를 동시에 통과하는 모습을 나타낸 것이다. p와 q 사이의 거리와 p와 s 사이의 거리는 각각 L, $5L$이고, (나)에서 물체의 속력은 B가 A의 2배이다.

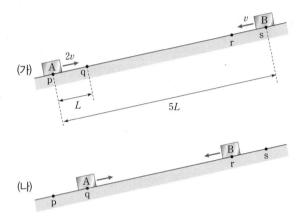

이에 대한 설명으로 옳은 것만을 │보기│에서 있는 대로 고른 것은? (단, 물체의 크기, 공기 저항은 무시한다.)

┌─ 보기 ┐

ㄱ. $t = \dfrac{2L}{3v}$이다.

ㄴ. q와 r 사이의 거리는 $3L$이다.

ㄷ. A와 B가 처음으로 만나는 지점은 q로부터 $\dfrac{L}{4}$ 만큼 떨어진 곳이다.

① ㄱ ② ㄷ ③ ㄱ, ㄴ
④ ㄴ, ㄷ ⑤ ㄱ, ㄴ, ㄷ

02 ∗∗ 1등급 킬러 `2021` 9월 학평 18번 유사

그림은 $x=0$에서 정지해 있던 물체 A, B가 x축과 나란한 직선 경로를 따라 운동하는 모습을 나타낸 것이다. A는 $x=0{\sim}L$, $x=2L{\sim}5L$인 구간에서 오른쪽으로 크기가 F_A로 일정한 힘을 각각 받는다. B는 $x=0{\sim}2L$인 구간에서 오른쪽으로 크기가 F_B로 일정한 힘을 받았고, $x=4L{\sim}5L$인 구간에서는 왼쪽으로 크기가 $2F_B$로 일정한 힘을 받았다. A와 B의 질량은 각각 $2m$, m이고, $x=0$에서 출발하여 $x=5L$에 도달하는 데 걸린 시간은 B가 A의 2배이다. $x=2L$인 지점을 지날 때 A와 B의 속력은 각각 v_A, v_B이다.

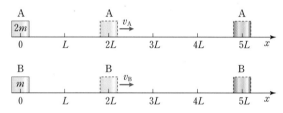

이에 대한 설명으로 옳은 것만을 │보기│에서 있는 대로 고른 것은? (단, 물체의 크기, 공기 저항과 모든 마찰은 무시한다.)

┌─ 보기 ┐

ㄱ. $v_B = \dfrac{4}{5} v_A$이다.

ㄴ. A와 B가 $x = \dfrac{L}{2}$인 지점을 지날 때 가속도의 크기는 A가 B의 $\dfrac{25}{8}$배이다.

ㄷ. $x=2L{\sim}5L$인 구간에서 A가 받은 일을 W_A, $x=0{\sim}2L$인 구간에서 B가 받은 일을 W_B라고 할 때, $\dfrac{W_A}{W_B} = \dfrac{33}{4}$이다.

① ㄱ ② ㄷ ③ ㄱ, ㄴ
④ ㄴ, ㄷ ⑤ ㄱ, ㄴ, ㄷ

2021 10월 학평 18번 유사

03 그림 (가)는 빗면 위의 점 p에 가만히 놓은 물체 A가 점 q를 지나가는 순간 물체 B는 p를 v_B의 속력으로 지나는 모습을, (나)는 잠시 후 A가 점 r를 v_A의 속력으로 지나는 순간 B가 q를 지나는 모습을 나타낸 것이다. p, q, r는 동일 직선상에 있고, p와 q 사이의 거리는 $9L$, q와 r 사이의 거리는 $16L$이다.

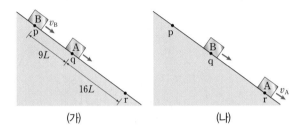

(가)   (나)

$\dfrac{v_A}{v_B}$는? (단, 물체의 크기, 공기 저항과 모든 마찰은 무시한다.)

① 1   ② 2   ③ 3

④ 4   ⑤ 5

2020 4월 학평 16번 유사

04 그림과 같이 직선 도로에서 기준선 P를 속력 v_0으로 동시에 통과한 자동차 A, B가 각각 등가속도 운동을 하여 A가 기준선 R를 통과하는 순간 B는 기준선 Q를 통과한다. A, B의 가속도의 방향은 같다. A, B가 각각 R, Q를 통과하는 순간, 속력은 A가 B의 $\dfrac{7}{4}$배이다. P와 Q 사이, Q와 R 사이의 거리는 각각 $5L$, $3L$이다.

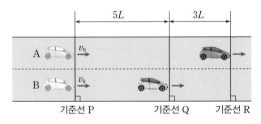

이에 대한 설명으로 옳은 것만을 | 보기 |에서 있는 대로 고른 것은? (단, A, B는 도로와 나란하게 운동하며, A, B의 크기는 무시한다.)

> **보기**
> ㄱ. 가속도의 크기는 A가 B의 2배이다.
> ㄴ. B의 가속도의 크기는 $\dfrac{3v_0^2}{5L}$이다.
> ㄷ. B가 R을 지날 때 속력은 $5v_0$이다.

① ㄱ   ② ㄴ   ③ ㄷ

④ ㄱ, ㄴ   ⑤ ㄱ, ㄷ

05 그림 (가)는 $t=0$일 때, 공 A를 연직 위로 20 m/s의 속력으로 던지는 모습을, (나)는 (가)에서 A가 최고점에 도달하는 순간 공 B를 연직 위로 40 m/s의 속력으로 던지는 모습을 나타낸 것이다. A와 B는 같은 연직선상에서 운동한다. 최고점의 높이는 지면으로부터 h이다.

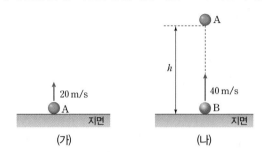

(가)   (나)

이에 대한 설명으로 옳은 것만을 | 보기 |에서 있는 대로 고른 것은? (단, 중력 가속도는 10 m/s²이고, A, B의 크기, 공기 저항과 마찰은 무시한다.)

> **보기**
> ㄱ. $t=1$초일 때, B를 던진다.
> ㄴ. $h=40$ m이다.
> ㄷ. (나)에서 A는 1.25 m만큼 낙하한 후 B와 충돌한다.

① ㄱ   ② ㄴ   ③ ㄷ

④ ㄱ, ㄴ   ⑤ ㄴ, ㄷ

2강_ 뉴턴 운동 법칙

2022 9월 모평 7번 유사

06 그림은 용수철 상수가 k인 용수철 A와 B에 질량이 m인 자석이 각각 연결된 채 연직 방향으로 정지해 있는 모습을 나타 낸 것이다. A와 B의 늘어난 길이는 각 각 $2x_0$, x_0이다. 이에 대한 설명으로 옳은 것만을 |보기|에서 있는 대로 고른 것은? (단, 중력 가속도는 g이고, 용수철 의 질량은 무시한다.)

┌ 보기 ┐
ㄱ. $k = \dfrac{2mg}{x_0}$이다.

ㄴ. 자석 사이에 작용하는 자기력의 크기는 mg이다.

ㄷ. 용수철 B에 작용하는 알짜힘의 크기는 $2mg$이다.

① ㄱ   ② ㄴ   ③ ㄱ, ㄷ
④ ㄴ, ㄷ   ⑤ ㄱ, ㄴ, ㄷ

2021 9월 모평 10번 유사

07 그림 (가)는 수평면 위에 놓인 질량이 $5m$인 수레와 질 량이 각각 m, $2m$, $2m$인 물체 3개를 실로 연결하고 수레를 잡아 정지해 있는 모습을, (나)는 (가)에서 수레를 가만히 놓은 뒤 수레의 속도를 시간에 따라 나타낸 것이 다. t일 때, 실 q가 끊어지고, $2t$일 때, 실 p가 끊어졌다.

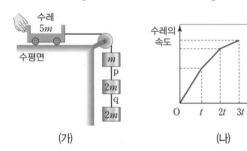

(가)   (나)

이에 대한 설명으로 옳은 것만을 |보기|에서 있는 대 로 고른 것은? (단, 중력 가속도는 g이고, 실의 질량, 공 기 저항과 모든 마찰은 무시한다.)

┌ 보기 ┐
ㄱ. $1.5t$일 때 p가 질량이 m인 물체에 작용하는 힘 의 크기는 $\dfrac{5}{4}mg$이다.

ㄴ. $2t \sim 3t$ 동안 수레가 이동한 거리는 $\dfrac{23}{24}gt^2$이다.

ㄷ. 수레에 작용하는 알짜힘의 크기는 $0.5t$일 때가 $1.5t$일 때의 5배이다.

① ㄱ   ② ㄷ   ③ ㄱ, ㄴ
④ ㄴ, ㄷ   ⑤ ㄱ, ㄴ, ㄷ

∴ 1등급 킬러 2020 4월 학평 20번 유사

08 그림 (가)와 같이 질량이 각각 $4m$, m, $3m$인 물체 A, B, C가 실로 연결된 채 각각 빗면에서 일정한 속력 v로 운동한다. 그림 (나)는 (가)에서 B가 점 q에 도달하는 순 간, A와 B를 연결하고 있던 실이 끊어져 A, B, C가 각 각 등가속도 직선 운동 하는 모습을 나타낸 것이다. (나) 에서 실이 C에 작용하는 힘의 크기는 $\dfrac{3}{2}mg$이고, B는 잠시 후 p에서 정지한다.

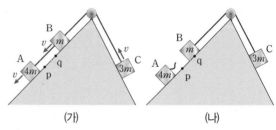

(가)   (나)

이에 대한 설명으로 옳은 것만을 |보기|에서 있는 대 로 고른 것은? (단, 중력 가속도는 g이고, 물체의 크기, 실의 질량, 공기 저항과 모든 마찰은 무시한다.)

┌ 보기 ┐
ㄱ. p와 q 사이의 거리는 $\dfrac{2v^2}{3g}$이다.

ㄴ. (가)에서 실이 A에 작용하는 힘의 크기는 $2mg$ 이다.

ㄷ. (나)에서 B가 p에 도달하는 순간 A의 속력은 $3v$이다.

① ㄱ   ② ㄴ   ③ ㄱ, ㄷ
④ ㄴ, ㄷ   ⑤ ㄱ, ㄴ, ㄷ

2018 7월 학평 19번 유사

09 그림과 같이 물체 A, B 를 실로 연결하고 A에 연직 아래 방향으로 크기 가 일정한 힘 F를 작용 할 때, A는 F 방향으로

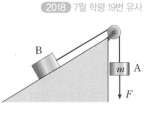

가속도의 크기가 $\frac{1}{4}g$인 등가속도 운동을 하고, 이때 실 이 A를 당기는 힘의 크기는 $\frac{5}{2}T$이다. F를 제거했을 때, A는 연직 위 방향으로 가속도의 크기가 $\frac{1}{2}g$인 등 가속도 운동을 하고, 이때 실이 B를 당기는 힘의 크기는 T이다. 이에 대한 설명으로 옳은 것만을 |보기|에서 있는 대로 고른 것은? (단, 중력 가속도는 g이고, 실의 질량, 공기 저항과 모든 마찰은 무시한다.)

┌─ 보기 ┐
ㄱ. $F = 2mg$이다.

ㄴ. B의 질량은 $3m$이다.

ㄷ. $T = mg$이다.
└─────┘

① ㄱ　　　　② ㄴ　　　　③ ㄷ

④ ㄱ, ㄴ　　　⑤ ㄱ, ㄷ

2022 6월 모평 13번 유사

10 그림과 같이 물체 A, B, C, D가 실로 연결되어 정지 한 상태로 있다. 실 p가 끊어지면 C의 가속도의 크기는 $\frac{2}{9}g$, 실 q가 D에 작용하는 힘의 크기는 $\frac{5}{9}mg$가 된다. 또한, 같은 시간 동안 이동한 거리는 A가 D의 3배이다. C의 질량은 m, D의 질량은 $2m$이다.

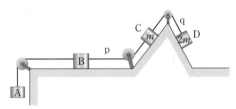

이에 대한 설명으로 옳은 것만을 |보기|에서 있는 대 로 고른 것은? (단, 중력 가속도는 g이고, 실의 질량, 공 기 저항과 모든 마찰은 무시한다.)

┌─ 보기 ┐
ㄱ. A의 질량은 $\frac{2}{3}m$이다.

ㄴ. B의 질량은 m이다.

ㄷ. 정지 상태에서 q가 C에 작용하는 힘의 크기는 mg이다.
└─────┘

① ㄱ　　　　② ㄷ　　　　③ ㄱ, ㄴ

④ ㄱ, ㄷ　　　⑤ ㄴ, ㄷ

2021 10월 학평 12번 유사

11 그림 (가)는 $t = 0$초일 때, 실로 연결된 두 물체 A, B에 각각 F_1, F_2의 힘이 작용하고 있는 모습을 나타낸 것이 다. A와 B의 질량은 각각 2 kg, m이다. 그림 (나) 는 A, B의 시간에 따른 속력을 A는 $t = 0 \sim \frac{4}{3}$초, B는 $t = 0 \sim 3$초 동안 각각 나타낸 것이다. $t = 1$초일 때 실 p, $t = 2$초일 때 실 q가 각각 끊어진다.

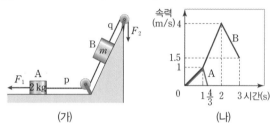

(가)　　　　　　　(나)

이에 대한 설명으로 옳은 것만을 |보기|에서 있는 대 로 고른 것은? (단, 중력 가속도는 g이고, 실의 질량, 공 기 저항과 모든 마찰은 무시한다.)

┌─ 보기 ┐
ㄱ. $m = 2$ kg이다.

ㄴ. $t = 0.5$초일 때 p에 걸리는 장력의 크기는 F_1의 $\frac{4}{3}$배이다.

ㄷ. F_2의 크기는 10 N이다.
└─────┘

① ㄴ　　　　② ㄱ, ㄴ　　　③ ㄱ, ㄷ

④ ㄴ, ㄷ　　　⑤ ㄱ, ㄴ, ㄷ

1·2등급 확보 전략 2회

3강_ 운동량과 충격량

2018 4월 학평 7번 유사

01 그림 (가)는 질량이 각각 $2m$, m인 공 A, B를 야구 방
망이로 쳐서 처음의 운동 방향과 정반대 방향으로 공이
날아가는 모습을, (나)는 (가)에서 공 A, B의 운동량을
시간에 따라 나타낸 것이다. 공이 야구 방망이로부터 힘
을 받는 시간은 A는 $t_0 \sim 3t_0$, B는 $t_0 \sim 2t_0$이다.

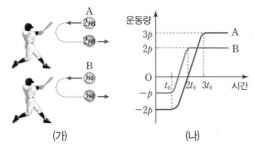

(가)   (나)

이에 대한 설명으로 옳은 것만을 |보기|에서 있는 대
로 고른 것은? (단, A, B의 크기는 무시한다.)

┌─ 보기 ┐
ㄱ. t_0 이전의 속력은 A가 B보다 크다.
ㄴ. B가 받는 충격량의 크기는 p이다.
ㄷ. 충돌 과정에서 공이 받는 평균 힘의 크기는 B가
 A보다 크다.
└────────┘

① ㄱ   ② ㄴ   ③ ㄷ
④ ㄱ, ㄴ   ⑤ ㄱ, ㄷ

2022 6월 모평 17번 유사

02 그림 (가)와 같이 마찰이 없는 수평면에서 물체 A, B, C
가 등속도 운동을 한다. A와 B의 운동 방향은 같고, C
는 A와 B를 향해 1 m/s의 속력으로 운동한다. A, B,
C의 질량은 각각 2 kg, 4 kg, 2 kg이다. 0초일 때 A
와 B 사이의 거리는 1 m이다. 그림 (나)는 (가)에서 B
와 C 사이의 거리를 시간에 따라 나타낸 것이다. A, B,
C는 동일 직선상에서 운동한다.

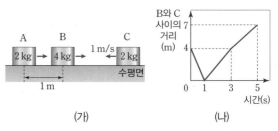

(가)   (나)

이에 대한 설명으로 옳은 것만을 |보기|에서 있는 대
로 고른 것은? (단, 물체의 크기는 무시한다.)

┌─ 보기 ┐
ㄱ. (가)에서 A의 속력은 2 m/s이다.
ㄴ. 0초부터 5초까지 A가 이동한 거리는 8 m이다.
ㄷ. 4초일 때 B의 속력은 1 m/s이다.
└────────┘

① ㄱ   ② ㄷ   ③ ㄱ, ㄴ
④ ㄴ, ㄷ   ⑤ ㄱ, ㄴ, ㄷ

4강_ 열과 역학적 에너지, 특수 상대성 이론

✲✲ 1등급 킬러 2021 10월 학평 20번 유사

03 그림 (가)는 원래 길이가 $3d$인 용수철에 질량이 m인 물체를 매달아 손으로 압축시켜 용수철의 길이가 d가 된 모습을, (나)는 (가)의 상태에서 손을 놓았더니 용수철의 길이가 $4d$가 되었을 때 물체의 속도가 처음으로 최대가 된 순간을, (다)는 (나)의 순간에서 용수철과 물체의 연결 부위 p가 끊어져 t초 후 물체가 $3.5d$만큼 이동한 모습을 나타낸 것이다.

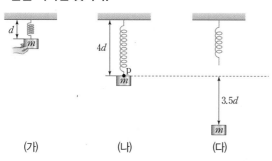

(가)   (나)   (다)

이에 대한 설명으로 옳은 것만을 │보기│에서 있는 대로 고른 것은? (단, 중력 가속도는 g이고, 용수철의 질량, 모든 마찰과 공기 저항은 무시한다.)

┌─ 보기 ─
ㄱ. $k = \dfrac{mg}{d}$이다.

ㄴ. (다)에서 물체의 운동 에너지는 $4mgd$이다.

ㄷ. $t = \sqrt{\dfrac{d}{g}}$이다.
└─

① ㄱ   ② ㄴ   ③ ㄱ, ㄷ

④ ㄴ, ㄷ   ⑤ ㄱ, ㄴ, ㄷ

✲✲ 1등급 킬러 2022 6월 모평 20번 유사

04 그림과 같이 수평 구간 Ⅰ에서 물체 A, B를 용수철의 양 끝에 접촉하여 용수철을 원래 길이에서 d만큼 압축시킨 후 동시에 가만히 놓으면, A는 h'만큼 내려간 수평면에서 속력이 $\sqrt{6gh}$이고, B는 $4h$만큼 내려간 수평면의 마찰이 있는 수평 구간 Ⅱ에서 h만큼 이동한 후 정지한다. A, B의 질량은 각각 m, $2m$이고, 용수철 상수는 k이다. 또한, 구간 Ⅱ에서 B에 작용하는 마찰력의 크기는 $9mg$로 일정하고, 점 p는 수평 구간 Ⅰ에서 $\dfrac{h'}{2}$만큼 아래에 있는 지점이다.

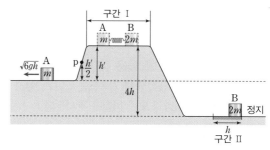

이에 대한 설명으로 옳은 것만을 │보기│에서 있는 대로 고른 것은? (단, 중력 가속도는 g이고, 물체의 크기, 용수철의 질량, 구간 Ⅱ의 마찰을 제외한 모든 마찰과 공기 저항은 무시한다.)

┌─ 보기 ─
ㄱ. $k = \dfrac{4mgh}{d^2}$이다.

ㄴ. $h' = h$이다.

ㄷ. p에서 A의 속력은 $\sqrt{5gh}$이다.
└─

① ㄱ   ② ㄴ   ③ ㄷ

④ ㄱ, ㄴ   ⑤ ㄴ, ㄷ

✶✶ 1등급 킬러 ⬚2021⬚ 9월 모평 20번 유사

05 그림 (가)는 물체 A와 실로 연결된 물체 B를 원래 길이
가 L_0인 용수철과 연결시켜 용수철의 길이가 L까지 늘
어나 정지해 있는 모습을, (나)는 (가)에서 실 p를 끊은
뒤, 용수철의 길이가 L'까지 줄어든 상태에서 A의 속력
이 최대인 순간의 모습을 나타낸 것이다. A, B의 질량
은 각각 m, $2m$이고, 용수철 상수는 k이다.

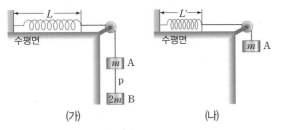

(가)   (나)

이에 대한 설명으로 옳은 것만을 | 보기 | 에서 있는 대
로 고른 것은? (단, 중력 가속도는 g이고, 실과 용수철의
질량, 공기 저항과 모든 마찰은 무시한다.)

| 보기 |

ㄱ. $L - L_0 = \dfrac{3mg}{k}$이다.

ㄴ. $L' = \dfrac{L + 2L_0}{3}$이다.

ㄷ. (나)에서 A의 속력은 $\sqrt{\dfrac{4m}{k}}\,g$이다.

① ㄱ   ② ㄴ   ③ ㄱ, ㄷ

④ ㄴ, ㄷ   ⑤ ㄱ, ㄴ, ㄷ

⬚2018⬚ 3월 학평 19번 유사

06 그림 (가)는 고정되지 않은 단열된 피스톤으로 나누어진
단열된 상자 내부에 같은 양의 동일한 이상 기체 A, B
가 같은 온도 T로 들어 있고, 피스톤은 정지해 있는 모
습을 나타낸 것이다. 그림 (나)는 (가)의 B에 열량 Q를
가했을 때 피스톤이 서서히 이동해 정지한 모습을 나타
낸 것이다. (나)에서 A와 B의 부피는 같다.

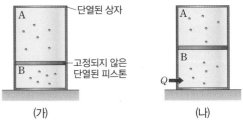

(가)   (나)

이에 대한 설명으로 옳은 것만을 | 보기 | 에서 있는 대
로 고른 것은? (단, 중력 가속도는 g, 피스톤의 질량은
m, 피스톤의 단면적은 S이고, 피스톤의 마찰은 무시
한다.)

| 보기 |

ㄱ. (가)에서 압력의 크기는 B가 A보다 $\dfrac{mg}{S}$ 만큼 더
크다.

ㄴ. (나)에서 A의 온도는 T보다 낮다.

ㄷ. (나)에서 A와 B의 온도는 같다.

① ㄱ   ② ㄴ   ③ ㄷ

④ ㄱ, ㄴ   ⑤ ㄱ, ㄷ

2019 9월 모평 6번 유사

07 그림은 기준선 P, Q에 대해 정지한 좌표계에 있는 관찰자 C가 관측할 때, 광자 A와 관찰자 B가 타고 있는 우주선이 기준선 P를 동시에 지나 A는 속력 c로, 우주선은 속력 v으로 기준선 Q를 향해 각각 등속도 운동을 하는 모습을 나타낸 것이다. C가 측정할 때, 기준선 P와 Q 사이의 거리는 10광년이고, A는 우주선보다 10년 먼저 기준선 Q를 통과한다.

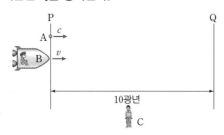

우주선에 타고 있는 B가 관측하는 물리량에 대한 설명으로 옳은 것만을 │보기│에서 있는 대로 고른 것은? (단, 1광년은 빛이 1년 동안 진행하는 거리이다.)

┌─ 보기 ┐
ㄱ. 기준선 Q는 $0.5c$의 속력으로 다가온다.
ㄴ. 기준선 P가 우주선을 지나는 순간부터 기준선 Q가 우주선에 도달할 때까지 걸리는 시간은 20년보다 작다.
ㄷ. C의 시간은 자신의 시간보다 빠르게 간다.
└────────┘

① ㄱ   ② ㄷ   ③ ㄱ, ㄴ
④ ㄴ, ㄷ   ⑤ ㄱ, ㄴ, ㄷ

2021 6월 모평 6번 유사

08 다음은 핵반응 중 한 가지에 대한 설명과 그에 해당하는 핵반응 과정을 핵반응 식으로 나타낸 것이다.

┌────────────────────────────┐
태양에서 방출되는 에너지의 대부분은 ㉠원자핵들이 반응하여 ㉡다른 원자핵이 생성되는 과정에서 발생한다. 이 발전은 안정성과 지속성이 높고 방사성 폐기물 발생량이 적어 미래 에너지 기술로 기대되고 있다. 우리나라 과학자들은 이 발전의 상용화에 필수적인 초고온 플라즈마 발생 기술 등을 활발하게 연구하고 있다.

핵 반응식: $A + {}_{1}^{3}H \longrightarrow {}_{2}^{4}He + {}_{0}^{1}n +$에너지
└────────────────────────────┘

이에 대한 설명으로 옳은 것만을 │보기│에서 있는 대로 고른 것은?

┌─ 보기 ┐
ㄱ. ㉠에 해당하는 것은 ${}_{2}^{4}He$이다.
ㄴ. A는 ${}_{1}^{2}H$이다.
ㄷ. ㉠이 ㉡이 되는 과정에서 질량 결손에 의해 에너지가 발생한다.
└────────┘

① ㄱ   ② ㄴ   ③ ㄷ
④ ㄱ, ㄴ   ⑤ ㄴ, ㄷ

2019 10월 학평 16번 유사

09 다음은 각각 E_1, E_2의 에너지가 방출되는 두 가지 핵반응식이다. 표는 입자와 원자핵의 종류에 따른 질량을 나타낸 것이다.

· ${}_{1}^{2}H + \boxed{㉠} \longrightarrow {}_{1}^{3}H + {}_{1}^{1}H + E_1$
· ${}_{3}^{7}Li + {}_{1}^{1}p \longrightarrow {}_{2}^{4}He + \boxed{㉡} + E_2$

종류	질량(u)
${}_{1}^{1}p$	1.008
${}_{1}^{1}H$	1.007
${}_{1}^{2}H$	2.014
${}_{1}^{3}H$	3.016
${}_{2}^{4}He$	4.003
${}_{3}^{7}Li$	7.016

이에 대한 설명으로 옳은 것만을 │보기│에서 있는 대로 고른 것은?

┌─ 보기 ┐
ㄱ. ㉠의 전하량은 1이다.
ㄴ. ㉡의 질량(u)은 3.016이다.
ㄷ. $E_1 < E_2$이다.
└────────┘

① ㄱ   ② ㄷ   ③ ㄱ, ㄷ
④ ㄴ, ㄷ   ⑤ ㄱ, ㄴ, ㄷ

memo

수능전략

물리학Ⅰ

수능에 꼭 나오는
필수 유형 ZIP 2

차례 ❷권

수능에 꼭 나오는
필수 유형 ZIP

전하 사이에 작용하는 전기력

여러 전하가 나오는 전기력 문제 상황에서는 두 전하 사이의 전기력을 각각 파악한 후, 문제 조건을 차근차근 적용해야 한다.

그림 (가)와 같이 x축 상에 점전하 A, B, C를 같은 간격으로 고정시켰더니 양(+)전하 A에 작용하는 전기력의 방향은 $-x$ 방향이었다. 그림 (나)와 같이 (가)의 C를 $-x$ 방향으로 옮겨 고정시켰더니 B에 작용하는 전기력의 방향은 $+x$ 방향, C에 작용하는 전기력이 0이 되었다.

이에 대한 설명으로 옳은 것만을 |보기|에서 있는 대로 고른 것은?

┌─ 보기 ┐
ㄱ. C는 양(+)전하이다.
ㄴ. 전하량의 크기는 C가 B보다 작다.
ㄷ. (나)에서 A에 작용하는 전기력의 방향은 $-x$ 방향이다.

① ㄱ　　② ㄴ　　③ ㄱ, ㄷ　　④ ㄴ, ㄷ　　⑤ ㄱ, ㄴ, ㄷ

* 두 전하 사이에 작용하는 전기력은 두 전하의 전하량 곱에 [❶　　　]하고, 두 전하 사이의 거리 제곱에 [❷　　　]한다.

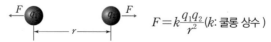

$$F = k\frac{q_1 q_2}{r^2} \,(k: \text{쿨롱 상수})$$

* 두 전하 사이에 작용하는 전기력은 [❸　　　] 관계이다.

답 ❶ 비례 ❷ 반비례 ❸ 작용 반작용

자료 해석

* (나)에서 C에 작용하는 전기력이 0이므로 A와 B는 서로 **④** 종류의 전하를 띠며, 전하량의 크기는 A가 B보다 커야 한다. 따라서 B는 음(−)전하이다.

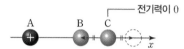

A와 C 사이에 작용하는 전기력과 B와 C 사이에 작용하는 전기력의 크기가 같고 방향은 반대이다.
→ A와 B는 서로 다른 종류의 전하를 띤다.
→ 멀리 떨어진 A의 전하량의 크기가 더 크다.

* (나)에서 A가 B에 작용하는 전기력은 $-x$ 방향이므로 C가 B에 작용하는 전기력의 방향은 **⑤** 방향이 되어야 알짜 전기력의 방향이 $+x$ 방향이 된다. 따라서 C는 양(+)전하이다.

* (가)에서 B는 음(−)전하, C는 양(+)전하일 때 A에 작용하는 전기력이 $-x$ 방향이 되기 위해서는 A와 C 사이의 전기력의 크기가 A와 B 사이의 전기력의 크기보다 커야 한다.

* (나)에서 A와 C 사이의 거리가 더 작아졌으므로 C가 A에 작용하는 전기력의 크기는 (가)에서보다 더 커진다.

답 ④ 다른 **⑤** $+x$

Point 해설

㉠ (나)에서 A와 B는 서로 다른 종류의 전하를 띠어야 하며, B에 작용하는 전기력이 $+x$ 방향이 되기 위해서는 C와 B 사이에는 당기는 전기력이 작용해야 한다. 따라서 C는 양(+)전하이다.

ㄴ. (가)에서 A에 작용하는 전기력의 방향이 $-x$ 방향이 되기 위해서는 C가 A에 작용하는 전기력의 크기가 B가 A에 작용하는 전기력의 크기보다 커야 한다. 이때 C와 A 사이의 거리가 B와 A 사이의 거리보다 크기 때문에 전하량의 크기는 C가 B보다 커야 한다.

㉢ (나)에서 A와 C 사이의 거리가 가까워지면 A와 C 사이의 **전기력의 크기도 커지므로** A에 작용하는 전기력의 방향은 $-x$ 방향이다.

답 ③

전략 비법 노트

● 전기력이 0인 위치가 두 **전하 사이**이면 → 두 **전하의 종류는 같음**

● 전기력이 0인 위치가 두 **전하의 바깥쪽**이면 → 두 **전하의 종류는 다름**

02 수소 원자 모형과 에너지 준위

2022 9월 모평 6번 유사

수능 전략 Key 보어의 수소 원자 모형에서 전자가 가질 수 있는 에너지는 불연속적임을 알아야 한다.

그림은 보어의 수소 원자 모형에서 양자수 n에 따른 에너지 준위의 일부와 전자의 전이 a~d를 나타낸 것이다. a~d에서 흡수 또는 방출되는 빛의 진동수는 각각 f_a, f_b, f_c, f_d이다.

이에 대한 설명으로 옳은 것만을 |보기|에서 있는 대로 고른 것은?

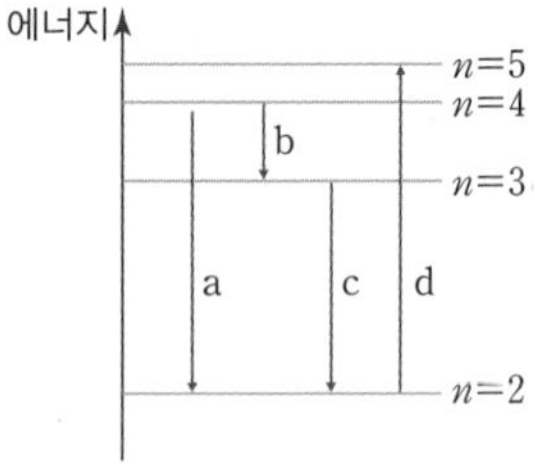

┌ 보기 ┐
ㄱ. a에서 방출하는 빛의 에너지는 c에서 방출하는 빛의 에너지보다 크다.
ㄴ. f_d는 적외선 영역의 진동수보다 크다.
ㄷ. $f_a = f_b + f_c$이다.

① ㄱ　　② ㄴ　　③ ㄱ, ㄷ　　④ ㄴ, ㄷ　　⑤ ㄱ, ㄴ, ㄷ

개념 꼭! * 보어의 수소 원자 모형에서 [❶] 가 커질수록 에너지 준위 값은 커진다.

자료 해석 * a, b, c는 전자의 에너지 준위가 낮아지는 과정이므로 빛을 [❷] 하며, d는 전자의 에너지 준위가 높아지는 과정이므로 빛을 [❸] 한다.

답 ❶ 양자수 ❷ 방출 ❸ 흡수

Point 해설

ㄱ a는 $n=4$에서 $n=2$로 전이, c는 $n=3$에서 $n=2$로 전이하는 과정이므로 방출하는 에너지는 a에서가 더 크다.

ㄴ $n=5$와 $n=2$ 사이의 에너지 차이는 가시광선 영역의 빛을 흡수하거나 방출한다. 따라서 f_d는 적외선 영역의 진동수보다 크다.

ㄷ $hf_a = E_4 - E_2$, $hf_b = E_4 - E_3$, $hf_c = E_3 - E_2$이므로 $f_a = f_b + f_c$이다.

답 ⑤

전략 비법 노트

● 빛을 흡수 → 전자의 에너지 준위 증가
● 빛을 방출 → 전자의 에너지 준위 감소

2021 3월 학평 11번 유사

수능 전략 Key 스펙트럼에서 나타난 에너지를 바탕으로 에너지 준위 차이를 파악해야 한다.

그림 (가)는 보어의 수소 원자 모형에서 양자수 n에 따른 에너지 준위의 일부와 전자의 전이에서 방출되는 빛 a, b를 나타낸 것이다. 그림 (나)는 수소 원자의 전자가 $n=2$인 상태로 전이할 때 방출되는 빛 중에서 파장이 긴 것부터 차례대로 4개를 나타낸 스펙트럼이다.

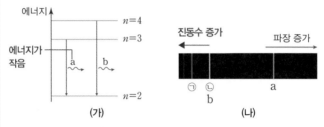

이에 대한 설명으로 옳은 것만을 |보기|에서 있는 대로 고른 것은?

┌ 보기 ┌──────────────────────────────
ㄱ. 방출되는 빛의 에너지는 b가 a보다 크다.
ㄴ. ㉠은 a에 의해 나타나는 스펙트럼선이다.
ㄷ. 빛의 진동수는 ㉠이 ㉡보다 크다.
└──────────────────────────────

① ㄱ   ② ㄴ   ③ ㄱ, ㄷ   ④ ㄴ, ㄷ   ⑤ ㄱ, ㄴ, ㄷ

개념 꼭! * 스펙트럼에서 파장이 긴 스펙트럼선일수록 빛의 에너지는 ❶ [　　　].

자료 해석 * (나)에서 가장 오른쪽에 있는 스펙트럼 선이 가장 ❷ [　　　]가 작으므로 전자가 $n=3$에서 $n=2$로 전이하는 과정에서 방출되는 빛이다. **답** ❶ 작다 ❷ 에너지

Point 해설 ㉠ 에너지 준위 차이는 b가 a보다 크기 때문에 빛의 에너지는 b가 a보다 크다.

ㄴ. ㉠은 $n=5$에서 $n=2$로 전이하는 과정에서 방출되는 빛에 의한 스펙트럼이다.

㉡ 파장이 짧을수록 빛의 진동수는 크다. **답** ③

전략 비법 노트

● 파장이 긴 스펙트럼일수록 → 에너지가 작다.

● 스펙트럼 선의 간격이 좁을수록 → 에너지 차이가 작다.

2020 4월 학평 2번 유사

수능 전략 Key

에너지띠는 거의 연속적인 에너지 준위이며, 띠 간격에 해당하는 에너지를 갖는 전자는 존재할 수 없다는 것을 알아야 한다.

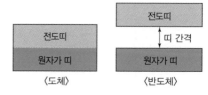

그림은 도체와 반도체의 에너지띠 구조를 모식적으로 나타낸 것이다.
이에 대한 설명으로 옳은 것만을 |보기|에서 있는 대로 고른 것은?

┌─ 보기 ┌─────────────────────────────

ㄱ. 도체의 원자가 띠에 있는 전자의 에너지는 모두 같다.

ㄴ. 원자가 띠에 있는 전자가 전이하기 위한 최소한의 에너지는 반도체에서 더 크다.

ㄷ. 상온에서 원자가 띠에 존재하는 양공의 수는 도체가 반도체보다 많다.

① ㄱ　② ㄴ　③ ㄱ, ㄷ　④ ㄴ, ㄷ　⑤ ㄱ, ㄴ, ㄷ

개념 꼭!

* 전자가 원자가 띠에서 전도띠로 전이하기 위해서는 ❶ [　　　] 만큼의 에너지를 흡수해야 한다.

자료 해석

* 도체는 원자가 띠와 ❷ [　　　] 가 겹쳐 있거나 그 간격이 없다.

답 ❶ 띠 간격 ❷ 전도띠

Point 해설

ㄱ. 에너지띠는 에너지 준위가 겹쳐 형성된 것이기 때문에 전도띠에 존재하는 전자가 갖는 에너지는 같지 않고 모두 다르다.

ⓛ 도체는 띠 간격이 없고, 반도체는 띠 간격이 존재하기 때문에 원자가 띠에 존재하는 전자가 전도띠로 전이하기 위한 최소한의 에너지는 반도체에서 더 크다.

ⓒ 상온에서 원자가 띠에서 전이한 전자의 수는 띠 간격이 없는 도체에서 더 많기 때문에 원자가 띠에 존재하는 양공의 수도 도체에서 더 많다.

답 ④

전략 비법 노트

● **도체의 에너지띠 구조 → 띠 간격이 없음**

05 반도체의 도핑

2020 7월 학평 15번 유사

수능 전략 Key n형 반도체와 p형 반도체의 특징을 주요 전하 운반자와 에너지 준위의 변화를 바탕으로 이해해야 한다.

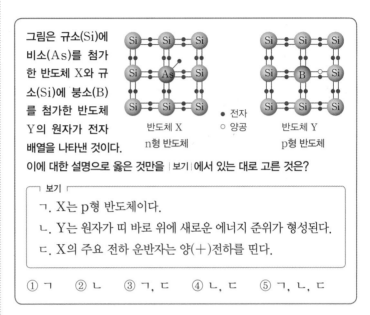

그림은 규소(Si)에 비소(As)를 첨가한 반도체 X와 규소(Si)에 붕소(B)를 첨가한 반도체 Y의 원자가 전자 배열을 나타낸 것이다.

• 전자   ○ 양공

반도체 X
n형 반도체

반도체 Y
p형 반도체

이에 대한 설명으로 옳은 것만을 |보기|에서 있는 대로 고른 것은?

┌─ 보기 ┌
ㄱ. X는 p형 반도체이다.
ㄴ. Y는 원자가 띠 바로 위에 새로운 에너지 준위가 형성된다.
ㄷ. X의 주요 전하 운반자는 양(+)전하를 띤다.

① ㄱ   ② ㄴ   ③ ㄱ, ㄷ   ④ ㄴ, ㄷ   ⑤ ㄱ, ㄴ, ㄷ

개념 꼭! * 순수 반도체의 원자가 전자 수는 4개이고, 순수 반도체에 원자가 전자가 5개 또는 3개인 원자를 도핑하여 **❶** 을 증가시킨다.

자료 해석 * X는 n형 반도체이며, 주요 전하 운반자는 **❷** 이다.

* Y는 p형 반도체이며, 주요 전하 운반자는 **❸** 이다.

답 ❶ 전기 전도성 ❷ 전자 ❸ 양공

Point 해설 ㄱ. X는 원자가 전자가 5개인 원소를 도핑한 n형 반도체이다.

ⓛ Y는 p형 반도체이며, p형 반도체는 원자가 띠 바로 위에 새로운 에너지 준위가 생기며 원자가 띠에 다수의 양공이 발생한다.

ㄷ. X는 n형 반도체이므로 주요 전하 운반자는 음(−)전하를 띤 전자이다.   답 ②

전략 비법 노트

• **n형 반도체** → **전자가 많아져 전도띠** 바로 **아래**에 새로운 에너지 준위 형성
• **p형 반도체** → **양공이 많아져 원자가 띠** 바로 **위**에 새로운 에너지 준위 형성

06 전기 전도성

전기 전도성은 도체가 가장 좋고 절연체가 가장 나쁘며, 온도가 높아질수록 도체의 전기 전도성은 나빠지지만 반도체의 전기 전도성은 좋아진다는 것을 설명할 수 있어야 한다.

다음은 상온에서 실시한 고체의 전기 전도성에 대한 실험이다.

| 실험 과정 |

(가) 그림과 같이 동일한 모양의 나무 막대와 규소(Si) 막대를 준비하고 회로를 구성한다.

(나) 두 집게를 나무 막대의 양 끝 또는 규소 막대의 양 끝에 연결한 후, 전원의 전압을 증가시키면서 막대에 흐르는 전류를 측정한다.

| 실험 결과 |

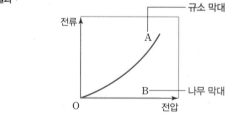

이에 대한 설명으로 옳은 것만을 | 보기 | 에서 있는 대로 고른 것은?

┌ 보기 ┌
ㄱ. B는 나무 막대이다.
ㄴ. 띠 간격은 A가 B보다 좁다.
ㄷ. A의 온도를 증가시키면 A의 전기 전도도는 증가한다.

① ㄱ ② ㄴ ③ ㄱ, ㄷ ④ ㄴ, ㄷ ⑤ ㄱ, ㄴ, ㄷ

개념 꼭!

* 반도체는 띠 간격이 존재하지만 띠 간격 이상의 **❶** [　　　]가 제공되면 전자가 전도띠로 전이하여 전류가 흐를 수 있다.
* 절연체는 띠 간격이 매우 넓기 때문에 전자가 **❷** [　　　]로 전이하기 매우 어렵다.

답 ❶ 에너지 **❷** 전도띠

자료 해석

* (가)에서 나무 막대는 절연체, 규소 막대는 **❸** [　　　]이다.
* (나)에서 전압을 증가시켜도 전류가 흐르지 않는 B가 **❹** [　　　]이고, A가 반도체이다.
* (나)에서 A의 그래프를 보면 전류와 전압의 관계가 직선 형태인 비례 그래프가 등장하지 않으므로 옴의 법칙이 성립하지 않는다는 것을 알 수 있다.

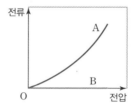

답 ❸ 반도체 **❹** 절연체

Point 해설

ⓐ (나)에서 B는 전압을 증가시켜도 전류가 흐르지 않으므로 B는 절연체인 나무 막대이다.

ⓑ 띠 간격은 절연체가 반도체보다 넓다.

ⓒ 반도체는 온도를 증가시키면 전도띠로 전이하는 전자의 수가 많아져 **전기 전도도가 증가**한다.

답 ⑤

전략 비법 노트

● 도체 → **작은 에너지가 주어져도 전류가 흐를 수 있는 물질**

● 반도체 → **특정 에너지가 주어지면 전류가 흐를 수 있는 물질**

● 절연체 → **매우 큰 에너지를 제공해야 전류가 흐를 수 있는 물질**

p-n 접합 다이오드

p형 반도체와 n형 반도체를 접합하여 만든 다이오드에 순방향 전압이 걸릴 때에만 전류가 흐른다는 것을 알아야 한다.

그림 (가)는 실리콘(Si) 결정의 에너지띠 구조를, (나)는 실리콘에 갈륨(Ga)을 첨가한 반도체와 불순물 a를 첨가한 반도체를 접합한 p-n 접합 다이오드의 원자가 전자의 배열을 나타낸 것이다. (가)의 원자가 띠에는 전자가 가득 차 있다.

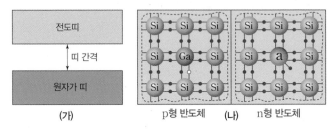

(가)   p형 반도체   (나)   n형 반도체

이에 대한 설명으로 옳은 것만을 |보기|에서 있는 대로 고른 것은?

┌ 보기 ┐
ㄱ. (가)의 원자가 띠에 있는 전자는 낮은 에너지부터 채워진다.
ㄴ. (나)에서 a의 원자가 전자의 수는 실리콘(Si)보다 많다.
ㄷ. (나)에서 두 반도체를 접합하는 순간 전자는 n형 반도체에서 p형 반도체 쪽으로 이동한다.

① ㄱ   ② ㄴ   ③ ㄱ, ㄷ   ④ ㄴ, ㄷ   ⑤ ㄱ, ㄴ, ㄷ

---

* 실리콘(Si)은 원자가 전자가 ❶ [   ]인 순수한 반도체 물질이다.

* p형 반도체와 n형 반도체를 접합하면 접합면 부근의 전위차에 의한 ❷ [   ]
이 형성된다.

답 ❶ 4개 ❷ 공핍층

자료 해석

* (가)에서 원자가 띠에 있는 전자들은 낮은 에너지부터 채워지기 시작하며, 전자들의 에너지는 모두 다르다.

* (나)에서 원자가 전자가 3개인 갈륨(Ga)을 도핑한 반도체는 ❸ [　　　] 반도체, 원자가 전자가 5개인 a를 도핑한 반도체는 ❹ [　　　] 반도체이다.

* (나)에서 두 반도체를 접합한 순간 n형 반도체의 남는 전자들이 p형 반도체의 양공 자리를 채우기 시작하여 n형 반도체 쪽에는 양(+)전하층, p형 반도체 쪽에는 음(−)전하층이 형성된다.

* (나)에서 두 반도체의 접합면에 형성된 전위층에 의해 순방향 전압일 때는 전류가 흐르고, 역방향 전압일 때는 전류가 흐르지 않는 정류 작용이 나타난다.

* p형 반도체와 n형 반도체의 에너지띠 구조는 다음과 같다.

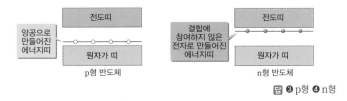

❸ p형 ❹ n형

Point 해설

ㄱ 에너지띠는 에너지 준위가 겹쳐서 형성된 것이며, 전자는 낮은 에너지부터 차례대로 채워진다.

ㄴ a를 도핑한 결과 잉여 전자 하나가 더 형성되었으므로 a는 원자가 전자가 5개인 원소이다.

ㄷ p형 반도체와 n형 반도체를 접합하는 순간 n형 반도체의 전자가 p형 반도체의 양공 자리를 채우기 시작한다.

달 ⑤

전략 비법 노트

● **순방향** 전압을 걸면 → 공핍층이 **얇아져** 전자의 전이가 쉬워진다.

● **역방향** 전압을 걸면 → 공핍층이 **두꺼워져** 전자의 전이가 어려워진다.

08 발광 다이오드(LED)

발광 다이오드는 p-n 접합 다이오드의 가장 대표적인 활용 예시임을 알아야 한다.

그림 (가)는 저마늄(Ge)에 인듐(In)을 도핑한 반도체 X와 비소(As)를 도핑한 반도체 Y를 나타낸 것이고, (나)는 동일한 p-n 접합 발광 다이오드(LED) A, B, C, D에 전지 2개, 저항, 스위치를 연결한 회로를 나타낸 것이다. 스위치를 a와 b에 연결했을 때 저항에 흐르는 전류의 방향은 오른쪽 방향으로 일정하다. X와 Y는 각각 p형 반도체와 n형 반도체 중 하나이다.

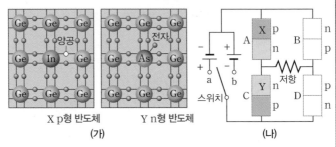

X p형 반도체   Y n형 반도체
(가)   (나)

이에 대한 설명으로 옳은 것만을 |보기|에서 있는 대로 고른 것은?

┌─ 보기 ┐
ㄱ. X는 p형 반도체이다.
ㄴ. 스위치를 a에 연결했을 때 A에 불이 켜진다.
ㄷ. 스위치를 b에 연결했을 때 B에는 역방향 전압이 걸린다.
└──────┘

① ㄱ   ② ㄴ   ③ ㄱ, ㄷ   ④ ㄴ, ㄷ   ⑤ ㄱ, ㄴ, ㄷ

* 발광 다이오드(LED)가 켜지기 위해서는 **❶** 전압이 걸려야 한다.

* p-n 접합 다이오드에 순방향 전압을 걸려면 p형 반도체 쪽에 전지의 **❷** 극, n형 반도체 쪽에 전지의 **❸** 이 연결되어야 한다.

답 ❶ 순방향 ❷ (+) ❸ (−)

자료 해석

* (가)에서 X는 저마늄(Ge)에 원자가 전자가 ❹[   ]인 인듐(In)을 도핑한 p형 반도체이며, Y는 저마늄(Ge)에 원자가 전자가 ❺[   ]인 비소(As)를 도핑한 n형 반도체이다.

* (나)에서 A는 b에 연결했을 때 순방향 전압이, C는 a에 연결했을 때 순방향 전압이 걸린다.

* (나)에서 저항에 흐르는 전류의 방향이 오른쪽으로 일정하므로 a에 연결했을 때는 C - 저항 - B 순으로 전류가 흐르고, b에 연결했을 때는 A - 저항 - D 순으로 전류가 흘러야 한다. 따라서 A와 D가 동일한 배치의 다이오드, B와 C가 동일한 배치의 다이오드이다.

* 다이오드에 순방향 전압이 걸릴 때와 역방향 전압이 걸릴 때의 모습은 다음과 같다.

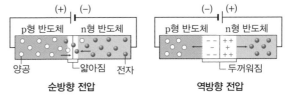

답 ❹ 3개 ❺ 5개

Point 해설

㉠ X는 원자가 전자가 3개인 인듐(In)을 도핑했으므로 p형 반도체이다.

ㄴ. 스위치를 a에 연결하면 A에는 **역방향 전압**이 걸리므로 불이 켜지지 않는다.

㉢ 스위치를 b에 연결하면 A와 D에는 **순방향 전압**, B와 C에는 **역방향 전압**이 걸린다.

답 ③

전략 비법 노트

● 발광 다이오드(LED)에 **순방향 전압**이 걸리면 → **불이 켜진다.**

● 발광 다이오드(LED)에서 방출되는 빛의 진동수가 **클수록** → 발광 다이오드(LED)의 띠 간격이 **넓다.**

직선 도선에 의한 자기장

수능 전략 Key 직선 도선에 의해 만들어지는 자기장은 오른손을 이용하여 그 방향을 정확하게 찾아야 한다.

그림과 같이 무한히 긴 직선 도선 A, B가 xy 평면의 각각 $x=-d$, $x=d$ 인 점에 수직으로 고정되어 있다. A, B에 흐르는 전류의 세기는 각각 I_A, I_B이고, 점 p, q, r는 x축 상의 점이다. 표는 p와 q에서 자기장의 세기와 방향을 나타낸 것이다.

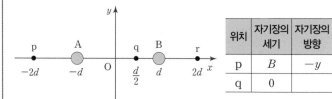

위치	자기장의 세기	자기장의 방향
p	B	$-y$
q	0	

이에 대한 설명으로 옳은 것만을 |보기|에서 있는 대로 고른 것은?

┌ 보기 ┐

ㄱ. $I_A = 2I_B$이다.

ㄴ. r에서 자기장의 방향은 $+y$ 방향이다.

ㄷ. O에서 자기장의 세기는 $\dfrac{3}{5}B$이다.

① ㄱ   ② ㄴ   ③ ㄱ, ㄷ   ④ ㄴ, ㄷ   ⑤ ㄱ, ㄴ, ㄷ

개념 꼭! * 직선 도선에 의한 자기장의 방향은 오른손의 [**❶**]이 전류의 방향을 향할 때, 네 손가락이 도선을 감아쥐는 방향이다.

* 직선 도선에 의한 자기장의 세기는 도선에 흐르는 전류의 세기에 비례하고, 도선 으로부터 [**❷**]에 반비례한다.

답 ❶ 엄지손가락 ❷ 수직 거리

자료 해석

* q에서 자기장의 세기가 0이므로 q에서 A에 의한 자기장의 방향과 B에 의한 자기장의 방향은 반대이고 세기는 같아야 한다. 따라서 A와 B에 흐르는 전류의 방향은 같아야 하며 도선에 흐르는 전류의 세기는 A에서가 B에서의 ❸ 배이다.

* p에서 자기장의 방향이 $-y$ 방향이고, A와 B에 흐르는 전류의 방향은 같으므로 A와 B가 p에 만드는 자기장의 방향은 같다. 따라서 A와 B에 흐르는 전류의 방향은 모두 xy 평면에서 수직으로 ❹ 방향으로 같다.

* B에 흐르는 전류의 세기를 I라고 할 때, p에서의 자기장의 세기는

$$k\frac{3I}{d}+k\frac{I}{3d}=k\frac{10I}{3d}=B이다.$$

답 ❸ 3 ❹ 나오는

Point 해설

ㄱ. q에서 자기장의 세기가 0이기 위해서는 A에 의한 자기장과 B에 의한 자기장 세기는 같아야 한다. A에서 q점까지의 거리는 $\frac{3}{2}d$, B에서 q점까지의 거리는 $\frac{d}{2}$이므로 전류의 세기는 A에서가 B에서의 3배이다.

ㄴ. p에서 자기장의 방향이 $-y$ 방향이기 위해서는 A와 B에 흐르는 전류의 방향은 xy 평면에서 수직으로 나오는 방향이어야 한다. 따라서 r에서 자기장의 방향은 $+y$ 방향이다.

ㄷ. 원점에서 A에 의한 자기장의 세기는 $k\frac{3I}{d}$, B에 의한 자기장의 세기는 $k\frac{I}{d}$이고, 자기장의 방향은 반대이므로 원점에서 자기장의 세기는 $k\frac{2I}{d}=\frac{3}{5}B이다.$

답 ④

전략 비법 노트

● 오른손을 이용하여 해당 지점에서의 자기장의 방향 파악 → 자기장은 **방향을 포함하**는 물리량이므로 방향을 고려하여 합성한다.

● 직선 도선에 의한 자기장의 세기 → 도선으로부터 **수직 거리에 반비례함을** 항상 고려하여 거리를 정확하게 표시하고 자기장의 세기를 파악한다.

10 원형 도선에 의한 자기장

원형 도선에 의한 자기장은 보통 원형 도선 중심에서의 자기장의 세기와 방향을 고려하는 경우가 대부분임을 알아 둔다.

그림과 같이 중심이 점 O인 세 원형 도선 A, B, C가 종이면에 고정되어 있다. 표는 O에서 A, B, C에 흐르는 전류에 의한 자기장의 세기와 방향을 나타낸 것이다. A에 흐르는 전류의 방향은 시계 반대 방향이다.

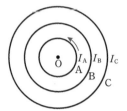

실험	전류의 세기			O에서의 자기장	
	A	B	C	세기	방향
I	I_A	0	0	B_0	⊙
II	I_A	I_B	0	0	–
III	I_A	I_B	I_C	B_0	×

⊙: 종이면에서 수직으로 나오는 방향
×: 종이면에 수직으로 들어가는 방향

이에 대한 설명으로 옳은 것만을 |보기|에서 있는 대로 고른 것은?

┌─ 보기
ㄱ. 실험 II에서 B에 흐르는 전류의 방향은 시계 방향이다.
ㄴ. 실험 II에서 I_A와 I_B는 같다.
ㄷ. 실험 III에서 I_C는 I_A보다 크다.

① ㄱ   ② ㄴ   ③ ㄱ, ㄷ   ④ ㄴ, ㄷ   ⑤ ㄱ, ㄴ, ㄷ

개념 꼭!

* 원형 도선 중심에서 자기장 세기는 원형 도선에 흐르는 **❶**⬚⬚⬚⬚⬚ 에 비례하고, 원형 도선의 반지름에 반비례한다.

* 원형 도선 중심에서의 자기장 방향은 오른손의 네 손가락을 전류의 방향으로 감아 질 때 **❷**⬚⬚⬚⬚⬚ 이 향하는 방향이다.

🔲 ❶ 전류의 세기 ❷ 엄지손가락

자료 해석

* 실험 II의 O에서 자기장의 세기가 0이 되기 위해서는 B에 의한 자기장이 종이면에 수직으로 ❸ [   ] 방향이 되어야 한다. 따라서 B에 흐르는 전류의 방향은 시계 방향이다.

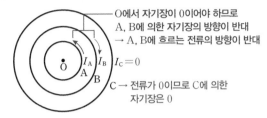

O에서 자기장이 0이어야 하므로
A, B에 의한 자기장의 방향이 반대
→ A, B에 흐르는 전류의 방향이 반대

I_A I_B $I_C = 0$

C → 전류가 0이므로 C에 의한
자기장은 0

* 실험 II의 결과를 바탕으로 실험 III의 O에서 자기장은 원형 도선 ❹ [   ]에 의한 자기장만 형성되어 있음을 파악할 수 있다.

* 실험 III의 O에서 자기장의 세기는 실험 I에서 A에 의한 자기장의 세기와 같고, 반지름은 C가 A보다 크기 때문에 전류의 세기는 I_C가 I_A보다 ❺ [   ].

답 ❸ 들어가는 ❹ C ❺ 크다

Point 해설

ㄱ. 실험 II의 O에서 자기장의 세기가 0이 되기 위해서는 A에 흐르는 전류의 방향과 B에 흐르는 전류의 방향은 반대이어야 한다.

ㄴ. 실험 II에서 반지름은 B가 A보다 크므로 원점에서 자기장의 세기가 같기 위해서는 전류의 세기는 I_B가 I_A보다 커야 한다.

ㄷ. 실험 III의 O에서 자기장은 C에 의한 자기장만 남고 자기장의 세기는 실험 I과 III에서 같기 때문에 반지름이 큰 C에서가 A에서보다 전류의 세기가 더 커야 한다.

답 ③

전략 비법 노트

● 원형 도선에 의한 자기장 → 매우 **작은 직선 도선**의 집합으로 고려하여 자기장의 방향과 세기를 파악할 수 있다.

● 원형 도선 중심에서 자기장의 세기 → 원형 도선에 흐르는 **전류에 비례**,
원형 도선의 **반지름에 반비례**

11 여러 도선에 의한 자기장

여러 도선에 의한 자기장을 고려할 때는 각 도선에 의한 자기장의 방향을 먼저 고려하는 것이 중요하다.

그림 (가)와 같이 중심이 원점 O인 원형 도선 P와 무한히 긴 직선 도선 Q, R가 xy평면에 고정되어 있다. P에는 세기가 일정한 전류가 흐르고, R에는 세기가 I_0인 전류가 $+y$ 방향으로 흐르고 있다. 그림 (나)는 (가)의 O에서 P, Q, R에 흐르는 전류에 의한 자기상의 세기 B를 Q에 흐르는 전류의 세기 I_Q에 따라 나타낸 것으로, $I_Q = I_0$일 때 O에서 자기장의 방향은 xy평면에서 수직으로 나오는 방향이다.

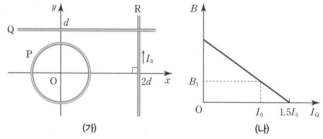

(가) (나)

이에 대한 설명으로 옳은 것만을 |보기|에서 있는 대로 고른 것은?

보기

ㄱ. Q에 흐르는 전류의 방향은 $-x$ 방향이다.

ㄴ. P에 흐르는 전류의 방향은 반시계 방향이다.

ㄷ. 원점에서 P에 의한 자기장의 세기는 R에 의한 자기장 세기의 2배이다.

① ㄱ ② ㄴ ③ ㄱ, ㄷ ④ ㄴ, ㄷ ⑤ ㄱ, ㄴ, ㄷ

---

* 직선 도선에 의한 자기장의 세기와 원형 도선에 의한 자기장의 세기를 고려할 때, 적용되는 상수가 다르기 때문에 자기장을 ❶ [   ]할 때 주의해야 한다.

* 직선 도선에 의한 자기장의 방향은 오른손의 엄지손가락을 전류의 방향으로 하였을 때 네 손가락이 감아쥐는 방향이고, 원형 도선의 ❷ [   ]에서 자기장 방향은 오른손의 네 손가락이 전류의 방향으로 감아질 때 엄지손가락이 향하는 방향이다.

답 ❶ 합성 ❷ 중심

자료 해석

* (가)의 O에서 R에 의한 자기장의 방향은 종이면에서 수직으로 나오는 방향이며, 세기는 $k\dfrac{I_0}{2d}$이다.

* (나)에서 Q에 흐르는 전류의 세기가 증가할수록 O에서 합성 자기장의 세기가 점점 감소하기 때문에 원점에서 Q에 의한 자기장과 R에 의한 자기장의 방향은 ❸[   ]이어야 한다. 따라서 Q에 흐르는 전류의 방향은 $+x$ 방향이어야 한다.

* (나)에서 I_Q가 $1.5I_0$일 때, O에서 Q에 의한 자기장의 세기는 $k\dfrac{3I_0}{2d}$, R에 의한 자기장의 세기는 $k\dfrac{I_0}{2d}$이고, 방향은 서로 반대이므로 Q와 R에 의한 합성 자기장은 종이면에 수직으로 ❹[   ] 방향으로 $k\dfrac{I_0}{d}$이다. 이때 O에서 자기장이 0이 되어야 하므로 P에 의한 자기장은 종이면에서 수직으로 나오는 방향으로 $k\dfrac{I_0}{d}$이다.

답 ❸ 반대 ❹ 들어가는

Point 해설

ㄱ. (나)에서 Q에 흐르는 전류의 세기가 증가할 때 합성 자기장의 세기가 감소해야 한다. 즉, R에 흐르는 전류에 의한 자기장과 반대 방향의 자기장을 형성해야 하므로 $+x$ 방향으로 전류가 흘러야 한다.

ㄴ. Q에 흐르는 전류의 세기가 $1.5I_0$일 때 합성 자기장의 세기가 0이 되기 위해서는 P에 의한 자기장은 종이면에서 수직으로 나오는 방향이어야 한다. 따라서 P에 흐르는 전류의 방향은 반시계 방향이어야 한다.

ㄷ. 원점에서 P에 의한 자기장의 세기는 $k\dfrac{I_0}{d}$이고 R에 의한 자기장의 세기는 $k\dfrac{I_0}{2d}$이다.

답 ④

전략 비법 노트

• 직선 도선과 원형 도선에 의한 자기장의 방향 → 모두 **오른손**을 이용해 알 수 있다.

• 자기장은 세기와 방향을 모두 가지는 물리량 → 자기장을 합성할 때 세기와 방향을 모두 고려해야 한다.

12 솔레노이드에 의한 자기장

2021 수능 3번 유사

수능 전략 Key 　솔레노이드는 원형 도선이 많이 겹쳐져 있는 형태라고 생각하고 문제를 해결해도 된다.

그림은 전류가 흐르는 전자석에 철못이 달라붙어 있는 모습을 나타낸 것이다.

이에 대한 설명으로 옳은 것만을 |보기|에서 있는 대로 고른 것은?

┌─ 보기 ┌
ㄱ. 철심 중심에 형성된 자기장의 방향은 오른쪽 방향이다.
ㄴ. 전류의 세기를 증가시키면 철심 중심에서의 자기장의 세기가 증가한다.
ㄷ. 전류의 방향은 반대로 변화시키면 철못은 전자석으로부터 밀려난다.

① ㄱ　　② ㄷ　　③ ㄱ, ㄴ　　④ ㄴ, ㄷ　　⑤ ㄱ, ㄴ, ㄷ

개념 꼭! 　* 솔레노이드에 의한 자기장의 세기는 코일의 단위 길이당 감은 수와 전류의 세기에 각각 ❶ [　　　]한다.

자료 해석 　* 전자석에 의한 자기장에 의해 철못이 ❷ [　　　]되어 전자석에 달라붙는다.

답 ❶ 비례 ❷ 자기화

Point 해설

ⓐ 오른손의 네 손가락을 전류의 방향으로 감아쥘 때 엄지손가락이 향하는 방향이 코일 내부에서의 자기장 방향이므로 철심 중심에는 오른쪽 방향으로 자기장이 형성된다.

ⓑ 코일에 의한 자기장의 세기는 전류의 세기에 비례한다.

ㄷ. 철못은 강자성체이므로 외부 자기장과 같은 방향으로 자기화된다. 따라서 전자석에 의한 자기장의 방향이 반대가 되더라도 철못은 전자석에 달라붙는다. 답 ③

전략 비법 노트

● 코일에 흐르는 **전류의 세기 증가** → **자기장의 세기 증가**
● 코일에 흐르는 전류의 방향 변화 → 자기장의 방향 변화

13 자성

2021 3월 학평 15번 유사

수능 전략 Key 각각의 자성체의 특징을 외부 자기장의 방향에 따른 자기화되는 경향을 기준으로 비교해서 기억해야 한다.

그림 (가)와 같이 자석 주위에 자기화되어 있지 않은 자성체 A, B를 놓았더니 자석으로부터 각각 화살표 방향으로 자기력을 받았다. 그림 (나)는 (가)에서 자석을 치운 후 A와 B를 가까이 놓은 모습을 나타낸 것으로, B는 A로부터 자기력을 받는다.

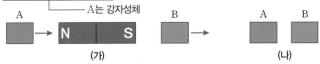

이에 대한 설명으로 옳은 것만을 |보기|에서 있는 대로 고른 것은?

> **보기**
> ㄱ. A는 외부 자기장과 반대 방향으로 자기화된다.
> ㄴ. (나)에서 A와 B는 서로 밀어내는 자기력이 작용한다.
> ㄷ. (가)와 (나)에서 B가 자기화된 방향은 동일하다.

① ㄱ ② ㄴ ③ ㄱ, ㄷ ④ ㄴ, ㄷ ⑤ ㄱ, ㄴ, ㄷ

개념 꼭! * 강자성체와 상자성체는 외부 자기장과 같은 방향으로 자기화되고, **❶ [   ]** 는 반대 방향으로 자기화된다. **❷ [   ]** 는 자기화된 상태를 비교적 오래 유지한다.

자료 해석 * (가)에서 A는 자석에 끌려가므로 강자성체 또는 상자성체이며, B는 자석에 밀려나므로 반자성체이다. **답 ❶ 반자성체 ❷ 강자성체**

Point 해설 ㄱ. A는 자석과 당기는 자기력이 작용하므로 강자성체 또는 상자성체이다. 따라서 외부 자기장과 같은 방향으로 자기화된다.

ㄴ. A는 강자성체, B는 반자성체이므로 서로 밀어내는 자기력이 작용한다.

ㄷ. (나)에서 A는 오른쪽면이 S극, 왼쪽면이 N극인 자석과 유사하게 자기장을 형성하므로 B의 자기화된 방향은 (가)와 (나)에서 동일하다. **답 ④**

전략 비법 노트

● 반자성체 → 외부 자기장의 방향과 **반대 방향으로 자기화**

자기장 변화에 의한 전자기 유도

수능 전략 Key 자기장이 통과하는 면적이 일정할 때 전자기 유도 현상은 시간에 따른 자기장 변화량에 관계된다는 것을 알아야 한다.

그림 (가)는 무선 충전기에서 스마트폰의 원형 도선에 전류가 유도되어 스마트폰이 충전되는 모습을, (나)는 스마트폰의 원형 도선을 통과하는 자기장의 세기를 시간에 따라 나타낸 것이다.

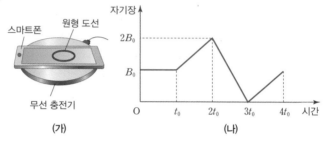

(가)   (나)

이에 대한 설명으로 옳은 것만을 |보기|에서 있는 대로 고른 것은?

┌ 보기 ┌

ㄱ. $0.5t_0$일 때 원형 도선을 통과하는 자기 선속은 일정하다.

ㄴ. $1.5t_0$일 때와 $3.5t_0$일 때 원형 도선에 유도되는 전류의 세기는 같다.

ㄷ. $1.5t_0$일 때와 $2.5t_0$일 때 원형 도선에 유도되는 전류의 방향은 반대이다.

① ㄱ   ② ㄴ   ③ ㄱ, ㄷ   ④ ㄴ, ㄷ   ⑤ ㄱ, ㄴ, ㄷ

개념 꼭!
* 도선의 면적이 일정할 때 유도 전류의 세기는 도선을 통과하는 **❶** [   ] 세기의 시간에 대한 변화율에 비례한다.

* 자기장-시간 그래프에서 **❷** [   ]는 시간에 대한 자기장의 변화율이다.

답 ❶ 자기장 ❷ 기울기

자료 해석

* (가)에서 무선 충전기에서 발생하는 자기장의 변화에 의해 원형 도선에 전류가 유도된다.

* (나)에서 $0 \sim t_0$까지는 자기장의 세기가 일정하므로 자기 선속의 변화가 없어 전류가 유도되지 않는다.

* (나)에서 $t_0 \sim 2t_0$까지는 자기장의 세기가 증가하고 있으므로 원형 도선을 통과하는 자기장과 ❸ [   ] 방향의 자기장이 발생하도록 전류가 유도되며, 그 세기는 그래프의 기울기인 $\dfrac{B_0}{t_0}$에 비례한다.

* (나)에서 $2t_0 \sim 3t_0$까지는 자기장의 세기가 감소하고 있으므로 원형 도선을 통과하는 자기장과 ❹ [   ] 방향의 자기장이 발생하도록 전류가 유도되며, 그 세기는 그래프의 기울기인 $\dfrac{2B_0}{t_0}$에 비례한다.

* (나)에서 $3t_0 \sim 4t_0$까지는 자기장의 세기가 증가하고 있으므로 원형 도선을 통과하는 자기장과 반대 방향의 자기장이 발생하도록 전류가 유도되며, 그 세기는 그래프의 기울기인 $\dfrac{B_0}{t_0}$에 비례한다.

답 ❸ 반대 ❹ 같은

Point 해설

ㄱ. $0.5t_0$일 때 자기장의 변화가 없으므로 자기 선속은 일정하다.

ㄴ. $1.5t_0$일 때와 $3.5t_0$일 때 자기장－시간 그래프의 기울기의 크기가 같으므로 유도되는 전류의 세기는 같다.

ㄷ. $1.5t_0$일 때는 자기장의 세기가 증가, $2.5t_0$일 때는 자기장의 세기가 감소하므로 유도되는 전류의 방향은 반대이다.

답 ⑤

전략 비법 노트

● 자기 선속이 증가할 때 유도 전류 → 증가하는 자기 선속과 반대 방향의 자기장이 발생하도록 유도 전류가 흐른다.

● 자기 선속이 감소할 때 유도 전류 → 감소하는 자기 선속과 같은 방향의 자기장이 발생하도록 유도 전류가 흐른다.

15 면적 변화에 의한 전자기 유도

수능 전략 Key 일정하고 균일한 자기장 영역에 들어가거나 빠져나오는 고리 도선에는 유도 전류가 발생함을 알아야 한다.

그림은 xy 평면에 수직인 방향의 자기장 영역에서 정사각형 금속 고리 A, B, C가 각각 $+x$ 방향, $-y$ 방향, $+y$ 방향으로 직선 운동 하고 있는 순간의 모습을 나타낸 것이다. 자기장 영역에서 자기장은 일정하고 균일하다.

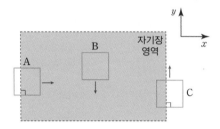

이에 대한 설명으로 옳은 것만을 |보기|에서 있는 대로 고른 것은? (단, A, B, C 사이의 상호 작용은 무시한다.)

┌ 보기 ┌
ㄱ. A에서는 유도 전류가 발생한다.
ㄴ. B를 통과하는 자기 선속은 일정하다.
ㄷ. C의 속력을 증가시키면 C에 유도되는 전류의 세기는 증가한다.

① ㄱ ② ㄷ ③ ㄱ, ㄴ ④ ㄴ, ㄷ ⑤ ㄱ, ㄴ, ㄷ

개념 꼭! * 균일한 자기장 영역은 ❶ [   ]에 따른 자기장의 세기가 같고, 일정한 자기장은 ❷ [   ]에 따라 자기장의 세기가 변하지 않는다.

* 도선을 통과하는 자기장 영역의 면적이 변하면 도선을 통과하는 자기 선속이 변한다.

📖 ❶ 위치 ❷ 시간

자료 해석

* A를 통과하는 자기장 영역의 **❸ [   ]**이 점점 증가하고 있으므로 A에는 유도 전류가 발생하며 자기 선속의 증가를 방해하는 방향으로 유도 전류가 발생한다.

* A를 통과하는 자기 선속은 자기장이 일정하고 균일하므로 면적의 시간에 대한 변화율에 비례한다. 도선의 높이 h는 일정하고, x 방향의 길이가 증가하고 있으므로 자기 선속 변화율은 $Bh\dfrac{\Delta x}{\Delta t}=Bhv$이므로 도선의 이동 속력이 **❹ [   ]** 자기 선속 변화율이 크다.

* B는 도선 면적 전체가 자기장 영역을 통과하고 있으며, 이 면적이 변하지 않으므로 자기 선속의 변화가 없어 유도 전류가 발생하지 않는다.

* C는 도선 면적의 일부가 자기장 영역을 통과하고 있지만, 이 면적이 변하지 않으므로 자기 선속의 변화가 없어 유도 전류가 발생하지 않는다.

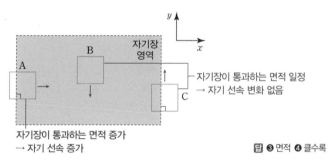

답 ❸ 면적 ❹ 클수록

Point 해설

ㄱ. A를 통과하는 자기 선속이 증가하고 있으므로 A에는 유도 전류가 발생한다.

ㄴ. B를 통과하는 자기장이 일정하고 균일하며 도선을 통과하는 면적도 일정하므로 자기 선속은 일정하다.

ㄷ. C의 속력을 증가시키더라도 C를 통과하는 자기 선속이 일정하기 때문에 전류는 유도되지 않는다.

답 ③

전략 비법 노트

● 균일하고 일정한 자기장 영역 → 자기장이 변하지 않으므로 자기장을 상수로 고려

● 자기장 영역을 들어가거나 빠져나오는 상황에서 → 도선의 이동 **속력이 클수록** 유도되는 **전류의 세기는 크다.**

16 파동의 변위-위치 그래프

수능 전략 Key | 변위-위치 그래프는 어느 특정 순간의 매질의 전체 모습을 표현한 것임을 알아야 한다.

그림은 진행하는 진동수가 같은 두 파동 A, B의 어느 순간의 변위를 위치에 따라 나타낸 것이다.
이에 대한 설명으로 옳은 것만을 |보기|에서 있는 대로 고른 것은?

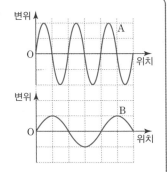

┌─ 보기 ┌─
ㄱ. 진폭은 A가 B의 2배이다.
ㄴ. 파장은 A가 B의 2배이다.
ㄷ. 파동의 진행 속력은 A가 B의 2배이다.

① ㄱ ② ㄴ ③ ㄱ, ㄷ ④ ㄴ, ㄷ ⑤ ㄱ, ㄴ, ㄷ

개념 꼭! | * 파장은 매질이 한번 [**❶**]할 때 파동이 진행한 거리이다.

자료 해석 | * 파동의 변위-위치 그래프에서 파동의 진폭은 [**❷**]의 크기이다.

* 파동의 변위-위치 그래프에서 파동의 [**❸**]은 인접한 마루와 마루 또는 골과 골 사이의 거리이다.

답 ❶ 진동 ❷ 최대 변위 ❸ 파장

Point 해설 | ㄱ 최대 변위의 크기는 A가 B의 2배이므로 진폭도 A가 B의 2배이다.

ㄴ. 파장은 인접한 마루와 마루 또는 골과 골 사이의 거리이므로 B가 A의 2배이다.

ㄷ. 두 파동의 진동수는 같으므로 파동의 진행 속력은 파장에 비례한다. 따라서 파동의 진행 속력은 B가 A의 2배이다.

답 ①

전략 비법 노트

● 파동이 한 번 진동하는 동안 **이동한 거리** ➡ 파장
● 파동이 한 번 진동하는 데 걸리는 시간 ➡ 주기

파동의 변위-시간 그래프

2020 6월 모평 2번 유사(물리2)

수능 전략 Key 변위-시간 그래프는 매질의 한 지점의 시간에 따른 변위를 표현한 것임을 안다.

그림은 파장이 같은 두 파동 P, Q의 어떤 지점에서의 변위를 시간에 따라 각각 나타낸 것이다. 이에 대한 설명으로 옳은 것만을 |보기|에서 있는 대로 고른 것은?

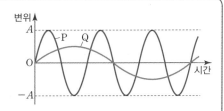

┌ 보기 ┐
ㄱ. P의 진폭은 $2A$이다.
ㄴ. 진동수는 Q가 P의 3배이다.
ㄷ. 파동의 진행 속력은 P가 Q의 3배이다.

① ㄱ   ② ㄷ   ③ ㄱ, ㄴ   ④ ㄴ, ㄷ   ⑤ ㄱ, ㄴ, ㄷ

개념 꼭! * 주기는 매질이 한 번 [❶   ]하는 데 걸린 시간이다.

자료 해석 * 파동의 진폭은 진동 [❷   ]으로부터 마루나 골까지의 거리이다.

* 파동의 변위-시간 그래프에서 파동의 [❸   ]는 매질이 한 번 진동 후 제자리로 되돌아올 때까지 걸리는 시간이다.   답 ❶ 진동 ❷ 중심 ❸ 주기

Point 해설 ㄱ. 진폭은 진동 중심으로부터 마루나 골까지 거리이므로 A이다.

ㄴ. 파동의 주기는 Q가 P의 3배이므로 진동수는 P가 Q의 3배이다.

ⓒ. 파동의 진행 속력은 파장×진동수이므로 파장이 같은 P와 Q의 경우 진동수가 3배인 P가 진행 속력도 3배이다.   답 ②

전략 비법 노트

● 매질이 한 번 진동하는 동안 → 매질의 변위도 변하고, 한 번 진동 후 다시 **제자리로** 되돌아온다.

파동이 굴절할 때 입사각과 굴절각을 먼저 파악한 후 매질에서의 전파 속력을 비교한다.

다음은 빛의 성질을 알아보는 실험이다.

| 실험 과정 |

(가) 반원 Ⅰ, Ⅱ로 구성된 원이 그려진 종이면의 Ⅰ에 반원형 유리 A를 올려 놓는다.

(나) 레이저 빛이 점 p에서 유리면에 수직으로 입사하도록 한다.

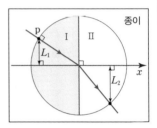

(다) 그림과 같이 빛이 진행하는 경로를 종이면에 그린다.

(라) p와 x축 사이의 거리 L_1, 빛의 경로가 Ⅱ의 호와 만나는 점과 x축 사이의 거리 L_2를 측정한다.

(마) (가)에서 Ⅰ의 A를 반원형 유리 B로 바꾸고, (나)~(라)를 반복한다.

(바) (마)에서 Ⅱ에 B를 올려놓고, (나)~(라)를 반복한다.

| 실험 결과 |

과정	Ⅰ	Ⅱ	L_1(cm)	L_2(cm)
(라)	A	C	3.0	4.5
(마)	B	C	3.0	2.0
(바)	A	B	㉠	3.0

이에 대한 설명으로 옳은 것만을 |보기|에서 있는 대로 고른 것은?

┌ 보기 ┌

ㄱ. ㉠ > 1.0 이다.

ㄴ. 레이저 빛의 속력은 C에서 가장 빠르다.

ㄷ. 레이저 빛의 진동수는 B에서 가장 크다.

① ㄱ ② ㄴ ③ ㄱ, ㄷ ④ ㄴ, ㄷ ⑤ ㄱ, ㄴ, ㄷ

개념 꼭!

* 레이저 빛이 진행하는 속력은 빛의 파장에 **❶** 를 곱한 값이다.

* 입사각과 굴절각은 두 매질의 경계면에서의 **❷** 을 기준으로 측정한다.

답 ❶ 진동수 ❷ 법선

자료 해석

* 굴절 법칙을 적용하기 위해서 각 매질에서의 입사각과 굴절각을 측정해야 하는데, 반원의 반지름을 r, 반원 Ⅰ에서의 입사각을 θ_1, 반원 Ⅱ에서의 굴절각을 θ_2라고 하면 $\sin\theta_1 = \dfrac{L_1}{r}$, $\sin\theta_2 = \dfrac{L_2}{r}$이며, $\dfrac{\sin\theta_1}{\sin\theta_2} = \dfrac{L_1}{L_2}$로 정리할 수 있다.

* (라)에서 A에서의 속력을 v_A, C에서의 속력을 v_C라고 하면 $\dfrac{L_1}{L_2} = \dfrac{2}{3} = \dfrac{v_A}{v_C}$이다.

(마)에서 B에서의 속력을 v_B, C에서의 속력을 v_C라고 하면 $\dfrac{L_1}{L_2} = \dfrac{3}{2} = \dfrac{v_B}{v_C}$이다.

따라서 각 매질에서의 속력은 **❸** 에서가 가장 빠르다.

* (바)를 분석하기 위하여 v_A와 v_B의 비를 구하면 $\dfrac{\dfrac{v_A}{v_C}}{\dfrac{v_B}{v_C}} = \dfrac{\dfrac{2}{3}}{\dfrac{3}{2}} = \boxed{\text{❹}}$이다.

답 ❹ B ❺ $\dfrac{4}{9}$

Point 해설

ㄱ. $\dfrac{v_A}{v_B} = \dfrac{4}{9} = \dfrac{\bigcirc}{3}$이므로 ㉠은 1보다 크다.

ㄴ. 레이저 빛의 속력은 굴절 법칙을 적용하면 B에서 가장 빠르다.

ㄷ. 빛이 진행하는 과정에서 매질이 달라져도 빛의 진동수는 변하지 않는다.

답 ①

전략 비법 노트

● 빛이 진행하는 동안 진행하는 **매질이 달라지면** → 빛의 **속력과 파장은 변함, 진동수는 일정**

● 굴절 법칙을 적용하면 **법선과 빛의 진행 방향이 이루는 각도가 큰 매질일수록** → 매질에서의 파동의 진행 **속력이 빠르고 파장도 길다.**

19 전반사

임계각은 두 매질의 굴절률의 차이가 클수록 작다는 것을 알아야 한다.

그림은 단색광 P를 매질 A와 B의 경계면에 입사각 θ로 입사시켰을 때 P의 일부는 굴절하고, 일부는 반사한 후 매질 A와 C의 경계면에서 전반사하는 모습을 나타낸 것이다.

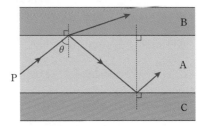

이에 대한 설명으로 옳은 것만을 |보기|에서 있는 대로 고른 것은?

┌ 보기 ┐

ㄱ. P의 속력은 A에서 가장 빠르다.

ㄴ. 매질의 굴절률은 C가 가장 작다.

ㄷ. A와 B 사이에서 임계각은 A와 C 사이에서의 임계각보다 크다.

① ㄱ   ② ㄴ   ③ ㄱ, ㄷ   ④ ㄴ, ㄷ   ⑤ ㄱ, ㄴ, ㄷ

---

* 빛이 속력이 느린 매질에서 속력이 빠른 매질로 진행할 때 입사각은 굴절각보다 **❶** .

* 빛이 전반사하기 위해서는 입사각이 임계각보다 **❷** 한다.

* 빛이 전반사하기 위한 임계각은 입사하는 매질의 **❸** 에 대한 굴절하는 매질의 **❸** 의 비이다.

답 ❶ 작다 ❷ 커야 ❸ 굴절률

자료 해석

* A에서 B로 진행할 때 입사각은 θ이며, 굴절각은 θ보다 크기 때문에 매질의 굴절률은 A가 B보다 **❹**ㅤ.

* A에서 C로 진행할 때 입사각은 θ이며, 굴절하는 빛 없이 전반사하므로 매질의 굴절률은 A가 C보다 크다.

* 같은 입사각 θ에 대하여 A와 B 사이에서는 **❺**ㅤ하지 않고, A와 C 사이에서는 **❺**ㅤ하므로 매질 사이의 임계각은 A와 B 사이가 A와 C 사이보다 크다.

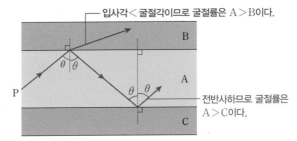

입사각 < 굴절각이므로 굴절률은 A > B이다.

전반사하므로 굴절률은 A > C이다.

답 ❹ 크다 ❺ 전반사

Point 해설

ㄱ. 매질의 굴절률은 A가 가장 크기 때문에 P의 속력은 A에서 가장 느리다.

ⓛ ⓒ 같은 입사각 θ에 대해 A와 B 사이에서는 굴절이 일어나고, A와 C 사이에서는 P가 전반사하므로 임계각은 A와 B 사이에서가 A와 C 사이에서보다 크다. 또한, 굴절률은 A > B > C 순으로 크다.

답 ④

전략 비법 노트

● 빛이 전반사하는 상황에서는 → 굴절 광선이 없다.

● 임계각은 **굴절각이 $90°$일 때의 입사각** → 두 매질의 굴절률의 비로 나타낼 수 있다.

전반사와 광섬유

광섬유는 빛의 전반사를 이용하는 장치로, 코어와 클래딩 사이의 임계각이 작을수록 정보를 정확하게 전달할 가능성이 높다는 것을 이해하고 있어야 한다.

그림 (가)는 단색광이 매질 A, B의 경계면에서 전반사한 후 매질 A, C의 경계면에서 반사와 굴절하는 모습을 나타낸 것이다. 그림 (나) 광통신에 쓰이는 광섬유를 모식적으로 나타낸 것이다.

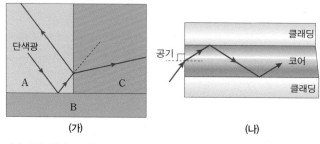

(가)　　　　　　　　(나)

이에 대한 설명으로 옳은 것만을 │보기│에서 있는 대로 고른 것은?

┌─ 보기 ─────────────────────────────────────┐
　ㄱ. 단색광의 속력은 A에서가 B에서보다 느리다.
　ㄴ. (나)에서 코어가 A일 때 클래딩으로 C를 사용할 수 없다.
　ㄷ. (나)에서 클래딩이 B이면 A가 코어일 때가 C가 코어일
　　　 때보다 정보를 손실 없이 전달할 가능성이 높다.
└───┘

① ㄱ　　② ㄴ　　③ ㄱ, ㄴ　　④ ㄱ, ㄷ　　⑤ ㄴ, ㄷ

* 광섬유에서 코어와 클래딩 사이에서 전반사가 나타나기 위해서는 **❶**　　　의 굴절률이 더 커야 한다.

* 광섬유는 빛의 전반사를 이용하는 장치로, 전반사를 이용하여 정보의 **❷**　　　 없이 다량의 정보를 빠르게 전달할 수 있다.

답 ❶ 코어 ❷ 손실

자료 해석

* (가)에서 A와 B 사이에서 단색광이 전반사하고, A와 C 사이에서는 입사각이 굴절각보다 크다.

* (가)에서 굴절률은 A가 B보다 크고, C보다는 작다. 즉, 굴절률이 C > A > B 순이므로 단색광의 진행 속력은 ❸ [　　　] 순이다.

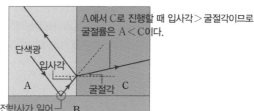

A에서 C로 진행할 때 입사각 > 굴절각이므로 굴절률은 A < C이다.

단색광
입사각
A
굴절각 C
B

A에서 B로 진행할 때 전반사가 일어났으므로 굴절률은 A > B이다.

* (나)에서 코어와 클래딩 사이에서 전반사가 나타나기 위해서는 코어의 굴절률이 클래딩의 굴절률보다 커야 한다.

* 광섬유에서 전반사를 이용하여 정보를 빠르고 손실 없이 전달하기 위해서는 코어와 클래딩 사이의 임계각이 ❹ [　　　] 좋다.

* 광섬유의 코어는 보통 유리로 제작하므로 끊어졌을 때 다시 연결하기 어렵다는 단점이 있다.

집 ❸ B > A > C ❹ 작을수록

Point 해설

㉠ A와 B 사이에서 단색광은 전반사하므로 단색광의 속력은 A에서가 B에서보다 느리다.

㉡ 코어의 굴절률은 클래딩의 굴절률보다 커야 하므로 코어가 A일 때 클래딩이 C이면 전반사가 나타나지 않아 광섬유가 정상적으로 작동하지 않는다.

ㄷ. 클래딩이 B이면 A가 코어일 때보다 C가 코어일 때보다 굴절률 차이가 작기 때문에 코어와 클래딩 사이 임계각은 더 크다. 임계각이 클수록 전반사가 일어나지 않을 가능성이 크기 때문에 정보를 손실할 가능성이 크다.

집 ③

전략 비법 노트

● 광섬유의 코어와 클래딩 사이에서는 → 전반사가 일어나야만 정보를 빠르게 전달할 수 있다.

● 광섬유의 코어와 클래딩 사이의 **임계각이 작을수록** → 전반사할 수 있는 입사각의 범위가 넓어져 정보가 손실될 가능성이 적다.

위상이 같은 두 물결파의 보강 간섭 하는 지점은 수면이 주기적으로 진동하고, 상쇄 간섭 하는 지점은 수면이 진동하지 않는다는 것을 알아야 한다.

그림 (가)는 두 점 S_1, S_2에서 같은 진폭과 파장으로 발생시킨 두 수면파의 시간 $t=0$일 때의 모습을 평면상에 나타낸 것이다. 점 P, Q는 평면상의 고정된 지점이고, S_1과 S_2 사이의 거리는 0.4 m이다. 그림 (나)는 P에서 중첩된 수면파의 변위를 t에 따라 나타낸 것이다.

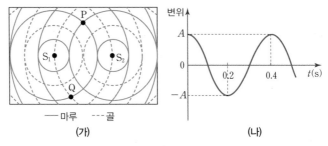

(가)   (나)

이에 대한 설명으로 옳은 것만을 |보기|에서 있는 대로 고른 것은? (단, 물의 깊이는 일정하다.)

┌─ 보기 ─
ㄱ. S_1에서 발생하는 파동의 진폭은 A이다.
ㄴ. S_1과 S_2로부터 Q까지의 경로차는 0.1 m이다.
ㄷ. S_2에서 발생한 수면파의 속력은 0.5 m/s이다.

① ㄱ   ② ㄴ   ③ ㄱ, ㄷ   ④ ㄴ, ㄷ   ⑤ ㄱ, ㄴ, ㄷ

* 두 파동이 보강 간섭 하는 지점에서는 두 파동의 최대 변위가 중첩되므로 두 파동의 진폭을 **❶** [ ] 만큼의 진폭이 형성된다.

* 두 파동이 상쇄 간섭 하는 지점에서는 두 파동의 최대 변위가 반대 위상으로 중첩되므로 두 파동의 진폭을 **❷** [ ] 만큼의 진폭이 형성된다.

답 ❶ 더한 ❷ 뺀

자료 해석

* (가)에서 P점은 마루와 마루가 만나는 지점이므로 ❸ ☐ 이 일어나고, Q점은 마루와 골이 만나는 지점이므로 ❹ ☐ 이 일어난다.

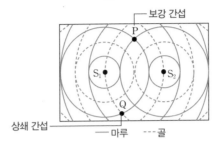

보강 간섭

P

S₁   S₂

Q

상쇄 간섭 ——— 마루   ---- 골

* (가)에서 S_1, S_2로부터 P점까지의 경로차는 0이고, Q점까지의 경로차는 ❺ ☐ 만큼이다.

* (나)에서 진폭은 두 파동이 중첩된 결과로 나타나는 값이며, 변위−시간 그래프이 므로 주기가 0.4초임을 알 수 있다.   **답** ❸ 보강 간섭 ❹ 상쇄 간섭 ❺ 반파장

Point 해설

ㄱ. (나)에서 P점은 두 파동이 보강 간섭 하는 지점이므로 두 파동의 진폭이 중첩 되어 나타난다. 따라서 진폭이 같은 두 파동의 중첩된 결과 진폭이 A가 되었 으므로 S_1에서 발생하는 파동의 진폭은 $\frac{A}{2}$이다.

ㄴ. S_1과 S_2로부터 Q까지의 경로차는 반파장만큼이며 S_1과 S_2 사이의 거리가 0.4 m이므로 파장은 0.2 m이다. 따라서 Q까지의 경로차는 0.1 m이다.

ㄷ. (나)의 변위−시간 그래프에서 주기는 0.4초, 수면파의 파장은 0.2 m이므로 S_2에서 발생한 수면파의 속력은 $\frac{0.2 \text{ m}}{0.4 \text{ s}} = 0.5 \text{ m/s}$이다.

답 ④

전략 비법 노트

● 수면파 투영 장치에서 **가장 밝거나 가장 어두운 지점** → 수면이 진동하는 지점이므 로 수면파가 **보강 간섭** 하는 지점

● 수면파 투영 장치에서 **밝기가 변하지 않는 지점** → 수면이 진동하지 않는 지점이므 로 수면파가 **상쇄 간섭** 하는 지점

여러 빛이 간섭하여 나타난 밝은 무늬는 보강 간섭, 어두운 무늬는 상쇄 간섭에 의해 나타 난다는 것을 알아야 한다.

그림 (가)는 이중 슬릿에 의한 빛의 간섭 현상을 나타낸 것이며 점 O는 밝은 무늬의 중심, 점 P는 어두운 무늬의 중심이다. 그림 (나)는 얇은 막에 의한 빛의 간섭 현상을 나타낸 것이다. 굴절률은 공기< 유리< 막 순으로 크다.

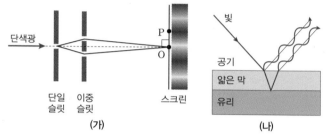

단일 슬릿 이중 슬릿 스크린
(가)

(나)

이에 대한 설명으로 옳은 것만을 |보기|에서 있는 대로 고른 것은?

┌ 보기 ┐

ㄱ. (가)에서 이중 슬릿을 통과하여 P점에서 간섭한 빛의 위 상은 반대이다.

ㄴ. (나)에서 막의 두께가 매우 얇다면 (가)에서 점 O와 같은 간섭 형태가 나타난다.

ㄷ. 렌즈의 무반사 코팅은 (나)와 같은 현상을 이용한 예이다.

① ㄱ　② ㄴ　③ ㄱ, ㄷ　④ ㄴ, ㄷ　⑤ ㄱ, ㄴ, ㄷ

* 이중 슬릿을 통과한 빛은 [❶　　] 가 발생하여 보강 간섭 또는 상쇄 간섭이 나타날 수 있다.

* 얇은 막의 두께가 매우 얇을 때는 위쪽 면과 아래쪽 면에서 반사한 빛의 경로차는 [❷　　]으로 고려할 수 있다.

답 ❶ 경로차 ❷ 0

9월 모평 14번 유사

* (가)에서 스크린에 형성된 무늬는 이중 슬릿에 의해 빛이 ❸ [ ] 한 결과이며 O점에서는 보강 간섭에 의한 밝은 무늬, P점에서는 상쇄 간섭에 의한 어두운 무늬가 나타난다.

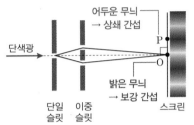

* (나)에서 얇은 막의 위쪽 면에서 반사한 빛과 얇은 막의 아래쪽 면에서 반사한 빛이 중첩되어 간섭 현상이 나타난다.

* (나)에서 얇은 막의 위쪽 면에서 반사할 때는 위상이 ❹ [ ] 가 되며, 얇은 막의 아래쪽 면에서 반사할 때는 위상이 ❺ [ ] 않는다.

답 ❸ 간섭 ❹ 반대 ❺ 변하지

ㄱ. (가)에서 P는 상쇄 간섭이 나타난 지점이므로 간섭한 두 빛의 위상은 반대이다.

ㄴ. (나)에서 막의 두께가 매우 얇으면 두 빛의 경로차를 0으로 취급할 수 있으며 얇은 막의 위쪽 면에서 반사한 빛과 아래쪽 면에서 반사한 빛의 위상은 반대이므로 상쇄 간섭이 나타난다.

ㄷ. 무반사 코팅은 얇은 막에서의 간섭 현상을 이용한 예이다.

답 ③

● 이중 슬릿에 의한 두 빛의 간섭 → **밝은 무늬는 보강 간섭, 어두운 무늬는 상쇄 간섭**

● 얇은 막의 위쪽 면과 아래쪽 면에서 반사한 빛 → **두 빛이 위상이 반대이므로 상쇄 간섭이 일어남**

필수 유형 ZIP **39**

필수 유형

23 전자기파

2022 9월 모평 6번 유사

수능 전략 Key 전자기파의 진동수(파장) 영역별로 그 종류와 쓰임을 분류하여 기억해야 한다.

그림 (가)는 전자기파를 진동수에 따라 분류한 것이고, (나)는 전자기파를 이용한 장치를 나타낸 것이다.

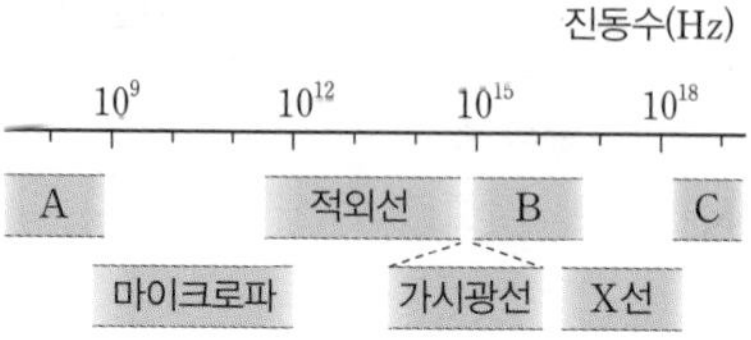

(가)

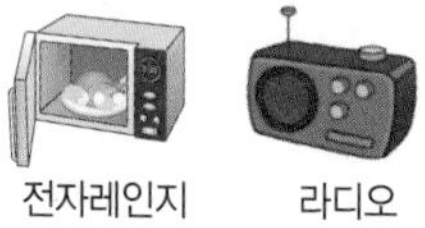

(나)

이에 대한 설명으로 옳은 것만을 보기 에서 있는 대로 고른 것은?

보기

ㄱ. (가)에서 B에 속하는 광자는 C에 속하는 광자보다 에너지가 작다.

ㄴ. (나)에서 전자레인지는 A 영역의 전자기파를 이용한다.

ㄷ. (나)에서 라디오는 C 영역의 전자기파를 이용한다.

① ㄱ ② ㄴ ③ ㄱ, ㄷ ④ ㄴ, ㄷ ⑤ ㄱ, ㄴ, ㄷ

개념 꼭!

* 전자기파의 진동수가 클수록(파장이 짧을수록) ❶ ______ 는 크다.

자료 해석

* (가)에서 A는 ❷ ______, B는 ❸ ______, C는 ❹ ______ 이다.
* (나)에서 전자레인지는 마이크로파를 이용하고 라디오는 라디오파를 이용한다.

답 ❶ 에너지 ❷ 라디오파 ❸ 자외선 ❹ 감마(γ)선

Point 해설

ㄱ. B 영역은 C 영역보다 진동수가 작기 때문에 B 영역의 에너지가 더 작다.

ㄴ. 전자레인지는 마이크로파를 이용하는 장치이며, A 영역은 라디오파 영역이다.

ㄷ. 라디오는 라디오파를 이용하므로 A 영역의 전자기파를 이용한다.

답 ①

전략 비법 노트

- **전자기파의 에너지가 크다. → 투과력은 강하고 회절은 잘 나타나지 않는다.**

2022 9월 모평 6번 유사

수능 전략 Key 전하 결합 소자(CCD)에 사용되는 광 다이오드는 p-n 접합 구조의 다이오드임을 알아야 한다.

그림은 전하 결합 소자(CCD)의 내부 구조를 모식적으로 나타낸 것이다.
이에 대한 설명으로 옳은 것만을 |보기|에서 있는 대로 고른 것은?

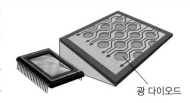

광 다이오드

┌─ 보기 ┌─────────────────────────────────
ㄱ. 광 다이오드에 빛을 비추면 전자가 발생한다.
ㄴ. 전하 결합 소자(CCD)는 빛의 입자성을 이용한 장치이다.
ㄷ. 전하 결합 소자(CCD)에서 입사하는 빛의 색을 분류하기 위해선 광 다이오드 전면에 필터를 추가해야 한다.
└───

① ㄱ   ② ㄴ   ③ ㄱ, ㄷ   ④ ㄴ, ㄷ   ⑤ ㄱ, ㄴ, ㄷ

개념 꼭! * 광 다이오드에 광자가 입사하게 되면 **❶**   이 형성되어 전류가 흐르게 된다.

자료 해석 * 광 다이오드에서 전류가 흐르는 까닭은 **❷**   와의 상호 작용으로 설명할 수 있다.

답 ❶ 전자-양공 쌍 **❷** 광자

Point 해설 ㉠ 빛을 비추면 p-n 접합에 의해 결합되었던 전자와 양공이 분리된다.
㉡ 광 다이오드에서 전자-양공 쌍은 광자와의 상호 작용에 의해 발생하므로 빛의 입자성을 이용하는 장치이다.
㉢ 전하 결합 소자(CCD)에서 색 필터는 입사하는 빛의 색을 분리하여 광 다이오드에 입사시킴으로서 빛의 색에 따른 세기를 측정할 수 있게 해주는 장치이다.

답 ⑤

전략 비법 노트

● 광 다이오드에 빛이 입사하여 전자-양공 쌍 발생 → **양공은 p형** 반도체 쪽으로, **전자는 n형** 반도체 쪽으로 이동

25 광전 효과

수능 전략 Key 광전 효과는 광양자설로만 설명될 수 있으며, 광양자설에 따르면 광자의 에너지는 광자의 진동수에 비례한다.

다음은 빛의 진동수와 세기에 따른 광전 효과를 확인하는 실험 과정과 결과이다.

| 실험 과정 |

(가) 검전기 위에 아연판을 놓고 (—)전하로 대전시켜 금속박이 벌어지도록 한다.

(나) 아연판에 네온등을 비춘다.

(다) 아연판에 네온등 대신 자외선등을 비춘다.

(라) 자외선등을 아연판에 더 가까이 비춘다.

네온등 또는 자외선등
아연판
금속박

| 실험 결과 |

• (나)에서는 금속박이 오므라들지 않는다.
• (다)에서는 금속박이 서서히 오므라든다.
• (라)에서는 (다)에서보다 금속박이 더 빨리 오므라든다.

이에 대한 설명으로 옳은 것만을 |보기|에서 있는 대로 고른 것은?

┌ 보기 ┐

ㄱ. (나)에서 금속박이 오므라들지 않는 까닭은 네온등의 세기가 약해서이다.

ㄴ. (다)에서 금속박이 서서히 오므라드는 까닭은 아연판에서 전자가 방출되기 때문이다.

ㄷ. (라)에서 (다)에서보다 금속박이 더 빨리 오므라드는 까닭은 자외선등의 세기가 증가해서이다.

① ㄱ ② ㄴ ③ ㄱ, ㄷ ④ ㄴ, ㄷ ⑤ ㄱ, ㄴ, ㄷ

개념 꼭!

* 빛을 쪼여줄 때 금속에서 전자가 방출되기 위해서는 쪼여주는 광자의 에너지가 금속의 **❶** 보다 커야 한다.
* 광양자설에 따르면 광자 1개의 **❷** 는 빛의 진동수에 비례하며, 광자의 **❸** 는 빛의 세기에 비례한다.

탑 ❶ 일함수 ❷ 에너지 ❸ 개수

자료 해석

* (나)에서 금속박이 오므라들지 않은 것은 금속박의 **❹** 의 변화가 없다는 것이고, 이는 네온등에 의해 전자가 방출되지 않는다는 것이다.
* (다)에서 금속박이 서서히 오므라드는 것은 아연판에서 전자가 방출되면서 금속박이 서서히 **❺** 이 되어가는 것을 의미하며, 이는 자외선등의 광자 에너지가 아연판의 일함수보다 크다는 것을 나타낸다.
* (라)에서 금속박이 더 빨리 오므라든다는 것은 더 많은 양의 전자가 방출된다는 것이며, 전자가 더 많이 방출되기 위해서는 전자와 충돌하는 광자의 개수가 많아야 한다.

탑 ❹ 전하 분포 ❺ 중성

Point 해설

ㄱ. 금속박이 오므라들지 않는 까닭은 전자가 아연판에서 방출되지 않아서이며, 이는 네온등 광자의 에너지가 아연판의 일함수보다 작기 때문이다. 즉, 진동수가 문턱 진동수보다 작기 때문이다.

ㄴ. 금속박이 서서히 오므라드는 것은 서로 밀어내는 전기력이 약해진다는 것을 의미하며, 이는 금속박이 점점 중성이 되어가는 것이다. 이는 음(−)전하로 대전되어 있던 금속박이 아연판에서 전자가 방출되며 중성이 되어가는 것으로 설명할 수 있다.

ㄷ. 금속박이 더 빨리 오므라드는 것은 전자가 더 많이 방출되는 것이며, 이는 자외선등의 세기가 증가했기 때문이다.

탑 ④

전략 비법 노트

* 빛의 **진동수**가 크다. → 광자 1개의 **에너지**가 크다.
* 빛의 **세기**가 크다. → 광자의 **개수**가 많다.

간섭무늬는 파동성을 나타내는 대표적인 증거라는 것을 알아야 한다.

그림 (가)는 전자선의 이중 슬릿에 의한 간섭 결과 나타난 간섭무늬를, 그림 (나)는 데이비슨·거머 실험 결과를 나타낸 것이다.

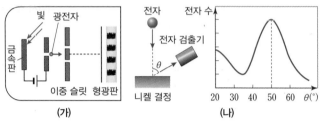

(가)   (나)

이에 대한 설명으로 옳은 것만을 |보기|에서 있는 대로 고른 것은?

┌ 보기 ┌
ㄱ. (가)에서 광전자의 속력을 증가시키면 이웃한 밝은 무늬 사이 간격은 감소한다.
ㄴ. (나)에서 $50°$ 부근에서 전자가 많이 발견되는 것은 전자에 의한 물질파가 보강 간섭했기 때문이다.
ㄷ. (가)와 (나)는 전자의 파동성의 증거가 된다.

① ㄱ   ② ㄴ   ③ ㄱ, ㄷ   ④ ㄴ, ㄷ   ⑤ ㄱ, ㄴ, ㄷ

* 이중 슬릿에 의한 간섭무늬 간격은 슬릿 간격이 작을수록, 슬릿과 스크린 사이 거리가 클수록, 파장이 길수록 **❶** .

* 전자 검출기에서 전자의 수가 많이 검출된다는 것은 그 지점에서 전자가 **❷** 이 커진다는 것이다.

답 ❶ 크다 **❷** 발견될 확률

자료 해석

* (가)에서 형광판에 간섭무늬가 나타나는 것은 광전자의 **❸ [   ]** 에 의해 보강 간섭과 상쇄 간섭이 반복해서 나타났기 때문이다.

* (가)에서 형광판의 밝은 부분은 전자선에 의한 물질파가 보강 간섭하여 전자가 발견될 확률이 높아져 많은 수의 전자가 도달한 것이고, 어두운 부분은 물질파가 **❹ [   ]** 하여 전자가 발견될 확률이 매우 작아져 전자가 거의 도달하지 못한 것이다.

* (나)에서 50° 부근에서 전자수가 많이 검출된 것은 **❺ [   ]** 에 의해 전자가 발견될 확률이 높아진 것이고, 35° 부근에서 전자의 수가 적은 것은 상쇄 간섭에 의해 전자가 발견될 확률이 작아진 것이다.

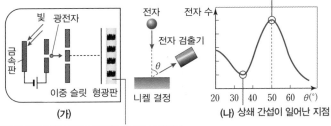

(가) 간섭에 의해 밝은 무늬와 어두운 무늬가 나타난다.

(나) 보강 간섭이 일어난 지점 / 상쇄 간섭이 일어난 지점

답 ❸ 파동성 ❹ 상쇄 간섭 ❺ 보강 간섭

Point 해설

ⓐ (가)에서 광전자의 속력을 증가시키면 광전자의 물질파 파장은 **짧아지므로** 간섭무늬에서 이웃한 무늬 사이의 간격은 감소한다.

ⓑ (나)에서 50° 부근에서 전자가 많이 발견되는 것은 **전자에 의한 물질파가 보강 간섭했기** 때문이다.

ⓒ (가)와 (나)는 모두 물질파로 설명 가능하므로 전자의 파동성의 증거이다.

답 ⑤

전략 비법 노트

● 간섭, 회절 → **파동성에 의해서 나타나는 성질**

● 충돌, 운동량 보존 → **입자성에 의해서 나타나는 성질**

2021 6월 모평 15번 유사

수능 전략 Key 입자의 물질파 파장은 운동량에 반비례한다는 것을 알아야 한다.

그림은 입자 A, B, C의 물질파 파장을 속력에 따라 나타낸 것이다.
이에 대한 설명으로 옳은 것만을 |보기|에서 있는 대로 고른 것은?

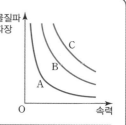

┌─ 보기 ┌
ㄱ. 입자의 질량은 A가 가장 크다.
ㄴ. 물질파 파장이 같을 때 입자의 운동량은 C가 가장 크다.
ㄷ. A와 B의 물질파 파장이 같을 때 두 입자의 운동 에너지는 같다.

① ㄱ   ② ㄷ   ③ ㄱ, ㄴ   ④ ㄴ, ㄷ   ⑤ ㄱ, ㄴ, ㄷ

개념 꼭!
* 입자의 물질파 파장은 $\dfrac{h}{mv}$(h: 플랑크 상수)이다.

자료 해석
* 속력이 같을 때 물질파 파장은 [❶   ]가 가장 길므로 질량은 [❶   ]가 가장 작다.
* 입자의 물질파 파장이 같을 때 입자의 [❷   ]은 같다.   답 ❶ C ❷ 운동량

Point 해설
ㄱ 속력이 같을 때 물질파 파장은 C>B>A 순으로 크고, 파장은 질량에 반비례하므로 질량은 A>B>C 순으로 크다.

ㄴ. 입자의 물질파 파장이 같으면 운동량도 같다.

ㄷ. 물질파 파장이 같으면 두 입자의 운동량은 같다. 입자의 운동 에너지는
$$E_k = \frac{1}{2}mv^2 = \frac{p^2}{2m}$$이므로 질량이 큰 A가 B보다 운동 에너지가 작다.   답 ①

전략 비법 노트

● 물질파 파장 → 입자의 운동량에 **반비례**

● 입자의 **운동 에너지**가 클수록 → 운동량이 크므로 물질파 **파장은 짧다.**

28 전자 현미경

2022 6월 모평 4번 유사

수능 전략 Key 주사 전자 현미경(SEM)과 투과 전자 현미경(TEM) 상을 관측하는 방식의 차이점을 바탕으로 두 현미경의 쓰임을 잘 기억해야 한다.

그림 (가)는 투과 전자 현미경(TEM)의 구조를, 그림 (나)는 주사 전자 현미경(SEM)의 구조를 나타낸 것이다.
이에 대한 설명으로 옳은 것만을 |보기|에서 있는 대로 고른 것은?

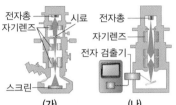

(가) 투과 전자 현미경 (나) 주사 전자 현미경

┌ 보기 ┐
ㄱ. (가)는 시료의 3차원 구조를 관측하는 데 주로 이용된다.
ㄴ. (나)는 시료의 표면을 전도성 물질로 코팅해야 한다.
ㄷ. (가)와 (나) 모두 자기렌즈를 이용하여 시료의 확대된 상을 얻는다.

① ㄱ ② ㄴ ③ ㄱ, ㄷ ④ ㄴ, ㄷ ⑤ ㄱ, ㄴ, ㄷ

개념 꼭!
* 전자 현미경은 전자의 물질파 파장이 매우 **❶** 분해능이 좋다.

자료 해석
* (나)의 주사 전자 현미경은 시료를 전도성 물질로 코팅하여 전도성 물질에서 **❷** 되는 전자를 검출하여 상을 관측한다. 답 ❶ 짧아 ❷ 재방출

Point 해설
ㄱ. (가)는 투과 전자 현미경으로 2차원 시료의 내부 구조를 관측하는 데 이용된다.
ㄴ. (나)는 재방출되는 전자를 검출해야 하므로 시료의 표면을 전도성 물질로 코팅해야 한다.
ㄷ. (가)와 (나)는 자기렌즈를 이용하여 전자선의 경로를 휘어지게 하여 확대된 상을 얻는다. 답 ④

전략 비법 노트
• 투과 전자 현미경 → 2차원 내부 구조를 관측
• 주사 전자 현미경 → 시료의 3차원 구조를 관측

memo

수능전략

과·학·탐·구·영·역

물리학Ⅰ

BOOK 2

본책인 BOOK 1과 BOOK2의 구성은 아래와 같습니다.

BOOK 1
1주, 2주

BOOK 2
1주, 2주

BOOK 3
정답과 해설

주 도입

본격적인 학습에 앞서, 재미있는 만화를
살펴보며 이번 주에 학습할 내용을 확인해
봅니다.

1일

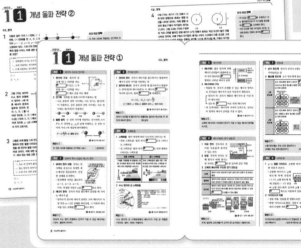

개념 돌파 전략

수능을 대비하기 위해 꼭 알아야 할 핵심
개념을 익힌 뒤, 간단한 문제를 풀며 개념을
잘 이해했는지 확인해 봅니다.

2일, 3일

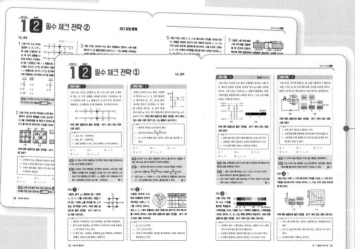

필수 체크 전략

기출문제에서 선별한 대표 유형 문제와 쌍둥이
문제를 함께 풀며 문제에 접근하는 과정과 해결
전략을 체계적으로 익혀 봅니다.

부록 수능에 꼭 나오는
필수 유형 ZIP

본 책에서 다룬 대표 유형과 그 해결 전략을 집중적으로
연습할 수 있도록 권두 부록을 구성했습니다.
부록을 뜯으면 미니북으로 활용할 수 있습니다.

주 마무리 학습

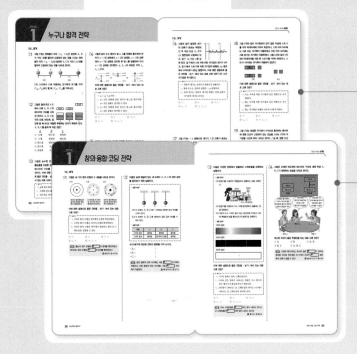

누구나 합격 전략
수능 유형에 맞춘 기초 연습 문제를 풀며
학습 자신감을 높일 수 있습니다.

창의·융합·코딩 전략
수능에서 요구하는 융복합적 사고력과
문제 해결력을 기를 수 있습니다.

권 마무리 학습

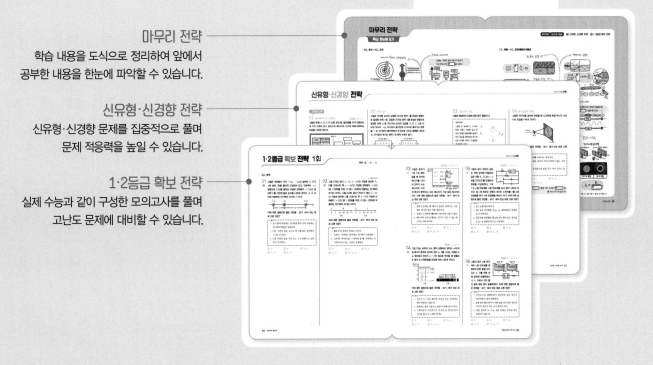

마무리 전략
학습 내용을 도식으로 정리하여 앞에서
공부한 내용을 한눈에 파악할 수 있습니다.

신유형·신경향 전략
신유형·신경향 문제를 집중적으로 풀며
문제 적응력을 높일 수 있습니다.

1·2등급 확보 전략
실제 수능과 같이 구성한 모의고사를 풀며
고난도 문제에 대비할 수 있습니다.

이 책의 차례

BOOK 2

파이팅!!

반도체는 도체와 절연체의 중간 정도의 전기 전도성을 갖는 물질이지.

맞아. 반도체는 전도띠와 원자가 띠 사이의 띠 간격이 도체보단 넓지만 절연체보다는 좁아.

근데 반도체는 왜 전자 기기에 이렇게 많이 사용될까?

그건 바로 반도체의 전기적 성질을 인위적으로 조절해 다양한 역할을 하는 전기 소자를 만들기 때문이야.

그러면 이런 반도체가 내 핸드폰 회로를 구성하는 건가?

그건 아니야! 반도체 물질을 이용한 p-n 접합 다이오드 소자. 알지?

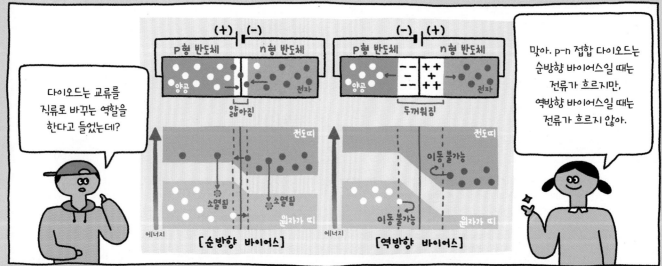

다이오드는 교류를 직류로 바꾸는 역할을 한다고 들었는데?

맞아. p-n 접합 다이오드는 순방향 바이어스일 때는 전류가 흐르지만, 역방향 바이어스일 때는 전류가 흐르지 않아.

6강_ 자기

우와! 저 무거운 철근들이 어떻게 저기에 매달려 있지?

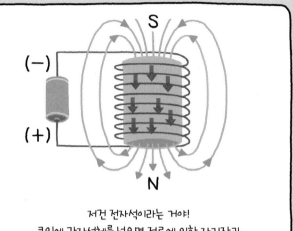

저건 전자석이라는 거야!
코일에 강자성체를 넣으면 전류에 의한 자기장과 강자성체에 의한 자기장이 합쳐져서 매우 강한 자석이 되거든.

아, 그렇지! 근데 코일이 자기장 내에서 힘을 받기도 하고 전류를 만들기도 한대.

맞아. 코일과 자석은 환상의 짝꿍이라고 할까? 대표적인 예가 바로 발전기야. 자석 사이에서 코일을 회전시키면 전류가 발생하지.

터빈   회전축   코일   자석

이렇게 코일을 통과하는 자기장이 시간에 따라 변하면 코일에는 전류가 발생하는데, 이런 현상을 전자기 유도라고 해.

전기 만들기는 의외로 간단하구나. 인덕션 레인지도 전자기 유도를 이용한 전류로 음식을 가열한다고 들었어.

맞아. 인덕션 레인지! 근데 매콤한 라면 먹고 싶다. 어때? 라면이라도 끓여 먹는 것.

좋아   좋아

개념 돌파 전략 ①

개념 1 원자의 구조와 전기력

1 **원자의 구조** 원자의 중심에 양(+)전하를 띠는 **❶** 이 있고, 그 주위를 음(−)전하를 띠는 **❷** 가 궤도 운동 하는 형태

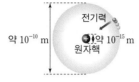

약 10^{-10} m 전기력
약 10^{-15} m 원자핵

2 **전기력** 전하를 띤 물체 사이에 작용하는 힘
- 다른 종류의 전하 사이에는 서로 당기는 힘(인력)이 작용하고, 같은 종류의 전하 사이에는 시로 밀어내는 힘(척력)이 작용한다.

척력　　　척력　　　인력

3 **쿨롱 법칙** 두 전하 사이에 작용하는 전기력의 크기 F는 두 전하량 q_1, q_2의 곱에 비례하고, 두 전하 사이의 거리 r의 제곱에 반비례한다.

$$F = k\frac{q_1 q_2}{r^2} \quad (k: \text{쿨롱 상수})$$

답 ❶ 원자핵 ❷ 전자

확인 Q 1
두 전하 사이에 작용하는 전기력은 서로 (　　) 관계이다.

개념 2 보어의 원자 모형과 에너지 준위

1 **보어의 원자 모형** 전자는 원자핵을 중심으로 특정한 궤도에서만 원운동하며, 안정한 상태를 유지한다.

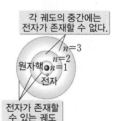

각 궤도의 중간에는 전자가 존재할 수 없다.
$n=3$
$n=2$
원자핵 $n=1$
전자
전자가 존재할 수 있는 궤도

- 원자핵에 가까운 궤도부터 $n=1$, $n=2$, $n=3$, … 이며, 특정한 자연수 n을 **❶** 라고 한다.

2 **에너지 준위** 전자가 특정 궤도에서 운동할 때 가지는 에너지 값
- 양자수가 클수록 에너지 준위도 크며 에너지가 가장 작은 $n=1$인 상태를 바닥상태, 그 이외의 에너지를 갖는 상태를 **❷** 라고 한다.

답 ❶ 양자수 ❷ 들뜬상태

확인 Q 2
보어의 수소 원자 모형에서 전자가 가질 수 있는 에너지는 (연속 , 불연속)적이다.

개념 3 전자의 전이

1 **전자의 전이** 전자가 에너지를 흡수하거나 방출하며 에너지 준위 사이를 이동하는 것

2 **광자의 에너지** 전자가 전이할 때 흡수하거나 방출하는 광자(빛)의 에너지(E)는 두 궤도의 **❶** 의 차이와 같으며, 빛의 **❷** 에 비례한다.

$$E = |E_n - E_m| = hf = \frac{hc}{\lambda}$$

(f: 진동수, λ: 파장, h: 플랑크 상수, c: 빛의 속도)

답 ❶ 에너지 준위 ❷ 진동수

확인 Q 3
전자가 전이할 때 흡수하거나 방출하는 광자의 에너지는 두 궤도의 에너지 준위 (　　)와 같다.

개념 4 스펙트럼

1 **스펙트럼** 빛이 파장에 따라 나누어져 나타나는 띠
- 연속 스펙트럼: 빛의 띠가 **❶** 으로 나타나는 스펙트럼
- 선 스펙트럼: 빛의 띠가 **❷** 인 선의 형태로 나타나는 스펙트럼

방출 스펙트럼	흡수 스펙트럼
기체를 가열했을 때 방출되는 빛을 프리즘에 통과시키면 특정한 색의 선이 띄엄띄엄 나타난다.	연속 스펙트럼의 빛을 저온 기체에 통과시키면 연속 스펙트럼 위에 검은 선이 띄엄띄엄 나타난다.

네온전등 슬릿 프리즘 스크린
저온 수소 기체 프리즘

2 **수소 원자의 선 스펙트럼**

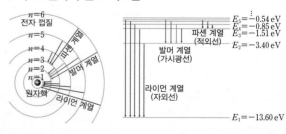

$n=6$ 전자 껍질
$n=5$
$n=4$
$n=3$
$n=2$
$n=1$
원자핵
파셴 계열
발머 계열
라이먼 계열

$E_5 = -0.54$ eV
$E_4 = -0.85$ eV
$E_3 = -1.51$ eV 파셴 계열 (적외선)
$E_2 = -3.40$ eV 발머 계열 (가시광선)
라이먼 계열 (자외선)
$E_1 = -13.60$ eV

답 ❶ 연속적 ❷ 불연속적

확인 Q 4
수소 원자의 선 스펙트럼에서 에너지가 가장 큰 계열은 (라이먼 , 발머 , 파셴) 계열이다.

개념 **5** 에너지띠

1 에너지띠 많은 원자에 의해 에너지 준위들이 촘촘하게 모여 거의 연속적인 **❶**□□□ 형태로 나타난 에너지 준위

2 에너지띠의 구조

- 허용된 띠: 전자가 존재할 수 있는 에너지 영역으로 전자들은 에너지가 낮은 부분부터 채워진다.
  - 원자가 띠: 전자가 채워진 에너지띠 중 가장 위의 에너지띠
  - 전도띠: **❷**□□□□ 바로 위의 에너지띠
- 띠 간격(띠틈): 에너지띠 사이의 간격으로, 전자는 이 영역의 에너지 준위를 가질 수 없다.

답 ❶ 띠 **❷** 원자가 띠

확인 Q 5

고체의 에너지띠 구조에서 전자가 가질 수 없는 에너지 영역을 쓰시오.

개념 **6** 에너지띠와 전기 전도성

1 자유 전자 전도띠로 전이된 자유롭게 움직일 수 있는 전자

2 양공 전자의 전이로 인해 원자가 띠에 생기는 빈 자리로, **❶**□□□를 띤 입자와 같은 역할

3 고체의 에너지띠 구조와 전기 전도성

도체	원자가 띠와 전도띠가 일부 겹쳐 있어 전류가 잘 흐르는 물질
절연체	원자가 띠와 전도띠 사이의 띠 간격이 커서 전자가 전도띠로 전이하기 어려워 전류가 잘 흐르지 않는 물질
반도체	원자가 띠와 전도띠 사이의 띠 간격이 비교적 작아 전자가 약간의 에너지를 얻으면 전도띠로 전이할 수 있어 **❷**□□□가 흐를 수 있는 물질

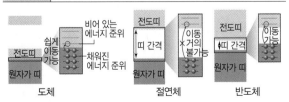

답 ❶ 양(＋)전하 **❷** 전류

확인 Q 6

도체, 절연체, 반도체를 띠 간격이 큰 순서대로 나열하시오.

개념 **7** 반도체

1 순수 반도체 원자가 전자가 4개인 원소 **예** 규소(Si), 저마늄(Ge) 등

2 불순물 반도체 순수 반도체에 불순물을 도핑한 것

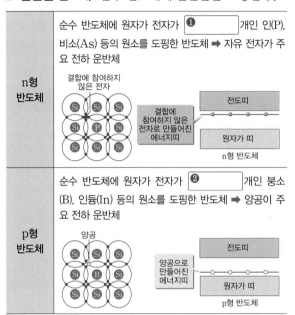

n형 반도체	순수 반도체에 원자가 전자가 **❶**□□□개인 인(P), 비소(As) 등의 원소를 도핑한 반도체 ➡ 자유 전자가 주요 전하 운반체
p형 반도체	순수 반도체에 원자가 전자가 **❷**□□□개인 붕소(B), 인듐(In) 등의 원소를 도핑한 반도체 ➡ 양공이 주요 전하 운반체

답 ❶ 5 **❷** 3

확인 Q 7

n형 반도체는 주요 전하 운반자가 (   )이고, p형 반도체는 주요 전하 운반자가 (   )이다.

개념 **8** 다이오드

1 p-n 접합 다이오드 순방향 바이어스가 걸릴 때에만 전류가 흐른다.

- 순방향 바이어스: p형 반도체 쪽에 전원의 (＋)극, n형 반도체 쪽에 전원의 (－)극 연결

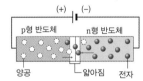

➡ n형 반도체의 전자와 p형 반도체의 양공이 **❶**□□□ 쪽으로 이동하여 전류가 흐를 수 있다.

2 다이오드의 이용

- 정류 작용: 전류를 한 방향으로만 흐르게 제어한다.
- 발광 다이오드(LED): 전류가 흐를 때 띠 간격에 따라 다양한 색의 **❷**□□을 방출한다.

답 ❶ 접합면 **❷** 빛

확인 Q 8

다이오드에 순방향 바이어스가 연결되면 전류는 (   ) 반도체에서 (   ) 반도체 쪽으로 흐른다.

개념 **1** 자기장과 자기력선

1 **자기장** 자기력이 작용하는 공간으로, 자기장의 방향은 나침반의 자침의 ❶ [ ] 이 가리키는 방향이다.

2 **자기력선** 자기장을 시각적으로 표현하기 위하여 ❷ [ ] 을 따라 연속적으로 이어놓은 선

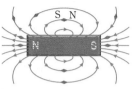

• 자석의 N극에서 나와 S극으로 들어간다.
• 도중에 끊기거나 분리되지 않는다.
• 교차하지 않으며 항상 폐곡선을 이룬다.
• 자기력선의 간격이 좁을수록 자기장의 세기가 세다.
• 자기력선의 한 점에서 그은 접선 방향이 그 점에서 자기장의 방향이다.

답 ❶ N극 ❷ 자기장의 방향

확인 Q **1**

자기장 안에 나침반을 놓으면 자침의 (   )극이 자기장의 방향을 가리킨다.

개념 **2** 직선 전류에 의한 자기장

1 **자기장의 모양** 직선 도선을 중심으로 한 동심원 모양

2 **자기장의 방향** 오른손 엄지손가락이 ❶ [ ] 의 방향을 향할 때, 나머지 네 손가락이 직선 도선을 감아쥐는 방향

 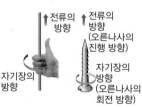

▲ 직선 전류 주위의 자기장   ▲ 오른손 법칙과 오른나사 법칙

3 **자기장의 세기** 도선에 흐르는 전류의 세기(I)에 ❷ [ ] 하고, 직선 도선으로부터의 수직 거리(r)에 반비례한다. ➡ $B \propto \dfrac{I}{r}$

답 ❶ 전류 ❷ 비례

확인 Q **2**

직선 도선에 흐르는 전류의 세기가 (증가 , 감소)하거나 도선으로부터의 수직 거리가 (증가 , 감소)한 경우 직선 전류에 의한 자기장의 세기가 증가한다.

개념 **3** 원형 전류에 의한 자기장

1 **자기장의 방향** 원형 도선의 각 지점에서 오른손 엄지손가락이 ❶ [ ] 의 방향을 향할 때, 나머지 네 손가락이 도선을 감아쥐는 방향

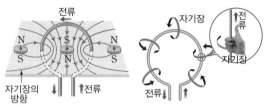

▲ 원형 전류 주위의 자기장   ▲ 원형 전류 주위의 자기장 방향

2 **원형 도선 중심에서 자기장의 세기** 도선에 흐르는 전류의 세기(I)에 비례하고, 도선이 만드는 원의 반지름(r)에 ❷ [ ] 한다. ➡ $B \propto \dfrac{I}{r}$

답 ❶ 전류 ❷ 반비례

확인 Q **3**

원형 도선 중심에서 자기장의 세기는 도선에 흐르는 전류의 세기가 (클수록 , 작을수록), 원형 도선의 반지름이 (클수록 , 작을수록) 세다.

개념 **4** 솔레노이드에 의한 자기장

1 **자기장의 모양** 솔레노이드 내부에는 직선 모양의 ❶ [ ] 자기장이 형성되며, 솔레노이드 외부는 막대자석에 의한 자기장의 형태와 비슷하다.

2 **내부에서 자기장의 방향** 오른손 네 손가락을 전류의 방향으로 감아쥘 때 엄지손가락이 가리키는 방향

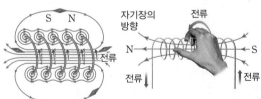

▲ 솔레노이드 주위의 자기장   ▲ 솔레노이드 내부의 자기장 방향

3 **솔레노이드 내부에서 자기장의 세기** 솔레노이드에 흐르는 전류의 세기(I)에 비례하고, 단위 길이당 코일의 감은 수(n)에 ❷ [ ] 한다. ➡ $B \propto nI$

답 ❶ 균일한 ❷ 비례

확인 Q **4**

코일의 감은 수를 유지한 채 솔레노이드의 길이를 절반으로 하면 솔레노이드 내부에서 자기장 세기는 (   )배가 된다.

개념 **5** 자성

1 자성 물질이 외부 ❶[   ]에 반응하는 성질

2 자성의 원인 물질을 구성하는 원자가 자석과 같은 역할을 하기 때문이다.
- 전자의 궤도 운동: 전자가 원자핵 주위를 궤도 운동 하므로 ❷[   ]가 흐르는 것과 같은 효과로 자기장이 발생한다.
- 전자의 스핀: 전자의 회전 운동으로 인해 전류가 흐르는 것과 같은 유사한 효과로 자기장이 발생한다.

▲ 전자의 궤도 운동　　▲ 전자의 스핀

3 자기화(자화) 어떤 물체에 자석을 가까이 하였을 때 그 물체가 자성을 띠게 되는 현상

답 ❶ 자기장 ❷ 전류

확인 Q 5

물질을 구성하는 원자가 (　　　　)과 같은 역할을 하기 때문에 물질이 자성을 띤다.

개념 **6** 자성체

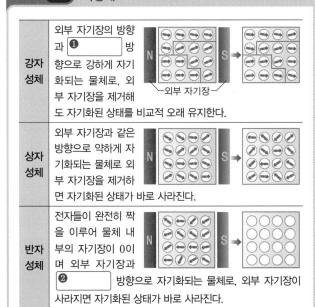

강자성체	외부 자기장의 방향과 ❶[ ] 방향으로 강하게 자기화되는 물체로, 외부 자기장을 제거해도 자기화된 상태를 비교적 오래 유지한다.
상자성체	외부 자기장과 같은 방향으로 약하게 자기화되는 물체로 외부 자기장을 제거하면 자기화된 상태가 바로 사라진다.
반자성체	전자들이 완전히 짝을 이루어 물체 내부의 자기장이 0이며 외부 자기장과 ❷[ ] 방향으로 자기화되는 물체로, 외부 자기장이 사라지면 자기화된 상태가 바로 사라진다.

답 ❶ 같은 ❷ 반대

확인 Q 6

강자성체, 상자성체, 반자성체 중 외부 자기장을 제거해도 자성을 비교적 오래 유지하는 물체를 쓰시오.

개념 **7** 전자기 유도(1)

1 자기 선속(자속) 자기장 내에 놓인 면을 ❶[   ]으로 통과하는 자기력선의 총수

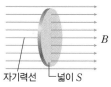

➡ $\Phi = BS$

2 전자기 유도 코일 내부를 통과하는 자기 선속이 시간에 대해 변할 때 코일에 전류가 유도되는 현상

3 렌츠 법칙 유도 전류는 코일을 통과하는 자기 선속의 변화를 ❷[   ]하는 방향으로 흐른다.

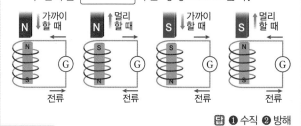

답 ❶ 수직 ❷ 방해

확인 Q 7

코일을 통과하는 자기 선속이 증가하면 자기 선속의 방향과 (　　　　) 방향의 자기장이 형성되도록 유도 전류가 흐른다.

개념 **8** 전자기 유도(2)

1 유도 기전력 전자기 유도에 의해 코일에 발생하는 전압으로, 코일에 유도 전류를 흐르게 하는 원인이다.

2 패러데이 법칙 유도 기전력의 크기는 코일의 감은 수에 ❶[   ]하고 코일을 통과하는 자기 선속의 시간에 대한 ❷[   ]에 비례한다.

➡ $V = -N\dfrac{\Delta \Phi}{\Delta t}$

3 유도 전류의 세기 유도 기전력의 크기에 비례한다.

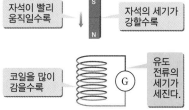

4 전자기 유도의 이용 발전기, 마이크, 무선 충전기, RFID 시스템, 인덕션 레인지 등

답 ❶ 비례 ❷ 변화량

확인 Q 8

자석을 (빨리 , 천천히) 움직일수록, 코일을 (조금 , 많이) 감을수록, 자석의 세기가 (약할수록 , 강할수록) 유도 전류의 세기가 세다.

개념 돌파 전략 ②

5강_ 전기

1

그림과 같이 각각 (+)전하, (−)전하, (+)전하를 띤 A, B, C가 각각 $x=-d$, $x=0$, $x=2d$에 고정되어 있다. A와 B의 전하량의 크기는 같고 A와 C가 B에 작용하는 전기력의 합은 0이다. 이에 대한 설명으로 옳은 것만을 | 보기 |에서 있는 대로 고른 것은?

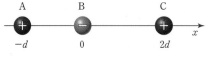

| 보기 |
ㄱ. 전하량의 크기는 A가 C보다 크다.
ㄴ. A에 작용하는 전기력의 방향은 $+x$ 방향이다.
ㄷ. C에 작용하는 전기력의 방향은 $+x$ 방향이다.

① ㄴ ② ㄷ ③ ㄱ, ㄴ
④ ㄱ, ㄷ ⑤ ㄱ, ㄴ, ㄷ

문제 해결 전략

두 전하 사이에 작용하는 전기력의 크기는 두 전하량의 ❶◻◻◻에 비례하고, 두 전하 사이의 ❷◻◻◻의 제곱에 반비례한다.

🅐 ❶곱 ❷거리

2

그림 (가)는 보어의 수소 원자 모형에서 양자수 n에 따른 에너지 준위의 일부와 전자의 전이 A, B, C를 나타낸 것으로, A, B, C에서 방출되는 빛의 진동수는 각각 f_1, f_2, f_3이다. 그림 (나)는 (가)의 A, B, C에서 방출되는 가시광선 영역의 두 빛을 파장에 따라 나타낸 것으로, p, q는 스펙트럼 선이다. p, q에 해당하는 진동수를 $f_1 \sim f_3$ 중에서 각각 고르시오.

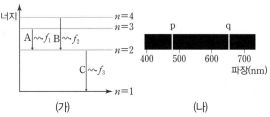

문제 해결 전략

보어의 원자 모형에 따르면 전자가 전이할 때 흡수하거나 방출하는 에너지는 전이하는 두 ❶◻◻◻의 차이 값과 같으며, 빛의 진동수는 이 값에 비례하고, 빛의 파장은 이 값에 ❷◻◻◻한다.

🅐 ❶ 에너지 준위 ❷ 반비례

3

그림은 도체 물질 A와 전구, 반도체 물질 B, C를 접합하여 만든 발광 다이오드(LED)를 전원에 연결하였을 때 전구와 발광 다이오드가 모두 켜진 것을 나타낸 것이다. 이에 대한 설명으로 옳은 것만을 | 보기 |에서 있는 대로 고른 것은?

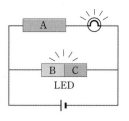

| 보기 |
ㄱ. A는 띠 간격이 없다.
ㄴ. B는 원자가 전자가 5개인 원자를 도핑한 반도체이다.
ㄷ. C의 주요 전하 운반자는 전자이다.

① ㄴ ② ㄷ ③ ㄱ, ㄴ
④ ㄱ, ㄷ ⑤ ㄱ, ㄴ, ㄷ

문제 해결 전략

• 에너지띠 구조에서 ❶◻◻◻는 원자가 띠와 전도띠 사이의 띠 간격이 없다.
• p-n 접합 다이오드에 전류가 흐르기 위해서는 순방향 바이어스가 걸려야 하므로 p형 반도체 쪽에 전원의 ❷◻◻◻이 연결되어야 한다.

🅐 ❶ 도체 ❷ (+)극

6강_ 자기

4 그림 (가)는 세기가 I인 전류가 시계 반대 방향으로 흐르는 원형 도선을 나타낸 것이다. 이때 원형 도선의 중심 P에서 자기장의 세기는 B_0이다. 그림 (나)는 (가)의 P로부

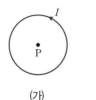
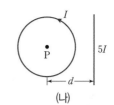

(가)   (나)

터 거리 d만큼 떨어진 곳에 세기가 $5I$인 전류가 흐르는 직선 도선이 놓인 것을 나타낸 것이며, 이때 P에서 자기장의 세기는 0이다. (나)에서 다른 조건은 그대로이고 직선 도선에 흐르는 전류의 세기를 $10I$로 증가시킬 때, P에서 자기장의 방향과 세기를 쓰시오.

문제 해결 전략

• 자기장은 ❶⬚을 포함하고 있는 물리량이므로 두 자기장을 합성할 때 ❶⬚을 고려해야 한다.

• 직선 도선에 의한 자기장의 세기는 도선에 흐르는 전류의 세기에 ❷⬚한다.

☞ ❶ 방향 ❷ 비례

5 그림은 물체 A, B, C를 분류한 것을 나타낸 것이며, A, B, C는 각각 강자성체, 상자성체, 반자성체 중 하나이다. A, B, C가 각각 어떤 자성체인지 쓰시오.

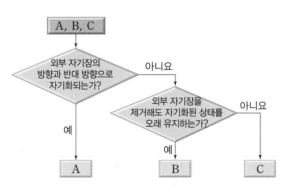

문제 해결 전략

• 반자성체는 외부 자기장과 ❶⬚ 방향으로 자기화되는 물체이다.

• ❷⬚와 반자성체는 외부 자기장이 사라지면 자기화된 상태가 바로 사라진다.

☞ ❶ 반대 ❷ 상자성체

6 그림 (가)와 같이 자기화되어 있지 않은 철로 된 막대를 솔레노이드에 넣고 전류를 흘려주었다. 그림 (나)는 (가)에서 막대를 꺼내 P가 위쪽으로 가도록 하여 원형 도선을 향해 접근시켰더니 도선에 시계 반대 방향으로 유도 전류가 흐르는 것을 나타낸 것이다. 이에 대한 설명으로 옳은 것만을 |보기|에서 있는 대로 고른 것은?

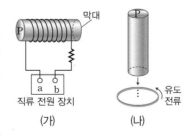

문제 해결 전략

• 강자성체는 외부 자기장과 ❶⬚ 방향으로 자기화된다.

• 코일을 통과하는 자기 선속이 증가하면 그 방향의 자기장이 ❷⬚하도록 유도 전류가 흐르고, 자기 선속이 감소하면 그 방향의 자기장이 증가하도록 유도 전류가 흐른다.

☞ ❶ 같은 ❷ 감소

┌ 보기 ┐
ㄱ. 막대는 강자성체이다.
ㄴ. (가)에서 전원 장치의 b는 (―)극이다.
ㄷ. (나)에서 P 쪽은 S극이다.

① ㄴ   ② ㄷ   ③ ㄱ, ㄴ
④ ㄱ, ㄷ   ⑤ ㄱ, ㄴ, ㄷ

대표 기출 1

그림 (가), (나)는 점전하 A, B, C가 x축 상에 고정되어 있는 두 가지 상황을 나타낸 것이다. (가)에서는 양 (+)전하인 C에 +x 방향으로 크기가 F인 전기력이 작용하고, (나)에서는 C에 작용하는 전기력이 0이다.

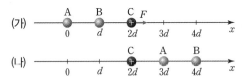

이에 대한 설명으로 옳은 것만을 |보기|에서 있는 대로 고른 것은?

┌─ 보기 ─
ㄱ. A는 음(−)전하이다.
ㄴ. B는 음(−)전하이다.
ㄷ. B의 전하량 크기는 A의 전하량 크기의 4배이다.
└─

① ㄱ   ② ㄴ   ③ ㄱ, ㄷ
④ ㄴ, ㄷ   ⑤ ㄱ, ㄴ, ㄷ

Tip 두 전하 사이에 작용하는 전기력은 작용 반작용 관계이므로 크기는 같고 방향은 반대이다.

풀이 (나)에서 C에 작용하는 전기력이 0이므로 A와 B는 다른 종류의 전하를 띠며, 전하량의 크기는 B가 A의 4배이다. (가)에서 C에 작용하는 전기력이 +x 방향이 되기 위해서는 B가 양(+)전하여야 하므로 A는 음(−)전하이다. **답** ③

대표 기출 2

그림은 보어의 수소 원자 모형에서 양자수 $n=1$, 2, 3에 대응하는 에너지가 E_1, E_2, E_3인 준위 사이에 전자가 전이하는 두 경우를 나타낸 것이다. 두 전이 과정에서 광자 a, b가 각각 방출되며 광자의 에너지는 a가 b보다 크다. 이에 대한 설명으로 옳은 것만을 |보기|에서 있는 대로 고른 것은? (단, h는 플랑크 상수이다.)

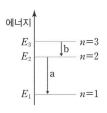

┌─ 보기 ─
ㄱ. 광자의 파장은 a가 b보다 짧다.
ㄴ. 광자 b의 파장은 $\dfrac{E_3-E_2}{h}$이다.
ㄷ. $n=1$인 상태에 있는 전자는 광자 a를 흡수할 수 있다.
└─

① ㄱ   ② ㄴ   ③ ㄱ, ㄷ
④ ㄴ, ㄷ   ⑤ ㄱ, ㄴ, ㄷ

Tip 보어의 수소 원자 모형에서 전자가 흡수하거나 방출할 수 있는 에너지는 에너지 준위의 차이와 일치한다.

풀이 ㄱ. 광자의 에너지가 a가 b보다 크므로 파장은 더 짧다.
ㄴ. 광자 b의 진동수는 $\dfrac{E_3-E_2}{h}$이고, 파장은 $\dfrac{hc}{E_3-E_2}$이다.
ㄷ. 광자 a는 $n=2$에서 $n=1$로 전이할 때 방출되는 빛이므로 $n=1$인 상태에 있는 전자는 a를 흡수할 수 있다. **답** ③

확인 1-1

그림과 같이 xy 평면에 양(+)전하 A, B, C, D를 고정시켰다. 원점 O에 양(+)전하 q를 두었을 때, q가 받는 전기력은 0이다. 이에 대한 설명으로 옳은 것만을 |보기|에서 있는 대로 고르시오.

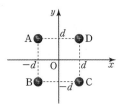

┌─ 보기 ─
ㄱ. B와 D 사이에서는 서로 밀어내는 전기력이 작용한다.
ㄴ. B가 A에 작용하는 전기력의 크기와 D가 A에 작용하는 전기력의 크기는 같다.
ㄷ. C 대신 음(−)전하로 교체하면 q에 작용하는 알짜힘의 방향은 A에서 C를 향하는 방향이다.
└─

확인 2-1

그림은 보어의 수소 원자 모형에서 전자가 전이하는 과정 a, b, c를 나타낸 것이고,

전이	진동수	에너지
a	f_a	12.1 eV
b	f_b	㉠
c	f_c	10.2 eV

표는 a, b, c에서 방출되는 빛의 진동수와 광자 한 개의 에너지를 나타낸 것이다. 이에 대한 설명으로 옳은 것만을 |보기|에서 있는 대로 고르시오.

┌─ 보기 ─
ㄱ. $f_a=f_b+f_c$이다.
ㄴ. ㉠은 1.9 eV이다.
ㄷ. 전자가 바닥상태로 전이할 때 방출하는 빛의 진동수의 최솟값은 f_c이다.
└─

대표 기출 3 2021 수능 8번

그림 (가)는 보어의 수소 원자 모형에서 양자수 n에 따른 에너지 준위의 일부와 전자의 전이 a~d를 나타낸 것이다. 그림 (나)는 (가)의 b, c, d에서 방출되는 빛의 스펙트럼을 파장에 따라 나타낸 것이고, ㉠은 c에 의해 나타난 스펙트럼 선이다.

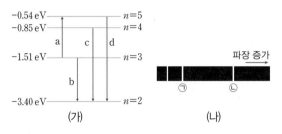

이에 대한 설명으로 옳은 것만을 |보기|에서 있는 대로 고른 것은?

| 보기 |
ㄱ. a에서 흡수되는 광자 1개의 에너지는 1.51 eV이다.
ㄴ. 방출되는 빛의 진동수는 c에서가 b에서보다 크다.
ㄷ. ㉡은 d에 의해 나타난 스펙트럼 선이다.

① ㄱ   ② ㄴ   ③ ㄱ, ㄷ
④ ㄴ, ㄷ   ⑤ ㄱ, ㄴ, ㄷ

> **Tip** 방출 스펙트럼은 전자가 낮은 에너지 준위로 전이하면서 방출되는 빛을 관측하는 것이다.

> **풀이** ㄱ. 광자 1개의 에너지는 $1.51 - 0.54 = 0.97$(eV)이다.
> ㄴ. 광자의 에너지가 클수록 진동수는 크다.
> ㄷ. ㉡은 ㉠보다 파장이 길어 에너지는 더 작다. 따라서 ㉡은 b에 의해 나타난 스펙트럼 선이다.   **답** ②

확인 3-1

그림 (가)는 저온의 수소 기체를 통과한 백열등의 스펙트럼을, (나)는 가열된 수소 기체에서 방출되는 스펙트럼을 나타낸 것이다. ⓐ, ⓑ, ⓒ는 특정 영역의 파장이다. 이에 대한 설명으로 옳은 것만을 |보기|에서 있는 대로 고르시오.

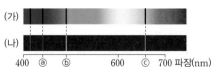

| 보기 |
ㄱ. (가)에서 흡수 스펙트럼이 나타나는 까닭은 수소 내의 전자가 에너지를 흡수하기 때문이다.
ㄴ. (나)에서 방출되는 광자의 에너지는 ⓒ가 ⓑ보다 작다.
ㄷ. (나)에서 방출되는 광자의 속력은 ⓐ가 ⓑ보다 크다.

대표 기출 4

그림 (가)는 전구와 물체 A, B, C를 이용하여 구성한 회로를, (나)는 A, B, C의 에너지띠 구조를 나타낸 것이다. B와 C 중 하나는 반도체이고 다른 하나는 절연체이다.

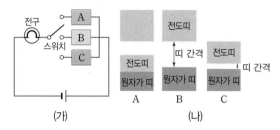

이에 대한 설명으로 옳은 것만을 |보기|에서 있는 대로 고른 것은?

| 보기 |
ㄱ. A의 전기 전도도는 B보다 크다.
ㄴ. 스위치를 B에 연결하면 전구의 불이 켜지지 않는다.
ㄷ. 스위치를 C에 연결한 후 C의 온도를 높이면 전구에 불이 켜질 수 있다.

① ㄱ   ② ㄴ   ③ ㄱ, ㄷ
④ ㄴ, ㄷ   ⑤ ㄱ, ㄴ, ㄷ

> **Tip** 띠 간격이 없는 물질은 도체, 넓은 물질은 절연체이다.

> **풀이** A는 도체, B는 절연체, C는 반도체이며, 반도체는 적당한 에너지를 흡수하면 전자의 전이가 나타날 수 있다.   **답** ⑤

확인 4-1

그림 (가)는 고체 A, B의 에너지띠 구조를, (나)는 A, B의 전기 저항을 온도에 따라 나타낸 것이다. A, B는 각각 도체, 반도체 중 하나이다.

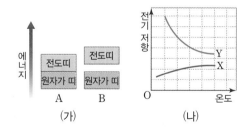

이에 대한 설명으로 옳은 것만을 |보기|에서 있는 대로 고르시오.

| 보기 |
ㄱ. A의 전도띠에 있는 전자는 상대적으로 자유롭게 운동한다.
ㄴ. 온도가 높을수록 B의 전도띠에 있는 전자의 수가 증가한다.
ㄷ. (나)에서 B의 그래프는 X이다.

대표 기출 5

그림 (가)는 규소(Si)에 불순물 원소 A를 첨가한 반도체의 에너지띠 구조를, (나)는 규소(Si)에 불순물 원소 B를 첨가한 반도체의 에너지띠 구조를 나타낸 것이다.

남는 전자가 갖는 에너지 준위

양공이 갖는 에너지 준위

이에 대한 설명으로 옳은 것만을 |보기|에서 있는 대로 고른 것은?

┌─ 보기 ┐
ㄱ. 원자가 전자의 수는 A가 B보다 많다.
ㄴ. (가)의 반도체는 전하의 주요 운반자가 양(＋)전하를 띤 입자이다.
ㄷ. 실온에서 (나)의 반도체는 전자가 전도띠에 존재하지 않는다.
└─────┘

① ㄱ   ② ㄷ   ③ ㄱ, ㄴ
④ ㄴ, ㄷ   ⑤ ㄱ, ㄴ, ㄷ

Tip n형 반도체는 전도띠 바로 아래에 새로운 에너지 준위가 생기고, p형 반도체는 원자가 띠 바로 위에 새로운 에너지 준위가 생긴다.

풀이 ㄱ, ㄴ. (가)는 n형 반도체이므로 주요 전하 운반자가 전자, (나)는 p형 반도체이므로 주요 전하 운반자가 양공이다. 따라서 A는 원자가 전자가 5개인 원소이고 B는 원자가 전자가 3개인 원소이다.
ㄷ. 반도체 물질은 실온에서 전자가 전도띠로 전이할 수 있다.

답 ①

확인 5-1

그림은 같은 온도에서 순수한 반도체 A, B의 원자가 띠에 있는 양공을 모식적으로 나타낸 것이다. 양공의 수는 B가 A보다 많다. 이에 대한 설명으로 옳은 것만을 |보기|에서 있는 대로 고르시오.

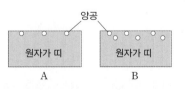

┌─ 보기 ┐
ㄱ. 전기 전도도는 B가 A보다 크다.
ㄴ. 전도띠에서 자유 전자의 수는 A가 B보다 적다.
ㄷ. 전자가 전이할 수 있는 최소 에너지는 A가 B보다 크다.
└─────┘

대표 기출 6

그림과 같이 동일한 p-n 접합 다이오드를 전원에 연결하고 스위치를 각각 a, b에 연결했을 때 저항의 양단에 걸리는 전압을 측정하였다. X, Y는 p형 반도체와 n형 반도체 중 하나이다.

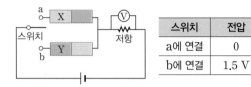

스위치	전압
a에 연결	0
b에 연결	1.5 V

이에 대한 설명으로 옳은 것만을 |보기|에서 있는 대로 고르시오.

┌─ 보기 ┐
ㄱ. Y의 주요 전하 운반자는 양공이다.
ㄴ. 스위치를 a에 연결했을 때 X의 주요 전하 운반자는 다이오드 접합면 쪽으로 이동한다.
ㄷ. 스위치를 b에 연결했을 때 Y의 양공은 다이오드 접합면 쪽으로 이동한다.
└─────┘

Tip p-n 접합 다이오드는 순방향 연결했을 때만 전류가 흐르며, 이는 p형 반도체 쪽에 전원의 (＋)극을 연결했을 경우이다.

풀이 ㄱ. X는 n형 반도체, Y는 p형 반도체이다.
ㄴ, ㄷ. 주요 전하 운반자들은 스위치를 a에 연결했을 때는 역방향 연결이므로 접합면으로부터 멀어지고, b에 연결했을 때는 순방향 연결이므로 접합면 쪽으로 이동한다.

답 ㄱ, ㄷ

확인 6-1

그림 (가)는 반도체 A와 B를 접합하여 만든 발광 다이오드(LED)를 이용하여 구성한 회로에서 스위치 S를 a에 연결했을 때, X와 Y가 접합면 쪽으로 이동하며 빛이 발생하는 것을, (나)는 A와 B 중 하나의 에너지띠 구조를 나타낸 것이다. X와 Y는 전자와 양공 중 하나이다. 이에 대한 설명으로 옳은 것만을 |보기|에서 있는 대로 고르시오.

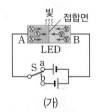

┌─ 보기 ┐
ㄱ. (나)는 A의 에너지띠 구조이다.
ㄴ. Y는 전자이다.
ㄷ. 스위치 S를 b에 연결하면 X, Y는 접합면으로부터 멀어진다.
└─────┘

대표 기출 7 [2021 수능 4번]

다음은 물질의 전기 전도도에 대한 실험이다.

| 실험 과정 |

(가) 물질 X로 이루어진 원기둥 모양의 막대 a, b, c를 준비한다.

(나) a, b, c의 [㉠]과/와 길이를 측정한다.

(다) 저항 측정기를 이용하여 a, b, c의 저항값을 측정한다.

(라) (나)와 (다)의 측정값을 이용하여 X의 전기 전도도를 구한다.

| 실험 결과 |

막대	㉠ (cm²)	길이 (cm)	저항값 (kΩ)	전기 전도도 (1/Ω·m)
a	0.20	1.0	㉡	2.0×10^{-2}
b	0.20	2.0	50	2.0×10^{-2}
c	0.20	3.0	75	2.0×10^{-2}

이에 대한 설명으로 옳은 것만을 |보기|에서 있는 대로 고른 것은?

| 보기 |

ㄱ. 단면적은 ㉠에 해당한다.

ㄴ. ㉡은 50보다 크다.

ㄷ. X의 전기 전도도는 막대의 길이에 관계없이 일정하다.

① ㄱ   ② ㄴ   ③ ㄱ, ㄷ

④ ㄴ, ㄷ   ⑤ ㄱ, ㄴ, ㄷ

Tip 물질의 저항값의 크기는 길이에 비례하고, 단면적에 반비례한다.

풀이 ㄱ. 물질의 저항의 크기는 단면적과 길이에 따라 달라진다.

ㄴ. 길이가 2 cm일 때 저항값이 50 kΩ이므로 길이가 더 짧은 a는 저항값이 더 작다.

ㄷ. 전기 전도도는 물질의 종류에 따라 달라지므로, X의 전기 전도도는 막대의 길이에 관계없이 일정하다.   **답** ③

확인 7-1

그림 (가)는 원통형 금속 막대, 전압계, 전류계, 전원 장치를 이용하여 전압과 전류의 관계를 알아보기 위한 실험 장치를 모식적으로 나타낸 것이다. 동일한 조건에서 금속 막대를 표에 제시된 X, Y, Z로 바꾸면서 실험하여 그림 (나)와 같은 결과를 얻었다. X, Y, Z의 전기 전도도는 같다.

 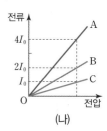

(가)   (나)

금속 막대	길이	단면적
X	L	S
Y	L	$2S$
Z	$2L$	S

A, B, C의 결과를 얻을 수 있는 금속 막대를 가장 옳게 짝 지은 것은?

	A	B	C			A	B	C
①	X	Y	Z		②	X	Z	Y
③	Y	X	Z		④	Y	Z	X
⑤	Z	X	Y					

필수 체크 전략 ②

5강_ 전기

1 그림 (가), (나), (다)는 점전하 A, B, C가 x축 상에 고정되어 있는 세 가지 상황을 나타낸 것이다. (가)에서

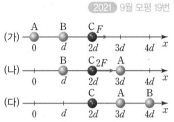

는 양(+)전하인 C에 $+x$ 방향으로 크기가 F인 전기력이, A에는 크기가 $2F$인 전기력이 작용한다. (나)에서는 C에 $+x$ 방향으로 크기가 $2F$인 전기력이 작용한다. (다)에서 A에 작용하는 전기력의 크기와 방향으로 옳은 것은?

크기	방향		크기	방향
① $\dfrac{F}{2}$	$+x$		② $\dfrac{F}{2}$	$-x$
③ F	$+x$		④ F	$-x$
⑤ $2F$	$+x$			

> **Tip** 전기력의 크기는 두 전하량의 곱에 ❶ [ ] 하고, 전하 사이의 거리 제곱에 ❷ [ ] 한다. 답 ❶ 비례 ❷ 반비례

2 그림 (가)는 순수한 저마늄(Ge)에 원소 A를 도핑하였을 때 원자가 전자의 배열을, (나)는 순수한 저마늄(Ge)에 인듐(In)을 도핑하였을 때 원자가 전자의 배열을, (다)는 (가)와 (나) 중 하나의 에너지띠 구조를 나타낸 것이다.

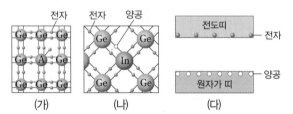

이에 대한 설명으로 옳은 것만을 | 보기 |에서 있는 대로 고른 것은?

> 보기
> ㄱ. (가)에서 A는 인듐보다 원자가 전자가 많다.
> ㄴ. (다)는 (나)의 에너지띠 구조를 나타낸 것이다.
> ㄷ. (나)의 반도체는 원자가 띠 바로 위에 새로운 에너지 준위가 생긴다.

① ㄱ   ② ㄴ   ③ ㄱ, ㄷ
④ ㄴ, ㄷ   ⑤ ㄱ, ㄴ, ㄷ

> **Tip** p형 반도체의 주요 전하 운반자는 ❶ [ ], n형 반도체의 주요 전하 운반자는 ❷ [ ] 이다. 답 ❶ 양공 ❷ 전자

3 그림 (가)는 보어의 수소 원자 모형에서 양자수 n에 따른 에너지 E_n과 들뜬상태의 전자가 $n=2$인 상태로 전이하는 4개의 과정을 나타낸 것이다. 그림 (나)는 (가)의 전이 과정에서 방출되는 4개의 스펙트럼 선을 나타낸 것이다. 스펙트럼 선의 진동수는 각각 f_a, f_b, f_c, f_d이다.

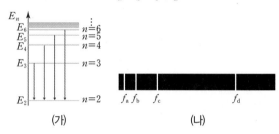

이에 대한 설명으로 옳은 것만을 | 보기 |에서 있는 대로 고른 것은?

> 보기
> ㄱ. 4개의 스펙트럼 선은 가시광선 영역이다.
> ㄴ. 진동수가 가장 큰 스펙트럼 선은 f_a에 해당하는 스펙트럼 선이다.
> ㄷ. 보어의 수소 원자 모형에서 $f_b - f_c$에 해당하는 진동수를 가진 빛은 흡수할 수 없다.

① ㄱ   ② ㄷ   ③ ㄱ, ㄴ
④ ㄴ, ㄷ   ⑤ ㄱ, ㄴ, ㄷ

> **Tip** 양자수가 클수록 ❶ [ ] 준위 값의 차이는 점점 작아지기 때문에 ❷ [ ] 사이의 간격도 점점 작아진다.
> 답 ❶ 에너지 ❷ 진동수

4 그림은 보어의 수소 원자 모형에서 양자수 n에 따른 에너지 준위와 전자의 전이 a, b, c를 나타낸 것이며, a에 의해 방출되는 광자의 진동수는 f이다. b와 c에 의해 방출되는 광자의 진동수를 각각 f_b, f_c라고 할 때, $f_b : f_c$를 구하시오.

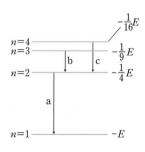

> **Tip** 전자가 전이할 때 흡수하거나 방출하는 에너지는 ❶ [ ]의 형태이며, 이 빛의 ❷ [ ]는 에너지 준위 차이에 비례한다. 답 ❶ 빛 ❷ 진동수

5 그림 (가)는 고체 A, B, C의 에너지띠 구조를 나타낸 것이다. 색칠한 부분은 전자가 모두 채워져 있으며 A, B, C는 각각 도체, 반도체, 절연체 중 하나이다. 그림 (나)의 그래프 a, b, c는 고체의 비저항을 온도에 따라 나타낸 것이며, a, b, c는 각각 A, B, C 중 하나이다.

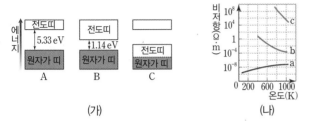

(가)   (나)

이에 대한 설명으로 옳은 것만을 | 보기 |에서 있는 대로 고른 것은?

┌─ 보기 ┌
ㄱ. (가)에서 B는 절연체이다.
ㄴ. (나)에서 a는 C의 비저항을 나타낸 것이다.
ㄷ. (나)에서 1000 K에서 전기 전도도는 c에서가 b에서보다 크다.
└────────

① ㄱ   ② ㄴ   ③ ㄱ, ㄷ
④ ㄴ, ㄷ   ⑤ ㄱ, ㄴ, ㄷ

> **Tip** 도체는 온도가 높아질수록 전기 전도도가 **❶** [ ], 반도체와 절연체는 온도가 높아질수록 전기 전도도가 **❷** [ ].
> 답 ❶ 낮아지고 ❷ 높아진다

6 그림은 전원 장치에 저항과 각각 빨간색, 초록색 빛이 방출되는 p-n 접합 발광 다이오드(LED) A, B를 연결한 회로를 나타낸 것이다. 이에 대한 설명으로 옳은 것만을 | 보기 |에서 있는 대로 고르시오.

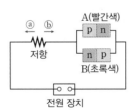

┌─ 보기 ┌
ㄱ. 전류의 방향이 ⓐ일 때 A에서 빛이 방출된다.
ㄴ. 전류의 방향이 ⓑ일 때 B에서 전자와 양공은 접합면으로부터 멀어진다.
ㄷ. 원자가 띠와 전도띠 사이의 간격은 A가 B보다 크다.
└────────

> **Tip** 발광 다이오드에서 빛의 방출은 전자의 **❶** [ ]에 의해서 나타나며, 방출되는 빛의 에너지는 빨간색 빛이 초록색 빛보다 **❷** [ ].
> 답 ❶ 전이 ❷ 작다

7 그림은 p형 반도체와 n형 반도체를 접합했을 때 전자와 양공의 확산에 의해 접합면에서 공핍층이 형성되는 과정을 모식적으로 나타낸 것이다. 이에 대한 설명으로 옳지 **않은** 것은?

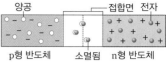

① p형 반도체와 n형 반도체를 접합하면 n형 반도체의 전자가 p형 반도체의 양공 자리로 전이한다.
② 전자의 전이에 의해 접합면에서 p형 반도체 쪽은 양(+)전하층이, n형 반도체 쪽은 음(−)전하층이 형성된다.
③ 양(+)전하층과 음(−)전하층의 전기적 에너지 차이에 의해 전압이 발생한다.
④ 전기적 에너지 차이에 의해 전자의 이동이 더 이상 이루어지지 않을 때 형성된 특정한 층을 공핍층이라 한다.
⑤ p-n 접합 다이오드에 순방향 전압을 걸면 공핍층은 얇아진다.

> **Tip** p형 반도체와 n형 반도체를 접합하면 p형 반도체의 **❶** [ ]과 n형 반도체의 **❷** [ ]가 접합면에 결합하여 공핍층이 형성된다.
> 답 ❶ 양공 ❷ 전자

8 그림은 전압이 일정한 전원에 저항 R와 p-n 접합 발광 다이오드(LED) A, B, C, D를 연결한 회로를 나타낸 것이다. 저항에 흐르는 전류의 방향은 a → R → b이고, X와 Y는 각각 p형 반도체와 n형 반도체 중 하나이다. 이에 대한 설명으로 옳은 것만을 | 보기 |에서 있는 대로 고른 것은?

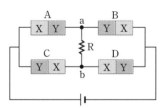

┌─ 보기 ┌
ㄱ. 빛이 방출되는 LED는 A와 D이다.
ㄴ. B와 C의 Y에서 양공은 접합면 쪽으로 이동한다.
ㄷ. 전원의 방향을 반대로 하면 전류의 방향은 b → R → a이다.
└────────

① ㄱ   ② ㄷ   ③ ㄱ, ㄴ
④ ㄴ, ㄷ   ⑤ ㄱ, ㄴ, ㄷ

> **Tip** p-n 접합 다이오드를 **❶** [ ]으로 연결했을 때는 전류가 흐르며, **❷** [ ]으로 연결했을 때는 전류가 흐르지 않는다.
> 답 ❶ 순방향 ❷ 역방향

대표 기출 1

그림과 같이 수평면에 놓인 나침반의 연직 위에 자침과 나란하도록 직선 도선을 고정시킨다. 전원 장치는 일정한 전압을 발생시키며, 단자 a가 (+)극일 때 나침반 자침의 N극은 북서쪽을 가리킨다. 이에 대한 설명으로 옳은 것만을 |보기|에서 있는 대로 고른 것은?

직류 전원 장치
북
서 동
남 나침반
단자 a
스위치

|보기|

ㄱ. 직류 전원 장치의 전압을 증가시키면 자침의 N극은 서쪽으로 더 회전한다.

ㄴ. 직선 도선과 나침반 사이의 직선 거리를 증가시키면 자침의 N극은 서쪽으로 더 회전한다.

ㄷ. 도선과 연결한 단자의 위치를 맞바꾸면 자침의 N극은 북동쪽을 가리킨다.

① ㄱ   ② ㄴ   ③ ㄱ, ㄷ
④ ㄴ, ㄷ   ⑤ ㄱ, ㄴ, ㄷ

Tip 직선 도선에 의한 자기장의 방향은 오른나사의 법칙을 이용하여 파악하고, 자기장은 방향을 포함한 물리량이다.

풀이 직선 도선 아래에서 도선에 흐르는 전류에 의한 자기장의 방향은 서쪽이다.

ㄱ. 직류 전원 장치의 전압을 증가시키면 도선에 흐르는 전류의 세기가 증가하므로 자기장의 세기가 증가한다. 따라서 자침의 N극은 서쪽으로 더 회전한다.

ㄴ. 도선과의 직선 거리가 증가하면 자기장의 세기는 감소한다. 따라서 자침의 N극은 서쪽으로 덜 회전한다.

ㄷ. 단자의 위치를 바꾸면 자기장의 방향은 반대가 된다. 즉, 직선 도선에 의한 자기장의 방향이 동쪽이므로 자침의 N극은 북동쪽으로 회전한다. **답** ③

확인 ①-1

그림과 같이 가늘고 무한히 긴 직선 도선이 xy 평면에 수직으로 원점을 통과한다. 도선에 일정한 세기의 전류가 xy 평면에 수직으로 들어가는 방향으로 흐를 때, 점 Q에서 전류에 의한 자기장의 세기는 B_0이다. 이때, 점 P에서 전류에 의한 자기장의 세기와 방향을 각각 쓰시오.

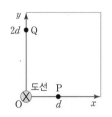

y
$2d$ • Q

도선 P
O d x

대표 기출 2

그림 (가)는 점 P를 중심으로 하여 시계 반대 방향으로 각각 세기가 I_A, I_B인 전류가 흐르는 원형 도선 A, B의 모습을, (나)는 점 Q를 중심으로 하여 각각 시계 방향과 시계 반대 방향으로 세기가 I_C, I_D인 전류가 흐르는 원형 도선 C, D의 모습을 나타낸 것이다. 이에 대한 설명으로 옳은 것만을 |보기|에서 있는 대로 고르시오. (단, 지구 자기장은 무시한다.)

I_A
A
B I_B
P r
$2r$
(가)

I_C
C
D I_D
Q r
$2r$
(나)

|보기|

ㄱ. P에서의 자기장은 종이면에서 수직으로 나오는 방향이다.

ㄴ. $I_C = 2I_D$이면 (나)의 Q에서 자기장의 세기는 0이다.

ㄷ. $I_A = I_C$, $I_B = I_D$이면 자기장의 세기는 P에서가 Q에서보다 작다.

Tip 원형 도선에 의한 자기장의 방향은 오른손을 이용해 알 수 있다.

풀이 ㄱ. (가)에서 두 도선에 모두 시계 반대 방향으로 전류가 흐르므로 P에서 자기장은 종이면에서 수직으로 나오는 방향이다.

ㄴ. Q에서 C, D에 흐르는 전류에 의한 자기장의 세기는 같고, 방향은 반대가 되므로 자기장은 0이다.

ㄷ. (가)에서는 두 원형 도선에 흐르는 전류에 의한 자기장의 방향이 같고, (나)에서는 두 원형 도선에 흐르는 전류에 의한 자기장의 방향이 반대이므로 P에서가 더 크다. **답** ㄱ, ㄴ

확인 ②-1

그림 (가)는 반지름이 $2a$인 원형 도선에 세기가 I인 전류가 화살표 방향으로 흐르는 것을, (나)는 중심이 같고 반지름이 각각 a, $2a$인 원형 도선에 세기가 I인 전류가 화살표와 같이 서로 반대 방향으로 흐르는 것을 나타낸 것이다. 점 P, Q는 원형 도선의 중심이다. P에서 전류에 의한 자기장의 세기는 B이다. Q에서 전류에 의한 자기장의 세기와 방향을 각각 쓰시오. (단, 모든 원형 도선은 종이면에 놓여 있다.)

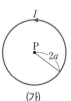

I
P $2a$
(가)

I
I
Q a $2a$
(나)

대표 기출 3
2022 6월 모평 18번

그림 (가)와 같이 중심이 원점 O인 원형 도선 P와 무한히 긴 직선 도선 Q, R가 xy 평면에 고정되어 있다. P에는 세기가 일정한 전류가 흐르고, Q에는 세기가 I_0인 전류가 $-x$ 방향으로 흐르고 있다. 그림 (나)는 (가)의 O에서 P, Q, R에 흐르는 전류에 의한 자기장의 세기 B를 R에 흐르는 전류의 세기 I_R에 따라 나타낸 것으로, $I_R = I_0$일 때 O에서 자기장의 방향은 xy 평면에서 수직으로 나오는 방향이고, 세기는 B_1이다.

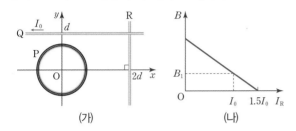

(가)　　　(나)

이에 대한 설명으로 옳은 것만을 │보기│에서 있는 대로 고른 것은?

│보기│
ㄱ. R에 흐르는 전류의 방향은 $-y$ 방향이다.
ㄴ. O에서 P의 전류에 의한 자기장의 방향은 xy 평면에서 수직으로 나오는 방향이다.
ㄷ. O에서 P의 전류에 의한 자기장의 세기는 B_1이다.

① ㄱ　　② ㄴ　　③ ㄱ, ㄷ
④ ㄴ, ㄷ　　⑤ ㄱ, ㄴ, ㄷ

Tip (나)에서 자기장이 0이 되는 지점과 R에 흐르는 전류가 0이 되는 지점을 기준으로 하여 전류의 방향과 세기를 추측한다.

풀이 ㄱ. R에 흐르는 전류의 세기가 증가할수록 원형 도선 중심에서의 자기장의 세기는 감소하므로 R이 만드는 자기장의 방향은 xy 평면에 수직으로 들어가는 방향이다. 따라서 R에는 $-y$ 방향으로 전류가 흐른다.

ㄴ. O에서 Q에 흐르는 전류에 의한 자기장의 세기를 B_0이라고 하면 R에 흐르는 전류의 세기가 $1.5I_0$일 때 R에 흐르는 전류에 의한 자기장의 세기는 $\frac{3}{4}B_0$이다. 따라서 P에 의한 자기장은 xy 평면에 수직으로 들어가는 방향이고 세기는 $\frac{1}{4}B_0$이다.

ㄷ. R에 흐르는 전류가 I_0일 때, O에서 R에 의한 자기장의 세기는 $\frac{1}{2}B_0$이므로 O에서의 자기장은 xy 평면에서 수직으로 나오는 방향으로 $B_0 - \frac{1}{2}B_0 - \frac{1}{4}B_0 = \frac{1}{4}B_0$이다. 즉 $B_1 = \frac{1}{4}B_0$이다.

답 ③

확인 3-1

그림 (가)는 전류가 시계 반대 방향으로 흐르는 원형 도선을 나타낸 것이다. 이때 원형 도선의 중심 P에서 전류에 의한 자기장의 세기는 B_0이다. 그림 (나)는 (가)의 P로부터 일정한 거리만큼 떨어진 곳에 전류가 흐르는 직선 도선이 놓인 것을 나타낸 것이다. 이때 P에서 전류에 의한 자기장의 세기는 $2B_0$이고, 자기장의 방향은 (가)와 동일하다. 직선 도선에 흐르는 전류의 방향은 ⓐ 또는 ⓑ 중 하나이다.

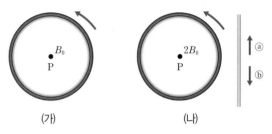

(가)　　　(나)

이에 대한 설명으로 옳은 것만을 │보기│에서 있는 대로 고르시오.

│보기│
ㄱ. 직선 도선에 흐르는 전류의 방향은 ⓐ이다.
ㄴ. (나)에서 원형 도선에 흐르는 전류의 방향이 반대가 되면 P에서 자기장의 세기는 0이다.
ㄷ. (나)에서 원형 도선과 직선 도선 사이의 거리를 증가시키면 P에서 자기장의 방향이 반대가 될 수 있다.

대표 기출 **4**

그림과 같이 동일한 원통에 감은 수가 각각 N, $2N$인 두 솔레노이드 A, B를 가까이 놓고, 두 솔레노이드의 중심축을 잇는 직선 위의 가운데 지점에 나침반을 놓았더니 나침반 자침의 N극이 북쪽을 가리켰다. A에는 화살표 방향으로 세기가 I_A, B에는 세기가 I_B인 전류가 흐르고 있고, p점은 중심축을 잇는 직선 위의 점으로 A에 가까운 지점이다.

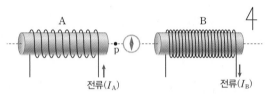

이에 대한 설명으로 옳은 것만을 | 보기 |에서 있는 대로 고른 것은?

┌ 보기 ┐
ㄱ. $I_A = 2I_B$이다.
ㄴ. p점에서 A, B에 의한 자기장의 방향은 서쪽이다.
ㄷ. A에 흐르는 전류의 방향을 반대로 하면 나침반 자침의 N극은 동쪽으로 회전한다.
└──────┘

① ㄱ 　② ㄴ 　③ ㄱ, ㄷ
④ ㄴ, ㄷ 　⑤ ㄱ, ㄴ, ㄷ

Tip 솔레노이드에 전류가 흐르면 솔레노이드 중심에는 균일한 자기장이 형성되고, 외부는 막대자석과 비슷한 형태이다.

풀이 ㄱ. 자침의 N극이 북쪽을 가리키기 때문에 나침반이 놓인 곳에서 솔레노이드 A, B에 의한 합성 자기장은 0이 되어야 한다.
ㄴ. p점은 A에 더 가까운 위치이므로 A에 의한 자기장의 영향을 더 많이 받는다.
ㄷ. A에 흐르는 전류의 방향을 반대로 하면 B와 같은 방향인 동쪽으로 자기장이 형성된다. 따라서 N극은 동쪽으로 회전한다.
답 ⑤

확인 **4**-1

그림은 길이가 L인 원통에 구리선을 100번 감은 솔레노이드에 세기가 2 A인 전류가 흐르는 것을 나타낸 것이다. 이때 솔레노이드 내부의 자기장의 세기는 B이다. 솔레노이드에 흐르는 전류의 세기를 4 A로 증가시켰을 때 솔레노이드 내부의 자기장의 세기를 구하시오.

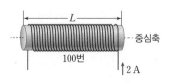

대표 기출 **5**

그림과 같이 천장에 실로 연결된 자석의 연직 아래 수평면에 자기화되지 않은 물체 A를 놓았더니 A가 정지해 있고, 실이 자석을 당기는 힘의 크기는 자석의 무게보다 작다. 이에 대한 설명으로 옳은 것만을 | 보기 |에서 있는 대로 고른 것은?

┌ 보기 ┐
ㄱ. A는 외부 자기장과 반대 방향으로 자기화된다.
ㄴ. A는 외부 자기장이 사라져도 자기화된 상태를 비교적 오래 유지한다.
ㄷ. A와 같은 성질을 갖는 대표적인 물질은 철이다.
└──────┘

① ㄱ 　② ㄷ 　③ ㄱ, ㄴ
④ ㄴ, ㄷ 　⑤ ㄱ, ㄴ, ㄷ

Tip 자석 근처에 반자성체를 두면 자석과 반자성체 사이에는 서로 밀어내는 자기력이 작용한다.

풀이 ㄱ, ㄴ. 자석과 A 사이에는 서로 밀어내는 자기력이 작용하고 있으므로 A는 반자성체이다. 반자성체는 외부 자기장과 반대 방향으로 자기화되며 외부 자기장이 사라지면 자기화된 상태가 바로 사라진다.
ㄷ. 철은 대표적인 강자성체이다.
답 ①

확인 **5**-1

그림은 자기화되지 않은 물체 A, B를 $+y$ 방향의 균일한 자기장 영역 P에 고정시켜 놓은 것을 나타낸 것이다. A와 B 사이에는 서로 당기는 방향으로 자기력이 작용하며 자기장 영역 P를 제거하면 A와 B 사이에는 자기력이 작용하지 않는다. A, B는 강자성체나 상자성체이다. 이에 대한 설명으로 옳은 것만을 | 보기 |에서 있는 대로 고르시오.

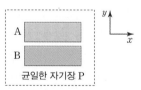

┌ 보기 ┐
ㄱ. 균일한 자기장 영역에서 A는 $+y$ 방향으로 자기화된다.
ㄴ. 균일한 자기장 영역에서 A의 아랫면은 N극으로 자기화된다.
ㄷ. B는 강자성체이다.
└──────┘

대표 기출 6

그림과 같이 가만히 놓은 막대자석이 저항이 연결된 솔레노이드의 중심축을 따라 운동한다. 점 p, q는 중심축 상의 지점이다. **이에 대한 설명으로 옳은 것만을** |보기|에서 있는 대로 고르시오. (단, 자석의 크기는 무시한다.)

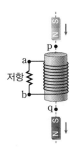

| 보기 |

ㄱ. 막대자석이 p를 지날 때 솔레노이드에 흐르는 전류의 방향은 a → 저항 → b이다.

ㄴ. 자석에 작용하는 자기력의 방향은 p를 지날 때와 q를 지날 때가 반대이다.

ㄷ. 솔레노이드의 감은 수를 2배로 하면 막대자석이 p를 통과할 때 저항에 흐르는 전류의 세기는 증가한다.

Tip 자석이 p를 지날 때는 코일을 통과하는 아랫방향의 자기 선속이 증가하고, q를 지날 때는 아랫방향의 자기 선속이 감소한다.

풀이 ㄱ. p점에서 코일을 통과하는 아랫방향의 자기 선속이 증가하므로 윗방향의 자기장이 형성되도록 유도 전류가 흐른다.

ㄴ. p점을 지날 때는 자석을 코일로부터 밀어내는 자기력이, q점을 지날 때는 자석을 코일로 당기는 자기력이 작용한다. 즉, 자석에 작용하는 자기력의 방향은 모두 윗방향이다.

ㄷ. 코일의 감은 수와 유도 기전력의 크기는 비례한다. **답** ㄱ, ㄷ

확인 6-1

그림은 경사면에서 내려온 자석이 수평면에서 원형 도선 A, B의 중심축을 따라 운동하는 것을 나타낸 것이다. 점 p, q, r는 중심축 상의 지점이다. 이에 대한 설명으로 옳은 것만을 |보기|에서 있는 대로 고르시오. (단, A, B 사이의 상호 작용, 자석의 크기, 모든 마찰은 무시한다.)

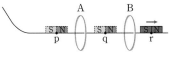

| 보기 |

ㄱ. 자석이 p를 지날 때 A에 흐르는 전류와 B에 흐르는 전류의 방향은 서로 반대이다.

ㄴ. B에 흐르는 전류의 세기는 자석이 q를 지날 때가 r를 지날 때보다 크다.

ㄷ. 자석에 작용하는 알짜힘의 방향은 p에서와 r에서가 서로 반대이다.

대표 기출 7

그림 (가)는 종이면에 수직인 방향으로 균일한 자기장이 형성되어 있는 공간에 원형 도선이 놓여 있는 것을, (나)는 (가)의 자기장을 시간에 따라 나타낸 것이다. 자기장은 종이면에 수직으로 들어가는 방향을 양(+)으로 한다.

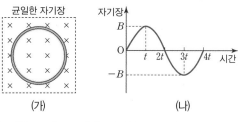

(가)   (나)

이에 대한 설명으로 옳은 것만을 |보기|에서 있는 대로 고른 것은?

| 보기 |

ㄱ. $3t$에서 $4t$까지 원형 도선에 흐르는 유도 전류는 시계 반대 방향으로 흐른다.

ㄴ. 원형 도선에 흐르는 유도 전류의 방향은 $2t$일 때 변한다.

ㄷ. t일 때 원형 도선에 유도되는 전류의 세기는 최대이다.

① ㄱ   ② ㄴ   ③ ㄱ, ㄷ

④ ㄴ, ㄷ   ⑤ ㄱ, ㄴ, ㄷ

Tip 자기장-시간 그래프에서 기울기는 시간에 대한 자기 선속 변화율이며, 이는 유도 기전력의 크기에 비례한다.

풀이 ㄱ. $3t$에서 $4t$까지 종이면에서 수직으로 나오는 방향의 자기장의 세기가 감소하므로 유도 전류는 시계 반대 방향으로 흐른다.

ㄴ. 유도 전류의 방향은 자기 선속 변화의 방향이 바뀔 때 변하는데, 이는 기울기의 부호가 바뀔 때이다. 따라서 t, $3t$일 때 변한다.

ㄷ. 유도 전류의 세기가 최대일 때는 자기 선속 변화율의 크기가 최대일 때이다. 즉, $2t$일 때 최대이다. **답** ①

확인 7-1

2021 3월 학평 3번

그림은 xy평면에 수직인 방향의 자기장 영역에서 정사각형 금속 고리 A, B, C가 각각 $+x$ 방향, $-y$ 방향, $+y$ 방향으로 직선 운동하고 있는 순간의 모습을 나타낸 것이다. 자기장 영역에서 자기장은 일정하고 균일하다. A~C 중 유도 전류가 흐르는 고리를 모두 고르시오. (단, A, B, C 사이의 상호 작용은 무시한다.)

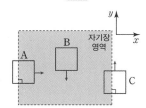

6강_ 자기

1 그림 (가)는 전류가 흐르는 무한히 긴 직선 도선 A, B, C 가 xy 평면에 고정되어 있는 것을 나타낸 것이고, 점 p, q, r는 xy 평면상의 한 점이다. 그림 (나)는 A, B, C에 각각 흐르는 전류의 세기를 시간에 대해 나타낸 것이다. p점에 서의 자기장의 세기는 2.5t일 때 0이고, 3.5t일 때 B_0이며 자기장의 방향은 1.5t일 때와 3.5t일 때가 반대이다. C에 흐르는 전류는 $+x$ 방향이다.

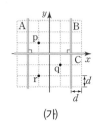 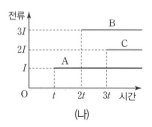

(가) (나)

이에 대한 설명으로 옳은 것만을 | 보기 |에서 있는 대로 고르시오.

┌─ 보기 ─────────────────────────
ㄱ. A와 B에 흐르는 전류의 방향은 같다.
ㄴ. 2.5t일 때 q점에서 자기장의 세기는 $4B_0$이다.
ㄷ. 3.5t일 때 자기장의 세기는 r점에서가 q점에서보 다 크다.
└──────────────────────────────

Tip 직선 도선에 의한 자기장의 세기는 직선 도선에 흐르는 전류의 세기에 **❶** 하고, 도선으로부터의 수직 거리에 **❷** 한다.
답 ❶ 비례 ❷ 반비례

2 그림은 반지름이 각각 d, $2d$, $3d$인 세 개의 원형 도선 A, B, C에 같은 세 기의 전류 I가 화살표 방향으로 흐르 는 것을 나타낸 것이다. 세 원형 도선 은 같은 평면에 놓여 있고, 점 O는 세 원형 도선의 중심이다. O에서 A에 의한 자기장의 세기를 B_0이라고 할 때, O에서 합성 자기장의 세기를 구하시오.

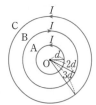

Tip 원형 도선의 중심에서의 자기장의 세기는 도선에 흐르 는 전류의 세기에 **❶** 하고, 원형 도선의 반지름에 **❷** 한다.
답 ❶ 비례 ❷ 반비례

3 그림과 같이 원형 도선 P와 무한히 긴 직선 도선 Q가 xy 평면에 고정되어 있다. Q에는 세기가 I인 전류가 $-y$ 방향으로 흐른다. 원점 O는 P의 중심이다. 표는 O에서 P, Q 에 흐르는 전류에 의한 자기장의 세기를 P에 흐르는 전류 에 따라 나타낸 것이다.

P에 흐르는 전류		O에서 P, Q에 흐르는 전류에 의한 자기장의 세기
세기	방향	
0	없음	B_0
I_0	㉠	0
$2I_0$	시계 방향	㉡

이에 대한 설명으로 옳은 것만을 | 보기 |에서 있는 대로 고르시오.

┌─ 보기 ─────────────────────────
ㄱ. O에서 Q에 흐르는 전류에 의한 자기장의 방향은 xy 평면에 수직으로 들어가는 방향이다.
ㄴ. ㉠은 시계 방향이다.
ㄷ. ㉡은 $2B_0$보다 크다.
└──────────────────────────────

Tip 자기장은 **❶** 을 포함하는 물리량이며, 원형 도 선의 중심에서의 자기장의 세기는 도선에 흐르는 전류의 세기 에 **❷** 한다.
답 ❶ 방향 ❷ 비례

4 그림은 자기화되어 있지 않은 상자성 막대와 강자 성 막대에 도선을 감아 회 로를 구성한 후, 스위치 S 를 닫았을 때 일정한 세기의 전류 I가 흐르는 모습을 나타 낸 것이다. 이에 대한 설명으로 옳은 것만을 | 보기 |에서 있는 대로 고르시오. (단, a점은 중심축 위에 놓여 있다.)

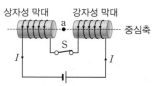

┌─ 보기 ─────────────────────────
ㄱ. 두 막대 사이에는 인력이 작용한다.
ㄴ. a점에서 자기장의 방향은 왼쪽 방향이다.
ㄷ. S를 열어 전류가 흐르지 않으면, 두 막대 사이에는 척력이 작용한다.
└──────────────────────────────

Tip 자기화된 강자성체는 외부 자기장이 사라져도 자기화 된 상태를 비교적 **❶** 유지하여 **❷** 과 비슷한 역할을 한다.
답 ❶ 오래 ❷ 막대자석

5 그림 (가)는 수평면에 정지해 있는 자성체 P, Q 사이에 막대자석을 놓았더니 P는 자석에 가까워지고 Q는 자석에서 멀어지는 모습을 나타낸 것이고, (나)는 (가)에서 자기화시킨 P를 용수철저울에 매달고 P의 연직 아래 수평면에 Q를 놓은 후 용수철저울의 측정값을 읽는 모습이다. P와 Q는 강자성체와 반자성체를 순서 없이 나타낸 것이다.

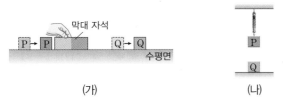

(가)   (나)

이에 대한 설명으로 옳은 것만을 |보기|에서 있는 대로 고르시오. (단, 용수철저울의 질량, 지구 자기장의 효과는 무시하고, 용수철저울은 자기장의 영향을 받지 않는다.)

┌ 보기 ┐
ㄱ. P는 자석에 의한 자기장과 같은 방향으로 자기화된다.
ㄴ. Q는 자석을 제거해도 자기화된 상태를 비교적 오래 유지한다.
ㄷ. (나)에서 용수철저울에 측정되는 값은 P의 무게보다 크다.
└

> **Tip** 용수철저울은 물체에 작용하는 ❶[   ]의 크기를 측정하며, 용수철저울에 매달려 정지한 물체에 작용하는 ❷[   ]은 0이다.   **답** ❶ 탄성력 ❷ 알짜힘

6 그림 (가)와 같이 $+y$ 방향의 균일한 자기장 영역에 자기화되지 않은 동일한 강자성체 A, B를 놓은 후, (나)와 같이 A는 솔레노이드로부터 d만큼 떨어뜨려 두고 B는 솔레노이드로부터 $2d$만큼 떨어뜨려 둔다. ㉠, ㉡은 각각 A와 B의 윗면이다.

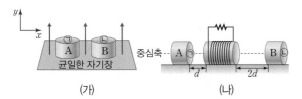

(가)   (나)

(나)에서 솔레노이드와 A 사이의 거리를 멀어지게 할 때 B와 솔레노이드 사이에 작용하는 자기력의 종류를 쓰시오.

> **Tip** 자기화된 강자성체에서 자기장이 나가는 곳은 ❶[   ], 들어가는 곳은 ❷[   ]이다.   **답** ❶ N극 ❷ S극

7 그림 (가)는 자기장 B가 균일한 영역에 금속 고리가 고정되어 있는 것을, (나)는 B의 세기를 시간에 따라 나타낸 것이다. B의 방향은 종이면에 수직으로 들어가는 방향이다.

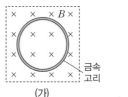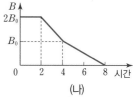

(가)   (나)

3초일 때 고리에 흐르는 유도 전류의 세기를 I라고 할 때, 6초일 때 고리에 흐르는 유도 전류의 세기는?

① 0   ② $0.5I$ ③ I
④ $1.5I$ ⑤ $2I$

> **Tip** 자기장−시간 그래프의 ❶[   ]는 유도 전류 세기에 ❷[   ]한다.   **답** ❶ 기울기 ❷ 비례

8 그림 (가)는 xy 평면에 놓인 한변의 길이가 a인 정사각형 금속 고리 P와 균일한 자기장 영역 Ⅰ과 Ⅱ를 나타낸 것이다. 자기장의 방향은 xy 평면에 수직이고, 점 p는 P의 한변의 중앙에 고정된 점이다. 그림 (나)는 P가 $+x$ 방향으로 일정한 속력 v로 자기장 영역을 통과할 때, P에 흐르는 전류를 p의 위치에 따라 나타낸 것이다.

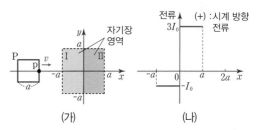

(가)   (나)

이에 대한 설명으로 옳은 것만을 |보기|에서 있는 대로 고르시오. (단, 금속 고리는 회전하거나 변형되지 않는다.)

┌ 보기 ┐
ㄱ. 영역 Ⅰ의 자기장의 방향은 xy 평면에 수직으로 들어가는 방향이다.
ㄴ. 영역 Ⅱ의 자기장의 세기는 영역 Ⅰ의 2배이다.
ㄷ. p의 위치가 $x=1.5a$일 때 P에 흐르는 전류의 방향은 시계 방향이다.
└

> **Tip** 금속 고리가 영역 Ⅰ에서 영역 Ⅱ로 넘어가는 과정에서 영역 Ⅰ에 의한 자기 선속은 ❶[   ]하고, 영역 Ⅱ에 의한 자기 선속은 ❷[   ]한다.   **답** ❶ 감소 ❷ 증가

5강_ 전기

01 그림 (가)는 전하량이 각각 $+q$, $+2q$인 점전하 A, B가 거리 r만큼 떨어져 고정되어 있는 것을, (나)는 전하량이 각각 $+q$, $-3q$인 점전하 A, C가 거리 $1.5r$만큼 떨어져 고정되어 있는 것을 나타낸 것이다.

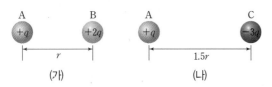

(가), (나)에서 A에 작용하는 전기력의 크기를 각각 $F_{(가)}$, $F_{(나)}$라고 할 때, $F_{(가)} : F_{(나)}$를 구하시오.

(   )

02 그림은 절대 온도 0 K에서 고체 A, B, C의 에너지띠 구조를 나타낸 것이다. A, B, C는 각각 도체, 반도체, 절연체 중 하나이고 색칠한 부분에는 전자가 채워져 있다. A, B, C를 옳게 짝 지은 것은?

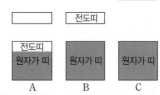

	A	B	C
①	도체	반도체	절연체
②	도체	절연체	반도체
③	반도체	절연체	도체
④	반도체	도체	절연체
⑤	절연체	도체	반도체

03 그림은 순수한 반도체에 불순물을 도핑한 반도체의 에너지띠 구조를 나타낸 것이다. 이에 대한 설명으로 옳은 것만을 | 보기 |에서 있는 대로 고르시오.

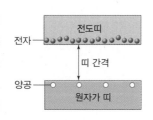

┌ 보기 ┐
ㄱ. n형 반도체의 에너지띠 구조를 나타낸 것이다.
ㄴ. 도핑한 반도체는 음(-)전하를 띤다.
ㄷ. 전도띠로 전이한 전자들의 에너지는 모두 같다.

04 그림과 같이 수소 원자가 빛 a, b를 차례로 흡수하여 전자가 $n=1$인 상태에서 $n=2$인 상태로, $n=2$인 상태에서 $n=3$인 상태로 전이한 후 빛 c를 방출하며 다시 $n=1$인 상태로 전이한다. a, b, c의 파장은 각각 λ_a, λ_b, λ_c이다.

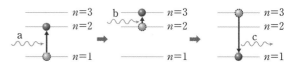

이에 대한 설명으로 옳은 것만을 | 보기 |에서 있는 대로 고른 것은?

┌ 보기 ┐
ㄱ. $\lambda_c = \lambda_a + \lambda_b$이다.
ㄴ. $n=1$인 상태에 있던 전자가 빛 c를 흡수하면 $n=3$인 상태로 전이할 수 있다.
ㄷ. $n=2$인 상태에 있던 전자가 빛 a를 흡수하면 $n=3$인 상태로 전이할 수 있다.

① ㄱ   ② ㄴ   ③ ㄱ, ㄷ
④ ㄴ, ㄷ   ⑤ ㄱ, ㄴ, ㄷ

05 그림은 다이오드와 전구를 연결한 회로에서 전구에 불이 켜진 모습을 나타낸 것이다.

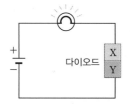

이에 대한 설명으로 옳은 것만을 | 보기 |에서 있는 대로 고른 것은?

┌ 보기 ┐
ㄱ. X는 p형 반도체이다.
ㄴ. Y의 주요 전하 운반자는 전자이다.
ㄷ. 전원의 극을 반대로 연결하면 전구에 불이 꺼진다.

① ㄱ   ② ㄴ   ③ ㄱ, ㄷ
④ ㄴ, ㄷ   ⑤ ㄱ, ㄴ, ㄷ

6강_ 자기

06 그림과 같이 일정한 세기의 전류가 흐르는 무한히 긴 두 직선 도선 A, B가 xy 평면상에 고정되어 있고, 점 P, Q, R는 x축 상에 있다. 점 P에서 A와 B에 의한 자기장의 세기가 0이고, 점 R에서 A와 B에 의한 자기장의 방향은 xy 평면에서 수직으로 나오는 방향이다. 이에 대한 설명으로 옳은 것만을 |보기|에서 있는 대로 고른 것은? (단, 지구 자기장은 무시한다.)

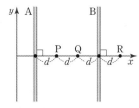

┌ 보기 ┐
ㄱ. 전류의 세기는 A에서가 B에서의 2배이다.
ㄴ. B에 흐르는 전류의 방향은 $-y$ 방향이다.
ㄷ. A에 흐르는 전류의 세기를 2배로 하면 Q에서 자기장의 세기는 0이다.

① ㄱ   ② ㄴ   ③ ㄱ, ㄷ
④ ㄴ, ㄷ   ⑤ ㄱ, ㄴ, ㄷ

07 그림 (가)는 $+y$ 방향으로 세기가 I_1인 전류가 흐르는 무한히 긴 직선 도선 A를 나타낸 것이다. A로부터 거리 r인 지점에서 자기장의 세기는 B_0이다. 그림 (나)는 반지름이 r이고 중심이 A로부터 거리 $2r$만큼 떨어진 곳에 놓인 원형 도선에 세기가 I_2인 전류가 흐르는 것을 나타낸 것이다. 원형 도선의 중심에서 자기장의 세기는 0이다.

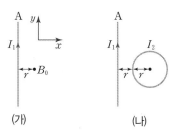

(나)의 원형 도선 중심에서 원형 도선에 흐르는 전류에 의한 자기장의 세기를 구하시오.

(   )

08 그림 (가)와 같이 자기화되어 있지 않은 자성체 A와 B를 각각 막대자석에 가까이 하였더니, A와 자석 사이에는 서로 미는 자기력이 작용하였고 B와 자석 사이에는 서로 당기는 자기력이 작용하였다. 그림 (나)와 같이 (가)에서 막대자석을 치운 후 A와 B를 가까이 하였더니, A와 B 사이에는 자기력이 작용하지 않았다.

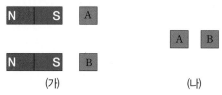

(가)   (나)

이에 대한 설명으로 옳은 것만을 |보기|에서 있는 대로 고른 것은?

┌ 보기 ┐
ㄱ. A는 자석에 의한 자기장과 같은 방향으로 자기화된다.
ㄴ. B는 자석에 의한 자기장과 같은 방향으로 자기화된다.
ㄷ. B는 자기화된 상태를 비교적 오래 유지한다.

① ㄱ   ② ㄴ   ③ ㄱ, ㄷ
④ ㄴ, ㄷ   ⑤ ㄱ, ㄴ, ㄷ

09 그림 (가)는 균일한 자기장이 수직으로 통과하는 종이면에 원형 도선이 고정되어 있는 모습을, (나)는 (가)의 자기장을 시간에 따라 나타낸 것이다. t_1일 때, 원형 도선에 흐르는 유도 전류의 방향은 시계 방향이다.

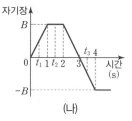

(가)   (나)

이에 대한 설명으로 옳은 것만을 |보기|에서 있는 대로 고른 것은?

┌ 보기 ┐
ㄱ. t_1일 때 도선을 통과하는 자기 선속은 증가한다.
ㄴ. t_2일 때 유도되는 전류의 세기는 일정하다.
ㄷ. t_3일 때 유도 전류의 세기는 t_1일 때보다 크다.

① ㄱ   ② ㄴ   ③ ㄱ, ㄷ
④ ㄴ, ㄷ   ⑤ ㄱ, ㄴ, ㄷ

5강_ 전기

01 그림은 세 가지 원자 모형과 그 내용을 나타낸 것이다.

(가)
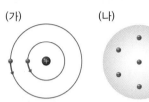

(나)

(다)

전자가 원자핵을 중심으로 특정한 궤도에서 원운동한다.

(+)전하를 띤 원자의 바다에 전자가 균일하게 분포한다.

전자가 원자핵을 중심으로 임의의 궤도에서 원운동한다.

이에 대한 설명으로 옳은 것만을 │ 보기 │에서 있는 대로 고른 것은?

┌ 보기 ─────────────────────
ㄱ. (가)의 원자 모형은 원자핵의 존재를 확인하였다.
ㄴ. (나)의 원자 모형은 전자의 존재를 확인하였다.
ㄷ. (다)의 원자 모형은 원자에서 방출되는 빛의 선 스펙트럼을 설명할 수 있다.
└─────────────────────────

① ㄱ   ② ㄴ   ③ ㄱ, ㄷ
④ ㄴ, ㄷ   ⑤ ㄱ, ㄴ, ㄷ

Tip 톰슨의 원자 모형은 [❶   ]의 존재를 확인하였고, 러더퍼드 원자 모형은 [❷   ]의 존재를 확인하였다.

답 ❶ 전자 ❷ 원자핵

02 다음은 실에 매달려 있는 세 도체구 A, B, C의 대전 상태를 알아보기 위한 실험이다.

│ 실험 과정 │

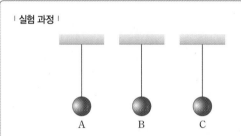

A   B   C

(가) 각 도체구 A, B, C에 (+)전하로 대전된 금속 막대를 가까이 한다.
(나) 각 도체구 A, B, C에 대전되지 않은 금속 막대를 가까이 한다.

│ 실험 결과 │

구분	A	B	C
(가)의 결과	밀려남	끌려옴	끌려옴
(나)의 결과	끌려옴	움직이지 않음	끌려옴

세 도체구에 대전된 전하의 종류를 각각 쓰시오.

· A: (   )
· B: (   )
· C: (   )

Tip 같은 종류의 전하 사이에는 서로 [❶   ] 전기력이 작용하고, 다른 종류의 전하 사이에는 서로 [❷   ] 전기력이 작용한다.

답 ❶ 밀어내는 ❷ 당기는

03 다음은 다양한 광원에서 방출되는 스펙트럼을 관측하는 실험이다.

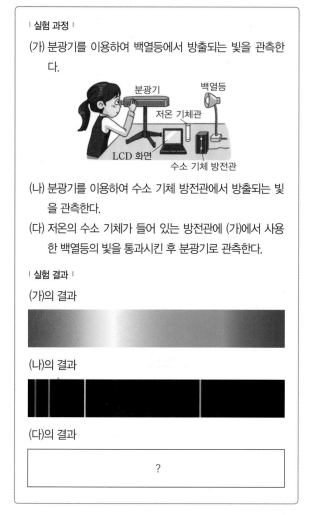

| 실험 과정 |

(가) 분광기를 이용하여 백열등에서 방출되는 빛을 관측한다.

(나) 분광기를 이용하여 수소 기체 방전관에서 방출되는 빛을 관측한다.

(다) 저온의 수소 기체가 들어 있는 방전관에 (가)에서 사용한 백열등의 빛을 통과시킨 후 분광기로 관측한다.

| 실험 결과 |

(가)의 결과

(나)의 결과

(다)의 결과

?

이에 대한 설명으로 옳은 것만을 | 보기 |에서 있는 대로 고른 것은?

┌ 보기 ┐
ㄱ. (가)의 결과는 연속 스펙트럼이다.
ㄴ. (나)와 같은 결과가 나타나는 까닭은 수소 원자의 전자 에너지가 불연속적이기 때문이다.
ㄷ. (다)에서 나타나는 선 스펙트럼의 위치는 (나)에서 나타나는 선 스펙트럼의 위치와 같다.

① ㄱ   ② ㄴ   ③ ㄱ, ㄷ
④ ㄴ, ㄷ   ⑤ ㄱ, ㄴ, ㄷ

Tip 연속 스펙트럼은 ❶ [   ]적인 빛이 나타난 것이고, 선 스펙트럼은 ❷ [   ]적인 빛이 나타난 것이다.

🔁 ❶ 연속 ❷ 불연속

04 그림은 도체와 반도체의 에너지띠 구조에 대해 학생 A, B, C가 대화하는 모습을 나타낸 것이다.

제시한 의견이 옳은 학생만을 있는 대로 고른 것은?
① A   ② B   ③ A, B
④ B, C   ⑤ A, B, C

Tip 고체의 에너지띠는 무수히 많은 ❶ [   ]가 겹쳐서 형성된 것이며, 반도체는 띠 간격이 비교적 ❷ [   ] 상온에서 전류가 흐를 수 있다.

🔁 ❶ 에너지 준위 ❷ 작아

6강_ 자기

05 다음은 발광 다이오드(LED) 연결에 관한 실험이다.

| 실험 과정 |

(가) 그림과 같이 p-n 접합 다이오드 A, B, C, D와 저항, 전원 장치, 스위치를 연결한다.

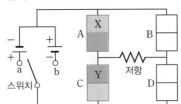

(나) 스위치를 a에 연결했을 때 불이 켜지는 LED를 관찰한다.

(다) 스위치를 b에 연결했을 때 불이 켜지는 LED를 관찰한다.

| 실험 결과 |

구분	A	B	C	D
a에 연결	×	○	○	×
b에 연결	○	×	×	○

* ○: 불이 켜짐, ×: 불이 켜지지 않음

이에 대한 설명으로 옳은 것만을 | 보기 |에서 있는 대로 고른 것은?

┌─ 보기 ─
ㄱ. X는 p형 반도체이다.

ㄴ. b에 연결했을 때 Y의 전자는 접합면 쪽으로 이동한다.

ㄷ. 저항에 흐르는 전류의 방향은 a에 연결할 때와 b에 연결할 때 서로 반대이다.
└─

① ㄱ 　② ㄴ 　③ ㄱ, ㄷ
④ ㄴ, ㄷ 　⑤ ㄱ, ㄴ, ㄷ

> **Tip** 불이 켜지는 발광 다이오드를 따라 흐르는 전류는 ❶ 　반도체에서 ❷ 　반도체 쪽으로 흐른다.
> 　　　　　　　　　　　　　　답 ❶ p형 ❷ n형

06 그림은 나침반의 연직 위에 자침과 나란하도록 직선 도선을 고정시킨 후 직류 전원 장치를 이용하여 전류를 흘려보내는 상황에 대해 학생 A, B, C가 대화하는 모습을 나타낸 것이다.

제시한 의견이 옳은 학생만을 있는 대로 고른 것은?

① A 　　② B 　　③ A, B
④ B, C 　　⑤ A, B, C

> **Tip** 자기장은 크기뿐만 아니라 ❶ 　도 포함하는 물리량이며, 직선 도선에 의한 자기장은 ❷ 　나사 법칙을 이용하여 그 방향을 알 수 있다. 　답 ❶ 방향 ❷ 오른

07 그림은 강자성체, 상자성체, 반자성체를 분류 기준 (가), (나)에 따라 분류한 것을 나타낸 것이다.

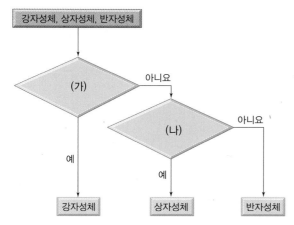

(가)와 (나)에 들어갈 적절한 기준을 서술하시오.

• (가): (   )
• (나): (   )

> **Tip** 강자성체와 상자성체는 외부 자기장과 같은 방향으로 자기화되고, 반자성체는 외부 자기장과 **❶** 방향으로 자기화된다. 강자성체는 자기화된 상태를 비교적 오래 **❷** 한다.
> **답** ❶ 반대 ❷ 유지

08 다음은 전자기 유도에 대한 실험이다.

> **| 실험 과정 |**
> (가) 그림과 같이 코일에 검류계를 연결한다.
>
> (나) 자석의 N극을 아래로 하고, 코일의 중심축을 따라 자석을 일정한 속력으로 코일에 가까이 가져간다.
> (다) 자석이 p점을 지나는 순간 검류계의 눈금을 관찰한다.
> (라) 자석의 S극을 아래로 하고, 코일의 중심축을 따라 자석을 (나)에서보다 빠른 속력으로 코일에 가까이 가져가면서 (다)를 반복한다.
>
> **| 실험 결과 |**
>
> | (다)의 결과 | (라)의 결과 |
> |---|---|
> |  | ㉠ |

㉠으로 가장 적절한 것은?

① 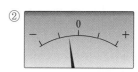   ②

③    ④

⑤

> **Tip** 유도 전류는 자기 선속의 변화를 **❶** 하는 방향의 자기장이 발생하도록 흐르며, 그 세기는 코일의 감은 수와 시간에 대한 **❷** 에 비례한다.
> **답** ❶ 방해 ❷ 자기 선속의 변화량

2 Ⅲ 파동과 정보 통신

7강_ 파동

8강_ 빛과 물질의 이중성

예고도 없이 갑자기 정전이라니?

어머나! 양이 눈만 보이네.

잠깐이지만 빛이 없는 세상은 끔찍하네.

그렇지. 빛은 사물을 볼 수 있게 해줄 뿐만 아니라 휴대폰, 텔레비전, 인터넷, 각종 의료기기 등 다양한 분야에서 활용되고 있으니.

맞아. "백 번 듣는 것보다 한 번 보는 게 낫다." 또는 "보는 것이 믿는 것"이라는 속담만 봐도 빛이 얼마나 중요한 역할을 하는지 알 수 있어.

근데 빛은 파동일까 입자일까? 빛을 물질로 봐야 할까?

우리가 알고 있는 간섭 현상은 빛이 파동이라는 사실을 알려 주지만 광전 효과 현상은 빛이 광자의 흐름, 즉 입자라는 사실을 알려주고 있지.

빛의 간섭 현상 - 파동성

빛　− 광전자

광전 효과 - 입자성

그럼 빛은 파동이면서 입자라고 할 수 있네. 파동의 성질이 나타날 때도 있고 입자의 성질이 나타날 때도 있으니까.

맞아. 빛의 이중성이란 말 들어 봤지?

물론이지. 빛은 파동성과 입자성이 있지만 그 두 가지 성질이 동시에 나타나지는 않는다고 들었어. 근데 혹시 전자와 같은 입자도 빛처럼 파동성과 입자성이 나타날까?

당연하지! 전자총에서 빠르게 방출되는 전자선을 광원으로 하는 전자 현미경 사진만 보더라도 전자가 입자성 이외의 파동성이 나타난다는 것을 알 수 있어. 이중 슬릿을 통과한 전자선에 의한 간섭무늬도 파동성을 나타내고.

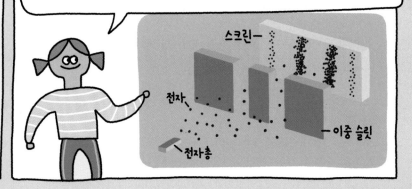

스크린

전자

이중 슬릿

전자총

개념 **1** 파동

1 파동 한 곳에서 발생한 **❶**[　　　]이 주위로 퍼져 나가며 에너지를 전달하는 현상 ➡ 매질은 제자리에서 진동만 할 뿐 파동과 함께 **❷**[　　　]하지 않는다.

2 파동의 종류

• 횡파: 파동의 진행 방향과 매질의 진동 방향이 서로 수직인 파동 **예** 빛, 전자기파, 지진파의 S파 등

• 종파: 파동의 진행 방향과 매질의 진동 방향이 서로 나란한 파동 **예** 음파(소리), 지진파의 P파 등

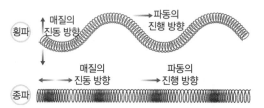

답 ❶ 진동 **❷** 이동

확인 Q 1

파동을 전달하는 물질인 매질은 파동을 따라 이동하지 않고 제자리에서 (　　　)한다.

개념 **2** 파동의 요소

1 진폭 매질의 진동 중심으로부터 마루 또는 골까지의 거리 ➡ 진동 중심으로부터의 최대 거리

2 파장(λ) 매질이 한번 진동하는 동안 파동이 진행한 **❶**[　　　]

3 주기(T) 매질의 한 점이 1회 진동할 때 걸리는 시간

4 진동수(f) 매질의 한 점이 1초 동안 진동하는 횟수

➡ 진동수와 주기는 **❷**[　　　] 관계, $f = \dfrac{1}{T}$

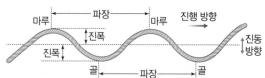

5 파동의 속력(v) 파동은 한 주기 동안 한 파장만큼 진행하므로 속력은 $v = \dfrac{\lambda}{T} = f\lambda$이다.

답 ❶ 거리 **❷** 역수

확인 Q 2

주기와 진동수는 파원에서 결정되므로 파동이 진행하는 동안 매질이 달라져도 그 값이 (변한다 , 변하지 않는다).

개념 **3** 파면과 파동을 나타내는 그래프

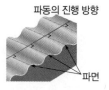

1 파면 파동이 진행할 때 동시에 마루 또는 골이 되는 지점을 이은 선이나 면 ➡ 파동은 파면에 **❶**[　　　]인 방향으로 진행

2 파동을 나타내는 그래프

• 변위 – 위치 그래프: 진폭과 파장을 알 수 있다.

• 변위 – 시간 그래프: 진폭과 **❷**[　　　], 진동수를 알 수 있다.

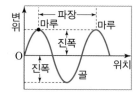 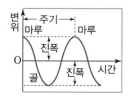

답 ❶ 수직 **❷** 주기

확인 Q 3

변위 – 위치 그래프에서는 진폭과 (　　　)을, 변위 – 시간 그래프에서는 진폭과 주기, (　　　)를 알 수 있다.

개념 **4** 파동의 굴절

1 파동의 굴절 파동이 한 매질에서 진행하다 다른 매질로 진행할 때 진행 방향이 꺾이는 현상

2 파동이 굴절하는 까닭 매질이 달라지면 파동의 진행 **❶**[　　　]이 달라지기 때문이다.

3 굴절 법칙 파동이 굴절률이 n_1인 매질 1에서 굴절률이 n_2인 매질 2로 진행할 때 입사각과 굴절각의 사인값의 비는 **❷**[　　　]하다. 또, 속력과 파장의 비도 일정하다.

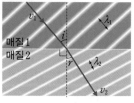

$$\frac{\sin i}{\sin r} = \frac{v_1}{v_2} = \frac{\lambda_1}{\lambda_2} = \frac{n_2}{n_1} = \text{일정}$$

4 굴절의 의한 현상 신기루, 아지랑이, 소리가 낮에는 위로, 밤에는 아래로 굴절되는 현상 등

답 ❶ 속력 **❷** 일정

확인 Q 4

입사각과 굴절각은 매질의 경계면에 수직인 (　　　)이 파동의 (　　　)과 이루는 각이다.

개념 **5** 전반사

1 **전반사** 빛이 진행하다가 매질의 경계면에서 굴절하지 않고 전부 **❶**　　　하는 현상

2 **임계각(θ_c)** 굴절각이 90°일 때의 입사각

$$\frac{\sin\theta_c}{\sin90°} = \frac{n_2}{n_1} \Rightarrow \sin\theta_c = \frac{n_2}{n_1}$$

3 **전반사의 조건** 굴절률이 큰(빛의 속력이 작은) 매질에서 굴절률이 작은(빛의 속력이 큰) 매질로 진행하며, **❷**　　　보다 큰 입사각으로 진행해야 한다.

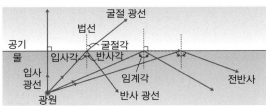

4 **광섬유** 전반사를 이용하여 빛을 전송하는 유리로 이루어진 섬유 모양의 관 ➡ 굴절률이 큰 코어를 굴절률이 작은 클래딩이 감싸고 있다.

답 ❶ 반사 ❷ 임계각

확인 Q 5

광섬유를 이루는 클래딩과 코어 중 굴절률이 더 큰 물질을 쓰시오.

개념 **6** 전자기파

1 **전자기파** 전기장과 자기장이 진동하면서 공간으로 퍼져 나가는 파동 ➡ **❶**　　　이며, 전기장과 자기장의 진동 방향에 모두 **❷**　　　한 방향으로 진행한다.

2 **전자기파의 분류**

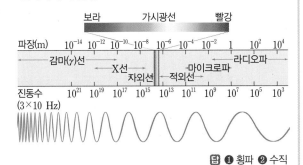

답 ❶ 횡파 ❷ 수직

확인 Q 6

전자기파의 에너지는 (진동수 , 파장)이/가 클수록 크다.

개념 **7** 파동의 중첩과 간섭

1 **중첩 원리** 두 파동이 진행하다가 만났을 때 합성파의 변위는 각 파동의 변위의 **❶**　　　과 같다.

2 **파동의 독립성** 두 파동이 중첩된 후 각 파동은 본래 파동의 형태와 성질을 그대로 유지하면서 진행한다.

3 **파동의 간섭** 파동이 중첩되어 진폭이 변하는 현상

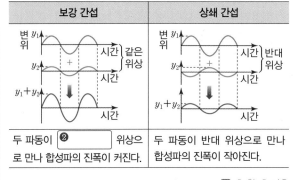

보강 간섭	상쇄 간섭
두 파동이 **❷**　　　 위상으로 만나 합성파의 진폭이 커진다.	두 파동이 반대 위상으로 만나 합성파의 진폭이 작아진다.

답 ❶ 합 ❷ 같은

확인 Q 7

파동이 진행할 때 매질의 변위와 진동 상태를 나타내는 물리량을 (　　　)이라고 한다.

개념 **8** 간섭에 의한 현상

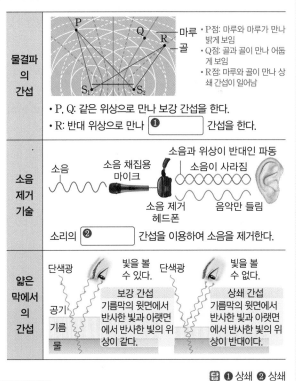

물결파의 간섭	• P, Q: 같은 위상으로 만나 보강 간섭을 한다. • R: 반대 위상으로 만나 **❶**　　　간섭을 한다.
소음 제거 기술	소리의 **❷**　　　간섭을 이용하여 소음을 제거한다.
얇은 막에서의 간섭	**보강 간섭** 기름막의 윗면에서 반사한 빛과 아랫면에서 반사한 빛의 위상이 같다.　**상쇄 간섭** 기름막의 윗면에서 반사한 빛과 아랫면에서 반사한 빛의 위상이 반대이다.

답 ❶ 상쇄 ❷ 상쇄

확인 Q 8

물결파가 (보강 , 상쇄) 간섭을 하는 지점에서 수면은 거의 진동하지 않는다.

개념 **1** 광전 효과

1 광전 효과 금속 표면에 문턱 진동수 이상의 빛을 비출 때 금속 표면에서 **❶** 가 방출되는 현상

2 문턱 진동수(한계 진동수) 금속 표면에서 전자를 방출시킬 수 있는 빛의 최소 진동수

3 광전자 광전 효과에 의해 방출되는 전자

4 광전 효과 실험의 결과
- 광전자는 빛의 진동수가 특정 진동수 이상일 때만 방출되며, 그보다 진동수가 **❷** 빛은 아무리 센 빛을 비추어도 방출되지 않는다.
- 빛의 세기가 약할 때도 특정 진동수 이상의 빛이라면 즉시 광전자가 방출된다.
- 특정 진동수 이상의 빛일 때 방출되는 광전자의 수는 빛의 세기에 비례한다.
- 금속으로부터 방출된 전자의 운동 에너지는 빛의 진동수에만 관계되며 빛의 세기와는 무관하다.

답 **❶** 전자 **❷** 작은

확인 Q 1
금속 표면에 비추는 빛의 진동수가 문턱 진동수보다 작은 경우 빛의 세기를 강하게 하면 전자가 (방출된다 , 방출되지 않는다).

개념 **2** 광양자설

1 광양자설 광전 효과를 설명하기 위해 아인슈타인이 제시한 이론으로, 빛을 광자(광양자)라고 하는 **❶** 에너지 입자의 흐름으로 정의하였다.

2 광자의 에너지 광자 1개의 에너지 E는 빛의 진동수 f에 비례한다.

$$E = hf \text{(플랑크 상수 } h: 6.63 \times 10^{-34} \text{ J·s)}$$

3 일함수(W) 금속 표면에 있는 전자 1개를 방출시키는 데 필요한 **❷** 의 에너지로, 일함수는 금속의 종류에 따라 다르다.

$$W = hf_0 (f_0: \text{문턱 진동수})$$

➡ 문턱 진동수가 클수록 일함수가 크다.

답 **❶** 불연속적인 **❷** 최소한

확인 Q 2
금속의 일함수가 클수록 광전자가 방출되기 위한 빛의 파장이 ( ).

개념 **3** 광양자설을 이용한 광전 효과의 해석

1 광전 효과가 일어날 때 광전자의 운동 에너지 광자의 에너지의 일부는 금속 표면에서 전자를 방출시키는 데 필요한 에너지(일함수)로 사용되고, 남은 에너지는 광전자의 **❶** 로 전환된다.

2 광전자의 최대 운동 에너지(E_k)

$$E_k = \frac{1}{2}mv^2 = hf - W = hf - hf_0$$

3 빛의 세기는 광자의 수에 비례한다. ➡ 광자 1개가 충돌할 때 전자 1개가 방출되므로, 빛의 세기가 셀수록 방출되는 광전자의 수가 **❷** 한다.

답 **❶** 운동 에너지 **❷** 증가

확인 Q 3
광전 효과가 일어날 때 진동수가 큰 빛을 비출수록 방출되는 광전자의 (최대 운동 에너지 , 개수)가 커진다.

개념 **4** 빛의 이중성과 영상 정보의 기록

1 빛의 이중성 빛은 어떤 경우에는 파동처럼 행동하고 어떤 경우에는 입자처럼 행동하는데, 두 가지 성질은 **❶** 에 나타나지 않는다.

2 광 다이오드 빛 신호를 전기 신호로 전환시키는 광전 소자로, p형 반도체와 n형 반도체의 접합 구조로 되어 있다.

3 CCD 아주 작은 화소인 수백만 개의 광 다이오드가 규칙적으로 배열된 반도체 소자 ➡ 빛의 **❷** 을 이용하여 영상을 기록
- CCD의 광 다이오드에 빛이 닿으면 광전 효과에 의해 전자가 발생하며, 각 화소에 발생하는 전하의 양을 전기 신호로 변환시켜 영상 정보를 기록한다.

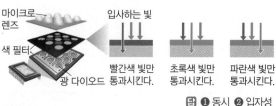

답 **❶** 동시 **❷** 입자성

확인 Q 4
CCD에서 특정한 색의 빛만을 통과시키기 위한 장치는 무엇인지 쓰시오.

개념 5 물질파

1 **드브로이의 물질파 이론** 드브로이는 빛이 파동과 입자의 성질을 모두 가지고 있듯이 전자와 같은 입자도 **①**〔　　　　〕을 가질 것이라고 주장하였다.

2 **물질파** 물질 입자가 나타내는 파동으로, 드브로이파라고도 한다. 물질파의 파장은 물체의 질량과 속도를 곱한 값, 즉 **②**〔　　　　〕에 반비례한다.

$$\lambda = \frac{h}{mv} = \frac{h}{p} = \frac{h}{\sqrt{2mE_k}}$$

3 **물질의 이중성** 물질도 빛과 마찬가지로 어떤 경우에는 입자처럼 행동하고, 어떤 경우에는 파동처럼 행동하는 이중성을 갖고 있으며 두 가지 성질은 동시에 나타나지 않는다.

답 ❶ 파동성 **❷** 운동량

확인 Q 5

입자의 운동 에너지가 클수록 입자의 물질파(드브로이) 파장은
(　　　　　).

개념 6 물질파의 증거(1)

1 **전자의 이중 슬릿 실험** 이중 슬릿을 통과하는 전자의 수를 증가시키면 간섭무늬가 잘 나타난다. ➡ 간섭무늬는 전자가 물질파의 형태로 이중 슬릿을 통과할 때 나타나므로 파동성의 증거

전자가 입자처럼 행동할 때 나타나는 무늬 / 전자가 파동처럼 행동할 때 나타나는 무늬 / 스크린 / 전자총 이중 슬릿

2 **톰슨의 전자 회절 실험** 전자의 **①**〔　　　〕을 X선의 파장과 같도록 한 후 알루미늄 박막에 쪼일 때 같은 형태의 **②**〔　　　〕 무늬가 나타난다.

➡ 회절 무늬는 파동성의 증거

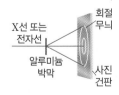

X선 또는 전자선 / 회절 무늬 / 알루미늄 박막 / 사진 건판

X선 회절 무늬　　전자선 회절 무늬

답 ❶ 물질파 파장 **❷** 회절

확인 Q 6

전자가 (　　　　　)을 갖고 있기 때문에 회절 무늬가 나타나는 것이다.

개념 7 물질파의 증거(2)

1 **데이비슨과 거머의 전자 회절 실험** 전자선을 니켈 결정에 입사시켰을 때, 입사 전자선과 50°의 각을 이루는 곳에서 튀어나오는 전자의 수가

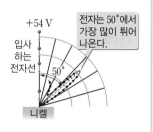

+54 V / 입사하는 전자선 / 50° / 니켈 / 전자는 50°에서 가장 많이 튀어 나온다.

가장 많았다. 이는 전자가 파동처럼 회절하여 특정한 각도에서 **①**〔　　　〕 간섭을 일어나는 것으로 해석할 수 있다. ➡ 회절과 간섭은 **②**〔　　　〕의 증거

답 ❶ 보강 **❷** 파동성

확인 Q 7

전자를 이용한 이중 슬릿 실험과 데이비슨과 거머의 전자 회절 실험을 통해 전자가 (입자 , 파동)의 성질을 갖는다는 것을 알 수 있다.

개념 8 물질파의 이용 – 전자 현미경

1 **분해능** 광학 기기에서 가까이 있는 두 점을 구분하여 볼 수 있는 능력 ➡ 전자의 물질파 파장은 가시광선에 비해 짧기 때문에 전자 현미경은 광학 현미경보다 분해능이 좋다.

2 **전자 현미경**

투과 전자 현미경 (TEM)	전자선을 얇게 만든 시료에 투과시켜 형광 스크린에 형성되는 시료의 **①**〔　　〕 단면 구조의 상을 관찰한다.	전자총 / 자기렌즈 / 시료 / 형광 스크린
주사 전자 현미경 (SEM)	시료 표면을 금속으로 얇게 코팅한 후 전자선을 쪼여 시료 표면에서 방출된 전자를 검출하여 컴퓨터 화면에 형성된 **②**〔　　〕 입체 영상을 관찰한다.	전자총 / 자기렌즈 / 전자 검출기 / 시료

답 ❶ 2차원 **❷** 3차원

확인 Q 8

전자 현미경은 광학 현미경보다 더 (　　　　) 물체를 확대하여 관측할 수 있다.

개념 돌파 전략 ②

7강_ 파동

1 그림 (가)는 횡파의 어느 순간의 모습과 매질 위의 점 A를, (나)는 (가)의 순간부터 A의 변위를 시간에 따라 나타낸 것이다. 이 파동의 전파 속력은?

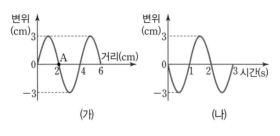

(가)

(나)

① 0.25 cm/s   ② 0.5 cm/s   ③ 1 cm/s
④ 2 cm/s   ⑤ 4 cm/s

> **문제 해결 전략**
>
> 속력은 단위 시간당 이동한 거리이므로 파동의 진행 속력을 구할 때는 1회 진동하는 데 걸린 시간인 **❶**⬚ 와 1회 진동하는 동안 이동한 거리인 **❷**⬚ 을 이용한다.
>
> 답 ❶ 주기 ❷ 파장

2 그림은 단색광 A가 입사각 θ로 매질 1에서 매질 2로 진행하는 모습을 나타낸 것이다. 이에 대한 설명으로 옳은 것만을 | 보기 |에서 있는 대로 고른 것은?

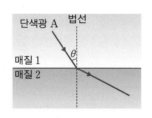

┌ 보기 ┐
ㄱ. A의 속력은 매질 2에서가 매질 1에서보다 빠르다.
ㄴ. A의 주기는 매질 1에서가 매질 2에서보다 크다.
ㄷ. θ를 증가시켜도 A는 전반사할 수 없다.

① ㄱ   ② ㄷ   ③ ㄱ, ㄴ
④ ㄱ, ㄷ   ⑤ ㄴ, ㄷ

> **문제 해결 전략**
>
> • 입사각이 굴절각보다 작으면 입사하는 쪽 매질에서 파동의 속력이 굴절하는 쪽 매질에서 파동의 속력보다 **❶**⬚ .
> • 파동의 진동수는 파원에서 결정되므로 파동이 진행하는 과정에서 **❷**⬚ .
>
> 답 ❶ 느리다 ❷ 변하지 않는다

3 그림은 물결파 투영 장치의 두 파원 S_1, S_2에서 파장과 진폭이 같은 물결파를 같은 위상으로 발생시켰을 때 어느 순간 나타나는 물결파의 간섭무늬를 나타낸 것이다. 그림에서 실선은 물결파의 마루를, 점선은 골을 나타내며 P, Q, R는 평면상에 고정된 지점이다. 보강 간섭과 상쇄 간섭이 나타나는 지점을 옳게 짝 지은 것은?

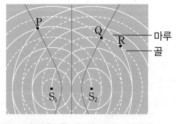

마루
골

	보강 간섭	상쇄 간섭		보강 간섭	상쇄 간섭
①	P	Q, R	②	P, Q	R
③	P, R	Q	④	Q	P, R
⑤	Q, R	P			

> **문제 해결 전략**
>
> 물결파가 진행하는 과정에서 마루와 마루, 골과 골은 각각 위상이 **❶**⬚ 두 지점이고 마루와 골은 위상이 **❷**⬚ 두 지점이다.
>
> 답 ❶ 같은 ❷ 반대인

8강_ 빛과 물질의 이중성

4 그림은 금속판에 단색광을 비추었을 때 광전자가 방출되는 모습을 나타낸 것이다. 이에 대한 설명으로 옳은 것만을 | 보기 |에서 있는 대로 고른 것은?

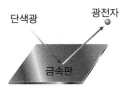

┌ 보기 ┐
ㄱ. 단색광의 진동수는 금속판의 문턱 진동수보다 크다.
ㄴ. 광전자가 튀어나오는 현상은 빛의 파동성으로 설명할 수 있다.
ㄷ. 튀어나오는 광전자의 수를 증가시키기 위해서는 단색광의 진동수를 증가시키면 된다.
└────────┘

① ㄱ   ② ㄷ   ③ ㄱ, ㄴ
④ ㄴ, ㄷ   ⑤ ㄱ, ㄴ, ㄷ

문제 해결 전략

• 단색광을 금속판에 비추었을 때 광전자가 튀어나오는 현상을 **❶** 라고 하며, 이는 아인슈타인의 광양자설을 이용하여 설명할 수 있다.
• 광양자설에 따르면 광자의 에너지는 빛의 **❷** 에 비례하며, 빛의 세기는 광자의 수와 관련 있다.

답 ❶ 광전 효과 ❷ 진동수

5 여러 가지 물리적 현상 중 물질의 파동성으로 설명할 수 있는 현상만을 | 보기 |에서 있는 대로 고른 것은?

┌ 보기 ┐
ㄱ. CCD에서의 빛 신호 처리
ㄴ. 니켈 결정에 입사한 전자선의 간섭
ㄷ. 알루미늄 박막에 쪼여준 X선의 회절
└────────┘

① ㄴ   ② ㄷ   ③ ㄱ, ㄴ
④ ㄱ, ㄷ   ⑤ ㄱ, ㄴ, ㄷ

문제 해결 전략

충돌에 의한 현상은 **❶** 가 나타내는 대표적인 현상이며, 간섭과 회절은 **❷** 이 나타내는 대표적인 현상이다.

답 ❶ 입자 ❷ 파동

6 표는 입자 A, B의 운동 에너지와 입자의 질량을 나타낸 것이다.

입자	운동 에너지	질량
A	$2E$	$4m$
B	E	$2m$

A, B의 물질파 파장을 각각 λ_A, λ_B라고 할 때, $\lambda_A : \lambda_B$는?

① 1 : 1   ② 1 : 2   ③ 2 : 1
④ 4 : 1   ⑤ 8 : 1

문제 해결 전략

• 입자의 물질파(드브로이파) 파장은 입자의 운동량에 **❶** 한다.
• 입자의 운동 에너지는 입자의 운동량의 제곱에 **❷** 한다.

답 ❶ 반비례 ❷ 비례

대표 기출 1

2021 9월 모평 4번 유사

그림 (가)는 $-x$ 방향으로 진행하는 횡파의 어느 순간 매질의 변위를 위치 x에 따라 나타낸 것이다. 그림 (나)는 (가)의 순간부터 매질의 점 A, B 중 한 점의 변위를 시간에 따라 나타낸 것이다.

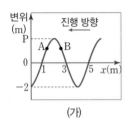
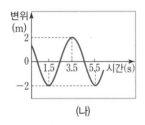

(가)   (나)

이에 대한 설명으로 옳은 것만을 ┤보기├에서 있는 대로 고르시오.

┌─ 보기 ─────────────────────
ㄱ. (나)는 A의 그래프이다.

ㄴ. 파동의 파장은 3 m이다.

ㄷ. 파동의 진동수는 0.25 Hz이다.
└────────────────────────

Tip 변위-위치 그래프에서는 파동의 파장을 알 수 있고, 변위-시간 그래프에서는 파동의 주기를 알 수 있다.

풀이 ㄱ. (가)에서 진행 방향이 $-x$ 방향이므로 A는 다음 순간 위쪽, B는 아래쪽으로 이동한다. 따라서 (나)는 B의 그래프이다.

ㄴ, ㄷ. 파장은 4 m, 주기는 4초, 진동수는 0.25 Hz이다. **답** ㄷ

확인 ①-1

그림 (가)는 진행하는 횡파의 어느 순간의 모습과 매질 위의 점 A를, (나)는 (가)의 순간부터 A의 변위를 시간에 따라 나타낸 것이다.

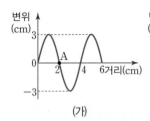
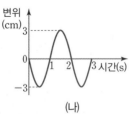

(가)   (나)

이에 대한 설명으로 옳은 것만을 ┤보기├에서 있는 대로 고르시오.

┌─ 보기 ─────────────────────
ㄱ. 파동의 진폭은 6 cm이다.

ㄴ. 파동의 속력은 2 cm/s이다.

ㄷ. 파동의 진행 방향은 왼쪽 방향이다.
└────────────────────────

대표 기출 2

그림 (가)는 일정한 주기로 물결파를 발생시키는 장치를, (나)는 (가)의 물결파가 물의 깊이가 다른 영역 Ⅰ, Ⅱ의 경계면에서 굴절하면서 진행하는 것을 나타낸 것이다. 파면이 경계면과 이루는 각은 영역 Ⅰ에서 θ_1, 영역 Ⅱ에서 θ_2이다.

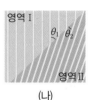

(가)   (나)

이에 대한 설명으로 옳은 것만을 ┤보기├에서 있는 대로 고르시오.

┌─ 보기 ─────────────────────
ㄱ. 파동의 파장은 영역 Ⅰ에서가 영역 Ⅱ에서보다 길다.

ㄴ. 물의 깊이는 영역 Ⅰ에서가 영역 Ⅱ에서보다 얕다.

ㄷ. 영역 Ⅰ에서 파동의 전파 속력에 대한 영역 Ⅱ에서 파동의 전파 속력의 비는 $\dfrac{\sin\theta_2}{\sin\theta_1}$이다.
└────────────────────────

Tip 파동은 항상 파면에 수직한 방향으로 진행하고, 파동의 입사각과 굴절각은 경계면에 대한 법선과 진행 방향 사이의 각이다.

풀이 ㄱ. 파장은 파면 사이의 거리이다.

ㄴ. 물결파의 전파 속력은 물이 깊을수록 빠르며, 전파 속력이 빠를수록 파장이 길다.

ㄷ. (나)에서 θ_1은 입사각, θ_2는 굴절각과 같다. **답** ㄱ, ㄷ

확인 ②-1

그림 (가)는 단색광 A가 입사각 θ로 매질 1에서 매질 2로 진행하는 모습을, (나)는 A가 입사각 θ로 매질 2에서 3으로 진행하는 모습을 나타낸 것이다. θ_1, θ_2는 굴절각으로 $\theta_1 > \theta_2$이다.

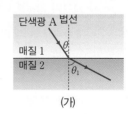

(가)   (나)

매질 1, 2, 3에서의 단색광의 속력을 부등호를 이용해 비교하시오.

대표 기출 3 `2021` 9월 모평 14번

그림과 같이 단색광 P가 공기로부터 매질 A에 θ_i로 입사하고 A와 매질 C의 경계면에서 전반사하여 진행한 뒤, 매질 B로 입사한다. 굴절률은 A가 B보다 작다. P가 A에서 B로 진행할 때 굴절각은 θ_B이다.

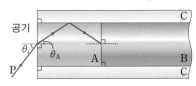

이에 대한 설명으로 옳은 것만을 |보기|에서 있는 대로 고른 것은?

┌─ 보기 ─────────────────────────┐
ㄱ. 굴절률은 A가 C보다 크다.

ㄴ. $\theta_A < \theta_B$이다.

ㄷ. B와 C의 경계면에서 P는 전반사한다.
└──────────────────────────────┘

① ㄱ   ② ㄴ   ③ ㄱ, ㄷ
④ ㄴ, ㄷ   ⑤ ㄱ, ㄴ, ㄷ

Tip 전반사는 굴절률이 큰 매질에서 작은 매질로 진행하고 입사각이 임계각보다 클 때 나타난다.

풀이 ㄱ. A에서 C로 진행할 때 전반사하므로 굴절률은 A가 C보다 크다.

ㄴ. A에서 B로 진행할 때 입사각이 θ_A이고 굴절률은 B가 더 작으므로 θ_B는 θ_A보다 작다.

ㄷ. B는 A보다 굴절률이 크므로 B와 C 사이의 임계각은 A와 C 사이의 임계각보다 작다. 또한 B에서 C로 진행할 때 입사각이 A에서 C로 진행할 때 입사각보다 크므로 P는 전반사한다.

답 ③

확인 3-1

그림은 광섬유에서 단색광이 공기와 코어의 경계면 위의 점 P에 각 i로 입사하여 코어 내에서 전반사하며 진행하는 것을 나타낸 것이다. 코어와 클래딩의 굴절률은 각각 n_1, n_2이다. 이에 대한 설명으로 옳은 것만을 |보기|에서 있는 대로 고르시오.

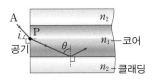

┌─ 보기 ─────────────────────────┐
ㄱ. $n_1 > n_2$이다.

ㄴ. θ는 임계각보다 크다.

ㄷ. A를 i보다 작은 각으로 P에 입사시키면, 코어와 클래딩의 경계면에 도달한 A는 전반사한다.
└──────────────────────────────┘

대표 기출 4

그림 (가)는 광섬유의 코어와 공기의 경계면 위의 점 p에 입사각 i로 입사시킨 단색광이 코어와 클래딩의 경계면에서 전반사하는 모습을, (나)는 물질 A, B, C의 굴절률을 나타낸 것이다.

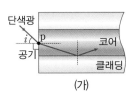

물질	굴절률
A	1.3
B	1.1
C	1.5

(가)   (나)

이에 대한 설명으로 옳은 것만을 |보기|에서 있는 대로 고른 것은?

┌─ 보기 ─────────────────────────┐
ㄱ. 광섬유의 코어를 B, 클래딩을 A로 만들었을 때 (가)와 같은 현상이 나타날 수 있다.

ㄴ. 코어가 C일 때, 코어와 클래딩 사이의 임계각은 클래딩이 B일 때가 A일 때보다 작다.

ㄷ. 코어가 C일 때, i의 최댓값은 클래딩이 B일 때가 A일 때보다 크다.
└──────────────────────────────┘

① ㄱ   ② ㄴ   ③ ㄷ
④ ㄱ, ㄷ   ⑤ ㄴ, ㄷ

Tip 파동이 진행할 때 임계각은 두 매질의 굴절률의 차이가 클수록 작다.

풀이 ㄱ. 코어의 굴절률이 클래딩의 굴절률보다 커야 전반사가 일어난다.

ㄴ. 굴절률의 차이가 클수록 임계각은 작다.

ㄷ. 임계각이 작을수록 i의 최댓값은 증가한다.

답 ⑤

확인 4-1

그림은 광통신에 이용하는 광케이블의 구조를 나타낸 것이다. 이에 대한 설명으로 옳은 것만을 |보기|에서 있는 대로 고르시오.

┌─ 보기 ─────────────────────────┐
ㄱ. 코어와 클래딩 사이의 전반사를 이용한다.

ㄴ. 빛의 속력은 코어에서가 클래딩에서보다 빠르다.

ㄷ. 굴절률은 코어가 클래딩보다 크다.
└──────────────────────────────┘

대표 기출 5 `2022 6월 모평 1번 유사`

그림은 전자기파 A~D를 파장에 따라 분류하여 나타낸 것이다. B는 인체 내부의 뼈 사진을 촬영하는 데 사용된다.

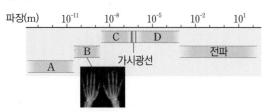

이에 대한 설명으로 옳은 것만을 | 보기 |에서 있는 대로 고른 것은?

┌ 보기 ┐
ㄱ. A는 암 치료에 이용된다.
ㄴ. B는 C보다 투과력이 낮아 인체 내부 사진을 찍는 데 이용된다.
ㄷ. 진공에서 속력은 D가 C보다 느리다.
└────┘

① ㄱ   ② ㄴ   ③ ㄱ, ㄷ
④ ㄴ, ㄷ   ⑤ ㄱ, ㄴ, ㄷ

Tip 전자기파의 파장이 짧을수록 에너지가 크다.

풀이 A는 감마(γ)선, B는 X선, C는 자외선, D는 적외선이다.
ㄱ. γ선은 암 치료에 이용된다.
ㄴ. B는 C보다 투과력이 좋다.
ㄷ. 진공에서 전자기파의 속력은 모두 같다. **답** ①

확인 5 -1

그림은 전자기파를 진동수에 따라 분류한 것을 나타낸 것이다.

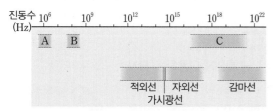

이에 대한 설명으로 옳은 것만을 | 보기 |에서 있는 대로 고르시오.

┌ 보기 ┐
ㄱ. B가 C보다 파장이 짧다.
ㄴ. 광자 1개의 에너지는 A가 B보다 작다.
ㄷ. 의료 장비에 사용되는 X선은 C에 속한다.
└────┘

대표 기출 6

그림 (가)는 최대 변위의 크기가 각각 $3A$, $2A$인 두 펄스가 동일한 속력으로 서로 반대 방향으로 진행하는 어느 순간의 모습을 나타낸 것이고, (나)는 (가)로부터 1초가 지난 순간의 펄스의 모습을 나타낸 것이다.

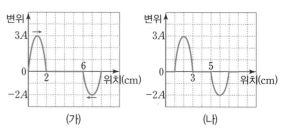

이에 대한 설명으로 옳은 것만을 | 보기 |에서 있는 대로 고르시오.

┌ 보기 ┐
ㄱ. 두 펄스의 진행 속력은 같다.
ㄴ. (가)로부터 3초 후 $x=4$ cm 지점의 변위는 0이다.
ㄷ. (가)로부터 5초 후 $x=6$ cm 지점의 변위는 $3A$이다.
└────┘

Tip 파동이 진행하다 중첩한 이후 파동의 독립성에 의해 각각의 파동의 성질을 그대로 유지한 채 계속 진행한다.

풀이 ㄱ. (가)에서 (나)로 변하는 동안 걸린 시간은 1초이고 두 파동 모두 1 cm씩 진행하므로 속력은 1 cm/s로 같다.
ㄴ. 3초 후 $x=4$ cm인 지점은 진폭 $3A$와 $-2A$가 만나 합성파의 진폭이 A가 된다.
ㄷ. 5초 후 $x=6$ cm인 지점은 왼쪽에서 진행하던 파동의 가장 높은 지점이 도달하므로 변위는 $3A$이다. **답** ㄱ, ㄷ

확인 6 -1

그림은 0초일 때, 파장과 진폭이 같은 파동 A, B가 2 cm/s의 같은 속력으로 서로 반대 방향으로 진행하는 모습이다.

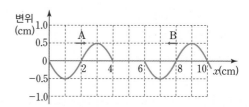

이에 대한 설명으로 옳은 것만을 | 보기 |에서 있는 대로 고르시오.

┌ 보기 ┐
ㄱ. A의 진동수와 B의 진동수는 0.5 Hz로 같다.
ㄴ. $x=5$ cm 지점에서의 최대 진폭은 1 cm이다.
ㄷ. $x=6$ cm 지점에서의 최대 진폭은 1 cm이다.
└────┘

대표 기출 **7**

그림은 물결파 발생 장치의 두 점파원 S₁, S₂에서 진폭, 진동수, 파장 및 위상이 같은 물결파를 발생시켰을 때 스크린에 투영된 밝고 어두운 무늬를 나

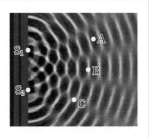

타낸 것이다. A는 골과 골이 만난 곳, B는 마루와 마루가 만난 곳, C는 마루와 골이 만난 곳이다. S₁, S₂로부터 B까지의 거리는 같다. 이에 대한 설명으로 옳은 것만을 | 보기 |에서 있는 대로 고른 것은?

┌─ 보기 ──────────────────────────┐
ㄱ. A의 밝기는 변하지 않는다.
ㄴ. B에 도달하는 두 물결파는 경로차가 0이다.
ㄷ. C점의 밝기가 가장 어둡다.
└────────────────────────────────┘

① ㄱ   ② ㄴ   ③ ㄷ
④ ㄱ, ㄴ   ⑤ ㄴ, ㄷ

Tip 보강 간섭 지점은 위상이 같은 두 물결파가 중첩된 지점이고, 상쇄 간섭 지점은 위상이 반대인 두 물결파가 중첩된 지점이다.

풀이 ㄱ. A는 보강 간섭 지점이므로 주기적으로 변위가 변한다. 즉, 밝기가 변한다.
ㄴ. B는 두 파원으로부터의 거리가 같으므로 경로차가 0이다.
ㄷ. C는 상쇄 간섭 지점이므로 밝기가 변하지 않지만, 가장 어두운 지점은 보강 간섭 지점에서 골끼리 중첩될 때 나타난다. **답** ②

확인 **7**-1

그림은 주기와 파장이 같고, 속력이 일정한 두 수면파가 진행하는 어느 순간의 모습을 평면상에 모식적으로 나타낸 것이다. 두 수면파의 진폭은 *A*로 같다. 실선과

점선은 각각 수면파의 마루와 골의 위치를, 점 P, Q는 평면상의 고정된 지점을 나타낸 것이다. 이에 대한 설명으로 옳은 것만을 | 보기 |에서 있는 대로 고르시오.

┌─ 보기 ──────────────────────────┐
ㄱ. P에서 두 파동은 보강 간섭 한다.
ㄴ. P에서 진폭은 *A*이다.
ㄷ. Q에서 두 파동은 상쇄 간섭 한다.
└────────────────────────────────┘

대표 기출 **8**

다음은 일상생활에서 파동의 간섭을 이용하는 다양한 사례를 나타낸 것이다.

주변 소음을   반사되는 빛의 세기를   보는 각도에 따라 색이
제거하는 헤드폰   감소시키는 코팅된 렌즈   다르게 보이는 지폐
(가)   (나)   (다)

이에 대한 설명으로 옳은 것만을 | 보기 |에서 있는 대로 고른 것은?

┌─ 보기 ──────────────────────────┐
ㄱ. (가)에서 소음과 반대 위상인 파동을 이용하여 소음을 제거한다.
ㄴ. (나)는 빛의 보강 간섭을 이용한 현상이다.
ㄷ. (다)는 각도에 따라 빛의 경로차가 달라져 보강 간섭 하는 색이 달라지기 때문에 나타나는 현상이다.
└────────────────────────────────┘

① ㄱ   ② ㄴ   ③ ㄷ
④ ㄱ, ㄷ   ⑤ ㄴ, ㄷ

Tip 보강 간섭을 이용하는 현상은 파동의 진폭을 크게 하는 것이 목적이고, 상쇄 간섭을 이용하는 현상은 파동의 진폭을 작게 하는 것이 목적이다.

풀이 ㄱ. 소음 제거에는 상쇄 간섭을 이용한다.
ㄴ. 반사되는 빛의 세기를 감소시켜야 하기 때문에 상쇄 간섭을 이용한다.
ㄷ. 특정한 색이 보이는 까닭은 그 색의 빛만 보강 간섭 했기 때문이다. **답** ④

확인 **8**-1

그림과 같이 스피커 A, B에서 동일한 진동수의 소리가 같은 위상으로 발생한다. A, B에서 발생한 소리는 점 P에서 보강 간섭 하고, 점 Q에서는 상쇄 간섭 한다. 이에 대한 설명으로 옳은 것만을 | 보기 |에서 있는 대로 고르시오.

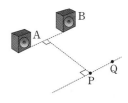

┌─ 보기 ──────────────────────────┐
ㄱ. P에 도달하는 두 소리의 위상은 같다.
ㄴ. Q에 도달하는 두 소리의 위상은 반대이다.
ㄷ. 소리의 크기는 P에서가 Q에서보다 크게 들린다.
└────────────────────────────────┘

7강_ 파동

1 그림 (가)는 두 파동 A, B의 어느 순간의 변위를 위치에 따라 나타낸 것이고, (나)는 A, B가 형성된 각 매질의 어느 한 점의 변위를 시간에 따라 나타낸 것이다.

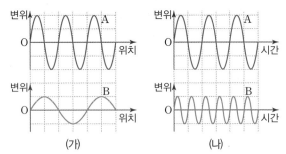

(가)   (나)

이에 대한 설명으로 옳은 것만을 │보기│에서 있는 대로 고르시오.

│보기│
ㄱ. 파동의 진폭은 A가 B의 2배이다.
ㄴ. 파동의 진동수는 A가 B의 2배이다.
ㄷ. 파동의 속력은 A가 B의 2배이다.

Tip 주기는 진동수와 ❶[　　　]의 관계이고, 파동의 진행 속력은 ❷[　　　]을 주기로 나눈 값이다.　🄳 ❶ 역수 ❷ 파장

2 그림 (가)는 단색광 P를 입사각 θ로 물질 A, B의 경계면에 입사시켰더니 굴절각 θ_1로 굴절하는 것을, (나)는 P를 입사각 θ로 물질 A, C의 경계면에 입사시켰더니 굴절각 θ_2로 굴절하는 것을 나타낸 것이다. $\theta_1 > \theta > \theta_2$이고 A, B, C의 굴절률은 각각 n_A, n_B, n_C이다.

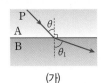 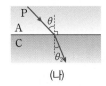

(가)   (나)

이에 대한 설명으로 옳은 것만을 │보기│에서 있는 대로 고르시오.

│보기│
ㄱ. (가)에서 P의 진동수는 A에서가 B에서보다 작다.
ㄴ. (나)에서 P의 속력은 A에서가 C에서보다 크다.
ㄷ. $\dfrac{\sin\theta_2}{\sin\theta_1} = \dfrac{n_B}{n_C}$이다.

Tip 파동이 진행할 때 ❶[　　　]이 달라지면 파동은 굴절하지만 ❷[　　　]는 변하지 않는다.　🄳 ❶ 매질 ❷ 진동수

3 그림 (가), (나)는 각각 물질 X, Y, Z 중 두 물질을 이용하여 만든 광섬유의 코어에 단색광 A를 입사각 θ_0으로 입사시킨 모습을 나타낸 것이다. θ_1은 X와 Y 사이의 임계각이고, 굴절률은 Z가 X보다 크다.

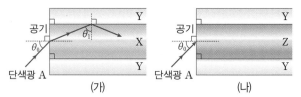

(가)   (나)

이에 대한 설명으로 옳은 것만을 │보기│에서 있는 대로 고른 것은?

│보기│
ㄱ. (가)에서 A를 θ_0보다 큰 입사각으로 X에 입사시키면 A는 X와 Y의 경계면에서 전반사하지 않는다.
ㄴ. (나)에서 Z와 Y 사이의 임계각은 θ_1보다 크다.
ㄷ. (나)에서 A는 Z와 Y의 경계면에서 전반사한다.

① ㄱ　　　② ㄴ　　　③ ㄱ, ㄷ
④ ㄴ, ㄷ　　　⑤ ㄱ, ㄴ, ㄷ

Tip 공기에서 코어로 입사하는 입사각이 클수록 공기와 코어 사이의 굴절각은 ❶[　　　], 코어와 클래딩 사이의 입사각은 ❷[　　　].　🄳 ❶ 커지고 ❷ 작아진다.

4 그림은 직각 이등변 삼각형 프리즘의 점 P에 입사한 단색광이 공기로 굴절하여 입사 방향과 15° 방향으로 진행하는 것을 나타낸 것이다. 프리즘에서 공기로 빛이 진행할 때 P점에서의 임계각을 θ_C라고 할 때 $\sin\theta_C$는? (단, 공기의 굴절률을 1이라고 한다.)

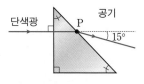

① $\dfrac{\sqrt{6}}{2}$　　　② $\dfrac{\sqrt{6}}{3}$　　　③ $\dfrac{\sqrt{6}}{4}$

④ $\dfrac{\sqrt{3}}{2}$　　　⑤ $\dfrac{\sqrt{3}}{3}$

Tip 임계각은 굴절각이 ❶[　　　]일 때의 ❷[　　　]이다.　🄳 ❶ 90° ❷ 입사각

5 전자기파에 대한 설명으로 옳지 <u>않은</u> 것은?

① 전자기파는 전기장과 자기장의 진동에 의해 진행한다.

② 전자기파의 전기장의 크기가 최대일 때 자기장의 크기도 최대이다.

③ 전자기파의 진행 방향은 전기장의 진동 방향과 나란하다.

④ 전자기파 중 X선은 뼈의 이상이나 물질 내부의 구조 조사 등에 이용된다.

⑤ 전자기파 중 적외선은 우리가 눈으로 볼 수 있는 전자기파보다 파장이 길다.

> **Tip** 전자기파는 전기장과 자기장의 진동 방향이 전자기파의 진행 방향에 수직인 **❶**〔   〕이며, 전자기파의 에너지는 진동수가 **❷**〔   〕크다.   🔁 **❶** 횡파 **❷** 클수록

2019 6월 모평 5번 유사

6 그림은 서로 반대 방향으로 진행하는 진폭과 파장이 같은 두 파동의 어느 순간의 모습을 나타낸 것이다. 두 파동은 같은 직선상에서 움직이며 4 m/s의 동일한 속력으로 서로를 향해 다가온다.

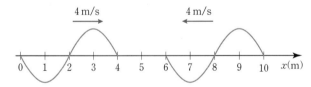

이에 대한 설명으로 옳은 것만을 | 보기 |에서 있는 대로 고른 것은?

> **보기**
> ㄱ. 두 파동의 주기는 1초이다.
> ㄴ. 0.5초 후 $x=5$ m인 지점의 변위는 0이다.
> ㄷ. 두 파동이 만난 후 두 파동의 속력은 감소한다.

① ㄱ   ② ㄷ   ③ ㄱ, ㄴ

④ ㄴ, ㄷ   ⑤ ㄱ, ㄴ, ㄷ

> **Tip** 두 파동이 만났을 때 **❶**〔   〕이 변하는 현상을 중첩이라고 하며, 중첩된 이후 파동은 원래의 성질을 그대로 유지하는 **❷**〔   〕을 가지고 있다.   🔁 **❶** 진폭 **❷** 독립성

---

7 그림은 파원 S_1, S_2에서 같은 진폭과 위상으로 발생시킨 두 물결파의 어느 순간의 모습을 모식적으로 나타낸 것이다. 두 물결파의 진행 속력은 0.1 m/s, 파장은 0.1 m로 같다. 실선과 점선은 각각 물결파의 마루와 골이고, 점 P, Q는 각각 S_1과 S_2로부터 일정한 거리에 있는 두 점이다. 이에 대한 설명으로 옳은 것만을 | 보기 |에서 있는 대로 고른 것은?

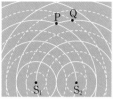

> **보기**
> ㄱ. P점에서는 보강 간섭이 나타난다.
> ㄴ. Q점의 수면의 높이가 가장 낮다.
> ㄷ. 두 파원에서 Q점까지의 경로차는 0.1 m이다.

① ㄱ   ② ㄴ   ③ ㄱ, ㄷ

④ ㄴ, ㄷ   ⑤ ㄱ, ㄴ, ㄷ

> **Tip** 물결파의 마루와 마루 또는 골과 골이 만나는 지점은 **❶**〔   〕, 마루와 골이 만나는 지점은 **❷**〔   〕이 일어나는 지점이다.   🔁 **❶** 보강 간섭 **❷** 상쇄 간섭

---

8 그림은 공기 중에서 얇은 막을 입힌 유리로 단색광이 진행하여 A점, B점, C점에서 단색광이 굴절과 반사하는 것을 나타낸 것이며, P와 Q는 각각 A와 B에서 반사하여 진행한 빛이다. 굴절률의 크기는 공기<유리<막이다. 이에 대한 설명으로 옳은 것만을 | 보기 |에서 있는 대로 고른 것은?

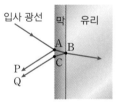

> **보기**
> ㄱ. 단색광이 B에서 반사할 때, 위상은 변하지 않는다.
> ㄴ. B에서 반사각과 C에서 입사각의 크기는 같다.
> ㄷ. 막의 두께가 무시할 수 있을 만큼 매우 얇으면 P와 Q는 보강 간섭 한다.

① ㄱ   ② ㄷ   ③ ㄱ, ㄴ

④ ㄴ, ㄷ   ⑤ ㄱ, ㄴ, ㄷ

> **Tip** 빛의 속력이 빠른 매질에서 진행하다 느린 매질을 만나 반사하면 빛의 위상이 **❶**〔   〕가 되고, 느린 매질에서 진행하다 빠른 매질을 만나 반사하면 빛의 위상은 **❷**〔   〕.   🔁 **❶** 반대 **❷** 변하지 않는다

대표 기출 **1**

그림 (가)는 금속판 A에 단색광 P를 비추었을 때 광전자가 방출되지 않는 것을, (나)는 A에 단색광 Q를 비추었을 때 광전자가 방출되는 것을 나타낸 것이다.

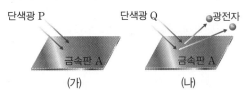

단색광 P 단색광 Q 광전자
금속판 A 금속판 A
(가) (나)

이에 대한 설명으로 옳은 것만을 |보기|에서 있는 대로 고르시오.

> **보기**
> ㄱ. 단색광의 진동수는 P가 Q보다 크다.
> ㄴ. (가)에서 P의 세기를 증가시키면 광전자가 방출될 수 있다.
> ㄷ. (나)의 금속판에서 광전자는 빛을 쪼이자마자 즉시 방출된다.

Tip 광전 효과가 일어날 때 광전자는 즉시 튀어나온다.

풀이 ㄱ, ㄷ. 광전자가 방출되기 위해서는 금속판의 일함수보다 에너지가 큰 빛을 쪼여주어야 하므로 진동수는 Q가 더 크다.
ㄴ. 특정 진동수 이하의 빛은 세기를 증가시켜도 광전자가 방출될 수 없다.

답 ㄷ

확인 **1**-1

그림은 광전관의 금속판에 빨간색 발광 다이오드(LED) R, 초록색 발광 다이오드 G, 파란색 발광 다이오드 B 중에서 G만을 비추는 것을 나타낸 것으로, 금속판에서는 광전자가 방출되고 있다. 이에 대한 설명으로 옳은 것만을 |보기|에서 있는 대로 고르시오.

R
G
B
금속판
광전자

> **보기**
> ㄱ. 금속판의 문턱 진동수는 초록색 발광 다이오드에서 방출되는 빛의 진동수보다 작다.
> ㄴ. 금속판에 B를 추가적으로 비추면 방출되는 광전자의 수는 증가한다.
> ㄷ. 금속판에 R를 추가적으로 비추면 방출되는 광전자의 최대 속력이 증가한다.

대표 기출 **2**

그림은 일함수가 E_0인 금속판에 단색광을 비추어 광전자를 방출시키는 것을, 표는 다른 조건은 동일하게 하고, 단색광의 파장과 세기를 변화시킬 때 금속판에서 방출되는 광전자의 최대 운동 에너지를 나타낸 것이다.

단색광 광전자
일함수가 E_0인 금속판

단색광	세기	최대 운동 에너지
A	I	$5E_0$
B	$2I$	$5E_0$
C	I	$2E_0$

이에 대한 설명으로 옳은 것만을 |보기|에서 있는 대로 고르시오.

> **보기**
> ㄱ. 단위 시간당 방출되는 광전자의 수는 B일 때가 A일 때보다 많다.
> ㄴ. 파장은 A가 B보다 길다.
> ㄷ. 진동수는 A가 C의 3배이다.

Tip 광전자의 최대 운동 에너지는 단색광의 에너지에서 일함수만큼 뺀 값이다.

풀이 ㄱ. 광전자가 방출되는 상황에서는 빛의 세기가 셀수록 방출되는 광전자의 수가 많아진다.
ㄴ. 광전자의 최대 운동 에너지가 같은 것은 쪼여주는 빛의 진동수, 즉 파장이 같은 것을 의미한다.
ㄷ. 일함수가 E_0이므로 A의 에너지는 $6E_0$, C의 에너지는 $3E_0$이다. 따라서 진동수는 A가 C의 2배이다.

답 ㄱ

확인 **2**-1

그림은 금속판에 단색광을 비추어 광전자를 방출시키는 것을 나타낸 것이다. 표는 다른 조건을 동일하게 하고, 단색광의 진동수를 변화시킬 때 금속판에서 방출되는 광전자의 최대 운동 에너지를 나타낸 것이다.

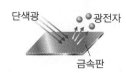

단색광 광전자
금속판

실험	진동수	최대 운동 에너지
Ⅰ	f	E
Ⅱ	$2f$	$3E$

금속의 일함수는? (단, 플랑크 상수는 h이다.)

① $\frac{1}{2}hf$　　② hf　　③ $2hf$
④ $3hf$　　⑤ $4hf$

대표 기출 ❸

그림은 CCD(전하 결합 소자)를 이용한 디지털카메라의 구조와 원리를 나타낸 것이다.

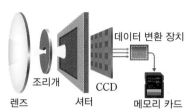

이에 대한 설명으로 옳은 것만을 | 보기 |에서 있는 대로 고른 것은?

| 보기 |
ㄱ. 빛이 렌즈에 의해 굴절되는 것은 파동성에 의한 현상이다.
ㄴ. CCD의 색 필터를 이용하여 빛의 색을 분류한다.
ㄷ. CCD에 의해 빛이 전기 신호로 변환될 수 있는 것은 입자성을 이용한 것이다.

① ㄱ   ② ㄷ   ③ ㄱ, ㄴ
④ ㄱ, ㄷ   ⑤ ㄱ, ㄴ, ㄷ

Tip CCD는 광전 효과를 이용한 장치이다.

풀이 ㄱ. 렌즈에 의한 굴절은 대표적인 파동성에 의한 현상이다.
ㄴ. 색 필터를 이용하여 색을 분류한 후 색에 따른 빛의 세기를 감지한다.
ㄷ. CCD는 광전 효과를 이용한 장치이므로 빛의 입자성을 이용한 것이다.   **답** ⑤

확인 ❸-1

2019 9월 모평 16번 유사

그림은 광센서로 사용되는 p-n 접합 광 다이오드에 빛을 비출 때 전류가 흐르는 모습을 모식적으로 나타낸 것이다.

이에 대한 설명으로 옳은 것만을 | 보기 |에서 있는 대로 고르시오.

| 보기 |
ㄱ. 빛에 의해 p-n 접합면에서 전자-양공 쌍이 형성된다.
ㄴ. 빛의 파동성을 이용한 장치이다.
ㄷ. 전류의 방향은 ⓐ이다.

대표 기출 ❹

그림은 입자 A, B, C의 운동 에너지와 질량을 나타낸 것이다.

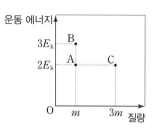

A, B, C의 물질파 파장을 각각 λ_A, λ_B, λ_C라고 할 때, $\lambda_A : \lambda_B : \lambda_C$는?

① $1 : 1 : 1$ ② $1 : \sqrt{2} : \sqrt{3}$
③ $1 : 2 : 3$ ④ $\sqrt{3} : \sqrt{2} : 1$
⑤ $3 : 2 : 1$

Tip 물체의 운동 에너지는 운동량의 제곱에 비례하고, 물질의 물질파 파장은 운동량에 반비례한다.

풀이 A와 B는 질량은 같지만 운동 에너지의 비는 2 : 3이므로 운동량 크기의 비는 $\sqrt{2} : \sqrt{3}$이다. A와 C는 운동 에너지는 같고 질량의 비는 1 : 3이므로 운동량의 크기 비는 $1 : \sqrt{3}$이다. 따라서 A, B, C의 운동량의 비는 $\sqrt{2} : \sqrt{3} : \sqrt{6}$이므로 물질파 파장의 비는 $\sqrt{3} : \sqrt{2} : 1$이다.   **답** ④

확인 ❹-1

그림은 질량이 다른 입자 A, B의 속력에 따른 물질파 파장을 나타낸 것이다.

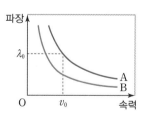

이에 대한 설명으로 옳은 것만을 | 보기 |에서 있는 대로 고르시오.

| 보기 |
ㄱ. 입자의 속력이 v_0일 때, 질량은 A가 B보다 작다.
ㄴ. 물질파의 파장이 λ_0일 때, 운동량의 크기는 A가 B보다 크다.
ㄷ. 물질파의 파장이 λ_0일 때, 운동 에너지는 A와 B가 서로 같다.

대표 기출 5

그림 (가)는 니켈 결정에 전자선을 입사시킨 후 입사한 전자선과 튀어나온 전자가 이루는 각도가 θ인 곳에서 전자를 검출하는 실험 장치를, (나)는 운동 에너지가 54 eV인 전자를 입사시킨 후 θ에 따른 튀어나온 전자 수를 나타낸 것이다. $\theta=50^\circ$일 때 검출기에 도달한 전자 수가 최대이다.

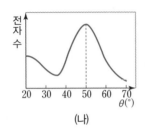

(가)   (나)

이에 대한 설명으로 옳은 것만을 |보기|에서 있는 대로 고른 것은?

┌─ 보기 ─────────────────────────────┐
ㄱ. $\theta=50^\circ$에서 보강 간섭이 일어났다고 해석할 수 있다.

ㄴ. 운동 에너지는 전자의 물질파 파장을 결정한다.

ㄷ. 물질의 파동성의 결정적인 증거 중 하나이다.
└──────────────────────────────────┘

① ㄱ   ② ㄷ   ③ ㄱ, ㄴ

④ ㄴ, ㄷ   ⑤ ㄱ, ㄴ, ㄷ

Tip 니켈 결정은 전자가 입사한 상황에서 회절 격자와 같은 역할을 할 수 있다.

풀이 ㄱ. $\theta=50^\circ$에서 전자 수가 최대인 것은 그 각도에서의 보강 간섭이 일어났다고 해석할 수 있다.

ㄴ. 물질파 파장은 물질의 운동량의 크기에 반비례하고, 운동 에너지는 운동량의 제곱에 비례한다. 따라서 운동 에너지가 전자의 물질파 파장을 결정한다고 할 수 있다.

ㄷ. 간섭은 대표적인 파동성에 의한 현상이다. **답** ⑤

확인 5 -1

그림은 세 입자 A, B, C가 형광판까지의 거리가 같은 동일한 이중 슬릿을 통과하여 형광판에 만드는 간섭무늬 중 A, B가 만드는 간섭무늬를 나타낸 것으로 이웃한 밝은 무늬 사이의 간격 Δx는 서로 같다. 표는 A, B, C의 질량 m과 속력 v를 나타낸 것이다.

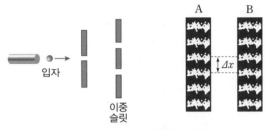

구분	A	B	C
m	m_0	$3m_0$	$2m_0$
v	$6v_0$	x	x

이에 대한 설명으로 옳은 것만을 |보기|에서 있는 대로 고르시오.

┌─ 보기 ─────────────────────────────┐
ㄱ. $x=2v_0$이다.

ㄴ. 물질파 파장은 A가 C보다 길다.

ㄷ. Δx는 C를 이용했을 때가 A와 B를 이용했을 때보다 크다.
└──────────────────────────────────┘

대표 기출 **6**

그림 (가)는 X선을 금속박에 입사시켰을 때 얻은 회절 무늬를, (나)는 전자선을 금속박에 입사시켰을 때 얻은 무늬를 나타낸 것이다.

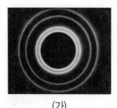
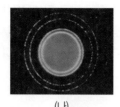

(가)   (나)

이에 대한 설명으로 옳은 것만을 | 보기 | 에서 있는 대로 고른 것은?

┌─ 보기 ┐
ㄱ. (가)는 빛의 파동성에 의해 나타나는 현상이다.
ㄴ. (나)는 전자선이 회절하여 나타난 무늬이다.
ㄷ. (나)를 통해 전자의 파동성을 확인할 수 있다.
└────────┘

① ㄱ   ② ㄷ   ③ ㄱ, ㄴ
④ ㄴ, ㄷ   ⑤ ㄱ, ㄴ, ㄷ

Tip 회절은 대표적인 파동에 의한 현상이다.

풀이 ㄱ. X선은 전자기파의 한 종류이므로 빛의 파동성에 의해 나타나는 현상이다.
ㄴ, ㄷ. (나)는 전자의 파동성에 의해 전자가 도달하는 위치에 대해 회절 무늬가 나타난 현상이다. **답** ⑤

확인 **6**-1

그림은 질량이 m인 전자를 속력 v로 금속박에 입사시켰을 때 생긴 회절 무늬를 나타낸 것이다.

이에 대한 설명으로 옳은 것만을 | 보기 | 에서 있는 대로 고르시오.

┌─ 보기 ┐
ㄱ. 회절 무늬는 전자의 파동성 때문에 나타나는 것이다.
ㄴ. 전자의 속력 v를 증가시키면 물질파 파장은 길어진다.
ㄷ. 전자의 속력 v를 증가시키면 회절이 더 잘 일어난다.
└────────┘

대표 기출 **7** 2022 6월 모평 4번 유사

그림 (가), (나), (다)는 세 종류의 현미경을 나타낸 것이다.

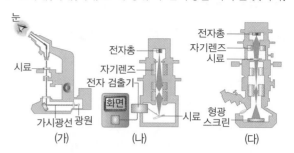

(가)   (나)   (다)

이에 대한 설명으로 옳은 것만을 | 보기 | 에서 있는 대로 고른 것은?

┌─ 보기 ┐
ㄱ. 분해능은 (가)의 현미경이 가장 좋다.
ㄴ. (나)의 현미경은 시료의 3차원 구조를 관찰할 수 있다.
ㄷ. (다)의 현미경은 시료를 전도성 물질로 코팅해야 한다.
└────────┘

① ㄱ   ② ㄴ   ③ ㄱ, ㄴ
④ ㄴ, ㄷ   ⑤ ㄱ, ㄴ, ㄷ

Tip (가)는 광학 현미경, (나)는 주사 전자 현미경, (다)는 투과 전자 현미경이다.

풀이 ㄱ. 분해능은 파동의 파장이 짧을수록 좋으므로 (가)의 현미경이 가장 나쁘다.
ㄴ. 주사 전자 현미경은 시료 표면에서 방출되는 전자를 검출하여 3차원 상을 구현한다.
ㄷ. 투과 전자 현미경은 얇은 시료를 투과한 전자를 검출하여 상을 구현한다. **답** ②

확인 **7**-1

그림은 광학 현미경으로는 관찰할 수 없는 바이러스를 파장이 λ인 전자의 물질파를 이용하여 전자 현미경으로 관찰하면서 3차원 입체상을 구현한 모습을 나타낸 것이다. 이에 대한 설명으로 옳은 것만을 | 보기 | 에서 있는 대로 고르시오.

┌─ 보기 ┐
ㄱ. 파장 λ는 가시광선보다 길다.
ㄴ. 이 전자 현미경은 주사 전자 현미경이다.
ㄷ. 바이러스 시료 표면은 전도성 물질로 코팅되어 있다.
└────────┘

8강_ 빛과 물질의 이중성

1 광전 효과와 광양자설에 대한 설명으로 옳지 <u>않은</u> 것은?

① 금속에 빛을 비추었을 때 광전자는 빛의 진동수가 특정한 값 이상일 때만 방출된다.

② 금속에 빛을 비추었을 때 금속으로부터 방출된 전자의 최대 운동 에너지는 빛의 세기와는 무관하다.

③ 금속에 빛을 비추었을 때 빛의 세기가 약하더라도 특정 진동수 이상의 빛이면 광전자는 즉시 방출된다.

④ 광자의 에너지는 빛의 진동수에 비례한다.

⑤ 빛은 연속적인 에너지를 갖는 광자의 흐름으로 정의할 수 있다.

> **Tip** 광전 효과는 빛의 **❶**으로는 설명할 수 없으며 광양자설은 빛이 **❷**의 성질을 갖는다는 이론이다.
>
> **답 ❶** 파동성 **❷** 입자

2 그림 (가)와 (나)는 금속판 A, B에 빛을 비출 때 방출되는 광전자의 최대 운동 에너지 E_k를 각각 빛의 파장과 진동수에 따라 나타낸 것이다. 빛의 파장이 λ일 때, A와 B에서 방출되는 광전자의 E_k는 각각 E_1, E_2이다. (나)에서 x, y는 금속판 A와 B의 그래프 중 하나이다.

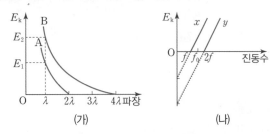

이에 대한 설명으로 옳은 것만을 |보기|에서 있는 대로 고르시오.

> ┌ 보기 ┐
> ㄱ. 금속의 일함수는 A가 B보다 크다.
> ㄴ. f_0일 때 A에서 광전자가 방출되지 않는다.
> ㄷ. $E_1 : E_2 = 2 : 3$이다.

> **Tip** 금속에 빛을 쪼여줄 때 광전자가 방출되기 위해서는 **❶** 이상의 빛을 쪼여 주어야 하며, 광전자의 최대 운동 에너지는 광자의 에너지에서 **❷**를 뺀 값이다.
>
> **답 ❶** 문턱 진동수 **❷** 일함수

3 그림 (가)는 p형 반도체와 n형 반도체를 이용하여 만든 태양 전지에 발광 다이오드(LED)를 연결한 후 태양 전지에 빛을 비추었더니 LED에서 빛이 방출되는 모습을, (나)는 광 다이오드를 이용한 CCD의 구조를 나타낸 것이다.

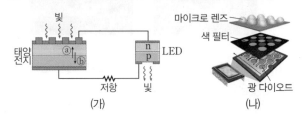

이에 대한 설명으로 옳은 것만을 |보기|에서 있는 대로 고르시오.

> ┌ 보기 ┐
> ㄱ. (가)에서 전자의 이동 방향은 ⓐ이다.
> ㄴ. (나)에서 색 필터는 특정한 색의 빛만을 통과시키는 역할을 한다.
> ㄷ. (가)와 (나)는 모두 빛의 파동성을 이용한 장치이다.

> **Tip** 태양 전지는 흡수하는 빛의 에너지에 의해 **❶**와 **❷**의 쌍이 형성되는 장치이다. **답 ❶** 전자 **❷** 양공

4 다음은 빛의 이중성에 대한 내용이다.

> 19세기 빛의 간섭 실험과 매질 내에서 빛의 속력 측정 실험 등으로 빛의 **⊙**이 인정받게 되었다. 그러나 빛의 파동성으로 설명할 수 없는 광전 효과를 아인슈타인이 광양자설을 도입하여 설명한 이후 빛의 입자성도 인정받게 되었다.

이에 대한 설명으로 옳은 것만을 |보기|에서 있는 대로 고르시오.

> ┌ 보기 ┐
> ㄱ. ⊙은 '파동성'이다.
> ㄴ. 광양자설에 따르면 빛은 입자로 이루어져 있으며 빛의 에너지는 양자화되어 있다.
> ㄷ. 빛은 파동성과 입자성을 동시에 나타낼 수 있다.

> **Tip** 빛의 이중성은 빛이 **❶**과 **❷**을 모두 지니고 있다는 의미이다.
>
> **답 ❶** 파동성 **❷** 입자성

5 표는 입자 A, B의 운동 에너지와 물질파 파장을 나타낸 것이다.

입자	운동 에너지	물질파 파장
A	$4E$	2λ
B	E	3λ

A, B의 질량을 각각 m_A, m_B라고 할 때, $m_A : m_B$는?

① 1 : 4　　　② 4 : 9　　　③ 9 : 16

④ 16 : 25　　⑤ 25 : 36

> **Tip** 물질파 파장은 입자의 운동량에 ❶[　　]하고, 입자의 운동 에너지는 운동량의 제곱에 ❷[　　]한다.
>
> 답 ❶ 반비례 ❷ 비례

2022 9월 모평 12번

6 그림과 같이 금속판에 초록색 빛을 비추어 방출된 광전자를 가속하여 이중 슬릿에 입사시켰더니 형광판에 간섭무늬가 나타났다. 금속판에 빨간색 빛을 비추었을 때는 광전자가 방출되지 않았다.

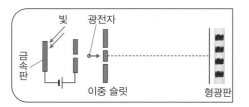

이에 대한 설명으로 옳은 것만을 ┤보기├에서 있는 대로 고른 것은?

┌ 보기 ─────────────────────────┐
ㄱ. 광전자의 속력이 커지면 광전자의 물질파 파장은 짧아진다.
ㄴ. 초록색 빛의 세기를 감소시켜도 간섭무늬의 밝은 부분은 밝기가 변하지 않는다.
ㄷ. 금속판의 문턱 진동수는 빨간색 빛의 진동수보다 크다.
└───────────────────────────┘

① ㄱ　　　② ㄴ　　　③ ㄱ, ㄷ

④ ㄴ, ㄷ　　⑤ ㄱ, ㄴ, ㄷ

> **Tip** 전자선 회절 실험에서 형광판의 밝은 부분은 전자가 도달하여 빛이 ❶[　　]되는 부분이며, 어두운 부분은 ❷[　　]가 도달하지 않는 지점이다.
>
> 답 ❶ 방출 ❷ 전자

7 다음은 드브로이 파장과 물질의 이중성에 관한 내용이다.

> 드브로이는 파동이 입자의 성질을 갖는다면 전자와 같은 입자도 ⊙ 을 가질 것이라고 주장하고, 물질 입자가 나타내는 파동을 물질파 또는 드브로이파로 정의하였다. 파동과 마찬가지로 입자 역시 입자성과 파동성이 동시에 정의되는 이중성을 갖고 있다고 주장하였다.

이에 대한 설명으로 옳은 것만을 ┤보기├에서 있는 대로 고른 것은?

┌ 보기 ─────────────────────────┐
ㄱ. ⊙은 '파동성'이다.
ㄴ. 물질파 파장은 입자의 운동량에 반비례한다.
ㄷ. 입자의 파동성과 이중성은 동시에 나타날 수 없다.
└───────────────────────────┘

① ㄱ　　　② ㄴ　　　③ ㄱ, ㄷ

④ ㄴ, ㄷ　　⑤ ㄱ, ㄴ, ㄷ

> **Tip** 빛의 이중성과 마찬가지로 입자도 ❶[　　]과 ❷[　　]을 모두 지니고 있다. 답 ❶ 입자성 ❷ 파동성

8 그림 (가)와 (나)는 전자를 이용하는 전자 현미경의 두 종류를 나타낸 것이다.

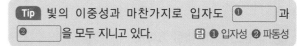
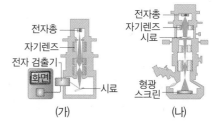

이에 대한 설명으로 옳은 것만을 ┤보기├에서 있는 대로 고른 것은?

┌ 보기 ─────────────────────────┐
ㄱ. (가)는 시료의 입체 영상을 관찰할 수 있다.
ㄴ. (나)는 시료를 얇게 만들어야 한다.
ㄷ. (가)와 (나)에서 전자를 이용하는 까닭은 가시광선보다 파장이 길기 때문이다.
└───────────────────────────┘

① ㄱ　　　② ㄷ　　　③ ㄱ, ㄴ

④ ㄴ, ㄷ　　⑤ ㄱ, ㄴ, ㄷ

> **Tip** 전자 현미경 중 ❶[　　] 전자 현미경은 시료를 전도성 물질로 도포하여 전도성 물질에서 방출하는 전자를 이용해 상을 관측하고, ❷[　　] 전자 현미경은 시료를 투과한 전자의 에너지 변화를 이용하여 상을 관측한다. 답 ❶ 주사 ❷ 투과

7강_ 파동

01 그림 (가)는 진행하는 횡파의 어느 한 순간의 모습을, (나)는 (가)의 순간부터 매질 위의 한 점 A의 변위를 시간에 따라 나타낸 것이다.

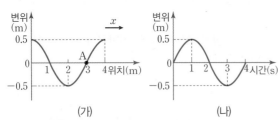

(가)   (나)

파동의 진행 방향과 속력을 각각 쓰시오.

(   )

02 그림은 빛이 매질 A에서 매질 B로 진행할 때 경계면에서 반사한 빛과 굴절한 빛의 경로를 나타낸 것이다. 이에 대한 설명으로 옳은 것만을 | 보기 |에서 있는 대로 고른 것은?

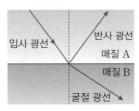

> **보기**
> ㄱ. A의 굴절률이 B의 굴절률보다 크다.
> ㄴ. 반사 광선의 속력이 굴절 광선의 속력보다 크다.
> ㄷ. 굴절 광선의 파장은 입사 광선의 파장보다 길다.

① ㄱ   ② ㄴ   ③ ㄷ
④ ㄱ, ㄷ   ⑤ ㄴ, ㄷ

03 파동의 간섭을 이용한 예만을 | 보기 |에서 있는 대로 고른 것은?

> **보기**
> ㄱ. 여객기 내부에서 엔진 소음을 제거하는 장치
> ㄴ. 뜨거운 사막에서 보이는 신기루
> ㄷ. 안경 렌즈의 무반사 코팅

① ㄱ   ② ㄴ   ③ ㄱ, ㄷ
④ ㄴ, ㄷ   ⑤ ㄱ, ㄴ, ㄷ

04 그림 (가)는 수면상의 두 점 S_1, S_2에서 같은 위상으로 발생시킨 두 수면파의 어느 순간의 모습을 모식적으로 나타낸 것이다. 두 수면파의 진폭과 진동수는 같다. 실선과 점선은 각각 수면파의 마루와 골을 나타낸다. 그림 (나)는 단색광이 단일 슬릿과 이중 슬릿을 통과하여 스크린에 간섭무늬를 만드는 것을 나타낸 것이다. 점 C는 어두운 무늬의 중심, 점 D는 밝은 무늬의 중심이다.

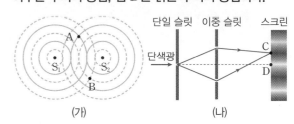

(가)   (나)

이에 대한 설명으로 옳은 것만을 | 보기 |에서 있는 대로 고른 것은?

> **보기**
> ㄱ. A와 D는 보강 간섭이 일어나는 지점이다.
> ㄴ. B와 C는 상쇄 간섭이 일어나는 지점이다.
> ㄷ. B에서 수면의 높이는 시간이 지나도 변하지 않는다.

① ㄱ   ② ㄴ   ③ ㄱ, ㄷ
④ ㄴ, ㄷ   ⑤ ㄱ, ㄴ, ㄷ

05 그림과 같이 공기와 코어의 경계면의 점 p에 입사각 i로 입사시킨 단색광 A가 코어와 클래딩의 경계면에서 전반사한다. 코어와 클래딩의 굴절률은 각각 n_1, n_2이다. 이에 대한 설명으로 옳은 것만을 | 보기 |에서 있는 대로 고른 것은?

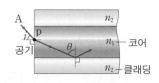

> **보기**
> ㄱ. 굴절률은 n_1이 n_2보다 작다.
> ㄴ. 코어와 클래딩 사이의 임계각은 θ보다 작다.
> ㄷ. 단색광 A를 i보다 작은 입사각으로 p에 입사시킬 때, 코어와 클래딩의 경계면에서 A는 전반사한다.

① ㄱ   ② ㄴ   ③ ㄷ
④ ㄱ, ㄴ   ⑤ ㄴ, ㄷ

8강_ 빛과 물질의 이중성

06 그림 (나)는 대전되지 않은 검전기
의 금속판에 진동수가 f인 빛을 비
추었을 때 금속박이 벌어지는 모습
을 나타낸 것이다. 이에 대한 설명
으로 옳은 것만을 |보기|에서 있
는 대로 고른 것은?

진동수 f인
빛

┌─ 보기 ─────────────────────────┐
ㄱ. 금속박은 양(＋)전하로 대전되어 있다.
ㄴ. 진동수 f는 금속판의 문턱 진동수보다 크다.
ㄷ. 빛의 밝기를 증가시키면 금속박은 더 벌어진다.
└──────────────────────────────┘

① ㄱ   ② ㄴ   ③ ㄱ, ㄷ
④ ㄴ, ㄷ   ⑤ ㄱ, ㄴ, ㄷ

07 어떤 금속판에 진동수가 $2f_1$인 빛을 비추었더니 광전자
가 방출되었고, 이때 방출된 광전자의 최대 운동 에너지
는 hf_1이다. 이 금속판에 진동수가 $3.5f_1$인 빛을 비추었
을 때 방출되는 광전자의 최대 운동 에너지를 구하시오.
(단, h는 플랑크 상수이다.)

(   )

08 파동의 입자성으로 설명할 수 있는 현상만을 |보기|에
서 있는 대로 고른 것은?

┌─ 보기 ─────────────────────────┐
ㄱ. CCD는 빛 신호를 전기 신호로 전환한다.
ㄴ. 금속박에 X선을 입사시키면 회절 무늬가 나타
난다.
ㄷ. 태양 전지에 특정 에너지 이상의 빛을 쪼여주면
회로에 전류가 흐를 수 있다.
└──────────────────────────────┘

① ㄱ   ② ㄴ   ③ ㄱ, ㄷ
④ ㄴ, ㄷ   ⑤ ㄱ, ㄴ, ㄷ

09 그림 (가)는 전자선을 금속박에 입사시켰을 때 얻은 무
늬를 나타낸 것이고, (나)는 동일한 전자선을 이중 슬릿
에 통과시킬 때 형광판에 나타난 간섭무늬를 나타낸 것이
다. (나)에서 Δx는 이웃한 무늬 사이의 간격이다.

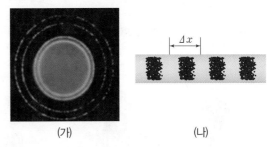

(가)   (나)

이에 대한 설명으로 옳은 것만을 |보기|에서 있는 대
로 고른 것은?

┌─ 보기 ─────────────────────────┐
ㄱ. (가)와 (나)는 모두 전자의 파동성에 의해 나타나
는 현상이다.
ㄴ. (가)는 전자선의 반사에 의해 나타나는 현상
이다.
ㄷ. (나)에서 전자선의 속력을 증가시키면 Δx는 증
가한다.
└──────────────────────────────┘

① ㄱ   ② ㄴ   ③ ㄱ, ㄷ
④ ㄴ, ㄷ   ⑤ ㄱ, ㄴ, ㄷ

10 여러 가지 현미경에 대한 설명으로 옳지 않은 것은?
① 광학 현미경은 유리 렌즈로 빛을 굴절시켜 상을 맺
게 하여 관찰하는 장치이다.
② 전자 현미경은 전자의 파동성을 이용한 장치이다.
③ 주사 전자 현미경은 시료 표면을 금속으로 얇게 코
팅해야 한다.
④ 투과 전자 현미경은 세포의 내부 구조를 관찰하기
용이하다.
⑤ 주사 전자 현미경은 투과 전자 현미경보다 분해능
이 좋다.

7강_ **파동**

01 그림은 파동의 요소에 관해 세 학생이 대화하는 모습이다.

진폭은 마루에서 골까지의 거리를 의미해.

파장은 매질이 1회 진동하는 동안 파동이 진행한 거리야.

파동이 속력이 느린 매질에서 속력이 빠른 매질로 진행할 때 파동의 진동수는 증가해.

학생 A 학생 B 학생 C

제시한 내용이 옳은 학생만을 있는 대로 고른 것은?

① A ② B ③ A, B
④ B, C ⑤ A, B, C

> **Tip** 파동의 **❶**〔 〕는 파원에서 결정되므로 파동이 다른 매질로 진행해도 변하지 않으나 파동의 진행 **❷**〔 〕은 매질에 따라 달라진다. **답 ❶** 진동수 **❷** 속력

02 그림은 마이크로파, 자외선, X선을 특성에 따라 분류하는 과정을 나타낸 것이다. A, B, C는 각각 마이크로파, 자외선, X선 중 하나이다.

마이크로파, 자외선, X선

↓

가시광선보다 회절이 잘되는가? — 아니요 → 인체 내부의 골격 구조를 볼 때 사용되는가? — 아니요 →

예 ↓ 예 ↓

A B C

A, B, C에 해당하는 전자기파를 각각 쓰시오.

· A: ( )
· B: ( )
· C: ( )

> **Tip** 전자기파는 **❶**〔 〕(또는 파장) 영역에 따라 그 쓰임새가 다르며, 진동수가 클수록 전자기파의 에너지가 **❷**〔 〕. **답 ❶** 진동수 **❷** 크다

2022 수능 11번

03 다음은 빛의 성질을 알아보는 실험이다.

| 실험 과정 |

(가) 반원형 매질 A, B, C 를 준비한다.

(나) 그림과 같이 반원형 매질을 서로 붙여 놓고 단색광 P를 입사시켜 입사각과 굴절각을 측정한다.

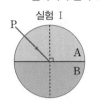
실험 I

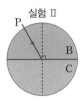
실험 II

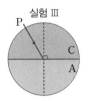
실험 III

| 실험 결과 |

실험	입사각	굴절각
I	$45°$	$30°$
II	$30°$	$25°$
III	$30°$	㉠

이에 대한 설명으로 옳은 것만을 | 보기 |에서 있는 대로 고른 것은?

┌ 보기 ┐

ㄱ. ㉠은 $45°$보다 크다.

ㄴ. P의 파장은 A에서가 B에서보다 짧다.

ㄷ. 임계각은 P가 B에서 A로 진행할 때가 C에서 A 로 진행할 때보다 작다.

① ㄱ   ② ㄴ   ③ ㄱ, ㄷ

④ ㄴ, ㄷ   ⑤ ㄱ, ㄴ, ㄷ

> **Tip** 굴절각과 입사각 사이의 [❶   ]을(를) 이용하여 각 매질에서 빛의 [❷   ]의 비를 구할 수 있다.
> 🔑 ❶ 사인값 ❷ 속력(파장)

04 다음은 다양한 매질을 이용하여 광섬유를 제작하는 과정을 조사한 내용이다.

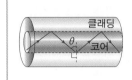

• 광섬유는 코어와 클래딩 사이의 전반사를 이용하여 정보를 전달하는 장치이다.

• 코어와 클래딩 사이의 임계각이 작을수록 전반사하는 입사각이 범위가 넓어지기 때문에 정보가 손실될 가능성이 적다.

이 내용을 바탕으로 세 학생이 다음과 같은 대화를 나누었다.

학생 A: 광섬유는 정보를 빠르고 손실 없이 전달할 수 있는 장치야.

학생 B: 광섬유는 자외선을 사용하여 정보를 전달해.

학생 C: 광섬유에서 코어와 클래딩 사이의 임계각을 가장 작게 하기 위해서는 코어를 C, 클래딩을 A로 제작해야 해.

제시한 내용이 옳은 학생만을 있는 대로 고른 것은?

① A   ② B   ③ A, C

④ B, C   ⑤ A, B, C

> **Tip** 코어의 굴절률은 클래딩의 굴절률보다 [❶   ]하며, 코어와 클래딩 사이의 임계각을 [❷   ] 하기 위해서는 코어와 클래딩의 굴절률 차이가 커야 한다.
> 🔑 ❶ 커야 ❷ 작게

8강_ 빛과 물질의 이중성

05 다음은 광전 효과에 대한 실험을 나타낸 것이다.

| 실험 과정 |

I. 그림과 같이 세기가 일정한 단색광 A, B를 각각 금속판에 비추고 전류계에 흐르는 전류의 세기를 측정한다.

II. I에서 B의 세기만을 다르게 하여 금속판에 비추고 전류계에 흐르는 전류의 세기를 측정한다.

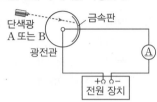

| 실험 결과 |

과정	단색광의 종류	전류의 세기
I	A	0
	B	I_0
II	B	$2I_0$

이에 대한 설명으로 옳은 것만을 | 보기 |에서 있는 대로 고른 것은?

┌ 보기 ┐

ㄱ. 금속판의 문턱 진동수는 A의 진동수보다 크다.

ㄴ. B의 세기는 II에서가 I에서보다 세다.

ㄷ. B에 의해 금속판에서 방출되는 광전자의 최대 운동 에너지는 II에서가 I에서보다 크다.

① ㄱ   ② ㄷ   ③ ㄱ, ㄴ

④ ㄴ, ㄷ   ⑤ ㄱ, ㄴ, ㄷ

Tip 광전자의 최대 운동 에너지는 광자의 에너지에서 **❶** _____ 만큼을 뺀 값이며, 전류의 세기가 크게 측정되기 위해서는 **❷** _____ 가 많아야 한다.

답 ❶ 일함수 **❷** 광전자(광자)의 수

06 다음은 데이비슨과 거머의 실험에 대해 정리한 내용이다.

• 데이비슨과 거머는 니켈 결정에 54 V의 전압으로 가속된 전자선을 입사시켰더니 50°의 각으로 산란된 전자가 많은 것을 발견하였다.

• 이들은 X선이 결정면에서 반사하여 회절하는 것과 같이 전자도 회절한다고 해석하였다.

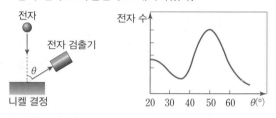

이에 대한 설명으로 옳은 것만을 | 보기 |에서 있는 대로 고른 것은?

┌ 보기 ┐

ㄱ. 데이비슨과 거머의 실험으로 전자의 파동성이 증명되었다.

ㄴ. 50°의 각으로 산란된 전자가 많은 것은 회절에 의한 보강 간섭으로 해석할 수 있다.

ㄷ. 전자의 속력을 증가시켜도 50°의 각으로 산란된 전자의 수가 최대이다.

① ㄱ   ② ㄷ   ③ ㄱ, ㄴ

④ ㄴ, ㄷ   ⑤ ㄱ, ㄴ, ㄷ

Tip 물질파의 파장은 입자의 운동량에 반비례하므로 입자의 운동량이 클수록 물질파 파장은 **❶** _____ 지며, 전자의 속력이 빨라질수록 운동 에너지가 커지므로 물질파의 파장은 **❷** _____ 진다.

답 ❶ 짧아 **❷** 짧아

07 다음은 빛과 물질의 이중성에 관한 학생들의 대화이다.

광전 효과는 빛의 파동성으로는 설명할 수 없어.

드브로이 파장은 입자의 운동 에너지 크기에 반비례해.

빛과 입자는 파동성과 입자성이 동시에 나타날 수 없어.

학생 A   학생 B   학생 C

제시한 내용이 옳은 학생만을 있는 대로 고른 것은?

① A   ② B   ③ A, C

④ B, C   ⑤ A, B, C

Tip 빛과 입자는 ❶[　　　]과 ❷[　　　]을 모두 가지고 있다.
　　　　　　　　　　　　　　目 ❶ 파동성 ❷ 입자성

08 그림 (가), (나), (다)는 광학 현미경, 주사 전자 현미경, 투과 전자 현미경으로 관측한 시료의 모습을 순서 없이 나타낸 것이다.

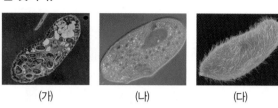

(가)   (나)   (다)

이에 대한 설명으로 옳은 것만을 | 보기 |에서 있는 대로 고른 것은?

┌─ 보기 ┌
ㄱ. (가)는 투과 전자 현미경으로 관측한 결과이다.

ㄴ. (나)를 관측한 현미경은 분해능이 가장 좋다.

ㄷ. (다)의 결과를 얻기 위해서는 시료를 전도성 물질로 코팅해야 한다.
└─────────

① ㄱ   ② ㄴ   ③ ㄱ, ㄷ

④ ㄴ, ㄷ   ⑤ ㄱ, ㄴ, ㄷ

Tip 전자 현미경 중 ❶[　　　] 전자 현미경은 전자가 시료를 투과하면서 변화한 에너지를 이용하여 상을 형성하고, ❷[　　　] 전자 현미경은 시료 표면에서 방출된 전자를 이용하여 상을 형성한다.   **目** ❶ 투과 ❷ 주사

마무리 전략

5강_ 전기 ~ 6강_ 자기

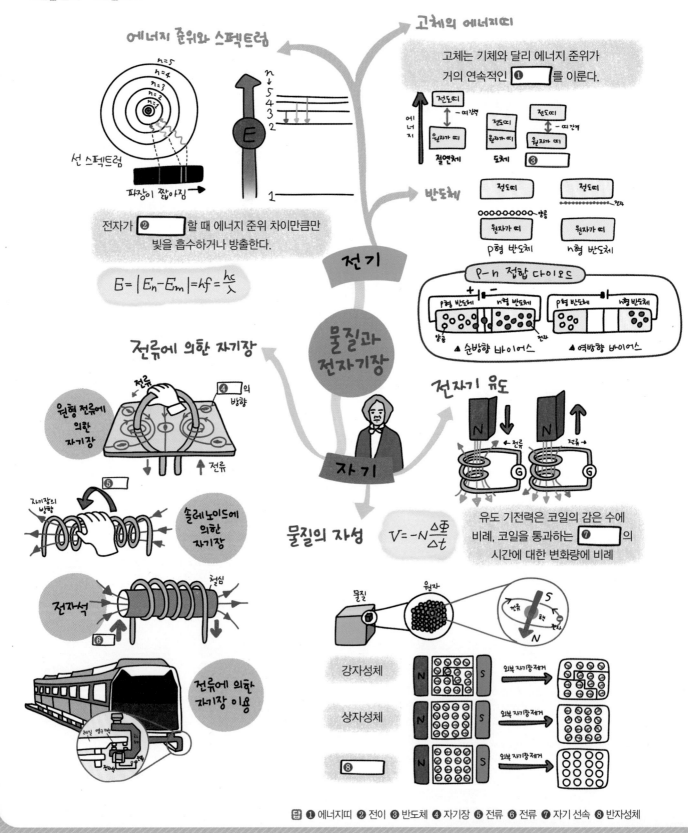

에너지 준위와 스펙트럼

선 스펙트럼

파장이 짧아짐 →

전자가 ❷ 할 때 에너지 준위 차이만큼 빛을 흡수하거나 방출한다.

$$E = |E_n - E_m| = hf = \frac{hc}{\lambda}$$

고체의 에너지띠

고체는 기체와 달리 에너지 준위가 거의 연속적인 ❶ 를 이룬다.

절연체 도체 ❸

반도체

p형 반도체   n형 반도체

p-n 접합 다이오드

▲ 순방향 바이어스   ▲ 역방향 바이어스

전류에 의한 자기장

❹ 의 방향

원형 전류에 의한 자기장

전류

솔레노이드에 의한 자기장

자기장의 방향

❺

전자석

철심

❻

전류에 의한 자기장 이용

전기

물질과 전자기장

자기

물질의 자성

물질   원자

강자성체   외부 자기장 제거

상자성체   외부 자기장 제거

❽   외부 자기장 제거

전자기 유도

유도 기전력은 코일의 감은 수에 비례, 코일을 통과하는 ❼ 의 시간에 대한 변화량에 비례

$$V = -N\frac{\Delta\Phi}{\Delta t}$$

답 ❶ 에너지띠 ❷ 전이 ❸ 반도체 ❹ 자기장 ❺ 전류 ❻ 전류 ❼ 자기 선속 ❽ 반자성체

7강_ 파동 ~ 8강_ 빛과 물질의 이중성

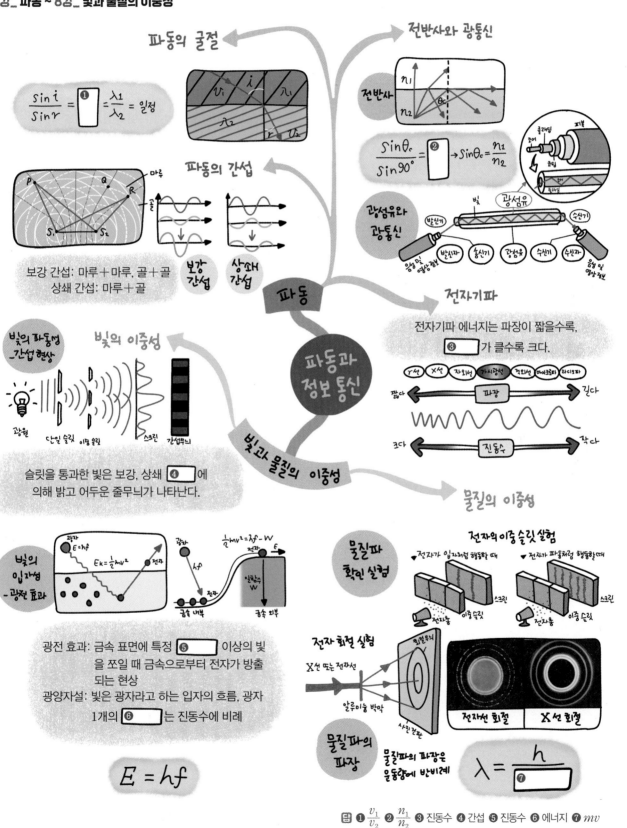

파동의 굴절

$$\frac{\sin i}{\sin r} = \boxed{❶} = \frac{\lambda_1}{\lambda_2} = 일정$$

전반사와 광통신

전반사

$$\frac{\sin\theta_c}{\sin 90°} = \boxed{❷} \rightarrow \sin\theta_c = \frac{n_1}{n_2}$$

광섬유와 광통신

파동의 간섭

보강 간섭: 마루+마루, 골+골
상쇄 간섭: 마루+골

보강 간섭   상쇄 간섭

파동

파동과 정보 통신

전자기파

전자기파 에너지는 파장이 짧을수록, ❸ 가 클수록 크다.

γ선 X선 자외선 가시광선 적외선 마이크로파 라디오파

짧다 ← 파장 → 길다

크다 ← 진동수 → 작다

빛의 파동성 _간섭 현상   **빛의 이중성**

광원 단일 슬릿 이중 슬릿 스크린 간섭무늬

슬릿을 통과한 빛은 보강, 상쇄 ❹ 에 의해 밝고 어두운 줄무늬가 나타난다.

빛과 물질의 이중성

물질의 이중성

빛의 입자성 -광전 효과

$E = hf$

$E_k = \frac{1}{2}mv^2$

$\frac{1}{2}mv^2 = hf - W$

금속 내부   금속 외부

광전 효과: 금속 표면에 특정 ❺ 이상의 빛을 쪼일 때 금속으로부터 전자가 방출되는 현상
광양자설: 빛은 광자라고 하는 입자의 흐름, 광자 1개의 ❻ 는 진동수에 비례

$E = hf$

물질파 확인 실험

전자의 이중 슬릿 실험

전자가 입자처럼 행동할 때   전자가 파동처럼 행동할때

전자총 이중 슬릿 스크린

전자 회절 실험

X선 또는 전자선

알루미늄 박막

사진 건판

전자선 회절   X선 회절

물질파의 파장

물질파의 파장은 운동량에 반비례

$$\lambda = \frac{h}{❼}$$

답 ❶ $\frac{v_1}{v_2}$ ❷ $\frac{n_1}{n_2}$ ❸ 진동수 ❹ 간섭 ❺ 진동수 ❻ 에너지 ❼ mv

신유형·신경향 전략

01 에너지띠와 전기 전도도
2022 6월 모평 3번

그림은 학생 A, B, C가 도체, 반도체, 절연체를 각각 대표하는 세 가지 고체의 전기 전도도와 에너지띠 구조에 대해 대화하는 모습을 나타낸 것이다.

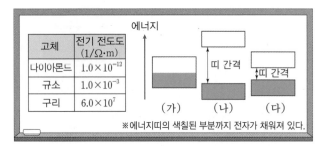

고체	전기 전도도 (1/Ω·m)
나이아몬드	1.0×10^{-12}
규소	1.0×10^{-3}
구리	6.0×10^7

※에너지띠의 색칠된 부분까지 전자가 채워져 있다.

띠 간격은 다이아몬드가 규소보다 작아.

구리의 에너지띠 구조는 (다)야.

규소에 붕소를 도핑하면 전기 전도도가 커져.

학생 A   학생 B   학생 C

제시한 내용이 옳은 학생만을 있는 대로 고른 것은?

① A
② B
③ C
④ A, B
⑤ B, C

> **Tip** 전기 전도도가 클수록 비저항이 ❶ ⬜⬜⬜ 전류가 잘 흐르며, 전기 전도도가 작은 물질일수록 에너지띠 구조에서 띠 간격이 ❷ ⬜⬜⬜.
> 📖 ❶ 작아 ❷ 크다

02 전자기 유도

그림은 사각형 도선이 균일한 자기장 영역 I을 화살표 방향으로 일정한 속력 v로, 균일한 자기장 영역 II를 화살표 방향으로 일정한 속력 $2v$로 지나가는 순간의 모습을 A, B, C, D로 나타낸 것이다. ×는 자기장이 종이면에 수직으로 들어가는 방향을, •는 자기장이 종이면에서 수직으로 나오는 방향을 나타내고, 자기장의 세기는 영역 I과 영역 II에서 같다.

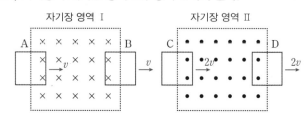

이에 대한 설명으로 옳은 것만을 │보기│에서 있는 대로 고른 것은?

> │ 보기 │
> ㄱ. A와 D에서 도선에 흐르는 유도 전류의 방향은 시계 반대 방향이다.
> ㄴ. B와 C에서 도선에 흐르는 유도 전류의 방향은 시계 반대 방향이다.
> ㄷ. 유도 전류의 세기는 C, D에서가 A, B에서의 2배이다.

① ㄱ
② ㄴ
③ ㄱ, ㄷ
④ ㄴ, ㄷ
⑤ ㄱ, ㄴ, ㄷ

> **Tip** 일정한 속력으로 운동하는 사각형 도선이 자기장 영역으로 들어갈 때는 자기 선속이 일정한 비율로 ❶ ⬜⬜⬜ 하고, 자기장 영역에서 빠져나올 때는 자기 선속이 일정한 비율로 ❷ ⬜⬜⬜ 한다.
> 📖 ❶ 증가 ❷ 감소

03 간섭에 의한 현상

다음은 물결파의 간섭에 대한 탐구 활동이다.

┌ **탐구 자료** ┐

그림은 두 점파원 S_1, S_2에서 진폭, 진동수, 파장은 같고 위상이 반대인 물결파를 발생시키는 모습을 평면상에 모식적으로 나타낸 것이다. 두 물결파의 파장은 λ이다.

┌ **탐구 수행과 결과** ┐

표는 평면상의 점 A, B, C, D가 각각 S_1, S_2로부터 떨어진 거리를 구한 것이다.

구분	A	B	C	D
S_1로부터의 거리	$r_1 - 2\lambda$	r_2	$r_1 - \dfrac{5\lambda}{2}$	$r_2 - \lambda$
S_2로부터의 거리	r_1	r_2	$r_1 - \dfrac{5\lambda}{2}$	$r_2 - \dfrac{\lambda}{2}$

이에 대한 설명으로 옳은 것만을 | 보기 |에서 있는 대로 고른 것은?

┌ 보기 ┐
ㄱ. A에서는 보강 간섭이 일어난다.
ㄴ. B와 C에서는 수면의 높이가 변하지 않는다.
ㄷ. 물결파의 진동수를 2배로 증가시키면 D에서는 보강 간섭이 일어난다.

① ㄱ ② ㄴ ③ ㄱ, ㄷ
④ ㄴ, ㄷ ⑤ ㄱ, ㄴ, ㄷ

Tip 두 파원에서 위상이 반대인 물결파가 발생했을 때 경로차가 반파장의 짝수 배인 곳에서는 ❶[　　　] 간섭이 일어나고, 경로차가 반파장의 홀수 배인 곳에서는 ❷[　　　]이 일어난다.
🔑 ❶ 상쇄 ❷ 보강

04 빛과 물질의 이중성

그림은 전자선을 금속에 쪼였을 때 스크린에 회절 무늬가 나타나는 모습을 나타낸 것이다.

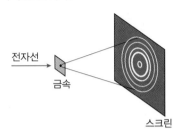

이에 대한 설명으로 옳은 것만을 | 보기 |에서 있는 대로 고른 것은?

┌ 보기 ┐
ㄱ. 전자의 파동성에 의해 나타나는 현상이다.
ㄴ. 스크린에 검은 지점은 전자가 거의 도달하지 않는 지점이다.
ㄷ. 전자선의 속력이 증가할수록 회절 무늬 사이 간격이 증가한다.

① ㄱ ② ㄷ ③ ㄱ, ㄴ
④ ㄴ, ㄷ ⑤ ㄱ, ㄴ, ㄷ

Tip 회절은 파장이 ❶[　　　], 회절 격자 간격이 ❷[　　　] 잘 나타난다.
🔑 ❶ 길수록 ❷ 좁을수록

신경향 전략

05 전기력

그림 (가)는 고정된 절연 막대 위의 대전체 A와 실에 매달린 대전체 B가 정지해 있는 것을 나타낸 것이다. 그림 (나)와 같이 양(+)전하로 대전된 대전체 C를 B에 가까이 하였더니 B는 A 쪽으로 접근하여 정지하였다.

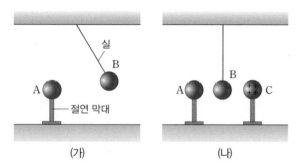

(가)   (나)

이에 대한 설명으로 옳은 것만을 | 보기 |에서 있는 대로 고른 것은?

| 보기 |
ㄱ. (가), (나)에서 B에 작용하는 알짜힘은 모두 0이다.
ㄴ. B는 양(+)전하로 대전되어 있다.
ㄷ. (나)에서 A에 작용하는 전기력과 C에 작용하는 전기력의 방향은 같다.

① ㄱ   ② ㄷ   ③ ㄱ, ㄴ
④ ㄴ, ㄷ   ⑤ ㄱ, ㄴ, ㄷ

Tip 두 전하가 같은 종류의 전하를 띠면 서로 ❶ [   ] 전기력이 작용하고, 두 전하가 다른 종류의 전하를 띠면 서로 ❷ [   ] 전기력이 작용한다.　目 ❶ 밀어내는 ❷ 끌어당기는

06 직선 도선에 의한 자기장

그림은 xy 평면에서 전류가 흐르는 무한히 가늘고 긴 직선 도선 P, Q, R와 점 a, b, c를 나타낸 것이다. P에는 $+y$ 방향으로 세기가 I_0인 전류가 흐르고, Q에는 $+y$ 방향으로 세기가 I_Q인 전류가 흐르고, R에는 $+x$ 방향으로 세기가 I_R인 전류가 흐른다. a에서의 자기장은 b에서의 자기장과 세기는 같고 방향이 반대이며, b와 c에서 자기장은 세기와 방향이 모두 같다.

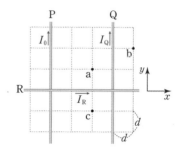

이에 대한 설명으로 옳은 것만을 | 보기 |에서 있는 대로 고른 것은?

| 보기 |
ㄱ. R에 흐르는 전류의 세기는 I_0보다 작다.
ㄴ. b에서 자기장의 방향은 xy 평면에 수직으로 들어가는 방향이다.
ㄷ. Q에 흐르는 전류의 방향을 반대로 하면 c에서 자기장의 세기는 a에서 자기장의 세기의 3배이다.

① ㄱ   ② ㄴ   ③ ㄱ, ㄷ
④ ㄴ, ㄷ   ⑤ ㄱ, ㄴ, ㄷ

Tip 직선 도선에 전류가 흐를 때 도선을 기준으로 양쪽에서 자기장의 방향은 서로 ❶ [   ]이고, 도선으로부터 같은 직선 거리만큼 떨어진 곳에서는 자기장의 세기가 ❷ [   ].
目 ❶ 반대 ❷ 같다

07 광섬유

그림은 코어가 유리이고 클래딩이 비결정 수정인 광섬유를 이용하여 음성이나 영상 정보를 통신하는 과정을 나타낸 것이고, 표는 여러 가지 물질의 굴절률을 나타낸 것이다.

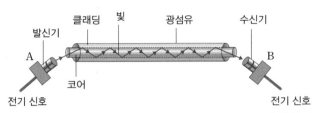

물질	굴절률	물질	굴절률
물	1.33	파라핀	1.44
비결정 수정	1.46	유리	1.52
사파이어	1.77	다이아몬드	2.42

이에 대한 설명으로 옳은 것만을 | 보기 |에서 있는 대로 고른 것은?

┌ 보기 ┐
ㄱ. A에서는 전기 신호를 빛 신호로 전환한다.
ㄴ. 코어를 다이아몬드로 교체하면 코어와 클래딩 경계면에서의 임계각은 더 작아진다.
ㄷ. 코어를 파라핀, 클래딩을 사파이어로 교체하면 B에 도달하는 신호의 양은 증가한다.

① ㄱ   ② ㄷ   ③ ㄱ, ㄴ
④ ㄴ, ㄷ   ⑤ ㄱ, ㄴ, ㄷ

Tip 코어와 클래딩의 굴절률 차이가 [❶　　] 임계각은 작다.
임계각이 [❷　　] 전반사가 나타나기 쉽다.

답 ❶ 클수록 ❷ 작을수록

---

08 전자 현미경

2021 7월 학평 17번

다음은 전자 현미경에 대한 설명이다.

> ㉠전자 현미경이 광학 현미경과 가장 크게 다른 점은 가시광선 대신 전자선을 사용한다는 것이다. 광학 현미경은 유리 렌즈를 사용하여 확대된 상을 얻고, 전자 현미경은 전자석 코일로 만든 ㉡자기렌즈를 사용하여 확대된 상을 얻는다.
> 또한 전자 현미경은 높은 전압을 이용하여 ㉢가속된 전자를 사용하므로, 확대된 상을 광학 현미경보다 선명하게 관찰할 수 있다.

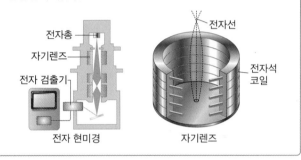

이에 대한 설명으로 옳은 것만을 | 보기 |에서 있는 대로 고른 것은?

┌ 보기 ┐
ㄱ. ㉠은 물질의 파동성을 이용한다.
ㄴ. ㉡은 자기장을 이용하여 전자선의 경로를 휘게 하는 역할을 한다.
ㄷ. ㉢의 물질파 파장은 가시광선의 파장보다 짧다.

① ㄱ   ② ㄴ   ③ ㄱ, ㄷ
④ ㄴ, ㄷ   ⑤ ㄱ, ㄴ, ㄷ

Tip 자기장 공간에서 운동하는 전자에는 [❶　　]이 작용하여 운동 경로가 변한다. 이러한 원리를 이용해 전자 현미경의 자기렌즈는 광학 현미경의 [❷　　]와 같은 역할을 할 수 있다.

답 ❶ 자기력 ❷ (유리) 렌즈

5강_ 전기

** 1등급 킬러

01 그림은 전하량이 각각 $+3q$, $-2q$인 점전하 A, B가 x축 상에 r만큼 떨어져 고정되어 있고, B로부터 $+x$ 방향으로 $2r$만큼 떨어진 지점에 전하량이 $+12q$인 점 전하 C를 가만히 놓은 순간을 나타낸 것이다. A, B 사 이에 작용하는 전기력의 크기는 F_0이다.

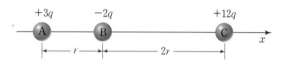

이에 대한 설명으로 옳은 것만을 |보기|에서 있는 대 로 고른 것은?

┌─ 보기 ─────────────────────────┐
ㄱ. A가 B에 작용하는 전기력과 B가 A에 작용하는
　　전기력의 방향은 반대이다.
ㄴ. C를 가만히 놓은 순간 C에 작용하는 알짜힘의
　　크기는 F_0이다.
ㄷ. C를 가만히 놓은 직후 C는 $+x$ 방향으로 운동
　　하기 시작한다.
└────────────────────────────┘

① ㄱ　　　　② ㄴ　　　　③ ㄱ, ㄴ
④ ㄱ, ㄷ　　⑤ ㄴ, ㄷ

02 그림 (가)와 같이 $x=0$, $x=3d$인 지점에 점전하 A, B를 고정시킨 후 $x=4d$인 지점에 전하량이 $+Q$인 양($+$)전하를 두면, 이 양($+$)전하에 작용하는 전기력의 크기는 0이다. 그림 (나)와 같이 (가)의 B 대신 $x=3d$ 인 지점에 점전하 C를 고정시킨 후 $x=d$인 지점에 전 하량이 $+Q$인 양($+$)전하를 두면, 이 양($+$)전하에 작 용하는 전기력의 크기는 0이다.

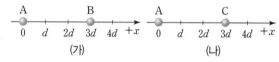

이에 대한 설명으로 옳은 것만을 |보기|에서 있는 대 로 고른 것은?

┌─ 보기 ─────────────────────────┐
ㄱ. B와 C의 전하의 종류는 다르다.
ㄴ. A와 C 사이에는 밀어내는 전기력이 작용한다.
ㄷ. A와 B 사이에 음($-$)전하를 둘 때, 작용하는 전
　　기력이 0이 되는 지점이 존재한다.
└────────────────────────────┘

① ㄱ　　　　② ㄷ　　　　③ ㄱ, ㄴ
④ ㄴ, ㄷ　　⑤ ㄱ, ㄴ, ㄷ

2020 7월 학평 12번 유사

03 그림은 원자가 1개, 2개, 매우 많을 때 전자의 에너지를 나타 낸 것이다. ⓐ는 에너지띠 사이 의 에너지 영역이고, ⓑ는 에너지가 가장 낮은 에너지띠 이다. 이에 대한 설명으로 옳은 것만을 | 보기 |에서 있 는 대로 고른 것은?

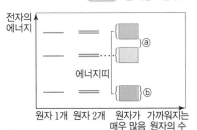

> **보기**
> ㄱ. 원자가 2개일 때 에너지 준위가 달라지는 것은 원자 사이의 상호 작용 때문이다.
> ㄴ. 전자는 ⓐ 영역에 해당하는 에너지를 가질 수 없다.
> ㄷ. 에너지띠 ⓑ에 존재하는 전자가 가질 수 있는 에너지는 연속적이다.

① ㄱ ② ㄷ ③ ㄱ, ㄴ
④ ㄴ, ㄷ ⑤ ㄱ, ㄴ, ㄷ

2021 수능 8번 유사

04 그림 (가)는 보어의 수소 원자 모형에서 양자수 n에 따른 에너지 준위와 전자의 전이 a, b를, (나)는 가열된 수소 원자에서 전자가 $n=2$인 궤도로 전이할 때 방출되는 빛의 선 스펙트럼을 파장에 따라 나타낸 것이다.

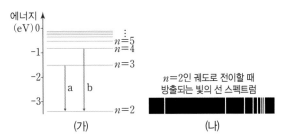

이에 대한 설명으로 옳은 것만을 | 보기 |에서 있는 대로 고른 것은?

> **보기**
> ㄱ. 전자가 $n=2$인 궤도에 머물러 있는 동안에는 빛이 방출되지 않는다.
> ㄴ. 방출되는 빛의 진동수는 a에서가 b에서보다 작다.
> ㄷ. 스펙트럼의 오른쪽으로 갈수록 큰 양자수에서 전이된 빛의 선 스펙트럼이다.

① ㄱ ② ㄷ ③ ㄱ, ㄴ
④ ㄴ, ㄷ ⑤ ㄱ, ㄴ, ㄷ

2014 6월 모평 12번 유사

05 그림과 같이 전압이 같은 두 전원 장치에 저항값이 같은 저항 R_1, R_2와 p-n 접합 다이오드를 연결하여 회로를 구성하였다. X와 Y는 p형 반도체와 n형 반도체를 순서 없이 나타낸 것이다. 점 c에 흐르는 전류의 세기는 스위치를 S를 a에 연결했을 때가 b에 연결했을 때보다 작다. 이에 대한 설명으로 옳은 것만을 | 보기 |에서 있는 대로 고른 것은?

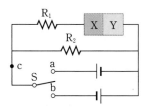

> **보기**
> ㄱ. X는 n형 반도체이다.
> ㄴ. S를 a에 연결했을 때 p-n 접합면에서 공핍층은 두꺼워진다.
> ㄷ. S를 b에 연결했을 때 n형 반도체에 있는 전자들은 p-n 접합면 쪽으로 이동한다.

① ㄱ ② ㄴ ③ ㄱ, ㄷ
④ ㄴ, ㄷ ⑤ ㄱ, ㄴ, ㄷ

2013 9월 모평 13번 유사

06 그림과 같이 p형 반도체와 n형 반도체를 접합하여 만든 발광 다이오드 A, B를 직류 전원 장치에 연결하였더니 A, B에서 각각 빨간 빛과 파란 빛이 방출되었다. 이에 대한 설명으로 옳은 것만을 | 보기 |에서 있는 대로 고른 것은?

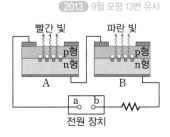

> **보기**
> ㄱ. 다이오드의 접합면에서 전도띠에 있던 전자가 전이하면서 빛이 방출된다.
> ㄴ. p형 반도체의 원자가 띠와 n형 반도체의 전도띠 사이의 에너지 차는 A가 B보다 작다.
> ㄷ. 전원 장치의 두 극 a, b를 반대로 바꾸면 빛은 방출되지 않는다.

① ㄱ ② ㄷ ③ ㄱ, ㄴ
④ ㄴ, ㄷ ⑤ ㄱ, ㄴ, ㄷ

07 2016 수능 12번 유사

그림과 같이 무한히 긴 직선 도선 P, Q가 xy 평면에 고정되어 있으며 P에 흐르는 전류의 세기는 I_0이고 방향이 일정하다. 표는 원점 O에서 P, Q에 흐르는 전류에 의한 자기장을 Q에 흐르는 전류의 세기에 따라 나타낸 것이다.

실험	Q에 흐르는 전류의 세기	O에서 자기장 방향	O에서 자기장 세기
I	0	⊙	B_0
II	I_1	×	$2B_0$

⊙: xy 평면에서 수직으로 나오는 방향
×: xy 평면에 수직으로 들어가는 방향

I_1의 크기와 방향을 옳게 짝 지은 것은?

	크기	방향		크기	방향
①	$2I_0$	$+y$	②	$3I_0$	$+y$
③	$3I_0$	$-y$	④	$6I_0$	$+y$
⑤	$6I_0$	$-y$			

08 ** 1등급 킬러

그림은 세 개의 고정된 직선 도선에 모두 같은 방향으로 세기가 각각 I, I, $2I$인 전류가 화살표 방향으로 흐르는 것을 나타낸 것이다. 각 도선 사이의 거리는 $2d$이다.

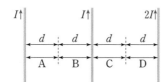

이에 대한 설명으로 옳은 것만을 │보기│에서 있는 대로 고른 것은? (단, 도선의 굵기는 무시한다.)

┌─ 보기 ┐
ㄱ. B 영역에서 자기장의 방향은 종이면에서 수직으로 나오는 방향이다.
ㄴ. C 영역에서 자기장의 방향은 종이면에 수직으로 들어가는 방향이다.
ㄷ. A 영역과 D 영역에서는 자기장이 0이 되는 지점이 존재한다.
└─────┘

① ㄱ   ② ㄴ   ③ ㄱ, ㄷ
④ ㄴ, ㄷ   ⑤ ㄱ, ㄴ, ㄷ

09 ** 1등급 킬러 2019 수능 14번 유사

그림은 수평면에 놓인 질량이 m인 자석 A가 도르래와 실을 통해 질량이 $3m$인 물체 B와 연결되어 수평면에 놓인 솔레노이드를 향해 운동하는 순간의 모습을 나타낸 것이다. A는 솔레노이드의 중심축을 따라 이동하며, A가 솔레노이드에 들어가기 직전에는 발광 다이오드(LED) C만 켜지고, A가 솔레노이드에서 나온 직후에는 발광 다이오드(LED) D만 켜진다. 이에 대한 설명으로 옳은 것만을 │보기│에서 있는 대로 고른 것은?

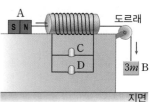

┌─ 보기 ┐
ㄱ. B는 등가속도 운동을 한다.
ㄴ. C에 불이 켜졌을 때 C에 흐르는 전류의 방향은 A의 운동 방향과 같다.
ㄷ. C에 불이 켜졌을 때와 D에 불이 켜졌을 때 A가 받는 자기력의 방향은 같다.
└─────┘

① ㄱ   ② ㄷ   ③ ㄱ, ㄴ
④ ㄴ, ㄷ   ⑤ ㄱ, ㄴ, ㄷ

10 2015 6월 모평 18번 유사

그림과 같이 아크릴 관에 자석을 고정하여 전자저울 위에 놓고 무게를 측정한 후, 물체 A와 B를 각각 자석으로부터 같은 높이에 위치시켜 저울 측정값을 읽고 표로 나타내었다. A와 B는 상자성 물체와 반자성 물체 중 하나이다.

물체	저울 측정값(N)
없음	1.000
A	1.001
B	0.998

이에 대한 설명으로 옳은 것만을 │보기│에서 있는 대로 고른 것은?

┌─ 보기 ┐
ㄱ. 자석이 A에 작용하는 힘의 크기는 자석이 B에 작용하는 힘의 크기보다 작다.
ㄴ. 자석을 제거해도 A는 자기화된 상태가 오래 유지된다.
ㄷ. B는 상자성체이다.
└─────┘

① ㄱ   ② ㄴ   ③ ㄱ, ㄴ
④ ㄱ, ㄷ   ⑤ ㄴ, ㄷ

11

2020 4월 학평 12번 유사

그림은 전기기타에서 강자성체인 기타 줄의 진동을 전기 신호로 전환하는 장치를 간단하게 나타낸 것이다. 막대자석에 의해 자기화된 기타 줄을 진동시키면 코일에 유도 전류가 흐르게 된다.

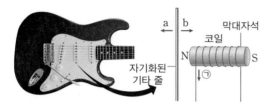

이에 대한 설명으로 옳은 것만을 |보기|에서 있는 대로 고른 것은?

|보기|

ㄱ. 기타 줄이 a 방향으로 움직일 때 코일을 통과하는 자기 선속은 감소한다.

ㄴ. 기타 줄이 b 방향으로 움직일 때 코일에는 ㉠ 방향으로 전류가 흐른다.

ㄷ. 코일 중심에 있는 막대자석을 제거하여도 코일에는 유도 전류가 흐를 수 있다.

① ㄱ   ② ㄷ   ③ ㄱ, ㄴ

④ ㄴ, ㄷ   ⑤ ㄱ, ㄴ, ㄷ

12

그림과 같이 균일한 자기장 영역에 놓인 금속선의 양 끝을 일정한 속력으로 당겨 원형 부분 P의 반지름을 일정하게 감소시키고 있다. 자기장의 방향은 종이면에 수직으로 들어가는 방향이다.

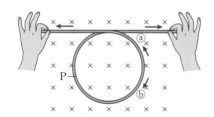

이에 대한 설명으로 옳은 것만을 |보기|에서 있는 대로 고른 것은?

|보기|

ㄱ. 유도 전류의 방향은 ⓑ이다.

ㄴ. 유도 기전력의 크기는 일정하다.

ㄷ. 원형 부분 P의 내부를 통과하는 자기 선속 변화율의 크기는 일정하다.

① ㄱ   ② ㄴ   ③ ㄱ, ㄷ

④ ㄴ, ㄷ   ⑤ ㄱ, ㄴ, ㄷ

13

✲✲ 1등급 킬러   2020 7월 학평 20번 유사

그림과 같이 정사각형 금속 고리 P의 점 A가 원점에서 출발하여 1 cm/s의 속력으로 x축에 나란하게 등속도 운동을 하여 자기장 영역 I, II, III을 통과한다. $t = 0$일 때, P의 중심의 위치는 $x = 0$이다. I, II, III에서 자기장의 세기는 각각 $B_0, 2B_0, B_0$으로 균일하며 $t = 10$초일 때 정사각형 금속 고리 P에 흐르는 전류는 I이다.

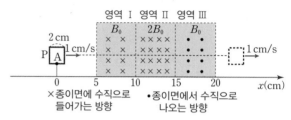

이에 대한 설명으로 옳은 것만을 |보기|에서 있는 대로 고른 것은?

|보기|

ㄱ. 4초일 때 유도되는 전류의 세기는 I이다.

ㄴ. 12초일 때 유도되는 전류의 세기는 0이다.

ㄷ. 15초일 때 유도되는 전류의 세기는 20초일 때 유도되는 전류의 세기의 3배이다.

① ㄱ   ② ㄷ   ③ ㄱ, ㄴ

④ ㄴ, ㄷ   ⑤ ㄱ, ㄴ, ㄷ

7강_ 파동

2022 6월 모평 10번 유사

01 그림 (가)는 매질 A와 매질 B에서 $+x$ 방향으로 진행하는 진동수가 5 Hz인 파동의 어느 순간의 변위를 위치 x에 따라 나타낸 것이다.

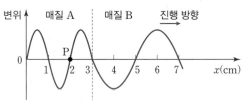

이에 대한 설명으로 옳은 것만을 | 보기 |에서 있는 대로 고른 것은?

| 보기 |
ㄱ. 1초 후 P점의 변위의 크기는 최대이다.
ㄴ. A에서 파동의 속력은 0.1 m/s이다.
ㄷ. B에서 파동의 주기는 0.2초이다.

① ㄱ   ② ㄷ   ③ ㄱ, ㄴ
④ ㄴ, ㄷ   ⑤ ㄱ, ㄴ, ㄷ

2022 9월 모평 9번 유사

02 그림 (가)는 파동이 매질 A에서 매질 B로 진행하는 모습을, (나)는 (가)의 파동이 매질 I에서 매질 II로 진행하는 경로를 나타낸 것이다. I, II는 각각 A, B 중 하나이다.

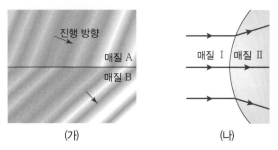

(가)   (나)

이에 대한 설명으로 옳은 것만을 | 보기 |에서 있는 대로 고른 것은?

| 보기 |
ㄱ. (가)에서 이웃한 파면 사이의 거리는 A에서가 B에서보다 크다.
ㄴ. (나)에서 I에서의 입사각은 II에서의 굴절각보다 크다.
ㄷ. I은 B이다.

① ㄱ   ② ㄴ   ③ ㄱ, ㄷ
④ ㄴ, ㄷ   ⑤ ㄱ, ㄴ, ㄷ

∵ 1등급 킬러 2020 10월 학평 9번 유사

03 그림은 단색광이 진공에서 매질 1로 입사하여 매질 2, 매질 3, 진공과의 경계면의 지점 p, q, r, s를 지나면서 진행하는 모습을 나타낸 것이다. p점에서 입사각은 45°, 굴절각은 30°이며 q점과 s점에서 굴절각은 각각 40°, 90°이며 r점에서는 전반사가 일어난다.

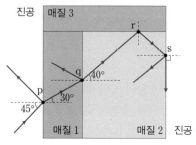

이에 대한 설명으로 옳은 것만을 | 보기 |에서 있는 대로 고른 것은? (단, 진공에서의 단색광의 속력은 c이며, 진공의 굴절률은 1이다.)

| 보기 |
ㄱ. 매질 1에서 단색광의 속력은 $\frac{\sqrt{2}}{2}c$이다.
ㄴ. q, s에서 반사한 빛은 위상이 반대가 된다.
ㄷ. 매질 2와 매질 3의 경계면에서의 임계각은 40°보다 작다.

① ㄱ   ② ㄷ   ③ ㄱ, ㄴ
④ ㄴ, ㄷ   ⑤ ㄱ, ㄴ, ㄷ

04 그림과 같이 단색광 A, B를 각각 매질 I에서 부채꼴 모양의 매질 II에 수직으로 입사시켰더니 A, B가 점 P에서 굴절한다. P에서 입사각은 A가 B보다 크고, 굴절각은 A와 B가 서로 같다.

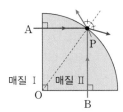

매질 I 매질 II

이에 대한 설명으로 옳은 것만을 |보기|에서 있는 대로 고른 것은?

> |보기|
> ㄱ. A의 속력은 II에서가 I에서보다 크다.
> ㄴ. B의 파장은 II에서가 I에서보다 길다.
> ㄷ. 두 빛의 진동수는 매질 I과 매질 II에서 변하지 않는다.

① ㄱ   ② ㄷ   ③ ㄱ, ㄴ

④ ㄴ, ㄷ   ⑤ ㄱ, ㄴ, ㄷ

2021 수능 15번 유사

05 그림 (가)는 이중 유리로 되어 있는 광섬유에서 빛이 코어 내에서 진행하는 모습을, (나)는 종류가 다른 유리 a, b, c의 굴절률을 광섬유에 사용하는 가시광선 영역의 빛의 파장에 따라 나타낸 것이다.

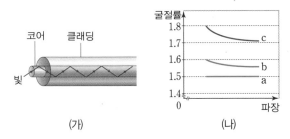

코어   클래딩

빛

(가)   (나)

이에 대한 설명으로 옳은 것만을 |보기|에서 있는 대로 고른 것은?

> |보기|
> ㄱ. 가시광선의 속력은 c에서 가장 빠르다.
> ㄴ. 클래딩을 b로 만들었다면 코어는 c로 만들어야 한다.
> ㄷ. 광섬유를 a와 b로 만들었을 때의 임계각이 a와 c로 만들었을 때의 임계각보다 크다.

① ㄱ   ② ㄷ   ③ ㄱ, ㄴ

④ ㄴ, ㄷ   ⑤ ㄱ, ㄴ, ㄷ

2021 7월 학평 16번 유사

06 그림 (가)는 단색광 P가 물질 A, B의 경계면에서 전반사하여 매질 C로 진행하고 있는 모습을, (나)는 A로 코어를, C로 클래딩을 만든 광섬유에서 신호가 전반사하며 전달되는 모습을 나타낸 것이다.

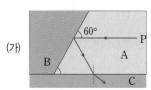

(가)

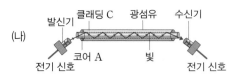

(나)

이에 대한 설명으로 옳은 것만을 |보기|에서 있는 대로 고른 것은?

> |보기|
> ㄱ. P의 속력은 A에서 가장 빠르다.
> ㄴ. (나)에서 코어에서 클래딩으로 향하는 빛은 입사각이 $30°$보다 커야 한다.
> ㄷ. (나)에서 클래딩을 B로 바꾸면 빛 신호의 전반사가 더 많은 범위에서 나타난다.

① ㄱ   ② ㄷ   ③ ㄱ, ㄴ

④ ㄴ, ㄷ   ⑤ ㄱ, ㄴ, ㄷ

07 그림 (가)와 같이 파장이 같은 레이저 빛을 경로 1과 2를 따라 스크린에 비춘다. 경로 1의 빛이 첫 번째 거울로 입사하는 방향과 수직 방향으로 거울 A와 B를 동시에 움직인다. 그림 (나)는 거울이 움직인 거리 x를 증가시키면서 스크린 위의 한 점 P에서 측정한 빛의 세기를 나타낸 것이다.

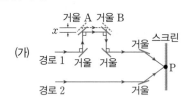

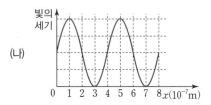

이에 대한 설명으로 옳은 것만을 | 보기 |에서 있는 대로 고른 것은?

┌ 보기 ┐
ㄱ. $x=3\times10^{-7}$ m일 때 P에 도달하는 두 빛의 위상은 반대이다.
ㄴ. $x=5\times10^{-7}$ m일 때 P에 도달하는 두 빛의 경로차는 10^{-6} m이다.
ㄷ. 레이저 빛의 파장은 8×10^{-7} m이다.

① ㄱ   ② ㄴ   ③ ㄱ, ㄷ
④ ㄴ, ㄷ   ⑤ ㄱ, ㄴ, ㄷ

8강_ 빛과 물질의 이중성

2020 7월 학평 3번 유사

08 그림은 전하 결합 소자 (CCD)의 모습을 모식적으로 나타낸 것이다. 이에 대한 설명으로 옳은 것만을 | 보기 |에서 있는 대로 고른 것은?

광 다이오드

┌ 보기 ┐
ㄱ. CCD의 광 다이오드에서 광전 효과에 의해 전하가 발생한다.
ㄴ. CCD에 입사하는 빛의 세기가 클수록 광 다이오드에서 발생하는 전자의 속력은 증가한다.
ㄷ. CCD에 입사하는 빛의 진동수가 클수록 광 다이오드에서 발생하는 전하의 수는 증가한다.

① ㄱ   ② ㄴ   ③ ㄱ, ㄷ
④ ㄴ, ㄷ   ⑤ ㄱ, ㄴ, ㄷ

** 1등급 킬러

09 그림 (가)는 광전 효과 실험 장치를, (나)는 (가)에서 광전류의 세기를 시간에 따라 나타낸 것으로 8초가 되는 순간부터 전류가 흐르지 않는다. 그림 (다)는 (가)에서 빛의 진동수를 시간에 따라 나타낸 것이다.

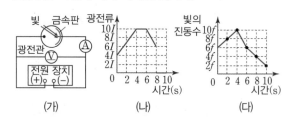

(가)   (나)   (다)

이에 대한 설명으로 옳은 것만을 | 보기 |에서 모두 고른 것은?

┌ 보기 ┐
ㄱ. 금속의 한계(문턱) 진동수는 $4f$이다.
ㄴ. 4초부터 6초까지 빛의 세기는 점점 감소한다.
ㄷ. 전자의 최대 운동 에너지는 2초일 때가 6초일 때의 2배이다.

① ㄱ   ② ㄴ   ③ ㄱ, ㄷ
④ ㄴ, ㄷ   ⑤ ㄱ, ㄴ, ㄷ

10 그림은 두 금속판 A, B에 빛을 비추었을 때 방출되는 광전자의 최대 운동 에너지 E_k를 빛의 파장에 따라 나타낸 것이다. λ_B는 λ_A의 3배이며, 빛의 파장이 λ_0일 때, A와 B에서 방출되는 광전자의 E_k는 각각 E_A, E_B이다. B의 일함수의 크기는?

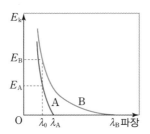

① $\dfrac{E_B - E_A}{2}$ ② $E_B - E_A$

③ $\dfrac{3(E_B - E_A)}{2}$ ④ $2(E_B - E_A)$

⑤ $\dfrac{5(E_B - E_A)}{2}$

---

11 그림 (가)는 전자빔 발생 장치에서 나와 슬릿 간격이 d인 이중 슬릿을 통과하여 스크린의 각 지점에 도달하는 전자의 수를 측정하는 것을 모식적으로 나타낸 것이다. 그림 (나)는 (가)의 전자빔 발생 장치에서 나오는 속력이 각각 v_1, v_2인 전자들을 사용하여 각 지점에서 일정한 시간 동안 측정한 전자의 수를 개략적으로 나타낸 것이다.

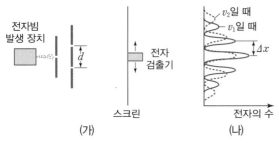

이에 대한 설명으로 옳은 것만을 |보기|에서 있는 대로 고른 것은?

┌ 보기 ┐
ㄱ. 물질파의 파장은 v_2일 때가 v_1일 때보다 더 길다.
ㄴ. 전자의 운동량은 v_2일 때가 v_1일 때보다 더 크다.
ㄷ. 전자의 파동성에 의해 나타나는 현상이다.
└

① ㄱ ② ㄴ ③ ㄱ, ㄷ
④ ㄴ, ㄷ ⑤ ㄱ, ㄴ, ㄷ

---

12 그림은 기준선에 정지해 있던 질량이 m인 물체 A를 나타낸 것이다. A에는 일정한 중력이 작용하고 있다.

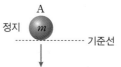

A가 기준선으로부터 d, $2d$만큼 운동했을 때 물질파 파장을 각각 λ_1, λ_2라고 할 때, $\lambda_1 : \lambda_2$는?

① $1 : 1$ ② $\sqrt{2} : 1$ ③ $2 : 1$
④ $2\sqrt{2} : 1$ ⑤ $4 : 1$

2021 7월 학평 17번 유사

13 그림은 주사 전자 현미경 A의 구조를 나타낸 것이고 표는 A에서 시료를 관찰할 때 사용하는 전자의 운동 에너지를 나타낸 것이다.

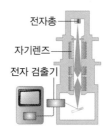

구분	운동 에너지
실험 I	E_0
실험 II	$2E_0$

이에 대한 설명으로 옳은 것만을 |보기|에서 있는 대로 고른 것은?

┌ 보기 ┐
ㄱ. A는 시료를 전도성 물질로 코팅해서 관측해야 한다.
ㄴ. 실험 I에서보다 실험 II에서 더 작은 시료를 관측할 수 있다.
ㄷ. 전자의 물질파 파장은 실험 I에서가 실험 II에서의 2배이다.
└

① ㄱ ② ㄷ ③ ㄱ, ㄴ
④ ㄴ, ㄷ ⑤ ㄱ, ㄴ, ㄷ

memo

수능전략
과·학·탐·구·영·역
물리학Ⅰ

BOOK 3
정답과 해설

DAY 1 개념 돌파 전략 ① 확인 Q
8~9쪽

[1강] 1 0	2 속도	3 6 m	4 운동 방향
5 5 m/s²	6 5 m/s	7 4 m/s	8 속도 변화량

5 평균 가속도 $=\dfrac{30 \text{ m/s} - 20 \text{ m/s}}{2 \text{ s}} = 5 \text{ m/s}^2$

6 평균 속도 $=\dfrac{2 \text{ m/s} + 8 \text{ m/s}}{2} = 5 \text{ m/s}$

7 2초 후 속도 $= 0 + 2 \text{ m/s}^2 \times 2 \text{ s} = 4 \text{ m/s}$

DAY 1 개념 돌파 전략 ① 확인 Q
10~11쪽

[2강] 1 5	2 0	3 관성	4 뒤로	5 커진다
6 2 m/s²	7 같고, 반대	8 책, 지구		

6 가속도의 크기는 $\dfrac{4 \text{ N}}{2 \text{ kg}} = 2 \text{ m/s}^2$이다.

DAY 1 개념 돌파 전략 ②
12~13쪽

1 ④	2 ②	3 ④	4 ⑤	5 ⑤	6 ①

1 평균 속력과 평균 속도

ㄱ, ㄷ. A, B, C의 이동 거리는 각각 400 m, 600 m, 800 m 이고, 변위의 크기는 모두 400 m이다.

평균 속력은 $\dfrac{\text{이동 거리}}{\text{걸린 시간}}$이므로 A, B, C의 평균 속력은 각각

$\dfrac{400 \text{ m}}{200 \text{ s}} = 2 \text{ m/s}$, $\dfrac{600 \text{ m}}{300 \text{ s}} = 2 \text{ m/s}$, $\dfrac{800 \text{ m}}{400 \text{ s}} = 2 \text{ m/s}$ 로 모두 같다. 또, 평균 속도는 $\dfrac{\text{변위}}{\text{걸린 시간}}$이므로 A, B, C의 평

균 속도의 크기는 각각 $\dfrac{400 \text{ m}}{200 \text{ s}} = 2 \text{ m/s}$, $\dfrac{400 \text{ m}}{300 \text{ s}} = \dfrac{4}{3} \text{ m/s}$,

$\dfrac{400 \text{ m}}{400 \text{ s}} = 1 \text{ m/s}$이다.

👁 **바로 보기**　ㄴ. A, B, C의 평균 속력은 2 m/s로 모두 같다.

2 등속 직선 운동

자료 분석 + 　등속 직선 운동 그래프

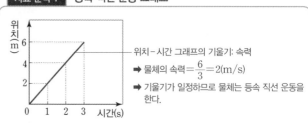

위치 - 시간 그래프의 기울기: 속력

➡ 물체의 속력 $= \dfrac{6}{3} = 2 (\text{m/s})$

➡ 기울기가 일정하므로 물체는 등속 직선 운동을 한다.

선택지 분석

✗ 1 m/s	② 2 m/s	✗ 3 m/s	✗ 4 m/s	✗ 5 m/s

② 그래프의 기울기가 $\dfrac{6 \text{ m}}{3 \text{ s}} = 2 \text{ m/s}$로 일정하므로 물체의 속력은 2 m/s이다.

3 등가속도 직선 운동

자료 분석 + 　등가속도 직선 운동

· 1초 동안 속도 증가량이 4 m/s이므로 물체의 가속도는 $\dfrac{4 \text{ m/s}}{1 \text{ s}} = 4 \text{ m/s}^2$ 이다.

· 물체의 이동 거리는 다음과 같은 두 식을 이용하여 구할 수 있다.

$$\begin{cases} s = v_0 t + \dfrac{1}{2}at^2 \\ 2as = v^2 - v_0^2 \Rightarrow s = \dfrac{v^2 - v_0^2}{2a} \end{cases}$$

선택지 분석

✗ 1 m	✗ 2 m	✗ 3 m	④ 4 m	✗ 5 m

④ 1초 동안 물체의 이동 거리는 다음과 같다.

$$s = v_0 t + \dfrac{1}{2}at^2 = 2 \times 1 + \dfrac{1}{2} \times 4 \times 1^2 = 4(\text{m})$$

[별해] 다음 식을 이용해서도 구할 수 있다.

$$s = \dfrac{v^2 - v_0^2}{2a} = \dfrac{6^2 - 2^2}{2 \times 4} = 4(\text{m})$$

[별해] 1초 동안 평균 속력이 $\dfrac{2+6}{2} = 4(\text{m/s})$이므로 1초 동안의 이동 거리는 $4 \times 1 = 4(\text{m})$임을 알 수 있다.

4 관성

ㄱ, ㄴ, ㄷ. 뉴턴 운동 제1법칙(관성 법칙)에 의해 물체에 작용하는 알짜힘이 0이면 운동하던 물체는 계속 등속 직선 운동을 하고, 정지해 있던 물체는 계속 정지 상태를 유지한다. 이때 물체가 처음의 운동 상태를 유지하려는 성질을 관성이라고 한다. 옷을 막대기로 두드릴 때 먼지가 떨어지는 현상과 달리던 사람이 돌부리에 걸려 넘어지는 현상은 모두 관성에 의해 나타난다.

5 뉴턴 운동 제2법칙(가속도 법칙)

자료 분석 + 실로 연결된 물체의 운동

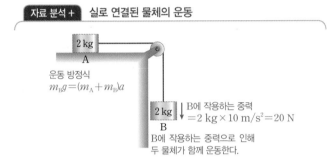

운동 방정식
$m_B g = (m_A + m_B)a$

B에 작용하는 중력
$= 2\,kg \times 10\,m/s^2 = 20\,N$
B에 작용하는 중력으로 인해 두 물체가 함께 운동한다.

선택지 분석

✕① $1\,m/s^2$ ✕② $2\,m/s^2$ ✕③ $3\,m/s^2$ ✕④ $4\,m/s^2$ ⑤ $5\,m/s^2$

⑤ 운동 방정식 $m_B g = (m_A + m_B)a$에서 중력 가속도 $g = 10\,m/s^2$이고 A와 B의 질량은 각각 $2\,kg$이기 때문에 $2 \times 10 = (2+2) \times a$에서 $a = 5\,m/s^2$이다. A와 B는 실로 연결된 채 함께 움직이기 때문에 A와 B의 가속도는 모두 $5\,m/s^2$이다.

6 뉴턴 운동 제3법칙(작용 반작용 법칙)

ㄱ. A는 B 위에 놓여 있는 상태로 정지해 있기 때문에 A에 작용하는 알짜힘은 0이다.

👁 바로 보기 ㄴ. A에 작용하는 중력은 지구가 A를 당기는 힘이다. 따라서 이 힘에 대한 반작용은 A가 지구를 당기는 힘이다.

ㄷ. 책상이 B를 떠받치는 힘의 크기는 A와 B가 책상을 누르는 힘, 즉 A와 B에 작용하는 중력의 크기의 합과 같다.

DAY 2 필수 체크 전략 ① | 14~17쪽

①-1 ㄱ, ㄴ, ㄷ **②**-1 ㄱ **③**-1 ㄱ, ㄴ **④**-1 1초
⑤-1 ㄱ **⑥**-1 ㄱ, ㄴ, ㄷ

---

①-1 등속 직선 운동

자료 분석 + 등속 직선 운동 그래프

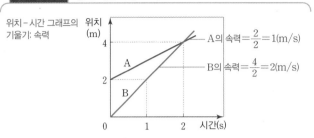

위치-시간 그래프의 기울기: 속력

A의 속력 $= \frac{2}{2} = 1(m/s)$
B의 속력 $= \frac{4}{2} = 2(m/s)$

선택지 분석

⊙ A의 속력은 $1\,m/s$이다.
⊙ B는 등속 운동을 한다.
⊙ 0초부터 2초까지 A와 B 사이의 거리는 가까워진다.

ㄱ, ㄴ. A와 B 모두 위치-시간 그래프의 기울기가 일정하다. 따라서 두 물체는 모두 등속 직선 운동을 하며, A와 B의 속력은 각각 $1\,m/s$, $2\,m/s$이다.

ㄷ. B의 속력이 더 빠르므로 0초일 때 $2\,m$만큼 떨어져 있던 A, B 사이의 간격이 점점 가까워져 2초일 때 만나게 된다.

②-1 여러 가지 운동

ㄱ. (가)에서 연직 위로 던진 구슬은 최고점에 도달할 때까지는 속력이 점점 느려지는 운동을 하고, 최고점 이후부터는 낙하하면서 속력이 점점 빨라지는 운동을 한다.

👁 바로 보기 ㄴ. (나)에서 농구공에는 연직 아래 방향으로 일정한 크기의 중력이 알짜힘으로 작용하는데, 농구공은 포물선을 그리며 운동하므로 알짜힘의 방향과 농구공의 운동 방향은 다르다.

ㄷ. (다)에서 사람은 원운동을 하고 있으므로 운동 방향은 계속 변한다.

③-1 가속도 운동

자료 분석 + 등속 운동, 가속도 운동 그래프

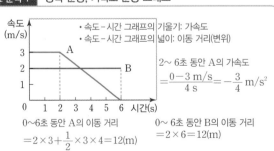

· 속도-시간 그래프의 기울기: 가속도
· 속도-시간 그래프의 넓이: 이동 거리(변위)

2~6초 동안 A의 가속도
$= \frac{0 - 3\,m/s}{4\,s} = -\frac{3}{4}\,m/s^2$

0~6초 동안 A의 이동 거리
$= 2 \times 3 + \frac{1}{2} \times 3 \times 4 = 12(m)$

0~6초 동안 B의 이동 거리
$= 2 \times 6 = 12(m)$

선택지 분석

⊙ 0초부터 6초까지 A의 변위의 크기는 12 m이다.
⊙ 6초일 때 A와 B는 만난다.
✕ 4초일 때 A의 가속도의 크기는 ~~$2\,m/s^2$이다.~~ → $\frac{3}{4}\,m/s^2$

ㄱ. 0초부터 6초까지 A의 변위의 크기는
$2 \times 3 + \frac{1}{2} \times 3 \times 4 = 12(\text{m})$이다.

ㄴ. 원점에서 A와 B는 같은 방향으로 출발하였고 0초부터 6초까지 B의 이동 거리는 $2 \times 6 = 12(\text{m})$로, A의 이동 거리와 같다. 따라서 6초일 때 A와 B는 만난다.

👁 바로 보기 ㄷ. 4초일 때 A의 가속도의 크기는 $\frac{3}{4} \text{ m/s}^2$이다.

❹-1 등가속도 직선 운동

Q에서 물체의 속력을 v, Ⅰ 구간과 Ⅱ 구간을 이동하는데 걸린 시간을 각각 $2t$, t라고 하면, 가속도의 크기는 Ⅱ 구간에서가 Ⅰ 구간에서의 3배이므로 $3 \times \frac{v-2}{2t} = \frac{v}{t}$에서 $v = 6 \text{ m/s}$이다. 따라서 Ⅰ 구간에서의 평균 속력은 $\frac{2+6}{2} = 4(\text{m/s})$이고, Ⅱ 구간에서의 평균 속력은 $\frac{6+0}{2} = 3(\text{m/s})$이다. Ⅰ 구간에서는 4 m/s의 평균 속력으로 $2t$ 동안 이동하였고, Ⅱ 구간에서는 3 m/s의 평균 속력으로 t 동안 이동하였으므로 $4 \times 2t + 3 \times t = 11$에서 $t = 1$초이다.

❺-1 등가속도 직선 운동

ㄱ. 물체는 등가속도 직선 운동을 하므로 P~R 구간에서 물체의 평균 속력은 $\frac{v + \frac{v}{5}}{2} = \frac{3}{5}v$이고, $\frac{3}{5}v \times 2 = L_1 + L_2 = 6$에서 $v = 5 \text{ m/s}$이다. 따라서 빗면에서 물체의 가속도는 $\frac{1-5}{2} = -2(\text{m/s}^2)$이므로 가속도의 크기는 2 m/s²이다.

👁 바로 보기 ㄴ. Q에서 물체의 속도를 v_Q라고 하고 L_1 구간에 $2as = v^2 - v_0^2$ 식을 적용하면, $2 \times (-2) \times 4 = v_Q^2 - 5^2$에서 $v_Q = 3 \text{ m/s}$이다.

$v = v_0 + at$이므로 $3 = 5 + (-2) \times t$에서 $t = 1$초이다. 따라서 물체가 L_1 구간을 이동하는 데 걸린 시간은 1초이다.

ㄷ. S에서 물체의 속도를 v_S라고 하고 L_3 구간에 $2as = v^2 - v_0^2$ 식을 적용하면, $2 \times (-2) \times \frac{1}{4} = v_S^2 - 1^2$에서 $v_S = 0$이다.

❻-1 등가속도 직선 운동

ㄱ. A와 B는 t_0의 시간 간격을 두고 같은 운동을 한다. 따라서 B는 $t = 2t_0$일 때, q를 지나고 $t = 4t_0$일 때 r를 지나기 때문에 $t = 3t_0$일 때에는 q에서 r로 이동한다.

ㄴ. $t = 4t_0$일 때 B는 r에 위치하고, A는 r와 s 사이에 위치한다. 왼쪽 빗면에서 A가 q를 지날 때의 속도를 v, 가속

도의 크기를 a라고 하면, $2aL = v^2 - 0^2$에서 $a = \frac{v^2}{2L}$이다. 오른쪽 빗면에서 A는 r를 v의 속도로 통과하고 s에서 정지하기 때문에 오른쪽 빗면에서의 가속도 크기를 a'라고 하면, $2(-a')4L = 0^2 - v^2$에서 $a' = \frac{v^2}{8L}$이다. 왼쪽 빗면에서 A는 t_0동안 속도가 v만큼 증가하였으므로 가속도의 크기가 $\frac{1}{4}$배인 오른쪽 빗면에서는 t_0 동안 속도가 $\frac{1}{4}v$만큼 감소하여야 한다. 따라서 $t = 4t_0$일 때 A의 속도는 $\frac{3}{4}v$이다. 즉, $t = 4t_0$일 때 A는 r를 지난 후 $\frac{v + \frac{3}{4}v}{2} = \frac{7}{8}v$의 평균 속력으로 t_0 동안 진행하였으므로 r로부터 $\frac{7}{8}vt_0$만큼 떨어져 있으며, 왼쪽 빗면에서 $\frac{0+v}{2} = \frac{v}{2}$의 평균 속력으로 t_0 동안 이동한 거리 $\frac{1}{2}vt_0$가 L이기 때문에 $t = 4t_0$일 때 A와 B 사이의 거리는 $\frac{7}{4}L$이다.

ㄷ. $t = 4t_0$일 때 두 물체는 모두 오른쪽 빗면에 있으며 A와 B 사이의 거리는 $\frac{7}{4}L$이다. 따라서 B의 변위가 A의 변위보다 $\frac{7}{4}L$만큼 클 때 두 물체가 만나기 때문에 $t = 4t_0$ 이후 물체가 만날 때까지 걸린 시간을 t'라고 하면,

$vt' - \frac{1}{2}a't'^2 = \frac{3}{4}vt' - \frac{1}{2}a't'^2 + \frac{7}{4}L$에서 $t' = \frac{7L}{v} = 3.5t_0$ $\left(\because \frac{vt_0}{2} = L \right)$이다. 따라서 A와 B는 $t = 4t_0 + 3.5t_0 = 7.5t_0$일 때 처음으로 만난다.

DAY 2 필수 체크 전략 ②　　　| 18~19쪽

[최다 오답 문제]

1 ⑤　**2** ②　**3** 3초　**4** ③　**5** ③　**6** ④　**7** ⑤　**8** ④

1 등가속도 직선 운동

자료 분석 + 등가속도 직선 운동을 나타내는 가속도 – 시간 그래프

• 가속도 – 시간 그래프에서 그래프와 시간 축이 이루는 넓이＝속도 변화량
• 0초부터 2초까지 속도 증가량＝$2a$
• 2초부터 6초까지 속도 감소량＝$4a$

선택지 분석

ㄱ. 4초일 때 자동차의 가속도의 크기는 2 m/s²이다.
ㄴ. 3초일 때 자동차의 속력은 10 m/s이다.
ㄷ. 2초부터 6초까지 자동차가 이동한 거리는 32 m이다.

ㄱ. 0초부터 2초까지 속도 변화량은 $+2a$, 2초부터 6초까지 속도 변화량은 $-4a$이다. 따라서 0초부터 6초까지 속도 변화량은 총 $-2a$이므로 $8-2a=4$에서 $a=2 \text{ m/s}^2$이다. 4초일 때 가속도는 -2 m/s^2이므로, 그 크기는 2 m/s^2이다.

ㄴ. 0초부터 3초까지 속도 변화량은 총 $+a$, 즉 $+2 \text{ m/s}$이다. 따라서 3초일 때 자동차의 속력은 $8 \text{ m/s}+2 \text{ m/s}=10 \text{ m/s}$이다.

ㄷ. 0초부터 2초까지 속도 변화량은 총 $+2a$, 즉 $+4 \text{ m/s}$이다. 따라서 2초일 때 자동차의 속력은 $8 \text{ m/s}+4 \text{ m/s}=12 \text{ m/s}$이다. 2초일 때 속력이 12 m/s, 6초일 때 속력이 4 m/s이므로 $2as=v^2-v_0^2$에 대입을 하면 $2\times(-2)\times s=4^2-12^2$에서 $s=32 \text{ m}$이다.

2 등가속도 직선 운동

자료 분석 + 등가속도 직선 운동과 등속도 운동

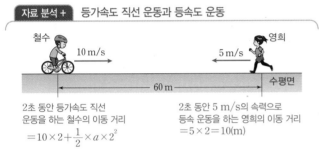

철수   10 m/s   5 m/s   영희

2초 동안 등가속도 직선 운동을 하는 철수의 이동 거리 $=10\times 2+\frac{1}{2}\times a\times 2^2$

2초 동안 5 m/s의 속력으로 등속 운동을 하는 영희의 이동 거리 $=5\times 2=10(\text{m})$

선택지 분석

✗ 14 m/s^2 ② 15 m/s^2 ✗ 16 m/s^2 ✗ 17 m/s^2 ✗ 18 m/s^2

② 2초 동안 철수가 이동한 거리와 영희가 이동한 거리의 합이 60 m이어야 철수와 영희가 만나므로 $10\times 2+\frac{1}{2}\times a\times 2^2+5\times 2=60$에서 $a=15 \text{ m/s}^2$이다.

3 등가속도 직선 운동

자료 분석 + 등가속도 직선 운동 그래프

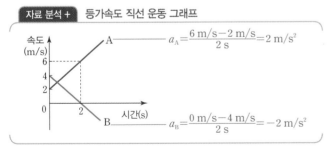

$a_A=\frac{6 \text{ m/s}-2 \text{ m/s}}{2 \text{ s}}=2 \text{ m/s}^2$

$a_B=\frac{0 \text{ m/s}-4 \text{ m/s}}{2 \text{ s}}=-2 \text{ m/s}^2$

A의 가속도는 2 m/s^2, B의 가속도는 -2 m/s^2이고, 0초일 때 A와 B는 12 m만큼 떨어져 있다. 따라서 A와 B가 t초 후 충돌한다고 하면, t초 동안 A의 변위는 B의 변위보다 12 m만큼 더 커야 하므로 $2\times t+\frac{1}{2}\times 2\times t^2=4\times t+\frac{1}{2}\times(-2)\times t^2+12$이다. 이를 정리한 식 $t^2-t-6=(t-3)(t+2)=0$에서 $t=3$초이다.

4 등가속도 직선 운동

자료 분석 + 등속도 운동과 등가속도 직선 운동

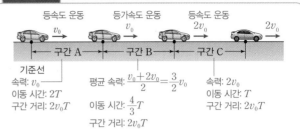

등속도 운동   등가속도 운동   등속도 운동

구간 A   구간 B   구간 C

기준선
속력: v_0 평균 속력: $\frac{v_0+2v_0}{2}=\frac{3}{2}v_0$ 속력: $2v_0$
이동 시간: $2T$ 이동 시간: $\frac{4}{3}T$ 이동 시간: T
구간 거리: $2v_0T$ 구간 거리: $2v_0T$ 구간 거리: $2v_0T$

선택지 분석

㉠ 평균 속력은 B 구간에서가 A 구간에서의 $\frac{3}{2}$배이다.

㉡ B 구간에서 가속도의 크기는 $\frac{3v_0}{4T}$이다.

✗ 구간을 지나는 데 걸리는 시간은 B 구간에서가 C 구간에서의 $\frac{3}{4}$배이다.
$\hookrightarrow \frac{4}{3}$배

ㄱ. C 구간에서 자동차의 속력을 v라고 하면, A 구간의 거리 $2v_0T$와 C 구간의 거리 vT가 같아야 하므로 $v=2v_0$이다. 따라서 자동차가 등가속도 운동을 하는 구간 B에서의 평균 속력은 $\frac{v_0+2v_0}{2}=\frac{3}{2}v_0$이므로 평균 속력은 B 구간에서가 A 구간에서의 $\frac{3}{2}$배이다.

ㄴ. B 구간의 거리도 $2v_0T$이므로 B 구간에서 자동차의 이동 시간을 t'라고 하면, $2v_0T=\frac{3}{2}v_0t'$에서 $t'=\frac{4}{3}T$이다. 시간 $\frac{4}{3}T$ 동안 속도는 v_0만큼 증가했으므로 B 구간에서 자동차의 가속도 크기는 $\frac{3v_0}{4T}$이다.

바로 보기 ㄷ. 자동차의 이동 시간은 B 구간에서 $\frac{4}{3}T$, C 구간에서 T이므로 구간을 지나는 데 걸리는 시간은 B에서가 C에서의 $\frac{4}{3}$배이다.

5 등가속도 직선 운동

자료 분석 + 빗면에서의 등가속도 직선 운동

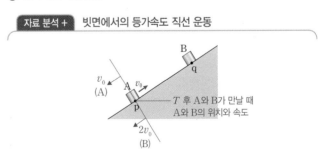

T 후 A와 B가 만날 때 A와 B의 위치와 속도

• A, B는 동일한 빗면에서 운동하므로 A, B의 가속도는 같다. 따라서 T 동안 A, B의 속도 변화량은 $2v_0$으로 같다.

• 역학적 에너지는 보존되므로 T 동안 A의 속도 변화량이 $2v_0$이 되려면 T 후 A는 p점에서 처음과 반대 방향으로 v_0의 속력을 가져야 한다.

㉠ p와 q 사이의 거리는 v_0T이다.

㉡ A와 B는 p에서 만난다.

✗. A가 최고점에 도달한 순간 A와 p 사이의 거리는 $\frac{1}{2}v_0T$이다. → $\frac{1}{4}v_0T$

ㄱ, ㄴ. A와 B가 만날 때 B의 속력은 $2v_0$, A의 속력은 v_0이며, 만나는 지점은 p이다. p와 q 사이의 거리는 B가 T 동안 이동한 거리이므로 B의 평균 속력 $\frac{0+2v_0}{2}=v_0$에 T를 곱한 v_0T이다.

👁 바로 보기 ㄷ. A의 속도가 0이 되는 지점이 A가 최고점에 도달한 순간이다. 빗면에서 A는 시간 T마다 속력이 $2v_0$만큼 변하므로 $\frac{T}{2}$초 후 A의 속력은 v_0만큼 감소하여 정지 상태가 된다. 최고점에 도달한 순간 A와 p 사이의 거리는 A가 $\frac{T}{2}$ 동안 이동한 거리이므로 A의 평균 속력 $\frac{v_0}{2}$에 $\frac{T}{2}$를 곱한 $\frac{1}{4}v_0T$이다.

6 등가속도 직선 운동

자료 분석 + 등가속도 직선 운동

		┌시간 간격이 3초임을 주의한다.		
시간(s)	0	3	6	9
위치(m)	0	555	1020	1395
평균 속도(m/s)		185	155	125
가속도(m/s²)			−10	−10

- 평균 속도: 0~3초, 3~6초, 6~9초 구간에서 각 구간별 평균 속도는 각각 $\frac{555\ m}{3\ s}=185\ m/s$, $\frac{465\ m}{3\ s}=155\ m/s$, $\frac{375\ m}{3\ s}=125\ m/s$이다.
- 각 구간마다 3초 동안 속도 변화량이 $-30\ m/s$로 일정하기 때문에 비행기의 가속도는 $\frac{-30\ m/s}{3\ s}=-10\ m/s^2$이다.

✗. 3초일 때 비행기의 속도의 크기는 180 m/s이다. → 170 m/s

㉡ 비행기의 가속도의 크기는 10 m/s²이다.

㉢ 비행기가 착륙 후, 정지할 때까지 이동한 거리는 2000 m이다.

ㄴ, ㄷ. 비행기의 착륙 직후 속도는 200 m/s, 가속도는 $-10\ m/s^2$이므로 비행기가 정지할 때까지 이동한 거리는 $2\times(-10)\times s=0^2-200^2$에서 $s=2000\ m$이다.

👁 바로 보기 ㄱ. 비행기의 착륙 직후 속도(0초일 때 속도)를 v이라고 하면, 비행기는 착륙 후 20초가 지났을 때 정지하므로 $v_0-10\times20=0$에서 $v_0=200\ m/s$이다. 따라서 3초일 때 비행기의 속도를 v라고 하면, $v=v_0+at=200-10\times3=170(m/s)$이다.

7 등가속도 직선 운동

자료 분석 + 빗면에서의 등가속도 직선 운동

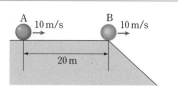

A가 빗면에 진입할 때
- A가 10 m/s의 속력으로 등속 운동을 하며 20 m를 이동했으므로 빗면에 진입할 때까지 걸린 시간은 2초
- B는 2초 동안 등가속도 직선 운동을 하여 30 m를 진행한다.

㉠ 빗면에서 물체의 가속도 크기는 5 m/s²이다.

㉡ 0초부터 4초까지 A의 이동 거리는 50 m이다.

㉢ 6초일 때 A의 속력은 30 m/s이다.

ㄱ. 빗면에서 B의 가속도를 a라고 하면, 2초 동안 B가 이동한 거리가 30 m이므로 $10\times2+\frac{1}{2}\times a\times2^2=30$에서 $a=5\ m/s^2$이다.

ㄴ. A는 0초부터 2초까지 수평면에서 20 m를 이동하고, 2초부터 4초까지 빗면에서 30 m를 이동하므로 0초부터 4초까지 A의 이동 거리는 50 m이다.

ㄷ. 6초는 A가 빗면에 진입한 뒤 4초가 지난 시간이므로 6초일 때 속력은 $10+5\times4=30(m/s)$이다.

8 등가속도 직선 운동

자료 분석 + 빗면에서의 등가속도 직선 운동

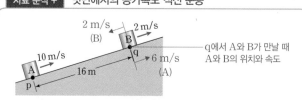

- q에서 A와 B가 만날 때, B는 빗면에서 최고점에 도달했다가 다시 원래 위치로 돌아온 것이기 때문에 B의 속력은 운동 방향만 바뀐 채 2 m/s이다. (∵ 역학적 에너지 보존)
- A, B의 가속도는 같기 때문에 A, B의 속도 변화량은 $-4\ m/s$로 같다. 따라서 q에서 A의 속력은 $10\ m/s-4\ m/s=6\ m/s$이다.

✗. q에서 만나는 순간, 속력은 A가 B의 4배이다. → 3배

㉡ A가 p를 지나는 순간부터 2초 후 B와 만난다.

㉢ B가 최고점에 도달했을 때, A와 B 사이의 거리는 8 m이다.

ㄴ. A의 속력은 p와 q에서 각각 10 m/s, 6 m/s이므로 평균 속력은 $\frac{10+6}{2}=8(m/s)$이다. 8 m/s의 평균 속력으로 16 m만큼 진행했기 때문에 p에서 q까지 가는 데 걸린 시간은 2초이다.

ㄷ. 빗면에서의 가속도는 2초 동안 속력이 4 m/s만큼 감소했으므로 $\dfrac{-4\ \text{m/s}}{2\ \text{s}}=-2\ \text{m/s}^2$이다. 따라서 $v=v_0+at=2-2t=0$에서 $t=1$이므로 B는 1초 후 최고점에 도달한다. 1초 후 A의 속력은 $10-2\times1=8(\text{m/s})$, B의 속력은 0이기 때문에 1초 동안 A와 B의 평균 속력은 각각 $\dfrac{10+8}{2}=9(\text{m/s})$, $\dfrac{2+0}{2}=1(\text{m/s})$이고, 1초 동안 이동한 거리는 각각 9 m, 1 m이다. 즉, A가 B보다 8 m만큼 더 이동했으므로 1초 후 A와 B 사이의 거리는 16 m−8 m =8 m이다.

바로 보기 ㄱ. q에서 만나는 순간 A와 B의 속력은 각각 6 m/s, 2 m/s이므로 속력은 A가 B의 3배이다.

DAY
③ 필수 체크 전략 ①
| 20~23쪽

❶-1 ㄴ   ❷-1 5 kg   ❸-1 F_1: 2 N, F_2: 14 N

❹-1 $\dfrac{8}{9}mg$ ❺-1 ㄱ, ㄴ, ㄷ   ❻-1 ㄴ, ㄷ

❶-1 작용 반작용
ㄴ. A는 정지 상태이기 때문에 A에 작용하는 알짜힘은 0이다. A의 질량을 m_A, 중력 가속도를 g라고 하면 A에는 위에서 누르는 힘 F와 중력 m_Ag가 작용하고 있기 때문에 A에 작용하는 알짜힘이 0이려면 B가 A에 작용하는 힘의 크기는 $F+m_Ag$가 되어야 한다. 따라서 B가 A에 작용하는 힘의 크기는 F보다 크다.

바로 보기 ㄱ. A에 작용하는 중력에 대한 반작용은 A가 지구를 당기는 힘이다.

ㄷ. A와 B에 작용하는 중력의 합을 F'라고 하면 저울에 측정된 힘의 크기는 (가)와 (나)에서 각각 F', $F'+F$이다. 힘의 크기는 (나)가 (가)의 2배이므로 $F'+F=2F'$에서 $F'=F$이다. 즉, (나)의 저울에 측정된 힘의 크기는 $2F$이다.

❷-1 뉴턴 운동 법칙
A에 작용하는 알짜힘이 2 N이고 A의 질량이 2 kg이므로 A의 가속도는 $\dfrac{2\ \text{N}}{2\ \text{kg}}=1\ \text{m/s}^2$이다. A, B, C는 실로 연결되어 함께 운동하므로 가속도가 모두 1 m/s²로 같다. 따라서 $10=(2+3+m)\times1$에서 $m=5$ kg이다.

---

❸-1 뉴턴 운동 법칙
$0{\sim}1$ m 구간에서 가속도는 4 m/s²이므로 물체에 작용하는 알짜힘은 오른쪽으로 8 N이다. 따라서 $F_1=10\ \text{N}-8\ \text{N}=2$ N이다. $1{\sim}1.5$ m 구간에서 물체의 가속도는 -2 m/s²이므로 물체에 작용하는 알짜힘은 왼쪽으로 4 N이다. 따라서 $F_2=4\ \text{N}+10\ \text{N}=14$ N이다.

❹-1 뉴턴 운동 법칙
자료 분석 + 운동 방정식

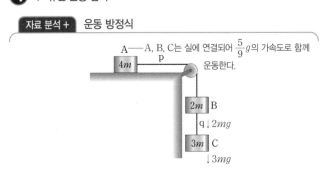

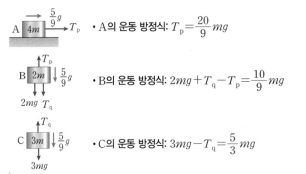

A, B, C의 가속도는 $\dfrac{(2m+3m)g}{4m+2m+3m}=\dfrac{5}{9}g$이다. 따라서 각 물체에 운동 방정식을 적용하면 p가 A를 당기는 힘의 크기는 $T_p=\dfrac{20}{9}mg$, q가 B를 당기는 힘의 크기는 $T_q=\dfrac{4}{3}mg$이다. 따라서 $T_p-T_q=\dfrac{8}{9}mg$이다.

❺-1 뉴턴 운동 법칙
자료 분석 + 운동 방정식

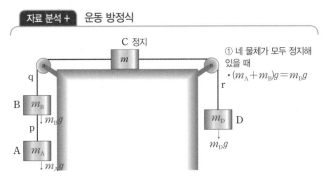

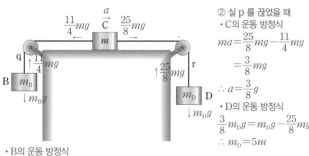

② 실 p를 끊을 때
• C의 운동 방정식
$$ma = \frac{25}{8}mg - \frac{11}{4}mg$$
$$= \frac{3}{8}mg$$
$$\therefore a = \frac{3}{8}g$$
• D의 운동 방정식
$$\frac{3}{8}m_Dg = m_Dg - \frac{25}{8}mg$$
$$\therefore m_D = 5m$$

• B의 운동 방정식
$$\frac{3}{8}m_Bg = \frac{11}{4}mg - m_Bg$$
$$\therefore m_B = 2m$$

선택지 분석

ㄱ A의 질량은 $3m$이다.

ㄴ $t_0 = \frac{8v}{3g}$이다.

ㄷ $v' = \frac{5}{9}v$이다.

ㄱ. $(m_A + m_B)g = m_Dg$에서 $m_A + 2m = 5m$이므로 $m_A = 3m$이다.

ㄴ. 실 p를 끊은 후, B, C, D의 가속도는 $\frac{3}{8}g$이므로 t_0 후 D의 속도는 $v = at = \frac{3}{8}gt_0$이다. 따라서 $t_0 = \frac{8v}{3g}$이다.

ㄷ. t_0일 때 실 r을 끊으면 B와 C만 함께 등가속도 운동을 하게 된다. 이때 가속도의 방향이 바뀌는데 이에 대해 운동 방정식을 세우면 $m_Bg = (m_B + m)a$에서 $m_B = 2m$이므로 $a = \frac{2}{3}g$이다. 가속도의 방향이 운동 방향과 반대여서 B의 속력은 느려지므로 $\frac{t_0}{4}$ 후 B의 속력은

$$v' = v - at = \frac{3}{8}gt_0 - \frac{2}{3}g\frac{t_0}{4} = \frac{5}{24}gt_0 = \frac{5}{9}v$$이다.

6-1 뉴턴 운동 법칙

자료 분석 + 뉴턴 운동 법칙

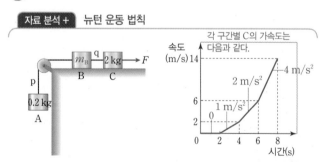

• 각 구간별 물체의 운동 방정식

시간 구간	운동 방정식	F의 크기	비고
0~2초	$F_1 - 0.2 \times 10$ $= (0.2 + m_B + 2) \times 0$	F_1	A, B, C 모두 정지
2~4초	$F_2 = (m_B + 2) \times 1$	F_2	p 제거, B와 C 운동
4~6초	$F_2 = 2 \times 2$	F_2	q 제거, C 운동
6~8초	$F_3 = 2 \times 4$	F_3	C 운동

따라서 $F_1 = 2$ N, $F_2 = 4$ N, $F_3 = 8$ N, $m_B = 2$ kg이다.

선택지 분석

ㄱ. B의 질량은 1 kg이다. → 2 kg

ㄴ. F_2의 크기는 4 N이다.

ㄷ. $F_3 = 2F_1 + F_2$이다.

ㄴ, ㄷ. $F_1 = 2$ N, $F_2 = 4$ N, $F_3 = 8$ N이다. 따라서 힘 F_1, F_2, F_3 사이에는 $F_3 = 2F_1 + F_2$ 관계가 성립한다.

👁 바로 보기   ㄱ. B의 질량은 2 kg이다.

DAY 3 필수 체크 전략 ②
24~25쪽

[최다 오답 문제]

| 1 ㄷ | 2 m: 2 kg, F: 30 N | 3 ① | 4 m |
| 5 ㄱ, ㄴ, ㄷ | 6 ㄱ, ㄴ, ㄷ | 7 ④ | 8 ② |

1 뉴턴 운동 법칙

자료 분석 + 작용 반작용과 힘의 평형

• A에 작용하는 힘: 작용하는 힘이 평형을 이루어 알짜힘이 0이다.

• B에 작용하는 힘: 작용하는 힘이 평형을 이루어 알짜힘이 0이다.

선택지 분석

ㄱ. A에 작용하는 알짜힘의 크기는 $2mg$이다. → 0

ㄴ. A에 작용하는 중력에 대한 반작용은 B가 A를 떠받치는 힘이다.

ㄷ. 수평면이 B를 떠받치는 힘의 크기는 $6mg$이다. → A가 지구를 당기는 힘

ㄷ. 수평면이 B를 떠받치는 힘의 크기는 A를 누르는 힘과 A와 B에 작용하는 중력을 모두 합한 $2mg + mg + 3mg = 6mg$이다.

👁 바로 보기   ㄱ. A는 정지 상태에 있으므로 A에 작용하는 알짜힘의 크기는 0이다.

ㄴ. A에 작용하는 중력(지구가 A를 당기는 힘)에 대한 반작용은 A가 지구를 당기는 힘이다.

2 뉴턴 운동 법칙

자료 분석 + 도르래에 연결된 물체의 운동

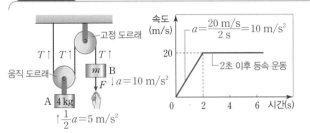

• 움직 도르래에는 양쪽 실의 장력이 모두 작용한다.
• 가속도의 크기는 움직 도르래에 연결된 물체가 고정 도르래에 연결된 물체의 $\frac{1}{2}$배이다.

2초 이후 힘 F를 제거했을 때 A와 B는 등속 운동을 하므로 A와 B에 작용하는 알짜힘은 0이다. 따라서 2초 이후 A, B의 운동 방정식 $2T=4\times10$, $T=m\times10$에서 $T=20$ N, $m=2$ kg임을 알 수 있다.

0~2초 동안 A, B의 운동 방정식은 각각 $2T-40=4\times5$, $F+20-T=2\times10$이다. 따라서 $T=30$ N, $F=30$ N이다.

3 뉴턴 운동 법칙

자료 분석 + 도르래에 연결된 물체의 운동

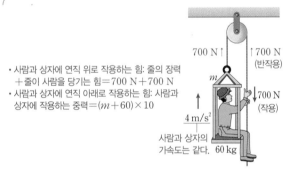

• 사람과 상자에 연직 위로 작용하는 힘: 줄의 장력 +줄이 사람을 당기는 힘=700 N+700 N
• 사람과 상자에 연직 아래로 작용하는 힘: 사람과 상자에 작용하는 중력=$(m+60)\times10$

선택지 분석

㉠ $m=40$ kg이다.
✗ 상자에 작용하는 알짜힘의 크기는 <u>140 N</u>이다. → 160 N
✗ 상자 바닥이 사람을 떠받치는 힘의 크기는 <u>200 N</u>이다. → 140 N

ㄱ. $2\times700-(m+60)\times10=(m+60)\times4$에서 $m=40$ kg이다.

👁 바로 보기   ㄴ. 상자의 질량은 40 kg, 가속도의 크기는 4 m/s²이므로 상자에 작용하는 알짜힘의 크기는 40 kg× 4 m/s²=160 N이다.

ㄷ. 상자 바닥이 사람을 떠받치는 힘의 크기는 사람이 바닥을 누르는 힘과 같다. 이 힘을 F라고 할 때, 상자에는 연직 위 방향으로는 줄의 장력이, 연직 아래 방향으로 중력과 F가 작용하기 때문에 상자의 운동 방정식은 다음과 같다.
$700-(40\times10)-F=40\times4$
따라서 $F=140$ N이다.

4 뉴턴 운동 법칙

자료 분석 + 도르래에 연결된 물체의 운동

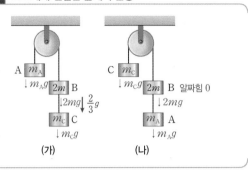

(가)에서의 운동 방정식은
$(2m+m_C-m_A)g=(m_A+2m+m_C)\times\frac{2}{3}g$이고
(나)에서의 운동 방정식은
$(2m+m_A)g=m_Cg$이다.
따라서 A의 질량은 m, C의 질량은 $3m$이다.

5 뉴턴 운동 법칙

자료 분석 + 실로 연결된 물체의 운동

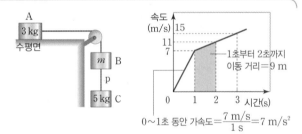

선택지 분석

㉠ $m=2$ kg이다.
㉡ 3초일 때 B의 속력은 15 m/s이다.
㉢ 1초부터 2초까지 A가 이동한 거리는 9 m이다.

ㄱ. 0~1초 동안의 운동 방정식은
$(m+5)\times10=(3+m+5)\times7$이다. 따라서 $m=2$ kg임을 알 수 있다.

ㄴ. 1초 이후 A, B의 가속도를 a라고 하면 운동 방정식은 $2\times10=(3+2)\times a$이므로 $a=4$ m/s²임을 알 수 있다. 따라서 3초(실이 끊어지고 2초 후)일 때 B의 속력은 $v=7+4\times2=15$(m/s)이다.

ㄷ. 1초일 때와 2초일 때 A의 속력은 각각 7 m/s, 11 m/s $(=7+4\times1)$이다. 이때 평균 속력은 $\frac{7\ \text{m/s}+11\ \text{m/s}}{2}=9$ m/s이므로 1초부터 2초까지 이동한 거리는 9 m이다.

또는 A와 B의 이동 거리가 같으므로 B의 속도-시간 그래프 아래의 넓이를 이용해서 구할 수도 있다.

6 뉴턴 운동 법칙

자료 분석 + 등가속도 직선 운동과 뉴턴 운동 법칙

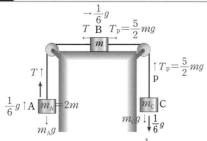

- A의 운동 방정식: $T - m_A g = \frac{1}{6} m_A g$
- B의 운동 방정식: $\frac{5}{2} mg - T = \frac{1}{6} mg$
- C의 운동 방정식: $m_C g - \frac{5}{2} mg = \frac{1}{6} m_C g$

선택지 분석

ㄱ A의 질량은 $2m$이다.

ㄴ $t = 2t_0$일 때, 실이 A를 당기는 힘의 크기는 $\frac{7}{3} mg$이다.

ㄷ $t = 3t_0$부터 $t = 4t_0$초까지 A의 변위의 크기는 $\frac{gt_0^2}{6}$이다.

ㄱ. B의 운동 방정식을 통해 $T = \frac{7}{3} mg$임을 알 수 있다. 이를 A의 운동 방정식에 대입하면, A의 질량은 $m_A = 2m$이다.

ㄴ. $2t_0$일 때, 실이 A를 당기는 힘의 크기, 즉 장력 T는 $\frac{7}{3} mg$이다.

ㄷ. A는 0부터 $3t_0$까지 가속도의 크기가 $\frac{1}{6} g$인 등가속도 직선 운동을 한다. $3t_0$ 이후에는 가속도의 방향이 처음과는 반대 방향으로 크기가 $\frac{2}{3} g$인 등가속도 운동을 한다. ($\because 2mg = (2m+m)a$에서 $a = \frac{2}{3} g$이므로) 따라서 $3t_0$일 때의 속력은 $v = \frac{1}{6} g \times 3t_0 = \frac{1}{2} gt_0$이므로, $3t_0$부터 $4t_0$까지 변위의 크기는 $\frac{1}{2} gt_0(t_0) - \frac{1}{2} \left(\frac{2}{3} g \right)(t_0^2) = \frac{gt_0^2}{6}$이다.

7 뉴턴 운동 법칙

자료 분석 + 뉴턴 운동 법칙

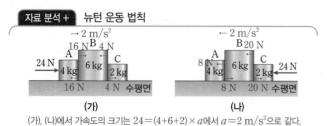

(가), (나)에서 가속도의 크기는 $24 = (4+6+2) \times a$에서 $a = 2 \text{ m/s}^2$으로 같다.

선택지 분석

①1 : 2 ②1 : 3 ③1 : 4 ④1 : 5 ⑤1 : 6

④ B가 C에 작용하는 힘의 크기(=C가 B에 작용하는 힘의 크기)는 (가)에서 4 N, (나)에서 20 N이므로, $F_1 : F_1 = 1 : 5$이다.

8 뉴턴 운동 법칙

자료 분석 + 실로 연결된 물체의 운동

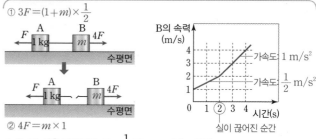

① $3F = (1+m) \times \frac{1}{2}$

② $4F = m \times 1$

➡ ①, ② 식을 연립하면 $F = \frac{1}{2}$ N, $m = 2$ kg이다.

선택지 분석

ㄱ. B의 질량은 3 kg이다. ➡ 2 kg

ㄴ 3초일 때, A의 속력은 1.5 m/s이다.

ㄷ. A와 B 사이의 거리는 4초일 때가 3초일 때보다 2.5 m만큼 크다. ➡ 2.25 m

ㄴ. A는 2초까지 B와 같이 운동하다가 2초일 때 실이 끊어진 후 처음 운동 방향과 반대 방향으로 $\frac{1}{2}$ N의 알짜힘을 받는다. 2초일 때 A, B의 속력은 2 m/s로 같고, 이후 A는 가속도가 처음 운동 방향과 반대 방향이며 크기는 $\frac{1}{2}$ m/s^{2}인 등가속도 운동을 한다($\because \frac{1}{2} = 1 \times a$). 따라서 3초일 때 A의 속력은 $v = 2 - \frac{1}{2} \times 1 = \frac{3}{2}$(m/s)이다.

바로 보기 ㄱ. B의 질량을 m이라고 하면 실이 끊어지기 전 운동 방정식은 $3F = (1+m) \times \frac{1}{2}$이고, 실이 끊어진 후 운동 방정식은 $4F = m \times 1$이다. 따라서 B의 질량은 2 kg이다.

ㄷ. 2초일 때까지 A와 B는 일정한 간격을 유지하며 같이 운동하였으므로 2~3초, 2~4초 동안 A와 B가 각각 이동한 거리를 비교하면 된다. 이때 A의 가속도는 $-\frac{1}{2}$ m/s^2, B의 가속도는 1 m/s^{2}이다.

- 2~3초 동안

A의 이동 거리: $2 \times 1 - \frac{1}{2} \times \frac{1}{2} \times 1^2 = \frac{7}{4}$(m)

B의 이동 거리: $2 \times 1 + \frac{1}{2} \times 1 \times 1^2 = \frac{5}{2}$(m)

➡ 3초일 때 A와 B 사이의 거리: $\frac{5}{2} - \frac{7}{4} = \frac{3}{4}$(m)

- 2~4초 동안

A의 이동 거리: $2 \times 2 - \frac{1}{2} \times \frac{1}{2} \times 2^2 = 3$(m)

B의 이동 거리: $2 \times 2 + \frac{1}{2} \times 1 \times 2^2 = 6$(m)

➡ 4초일 때 A와 B 사이의 거리: $6 - 3 = 3$(m)

따라서 A와 B 사이의 거리는 4초일 때가 3초일 때보다 $3 - \frac{3}{4} = \frac{9}{4} = 2.25$(m)만큼 크다.

01 ㄱ   **02** 3 : 2   **03** ③   **04** ⑤
05 ③   **06** ⑤   **07** ②   **08** ㄱ, ㄴ
09 ③

01 여러 가지 운동

ㄱ. 무빙 워크에 타고 있는 사람은 등속 운동을 하기 때문에 속력이 변하지 않는다.

바로 보기 ㄴ. 버스의 속력이 느려지고 있기 때문에 버스는 운동 방향과 반대 방향으로 알짜힘을 받는다.

ㄷ. 선수에게는 연직 아래 방향으로 중력이 일정하게 작용하기 때문에 알짜힘의 방향은 변하지 않는다.

02 속력과 속도

평균 속력은 $\dfrac{\text{이동 거리}}{\text{걸린 시간}}$, 평균 속도는 $\dfrac{\text{변위}}{\text{걸린 시간}}$이다. 철수의 이동 거리와 변위의 크기는 각각 600 m, 400 m이고 걸린 시간은 40초로 같기 때문에 평균 속력과 평균 속도의 크기 비는 $v_1 : v_2 = 600 : 400 = 3 : 2$이다.

03 등속 운동

ㄱ. A의 위치 – 시간 그래프의 기울기가 일정하므로 A는 등속 직선 운동을 한다는 것을 알 수 있다. 이때 그래프의 기울기는 속력을 의미하므로 A의 속력은 $\dfrac{6 \text{ m}}{3 \text{ s}} = 2 \text{ m/s}$이다.

ㄴ. 0초부터 2초까지 A와 B의 이동 거리는 모두 4 m로 같으므로 A와 B의 평균 속력도 $\dfrac{4 \text{ m}}{2 \text{ s}} = 2 \text{ m/s}$로 같다.

바로 보기 ㄷ. A는 2 m/s의 속력으로 등속 직선 운동을 하므로 1.5초일 때 A의 위치는 $2 \text{ m/s} \times 1.5 \text{ s} = 3 \text{ m}$이다.

04 가속도 운동

ㄱ. 물체는 0초일 때 원점에서 출발해 t초일 때 다시 원점으로 돌아왔기 때문에 0초부터 t초까지 변위는 0이다. 따라서 평균 속도도 0이다.

ㄴ. 속도 – 시간 그래프에서 그래프와 시간 축이 이루는 넓이는 이동 거리를 의미한다. 따라서 1초부터 4초까지 이동 거리는 $2 \times 4 + \dfrac{1}{2} \times 1 \times 4 = 10(\text{m})$이고, 4초부터 5초까지 이동 거리는 $\dfrac{1}{2} \times 1 \times 4 = 2(\text{m})$이다.

즉, 1초부터 5초까지 이동 거리가 12 m이므로 물체의 평균 속력은 $\dfrac{12 \text{ m}}{4 \text{ s}} = 3 \text{ m/s}$이다.

ㄷ. 0초부터 4초까지 (+)방향으로 이동한 거리와 4초부터 t초까지 (−)방향으로 이동한 거리가 같아야 한다. 0초부터 4초까지 이동 거리는 $\dfrac{4+2}{2} \times 4 = 12(\text{m})$이고, 4초부터 t초까지 이동 거리는 $\dfrac{(t-4) \times 4}{2} = 12$이다. 따라서 $t = 10$초이므로 6초일 때 가속도는 $\dfrac{0 - (-4 \text{ m/s})}{10 \text{ s} - 5 \text{ s}} = 0.8 \text{ m/s}^2$이다.

05 등가속도 직선 운동

ㄱ. A와 B는 수평면에서 10 m의 거리를 두고 각각 10 m/s의 속력으로 등속 운동을 하고 있다. 따라서 B가 O점을 지난 후 1초 뒤에 A가 O점을 지난다.

ㄴ. A와 B는 1초의 시간 간격을 두고 같은 운동을 하고 있기 때문에 A가 p점을 6 m/s의 속력으로 지나고 1초 뒤에 q점을 2 m/s의 속력으로 지난다.

따라서 빗면에서 물체의 가속도는 $2 = 6 + a \times 1$에서 $a = -4 \text{ m/s}^2$임을 알 수 있다. p와 q 사이의 거리는 $2as = v^2 - v_0{}^2$ 식을 이용하면 $2 \times (-4) \times s = 2^2 - 6^2$에서 $s = 4 \text{ m}$이다.

바로 보기 ㄷ. A는 O점을 10 m/s의 속력으로 지난 후 가속도가 −4 m/s^{2}인 등가속도 운동을 한다. q점에서의 속력은 2 m/s이므로 $2 = 10 - 4 \times t$에서 $t = 2$초이다. 따라서 A는 O점을 지난 후 2초 뒤에 q점에 도달한다.

06 뉴턴 운동 제2법칙

ㄴ. 5초일 때 물체의 가속도의 크기는 1 m/s^{2}이므로 물체에 작용하는 힘의 크기는 2 N이다.

ㄷ. 0초부터 6초까지 물체가 이동한 거리는 속도 – 시간 그래프에서 그래프와 시간 축이 이루는 넓이와 같은 28 m이다.

바로 보기 ㄱ. 0초부터 2초까지 물체에 작용한 힘의 크기는 4 N이고, 물체의 가속도는 2 m/s^{2}이므로 물체의 질량은 2 kg이다.

07 뉴턴 운동 제3법칙

ㄷ. (나)에서 A가 B를 미는 힘(자기력 – 척력)은 B가 A를 미는 힘(자기력 – 척력)과 작용 반작용 관계이므로 크기가 같다.

바로 보기 ㄱ. (가)에서 수평면이 B를 떠받치는 힘의 크기는 'A에 작용하는 중력＋B에 작용하는 중력'이고, (나)에서 수평면이 B를 떠받치는 힘의 크기는 'B에 작용하는 중력＋A가 B를 미는 힘(자기력 – 척력)'이다. A가 B를 미는 힘은 A에 작용하는 중력과 크기가 같으므로 수평면이 B를 떠받치는 힘은 (가)와 (나)에서 같다.

BOOK 1

ㄴ. A는 (가)와 (나)에서 모두 정지해 있기 때문에 A에 작용하는 알짜힘의 크기는 (가)와 (나)에서 모두 0이다.

08 뉴턴 운동 법칙

실로 연결된 물체의 운동

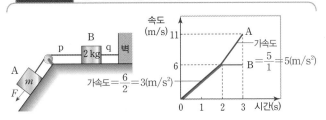

q가 끊어진 후 운동 방정식: $F=(m+2)\times3$
q, p가 끊어진 후 운동 방정식: $F=m\times5$
➡ 두 운동 방정식을 연립하면, $F=15$ N, $m=3$ kg 이다.

ㄱ $m=3$ kg이다.
ㄴ 1초일 때 p가 A를 당기는 힘의 크기는 6 N이다.
✗ 2.5초일 때 A에 작용하는 알짜힘의 크기는 5 N이다. ┌→ 15 N

ㄱ. $m=3$ kg이다.
ㄴ. p에 걸리는 장력을 T_p라고 하면, 1초일 때 A의 운동 방정식은 $3\times3=15-T_p$이므로 $T_p=6$ N이다.
👁 바로 보기 ㄷ. 2.5초일 때 A의 가속도는 5 m/s²이므로 A에 작용하는 알짜힘의 크기는 3 kg$\times5$ m/s²$=15$ N이다.

09 뉴턴 운동 법칙

실로 연결된 물체의 운동

① A, B, C, D 모두 정지 상태일 때:
$3F_1+F_1+F_2=F_3$
③ q를 끊으면 A, B, C는
$\dfrac{5}{3}$ m/s²의 가속도로 운동하므로
$3F_1+F_1+F_2$
$=(3+1+2)\times\dfrac{5}{3}$

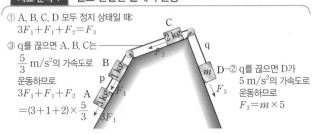

②-② q를 끊으면 D가 5 m/s²의 가속도로 운동하므로 $F_3=m\times5$

④ q를 끊은 후 p를 끊으면 B와 C가 $\dfrac{4}{3}$ m/s²의 가속도로 운동하므로
$$F_1+F_2=(1+2)\times\dfrac{4}{3}$$

➡ 운동 방정식 4개를 연립하면 $F_1=2$ N, $F_2=2$ N, $F_3=10$ N, $m=2$ kg이다.

ㄱ $m=2$ kg이다.
ㄴ p를 끊은 후 A의 가속도의 크기는 2 m/s²이다.
✗ 처음 정지 상태에 있을 때, q가 C를 잡아당기는 힘의 크기는 2 N이다.
┗→ 10 N

ㄱ. $m=2$ kg이다.
ㄴ. p를 끊은 후 A의 운동 방정식은 $3F_1=3a$이고, $F_1=2$ N이므로 $a=2$ m/s²이다.

👁 바로 보기 ㄷ. 처음 정지 상태에 있을 때 q가 C를 잡아당기는 힘의 크기를 T_q라고 하면, T_q는 q가 D를 잡아당기는 힘의 크기와 같다. 따라서 $T_q=F_3=10$ N이다.

창의·융합·코딩 전략 | 28~31쪽

| 01 ② | 02 ① | 03 ⑤ | 04 ④ | 05 ③ | 06 ④ |
| 07 ② | 08 ④ | | | | |

01 여러 가지 운동

ㄴ. 등속 원운동은 속력은 일정하지만 운동 방향이 변하는 운동으로 B에 해당한다.
👁 바로 보기 ㄱ. 자유 낙하 하는 물체는 운동 방향이 일정하지만 속력이 변하는 운동으로 C에 해당한다.
ㄷ. 위치 – 시간 그래프의 기울기가 일정한 운동은 등속 직선 운동으로 A에 해당한다.

02 운동 방향과 속력이 모두 변하는 운동

A: 곡선 경로로 운동하는 물체의 이동 거리는 변위의 크기보다 항상 크다.
👁 바로 보기 B: 포물선 운동을 하는 선수에게는 연직 아래 방향으로 중력이 작용하는데, 중력의 방향과 선수의 운동 방향은 같지 않다. 따라서 속력과 운동 방향이 모두 변하는 운동을 하는 것이다.
C: 포물선 운동을 하는 선수는 속력이 변하는 운동을 한다.

03 등가속도 직선 운동

등가속도 직선 운동 실험 분석

(나)	시간(s)	0	0.2	0.4	0.6	0.8
	위치(cm)	0	6	24	54	96
	평균 속도(cm/s)		30	90	150	210
	가속도(m/s²)			3	3	3

(다)	시간(s)	0	0.2	0.4	0.6	0.8
	위치(cm)	0	2	8	18	32
	평균 속도(cm/s)		10	30	50	70
	가속도(m/s²)			1	1	1

ㄱ ㉠은 96이다.
ㄴ (나)에서 0.6초일 때 수레의 속도는 1.8 m/s이다.
ㄷ ㉡+㉢=4이다.

ㄱ. (나)에서 물체는 처음 속력 0, 가속도의 크기가 3 m/s^2 인 등가속도 직선 운동을 한다. 따라서 0.8초일 때 물체의 위치는 $\frac{1}{2} \times 3 \times (0.8)^2 = 0.96(\text{m}) = 96(\text{cm})$이다.

ㄴ. (나)에서 0.6초일 때 수레의 속도는 $3 \text{ m/s}^2 \times 0.6 \text{ s} = 1.8 \text{ m/s}$이다.

ㄷ. (나)와 (다)에서 물체의 가속도는 각각 3 m/s^2, 1 m/s^2이다. 따라서 ㉡+㉢=3+1=4이다.

04 여러 가지 운동

(가)는 등가속도 직선 운동을 하는 물체이고, (나)는 등속 운동을 하는 물체이다.

따라서 연직 아래 방향을 (＋)로 하면 등가속도 직선 운동을 하는 물체의 가속도-시간, 속도-시간, 변위-시간의 그래프는 각각 다음과 같다.

한편, 등속 운동을 하는 물체의 가속도-시간, 속도-시간, 변위-시간의 그래프는 각각 다음과 같다.

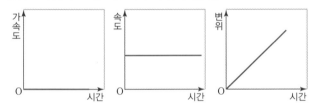

05 뉴턴 운동 제2법칙

자료 분석 + 등가속도 직선 운동

(가)

시간(s)	0	0.1	0.2	0.3
위치(cm)	0	2	6	12
평균 속도(cm/s)		20	40	60
가속도(m/s²)			2	2

(다)

시간(s)	0	0.1	0.2	0.3
위치(cm)	0	4	12	24
평균 속도(cm/s)		40	80	120
가속도(m/s²)			4	4

(라)

시간(s)	0	0.1	0.2	0.3
위치(cm)	0	1	3	6
평균 속도(cm/s)		10	20	30
가속도(m/s²)			1	1

선택지 분석

㉠ ㉠은 24이다.

㉡ (다)에서 수레에 작용하는 알짜힘의 크기는 8 N이다.

✗ (라)에서 사용된 수레의 질량은 $\frac{1}{2}$ kg이다. → 4 kg

ㄱ. (다)에서 수레는 등가속도 운동을 하므로 가속도의 크기는 4 m/s^2로 일정해야 한다. 따라서 0.2~0.3초 구간에서 수레의 평균 속도는 120 cm/s가 되어야 하므로 0.3초일 때의 위치 ㉠은 24 cm이다.

ㄴ. (가)에서 수레에 작용하는 알짜힘은 4 N, 수레의 가속도의 크기는 2 m/s^2이므로, 수레의 질량은 2 kg이다. (다)에서 수레의 가속도의 크기는 4 m/s^2이고, 수레의 질량은 2 kg이므로 수레에 작용하는 알짜힘의 크기는 8 N이다.

바로 보기 ㄷ. (라)에서 수레에 작용하는 알짜힘의 크기는 4 N, 수레의 가속도의 크기는 1 m/s^2이므로 수레의 질량은 4 kg이다.

06 뉴턴 운동 제2법칙

실험 Ⅰ, Ⅱ, Ⅲ, Ⅳ에서 사용된 수레의 질량을 M, 추 1개의 질량을 m, 중력 가속도를 g라고 하면, 각 실험에서 측정되는 가속도의 크기는 다음과 같다.

실험	알짜힘의 크기	전체 질량	가속도
Ⅰ	mg	$M+4m$	$\dfrac{mg}{M+4m}$
Ⅱ	$2mg$	$M+4m$	$\dfrac{2mg}{M+4m}$
Ⅲ	$3mg$	$M+4m$	$\dfrac{3mg}{M+4m}$
Ⅳ	$4mg$	$M+4m$	$\dfrac{4mg}{M+4m}$

따라서 실험이 Ⅰ → Ⅱ → Ⅲ → Ⅳ로 진행되는 과정에서 가속도의 크기는 일정하게 증가한다.

07 뉴턴 운동 법칙

학생 B: A, B, C 전체에 작용하는 알짜힘의 크기는 $20 \text{ N} - 8 \text{ N} = 12 \text{ N}$이고 물체 전체의 질량은 $2 \text{ kg} + 3 \text{ kg} + 1 \text{ kg} = 6 \text{ kg}$이므로 $a = \dfrac{12 \text{ N}}{6 \text{ kg}} = 2 \text{ m/s}^2$이다.

바로 보기 학생 A: A가 B에 작용하는 힘에 대한 반작용은 B가 A에 작용하는 힘이다.

학생 C: C의 가속도는 오른쪽 방향으로 2 m/s^2이므로 C에 작용하는 알짜힘은 오른쪽 방향으로 2 N이다. 따라서 B가 C를 10 N의 힘으로 밀고, 8 N의 힘이 왼쪽으로 C를 밀어야 C에 작용하는 알짜힘이 2 N이 되므로 B가 C를 미는 힘의 크기는 10 N이다.

자료 분석 +　등가속도 직선 운동 및 작용 반작용

• 로봇의 가속도 – 시간, 속도 – 시간 그래프 그리면 다음과 같다.

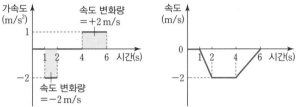

선택지 분석

✗. 1.5초일 때 저울의 눈금은 <u>0.4 N</u>이다. → −0.4 N
ㄴ. 3초일 때 로봇의 속력은 2 m/s이다.
ㄷ. 5초일 때 저울의 눈금은 0.2 N이다.

ㄴ. 속도 – 시간 그래프에서 3초일 때 로봇의 속력은 2 m/s 임을 알 수 있다.

ㄷ. 5초일 때 로봇의 가속도는 1 m/s²이므로 질량이 0.2 kg 인 로봇은 연직 위 방향으로 0.2 N의 알짜힘을 받는다. 이는 로봇이 봉에 연직 아래로 0.2 N의 힘을 작용하는 것이므로 저울의 눈금은 0.2 N으로 측정된다.

👁 바로 보기　ㄱ. 1.5초일 때 로봇의 가속도는 -2 m/s²이 므로 질량이 0.2 kg인 로봇은 연직 아래 방향으로 0.4 N의 알짜힘을 받는다. 즉, 로봇이 봉에 연직 위로 0.4 N의 힘을 작용하는 것이므로 저울의 눈금은 −0.4 N으로 측정된다.

Book 1

WEEK

2

Ⅰ 역학과 에너지(2)

DAY 1　개념 돌파 전략 ① 확인 Q　| 34~35쪽

[3강] **1** 6 kg·m/s　**2** 4 kg·m/s　**3** 운동량 보존
4 5 kg·m/s　**5** 15 N·s　**6** 4 N　**7** 시간
8 작아진다

1 운동량의 크기＝질량×속력＝2 kg × 3 m/s
　　＝6 kg·m/s

2 운동량 변화량＝나중 운동량－처음 운동량
　　＝8 kg·m/s － 4 kg·m/s ＝ 4 kg·m/s

4 운동량 보존 법칙에 의해 충돌 후 운동량은 충돌 전 운동량의 합과 같은 2 kg·m/s＋3 kg·m/s＝5 kg·m/s 이다.

5 충격량의 크기＝힘의 크기×힘이 작용한 시간
　　　　　　　　＝5 N × 3 s ＝ 15 N·s

6 충격력＝$\dfrac{\text{운동량의 변화량}}{\text{걸린 시간}}$＝$\dfrac{12 \text{ kg·m/s}}{3 \text{ s}}$＝4 N

DAY 1　개념 돌파 전략 ① 확인 Q　| 36~37쪽

[4강] **1** 10 J　**2** 4 J　**3** 100 J　**4** 역학적 에너지 보존
5 (+)　**6** 0.4　**7** 증가　**8** 느리게

1 한 일의 양＝힘×이동 거리＝5 N × 2 m ＝ 10 J

2 $E_k = \dfrac{1}{2}mv^2 = \dfrac{1}{2} \times 2 \text{ kg} \times (2 \text{ m/s})^2 = 4$ J

3 $E_p = mgh = 2 \text{ kg} \times 10 \text{ m/s}^2 \times 5 \text{ m} = 100$ J

6 $e = \dfrac{Q_1 - Q_2}{Q_1} = \dfrac{5Q_0 - 3Q_0}{5Q_0} = \dfrac{2Q_0}{5Q_0} = 0.4$

DAY 1　개념 돌파 전략 ②　| 38~39쪽

1 ①　**2** ③　**3** ②　**4** ③　**5** ④　**6** ③

1 운동량 보존

운동량 보존 법칙에 의해 충돌 전후 운동량은 보존된다. 충돌 후 B의 속력을 v_B라고 하면

$2\,\text{kg} \times 2\,\text{m/s} + 1\,\text{kg} \times (-1\,\text{m/s})$
$= 2\,\text{kg} \times 1\,\text{m/s} + 1\,\text{kg} \times v_B$에서 $v_B = 1\,\text{m/s}$이다.

2 운동량과 충격량

힘 – 시간 그래프에서 그래프 아래의 넓이는 충돌 과정에서 물체가 받는 충격량(운동량의 변화량)을 의미한다. 따라서 정지 상태에 있던 질량이 m인 물체가 그래프와 같이 일정 시간 동안 힘을 받은 후에는 운동량이 $\frac{3}{2}mv_0$만큼 변해야 한다. 즉, 물체의 나중 속력을 v'라고 하면, 물체의 운동량의 변화량 $m(v' - 0)$은 $\frac{3}{2}mv_0$과 같아야 하므로 $v' = \frac{3}{2}v_0$이다.

3 운동량과 충격량

ㄷ. A와 B의 충돌 직전의 속도와 충돌 직후의 속도가 각각 같기 때문에 충돌 과정에서 A와 B의 운동량의 변화량이 같다. 따라서 A, B가 받는 충격량의 크기는 같다.

👁 **바로 보기** ㄱ. A, B가 받는 충격량이 같으므로 A와 B의 그래프 아래의 넓이도 같다.

ㄴ. 충격량이 같을 때 충돌 시간이 길수록 평균 힘의 크기는 작다. 따라서 평균 힘의 크기는 충돌 시간이 짧은 A가 B보다 더 크다.

4 역학적 에너지 보존

물체가 용수철에 매달려 진동 운동을 할 때, 탄성력에 의한 역학적 에너지는 보존된다. 따라서 처음 용수철의 탄성 퍼텐셜 에너지인 $\frac{1}{2}kL^2$과 $\frac{L}{2}$인 지점을 지날 때 물체의 운동 에너지와 용수철의 탄성 퍼텐셜 에너지의 합인 $\frac{1}{2}mv^2 + \frac{1}{2}k\left(\frac{L}{2}\right)^2$의 값이 같아야 한다.

즉, $\frac{1}{2}kL^2 = \frac{1}{2}mv^2 + \frac{1}{2}k\left(\frac{L}{2}\right)^2$에서 $v = \sqrt{\dfrac{3kL^2}{4m}}$이다.

5 열역학 과정

열역학 과정에서 기체가 하는 일은 $W = P\Delta V$이다. $\Delta V > 0$이면 기체는 외부에 일을 하고, $\Delta V < 0$이면 기체는 외부로부터 일을 받는다. 따라서 등압 과정인 A → B 과정과 C → D 과정 중 $\Delta V > 0$인 과정은 A → B이고, 이 과정에서 기체가 외부에 한 일의 양은 $W = P\Delta V = 2P \times (3V - V) = 4PV$이다.

6 특수 상대성 이론

ㄷ. 영희가 측정할 때, 철수가 탄 우주선은 $0.9c$의 속도로 L_0의 거리를 이동하기 때문에 철수가 탄 우주선이 L_0만큼의 거리를 이동하는 데 걸리는 시간은 $\dfrac{L_0}{0.9c} = \dfrac{10L_0}{9c}$이다.

👁 **바로 보기** ㄱ. 철수가 측정할 때 길이 수축에 의해 A와 B 사이의 거리는 L_0보다 짧다.

ㄴ. 영희가 측정할 때 시간 지연에 의해 철수의 시간은 영희의 시간보다 느리게 간다.

DAY 2 필수 체크 전략 ① | 40~43쪽

- ❶-1 ㄴ
- ❷-1 3 : 1
- ❸-1 ㄱ
- ❹-1 A의 속력: v, B의 속력: $2v$
- ❺-1 ㄱ, ㄷ
- ❻-1 ㄱ, ㄴ

❶-1 충격량

ㄴ. 포신이 길어져 포탄에 힘이 작용하는 시간이 길어지면 포탄이 받는 충격량이 커진다.

👁 **바로 보기** ㄱ. 자동차가 충돌할 때 에어백이 작동하면 충돌 시간이 길어져 사람이 받는 평균 힘(충격력)이 작아진다.

ㄷ. 테니스 채를 끝까지 휘두르면 충돌 시간이 길어져 충격량이 커진다.

❷-1 운동량 보존

위치 – 시간 그래프를 통해 A의 충돌 전 속력과 충돌 후 속력은 각각 $2\,\text{m/s}$, $1\,\text{m/s}$임을 알 수 있다. 충돌 후 B의 속력을 v라고 할 때, 충돌 전후 운동량은 보존되므로 $2m_A = m_A + m_B v$이다. 또한, 충돌 후 운동 에너지는 B가 A의 3배이므로 $\frac{1}{2}m_B v^2 = 3 \times \frac{1}{2}m_A \times 1^2$이다. 이 두 식을 정리하면 $m_A : m_B = 3 : 1$이다.

❸-1 운동량과 충격량

ㄱ. A가 B로부터 받는 충격량의 크기는 A의 운동량의 변화량과 같으므로 $m\Delta v = 4 \times (1 - 2) = -4(\text{N·s})$이다. 따라서 그래프 아래의 넓이는 $4\,\text{N·s}$이다.

👁 **바로 보기** ㄴ. 충돌 과정에서 A가 받는 충격량의 크기는 충돌 전 A의 운동량의 크기보다 작으므로 충돌 후 A의 운동 방향은 변하지 않는다.

ㄷ. 충돌 전 A, B의 운동 에너지의 합은 $\frac{1}{2} \times 4 \times 2^2 + 0 = 8(\text{J})$이고, 충돌 후 A, B의 운동 에너지의

합은 $\frac{1}{2} \times 4 \times 1^2 + \frac{1}{2} \times 2 \times 2^2 = 6(\mathrm{J})$이다. 따라서 충돌 과정에서 물체의 운동 에너지의 합은 보존되지 않는다.

❹-1 운동량과 충격량

곡선과 시간 축이 이루는 넓이 $4mv$는 충돌 과정에서 A와 B가 받은 충격량의 크기를 나타낸다. A와 B 모두 충돌 과정에서 받는 충격량의 크기가 $4mv$이므로 A와 B의 충돌 후 속력은 각각 v, $2v$이다.

❺-1 운동량과 충격량

ㄱ. 운동량 보존 법칙에 의해 A, B의 충돌 전후 운동량의 합이 같기 때문에 $2 \times 3 + m \times (-4) = (2+m) \times (-2)$에서 $m = 5 \text{ kg}$이다.

ㄷ. 충돌 과정에서 B가 A로부터 받는 충격량의 크기는 $5 \times (-2-(-4)) = 10(\mathrm{N \cdot s})$이다.

👁 **바로 보기** ㄴ. 충돌 과정에서 A가 B로부터 받는 충격량은 $2 \times (-2-3) = -10(\mathrm{N \cdot s})$이다. 따라서 평균 힘의 크기는 $\frac{10}{0.2} = 50(\mathrm{N})$이다.

❻-1 운동량과 충격량

ㄱ. 충돌 전 수레의 속도는 $\frac{15 \text{ cm}}{0.2 \text{ s}} = 75 \text{ cm/s} = 0.75 \text{ m/s}$이다. 따라서 충돌 전 운동량의 크기는 $8 \text{ kg} \times 0.75 \text{ m/s} = 6 \text{ kg} \cdot \text{m/s}$이다.

ㄴ. 충돌하는 동안 수레가 용수철로부터 받은 충격량은 $8 \times (-0.75-0.75) = -12(\mathrm{N \cdot s})$이다. 따라서 수레가 받은 평균 힘의 크기는 $\frac{12}{0.1} = 120(\mathrm{N})$이다.

👁 **바로 보기** ㄷ. 충돌 전 수레의 운동 에너지는 $\frac{1}{2} \times 8 \times \left(\frac{3}{4}\right)^2 = \frac{9}{4}(\mathrm{J})$이다. 수레가 정지했을 때 수레의 운동 에너지가 용수철의 탄성 퍼텐셜 에너지로 전환되기 때문에 $\frac{1}{2} \times 200 \times x^2 = \frac{9}{4}$에서 $x = 0.15 \text{ m}$이다.

DAY 2 필수 체크 전략 ② | 44~45쪽

[최다 오답 문제]

1 ㄴ, ㄷ   **2** p~q 구간: 8 N, r~s 구간: 8 N   **3** ㄱ, ㄴ, ㄷ

4 ㄱ, ㄴ   **5** ㄴ, ㄷ   **6** 1 m/s   **7** ①   **8** ④

1 운동량과 충격량

자료 분석 + **운동량 – 시간 그래프 분석**

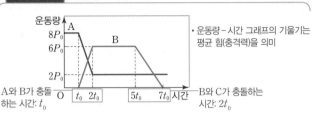

• 운동량 – 시간 그래프의 기울기는 평균 힘(충격량)을 의미

A와 B가 충돌하는 시간: t_0 B와 C가 충돌하는 시간: $2t_0$

선택지 분석

✗ 충돌 과정에서 B가 A로부터 받는 평균 힘의 크기와 C가 B로부터 받는 평균 힘의 크기는 같다. → 다르다

ⓛ $3t_0$일 때, B의 속력은 A의 속력의 $\frac{3}{2}$배이다.

ⓒ $7t_0$ 이후, C의 속력은 $\frac{1}{4}v$이다.

ㄴ. 질량이 m, 속도가 v일 때 물체의 운동량 mv는 $8P_0$이다. 따라서 $3t_0$일 때 B의 속도를 v_B라고 하면, $2mv_\mathrm{B} = 6P_0$에서 $v_\mathrm{B} = \frac{3P_0}{m} = \frac{3}{8}v$이다. $3t_0$일 때 A의 속도를 v_A라고 하면, A의 운동량은 처음의 $\frac{1}{4}$배이므로 $v_\mathrm{A} = \frac{1}{4}v$이다. 따라서 B의 속력은 A의 속력의 $\frac{3}{2}$배이다.

ㄷ. $5t_0 \sim 7t_0$에서 B와 C가 충돌하는 동안 B의 운동량은 $6P_0$만큼 감소하므로 C의 운동량은 $6P_0$만큼 증가한다. $7t_0$ 이후 C의 속력을 v_C라 하면, $3m(v_\mathrm{C}-0) = 6P_0$에서 $v_\mathrm{C} = \frac{1}{4}v$이다.

👁 **바로 보기** ㄱ. A와 B의 충돌 과정에서 B가 A로부터 받는 평균 힘의 크기는 $\frac{6P_0}{t_0}$이고, B와 C의 충돌 과정에서 C가 B로부터 받는 평균 힘의 크기는 $\frac{6P_0}{2t_0} = \frac{3P_0}{t_0}$이다. $1.5t_0$일 때 운동량 – 시간 그래프의 기울기가 $6t_0$일 때의 기울기보다 더 큰 것으로도 B가 A로부터 받는 평균 힘의 크기가 C가 B로부터 받는 평균 힘의 크기보다 더 큰 것을 알 수 있다.

2 운동량과 충격량

자료 분석 + **빗면에서 물체의 운동**

q, r에서 운동 에너지가 64 J이므로 $\frac{1}{2} \times 2 \times v^2 = 64$에서 q, r에서의 속력은 8 m/s이다.

p~q 구간에서의 평균 속력은 $\frac{0+8}{2} = 4(\text{m/s})$이므로 p~q 구간을 이동하는 데 걸린 시간은 2초이고, 빗면에서의 가속도는 $\frac{8-0}{2} = 4(\text{m/s}^2)$이다.

s에서 물체의 속도는 $2 \times 4 \times 10 = v^2 - 8^2$에서 $v = 12 \text{ m/s}$이다. 따라서 r~s구간에서의 평균 속력은 $\frac{8+12}{2} = 10(\text{m/s})$이므로 r~s 구간을 이동하는 데 걸린 시간은 1초이다.

평균 힘$=\dfrac{\text{충격량}}{\text{시간}}=\dfrac{\text{운동량 변화량}}{\text{시간}}$이므로 A가 받은 평균 힘의 크기는 p~q 구간에서는 $\dfrac{2(8-0)}{2}=8\,(\text{N})$, r~s 구간에서는 $\dfrac{2(12-8)}{1}=8\,(\text{N})$으로 서로 같다.

마찰이 없는 빗면에서 미끄러져 내려가는 물체에는 일정한 크기의 힘이 작용하기 때문에 어느 구간에서나 물체가 받는 평균 힘의 크기는 같다.

3 운동량과 충격량

자료 분석 + 위치 – 시간 그래프 분석

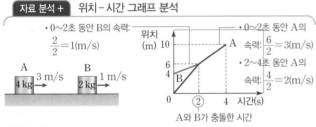

선택지 분석

ㄱ. 1초일 때, A의 운동량의 크기는 12 kg·m/s이다.

ㄴ. 4초일 때, B의 위치는 12 m이다.

ㄷ. 충돌 과정에서 A가 받는 충격량의 크기는 4 N·s이다.

ㄱ. 1초일 때 A의 속력은 3 m/s이므로 A의 운동량의 크기는 $4\,\text{kg} \times 3\,\text{m/s} = 12\,\text{kg·m/s}$이다.

ㄴ. 2초일 때 A와 B가 충돌하는데, 충돌 후 B의 속력을 v_B라고 하면, 운동량 보존 법칙에 의해 $4 \times 3 + 2 \times 1 = 4 \times 2 + 2 \times v_B$에서 $v_B = 3\,\text{m/s}$이다. 따라서 4초일 때 B의 위치는 2초일때 보다 6 m 더 이동한 12 m이다.

ㄷ. 충돌 과정에서 A의 운동량의 변화량은 $4 \times (2-3) = -4\,(\text{N·s})$이므로 A가 받는 충격량의 크기는 4 N·s이다.

4 운동량과 충격량

자료 분석 + 운동량 – 시간 그래프 분석

A
$2mv_A = P$
$\overset{\longrightarrow}{2m}\,v_A$

B
$\overset{\longrightarrow}{m}\,v_B$
$mv_B = 3P$

운동량
B의 운동량 변화량=B가 받는 충격량=3P
A의 운동량 변화량 =A가 받는 충격량=P
B의 충돌 시간
A의 충돌 시간

➡ $2mv_A = P$, $mv_B = 3P$에서 $v_B = 6v_A$이다.

선택지 분석

ㄱ 축구공이 사람으로부터 받는 충격량의 크기는 B가 A의 3배이다.

ㄴ $3t$일 때 축구공의 속력은 B가 A의 6배이다.

ㄷ. 축구공이 사람으로부터 받는 평균 힘의 크기는 A가 B의 3배이다. ➡ $\dfrac{1}{6}$배

ㄱ. 축구공이 사람으로부터 받는 충격량의 크기는 A가 P, B가 3P이므로 B가 A의 3배이다.

ㄴ. 충돌 후 A의 속력을 v_A, B의 속력을 v_B라고 하면 $2mv_A = P$, $mv_B = 3P$에서 $v_B = 6v_A$이다. 즉, $3t$일 때 축구공의 속력은 B가 A의 6배이다.

👁 **바로 보기** ㄷ. 축구공 A와 B가 받는 평균 힘의 크기는 각각 $\dfrac{P}{2t}$, $\dfrac{3P}{t}$이므로 A가 B의 $\dfrac{1}{6}$배이다.

5 운동량과 충격량

자료 분석 + 힘 – 거리 그래프 분석

$v_q = 4$ m/s

2 kg
p   q   r 수평면
4m   2m

$\dfrac{0+v_q}{2} \times t_1 = 4$ $\dfrac{v_q+0}{2} \times t_2 = 2$

∴ $t_1 = 2$초   ∴ $t_2 = 1$초

힘(N)
4
거리(m)
4   6
$-F$
한 일의 양=운동 에너지 변화량 =16 J
운동 에너지 변화량=2×(−F)

선택지 분석

ㄱ. q~r 구간에서 물체가 받는 평균 힘의 크기는 6 N이다. ➡ 8 N

ㄴ. q에서 r까지 이동하는 동안 물체에 작용한 충격량의 크기는 8 N·s이다.

ㄷ. 물체가 p에서 r까지 이동하는데 걸린 시간은 3초이다.

ㄴ. $\dfrac{1}{2} \times 2 \times v_q{}^2 = 16$에서 $v_q = 4\,\text{m/s}$이다. 따라서 q에서 r까지 물체에 작용한 충격량은 $2 \times (0-4) = -8\,(\text{N·s})$이므로 충격량의 크기는 8 N·s이다.

ㄷ. 물체가 p에서 q까지 이동하는 데 걸린 시간을 t_1, q에서 r까지 이동하는 데 걸린 시간을 t_2라고 하면 $\dfrac{0+4}{2} \times t_1 = 4$에서 $t_1 = 2$초, $\dfrac{4+0}{2} \times t_2 = 2$에서 $t_2 = 1$초이므로 물체가 p에서 r까지 이동하는 데 걸린 시간은 3초이다.

👁 **바로 보기** ㄱ. p와 r에서 물체는 각각 정지 상태이기 때문에 이 구간에서 운동 에너지 변화량은 0이다. 따라서 $16 + 2 \times (-F) = 0$에서 $F = 8\,\text{N}$이다.

q~r 구간에서는 물체의 운동 방향과 반대 방향으로 8 N의 힘이 일정하게 작용하기 때문에 물체가 받는 평균 힘의 크기 역시 8 N이다. 이는 q~r 구간에서의 운동량의 변화량을 걸린 시간으로 나누어 구할 수도 있다$\left(\dfrac{8}{1} = 8\,(\text{N})\right)$.

BOOK 1

6 운동량과 충격량

힘 – 시간 그래프 분석

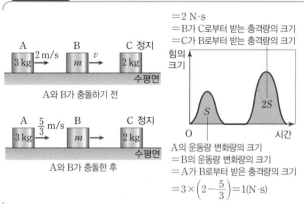

A와 B가 충돌하기 전

A와 B가 충돌한 후

=2 N·s
=B가 C로부터 받는 충격량의 크기
=C가 B로부터 받는 충격량의 크기

=A의 운동량 변화량의 크기
=B의 운동량 변화량의 크기
=A가 B로부터 받은 충격량의 크기
$=3 \times \left(2 - \dfrac{5}{3}\right) = 1(\text{N·s})$

C가 B로부터 받은 충격량의 크기는 2 N·s이므로 C의 운동량의 변화량은 2 kg·m/s가 되어야 한다. 따라서 B와 충돌한 후 C의 속력을 v_C라고 하면,
$2 \times (v_C - 0) = 2$에서 $v_C = 1$ m/s이다.

7 운동량과 충격량

두 물체 사이의 거리 – 시간 그래프 분석

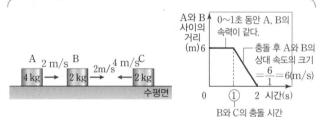

A와 B 사이의 거리 (m)
0~1초 동안 A, B의 속력이 같다.
충돌 후 A와 B의 상대 속도의 크기 $=\dfrac{6}{1}=6$(m/s)
B와 C의 충돌 시간

ㄱ 0초일 때, A의 속력은 2 m/s이다.
✗ 0초일 때, B와 C 사이의 거리는 4 m이다. ▸ 6 m
✗ 0초부터 2초까지 C가 이동한 거리는 9 m이다. ▸ 6 m

ㄱ. 0~1초 동안 A의 속력은 B의 속력과 같은 2 m/s이다.

👁 바로 보기 ㄴ. 0~1초 동안 B의 속력은 2 m/s, C의 속력은 A의 2배인 4 m/s이다. 1초일 때 B와 C가 충돌하는데, B와 C가 1초 동안 각각 움직인 거리는 2 m, 4 m이므로 0초일 때 B와 C는 2 m + 4 m = 6 m만큼 떨어져 있다.

ㄷ. B와 C가 충돌한 후 A와 B의 상대 속도의 크기는 6 m/s이므로 B는 왼쪽으로 4 m/s의 속력으로 등속 운동을 한다. B와 C의 충돌 전후 운동량은 보존되므로 충돌 후 C의 속력을 v_C라고 하면, $2 \times 2 + 2 \times (-4) = 2 \times (-4) + 2 \times v_C$에서 $v_C = 2$ m/s이다.
따라서 C는 0~1초 동안은 4 m/s의 속력으로, 1~2초 동안은 2 m/s의 속력으로 운동하므로 0~2초 동안 이동한 거리는 6 m이다.

8 운동량과 충격량

두 물체 사이의 거리 – 시간 그래프 분석

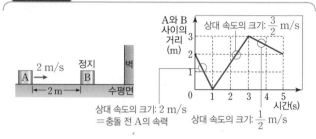

상대 속도의 크기: 2 m/s
=충돌 전 A의 속력

A와 B 사이의 거리 (m)
상대 속도의 크기: $\dfrac{3}{2}$ m/s
상대 속도의 크기: $\dfrac{1}{2}$ m/s

1~3초 동안 A와 B 사이의 거리는 멀어지고, 3~5초 동안 A와 B 사이의 거리는 가까워진다. 따라서 상대 속도의 크기는 1~3초일 때가 3~5초일 때보다 더 크다. 이를 통해 A와 B는 충돌 후 서로 반대 방향(A는 왼쪽, B는 오른쪽)으로 진행함을 알 수 있다.

✗ 5:3 ✗ 3:2 ✗ 1:1 ④ 2:5 ✗ 1:3

A와 B가 충돌한 후 A와 B의 속력을 각각 v_A, v_B라고 하면, 운동량 보존 법칙에 의해 $m_A \times 2 = m_A \times (-v_A) + m_B \times v_B$이다. 1~3초 동안 A와 B는 서로 반대 방향으로 움직이므로 $v_A + v_B = \dfrac{3}{2}$ m/s이고, 3~5초 동안 A와 B가 같은 방향으로 움직이며 거리가 가까워지므로 $v_B > v_A$이고 $v_B - v_A = \dfrac{1}{2}$ m/s이다. 따라서 $v_A = \dfrac{1}{2}$ m/s, $v_B = 1$ m/s이다. 이를 처음에 세운 운동량 보존 법칙 식에 대입하면 $m_A : m_B = 2 : 5$이다.

DAY 3 필수 체크 전략 ① | 46~49쪽

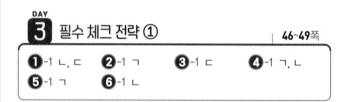

❶-1 ㄴ, ㄷ   ❷-1 ㄱ   ❸-1 ㄷ   ❹-1 ㄱ, ㄴ
❺-1 ㄱ   ❻-1 ㄴ

❶-1 역학적 에너지 보존

ㄴ. P~Q 구간에서 물체의 가속도를 a_1이라고 할 때 운동 방정식을 세우면 $4mg = 7ma_1$에서 $a_1 = \dfrac{4}{7}g$이다. Q~R 구간에서 물체의 가속도를 a_2라고 할 때 운동 방정식을 세우면 $11mg - 4mg = 7ma_2$에서 $a_2 = g$이다. A가 P에서 Q까지 이동하는 데 걸린 시간을 t'라고 하면 Q에서의 속도 $v = \dfrac{4}{7}gt'$이다. t초일 때 A의 속도는 0이므로 $0 = v - a_2(t - t')$이고, $\dfrac{4}{7}gt' - g(t - t') = 0$에서 $t' = \dfrac{7}{11}t$이다.
따라서 $v = \dfrac{4}{7}gt' = \dfrac{4}{11}gt$이다.

ㄷ. P와 Q 사이의 거리를 L_1이라고 하면 P~Q 구간에서 $2a_1L_1 = v^2$이고, Q~R 구간에서 $2a_2L_2 = v^2$이다. 따라서

$L_1 : L_2 = \dfrac{v^2}{2a_1} : \dfrac{v^2}{2a_2} = \dfrac{1}{a_1} : \dfrac{1}{a_2} = \dfrac{7}{4g} : \dfrac{1}{g} = 7 : 4$이다.

바로 보기 ㄱ. A가 Q를 지날 때의 속력을 v라고 하고, Q와 R 사이의 거리를 L_2라고 하면, A가 Q에서 R까지 운동할 때 A의 운동 에너지 감소량은 B의 중력 퍼텐셜 에너지 감소량의 $\dfrac{3}{4}$배이므로 $\dfrac{1}{2} \times 3m \times v^2 = 4m \times g \times L_2 \times \dfrac{3}{4}$에서 $v^2 = 2gL_2$이다. Q~R 구간에서 알짜힘이 한 일은 A와 B의 운동 에너지 변화량과 같으므로

$(F - 4mg) \times L_2 = \dfrac{1}{2} \times 7m \times v^2$이다. 이 두 식을 정리하면 $F = 11mg$이다.

②-1 역학적 에너지 보존

ㄱ. 역학적 에너지는 보존되므로 (가)에서 (나)로 변할 때 A의 감소한 중력 퍼텐셜 에너지와 용수철의 증가한 탄성 퍼텐셜 에너지가 같아야 한다. 따라서

$mg(L - L_0) = \dfrac{1}{2}k(L - L_0)^2$에서 $L - L_0 = \dfrac{2mg}{k}$이다.

바로 보기 ㄴ. 용수철의 길이가 L일 때 A의 속력은 0이다. 이 상태에서 알짜힘도 0이라면 A는 계속 정지 상태에 있어야 하지만 A는 연직 방향으로 진동을 하며, (나)의 상태에서는 실이 A를 당기는 장력이 중력보다 더 커서 잠시 후 A는 연직 위로 움직이게 된다. 따라서 알짜힘은 0이 아니다.

ㄷ. $F = kx = mg$에서 $k = \dfrac{2mg}{L - L_0}$이므로 $x = \dfrac{L - L_0}{2}$이다.

즉, 용수철이 $\dfrac{L - L_0}{2}$만큼 늘어난 상태가 평형점이자 진동의 중심이 된다. 이 지점에서 물체 A, B의 속력이 가장 빠르기 때문에, 이때 물체의 속력을 v라고 하면,

$\dfrac{1}{2}k(L - L_0)^2 = mg\left(\dfrac{L - L_0}{2}\right) + \dfrac{1}{2}k\left(\dfrac{L - L_0}{2}\right)^2 + \dfrac{1}{2}(2m)v^2$

이다. 이를 정리하면 $v = \sqrt{\dfrac{m}{2k}}g$이다.

③-1 열역학 과정

ㄷ. 기체가 외부에 일을 하는 과정은 A → B 과정과 B → C 과정이다. 이 중 압력-부피 그래프 아래의 넓이가 더 큰 것은 B → C 과정이기 때문에 기체가 하는 일의 양은 B → C 과정에서가 가장 크다.

바로 보기 ㄱ. A → B 과정은 압력과 부피가 모두 커지는 과정이므로 기체의 온도는 높아진다.

ㄴ. C → D 과정은 등적 과정 중 압력이 작아지는 과정으로 $Q = \Delta U + W$에서 $W = 0$이고, 온도가 낮아지기 때문에 ΔU가 (−)의 값을 가지므로 Q 역시 (−)의 값을 가져 열을 방출하는 과정이다.

④-1 열역학 과정

ㄱ. A → B 과정은 부피가 증가하는 등온 과정으로 외부에 하는 일이 150 J이므로 기체가 흡수하는 열량도 150 J이다. C → D 과정은 등온 과정인데 부피가 감소하기 때문에 외부로 방출하는 열량이 50 J이다. 따라서 열기관의 열효율은 $\dfrac{Q_{흡수} - Q_{방출}}{Q_{흡수}} = \dfrac{150\,\text{J} - 50\,\text{J}}{150\,\text{J}} = \dfrac{2}{3}$이다.

ㄴ. B → C 과정은 단열 과정으로 출입하는 열이 없기 때문에 ㉠은 0이다.

바로 보기 ㄷ. 순환 과정에서 열기관이 하는 일은 $W = Q_{흡수} - Q_{방출} = 150\,\text{J} - 50\,\text{J} = 100\,\text{J}$이다. 기체가 외부에 일을 하는 과정은 부피가 증가하는 A → B, B → C 과정으로 하는 일의 양은 150 J + 60 J = 210 J이다. 기체가 외부로부터 일을 받는 과정은 부피가 감소하는 C → D, D → A 과정으로 외부로부터 받은 일은 50 J + ㉡이다. '기체가 외부에 한 일−기체가 외부로부터 받은 일=100 J'이므로 210 J −50 J − ㉡ = 100 J에서 ㉡은 60 J이다.

⑤-1 특수 상대성 이론

ㄱ. B의 관성계에서 L_P, L_Q, L_R는 고유 길이이다. B가 측정할 때 광원에서 나온 빛이 P, Q, R에 동시에 도달하기 때문에 $L_P = L_Q = L_R$이다.

바로 보기 ㄴ. A가 측정할 때 빛이 가장 먼저 도달하는 지점은 광원에서 빛이 나온 지점에 가까워지고 있는 P이다.

ㄷ. A가 측정할 때 광원과 P 사이의 거리와 광원과 Q 사이의 거리는 같은 비율로 수축되기 때문에 거리는 같은 것으로 측정된다.

⑥-1 핵융합 반응

ㄴ. ㉠은 $_2^4\text{He}$이다. 따라서 질량수는 4이다.

바로 보기 ㄱ. (가)는 핵융합 반응이다.

ㄷ. (나)에서 반응 전 전하량은 92+0이고, 반응 후 전하량은 ㉡의 전하량+36+3×0이다. 반응 전후 전하량은 보존되므로 ㉡의 전하량은 56이고, 원자 번호도 56이다.

DAY 3 필수 체크 전략 ② | 50~51쪽

[최다 오답 문제]

1 ㄴ, ㄷ   2 $\dfrac{1}{12}$ J   3 ㄷ   4 $\dfrac{2mg^2 t^2}{5}$ 5 ㄱ, ㄷ
6 ㄱ, ㄴ, ㄷ   7 ④   8 ㄷ

1 역학적 에너지 보존

자료 분석 + 탄성력, 중력에 의한 역학적 에너지 보존

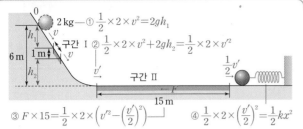

$h_1 + h_2 = 5$ m이므로 식 ②에 ①을 대입하여 정리하면

$2g(h_1 + h_2) = 2 \times 10 \times 5 = \frac{1}{2} \times 2 \times v'^2$에서 $v' = 10$ m/s이다. 따라서 용수철이 압축된 길이 $x = 0.5$ m, 구간 Ⅱ에서 힘의 크기 $F = 5$ N이다.

선택지 분석

ㄱ. 구간 Ⅰ에서 물체에 작용하는 알짜힘의 방향은 물체의 운동 방향과 반대 방향이다. → 알짜힘은 0이다.

ㄴ. 용수철이 최대로 압축된 길이는 0.5 m이다.

ㄷ. 구간 Ⅱ에서 물체에 작용하는 힘의 크기는 5 N이다.

ㄴ, ㄷ. 용수철이 최대로 압축된 길이는 0.5 m, 구간 Ⅱ에서 물체에 작용하는 힘의 크기는 5 N이다.

바로 보기 ㄱ. 구간 Ⅰ에서 물체는 등속 운동을 한다. 따라서 물체에 작용하는 알짜힘은 0이다.

2 역학적 에너지 보존

자료 분석 + 탄성력, 중력에 의한 역학적 에너지 보존

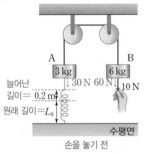

• 손을 놓기 전 용수철이 늘어난 길이:
$10 + 6 \times 10 - 3 \times 10 = 200 \times x$에서 $x = 0.2$ m이다.

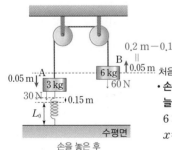

• 손을 놓은 후 평형점에서 용수철이 늘어난 길이:
$6 \times 10 - 3 \times 10 = 200 \times x$에서 $x = 0.15$ m이다.

• 손을 놓으면 처음 위치에서 A와 B가 각각 0.05 m씩 이동하고 용수철이 0.15 m만큼 늘어난 상태에서 물체의 속력이 가장 빠르다.

손을 놓기 전 중력 퍼텐셜 에너지를 0이라고 하면, 운동 에너지가 0이므로 역학적 에너지는 탄성 퍼텐셜 에너지 뿐이고 그 양은 $\frac{1}{2} \times 200 \times (0.2)^2 = 4$(J)이다. 손을 놓은 후 물체가 최

대 운동 에너지를 가질 때, 물체의 운동 에너지를 E_k라고 하면 역학적 에너지 보존 법칙에 의해

$\frac{1}{2} \times 200 \times (0.15)^2 + E_k + (6-3) \times 10 \times 0.05 = 4$에서

$E_k = 0.25$ J $= \frac{1}{4}$ J이다. 따라서 A의 운동 에너지는

$\frac{1}{4} \times \frac{3}{3+6} = \frac{1}{12}$(J)이다.

3 역학적 에너지 보존

자료 분석 + 중력에 의한 역학적 에너지 보존

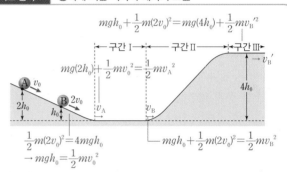

선택지 분석

ㄱ. Ⅰ을 통과하는 데 걸리는 시간은 A가 B의 $\frac{5}{3}$배이다. → $\sqrt{\frac{5}{3}}$배

ㄴ. Ⅱ에서 A의 운동 에너지와 중력 퍼텐셜 에너지가 같은 지점의 높이는 h_0이다. → $\frac{3}{2}h_0$

ㄷ. Ⅲ에서 B의 속력은 v_0이다.

ㄷ. B의 질량을 m이라고 하면, 문제의 조건에서 $\frac{1}{2}m(2v_0)^2 = 4mgh_0$이다. 구간 Ⅲ에서 B의 속력을 v_B'라고 하고 B에 역학적 에너지 보존 법칙을 적용하면

$mgh_0 + \frac{1}{2}m(2v_0)^2 = 4mgh_0 + \frac{1}{2}mv_B'^2$에서 $v_B' = v_0$이다.

바로 보기 ㄱ. A, B의 질량을 m, 구간 Ⅰ에서 A, B의 속력을 v_A, v_B라고 하고 구간 Ⅰ에서 A, B에 역학적 에너지 보존 법칙을 각각 적용하면, $2mgh_0 + \frac{1}{2}mv_0^2 = \frac{1}{2}mv_A^2$,

$mgh_0 + \frac{1}{2}m(2v_0)^2 = \frac{1}{2}mv_B^2$에서 $v_A = \sqrt{3}v_0$, $v_B = \sqrt{5}v_0$이다. 따라서 구간 Ⅰ을 통과하는 데 걸리는 시간은 A가 B의 $\sqrt{\frac{5}{3}}$배이다.

ㄴ. 구간 Ⅱ에서 높이가 h_0일 때 A의 운동 에너지를 E_k라고 하고 역학적 에너지 보존 법칙을 적용하면,

$2mgh_0 + \frac{1}{2}mv_0^2 = 3mgh_0 = E_k + mgh_0$에서

$E_k = 2mgh_0$이다. 따라서 높이가 h_0일 때 A의 운동 에너지는 중력 퍼텐셜 에너지의 2배이다. 역학적 에너지가 $3mgh_0$이므로 운동 에너지와 중력 퍼텐셜 에너지가 같은 지점의 높이는 $\frac{3}{2}h_0$이다.

4 역학적 에너지 보존

실로 연결된 물체의 운동 분석

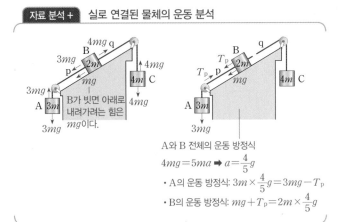

B가 빗면 아래로 내려가려는 힘은 mg이다.

A와 B 전체의 운동 방정식
$4mg = 5ma \Rightarrow a = \frac{4}{5}g$
· A의 운동 방정식: $3m \times \frac{4}{5}g = 3mg - T_p$
· B의 운동 방정식: $mg + T_p = 2m \times \frac{4}{5}g$

(나)에서 A, B의 가속도가 $\frac{4}{5}g$이므로 $0 \sim t$ 동안 A, B가 이동한 거리는 $\frac{1}{2}at^2 = \frac{1}{2}\left(\frac{4}{5}g\right)t^2 = \frac{2}{5}gt^2$이다. 또한, t일 때 A, B의 속력은 $at = \frac{4}{5}gt$이다. 역학적 에너지는 보존되므로 A, B의 중력 퍼텐셜 에너지 감소량은 A, B의 운동 에너지 증가량과 같아야 한다. B의 중력 퍼텐셜 에너지 감소량을 E_p라고 하면 $3mg\left(\frac{2}{5}gt^2\right) + E_p = \frac{1}{2}(5m)\left(\frac{4}{5}gt\right)^2$에서 $E_p = \frac{2mg^2t^2}{5}$이다.

5 열역학 과정

이상 기체의 단열 팽창, 등압 팽창

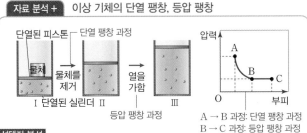

I 단열된 실린더 II 등압 팽창 과정 III

A → B 과정: 단열 팽창 과정
B → C 과정: 등압 팽창 과정

○ I → II 과정은 A → B 과정에 해당한다.
✗ A → B 과정에서 기체의 온도는 일정하다. → 낮아진다.
○ II → III 과정에서 기체는 외부에 일을 한다.

ㄱ. I → II 과정은 단열된 상태에서 이상 기체의 부피가 증가하는 단열 팽창 과정이다. 단열 팽창 과정에서 기체는 외부에 일을 하고 내부 에너지가 감소하므로 이는 (나)에서 A → B 과정에 해당한다.

ㄷ. II → III 과정은 이상 기체가 열을 흡수하여 외부에 일을 하면서 내부 에너지도 증가하는 등압 팽창 과정이다. 이는 (나)에서 B → C 과정에 해당한다.

바로 보기 ㄴ. A → B 과정은 단열 팽창 과정으로 단열된 상태에서 이상 기체의 부피가 증가하므로 온도는 낮아진다.

6 특수 상대성 이론

시간 지연과 길이 수축

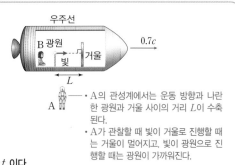

· A의 관성계에서는 운동 방향과 나란한 광원과 거울 사이의 거리 L이 수축된다.
· A가 관찰할 때 빛이 거울로 진행할 때는 거울이 멀어지고, 빛이 광원으로 진행할 때는 광원이 가까워진다.

㉠ $t_1 = t_2$이다.
㉡ $t_1 + t_2 < t_3 + t_4$이다.
㉢ $t_3 > t_1$이다.

ㄱ. t_1과 t_2는 모두 B의 관성계에서 측정한 고유 시간이다. B의 관성계에서 빛이 광원에서 거울로, 거울에서 광원으로 진행하는 거리는 모두 L로 동일하고, 빛의 속력 또한 c로 동일하기 때문에 $t_1 = t_2 = \frac{L}{c}$이다.

ㄴ. $t_1 + t_2$는 B의 관성계에서 빛이 왕복하는 시간, $t_3 + t_4$는 A의 관성계에서 빛이 왕복하는 시간이다. 따라서 고유 시간인 $t_1 + t_2$보다 A의 관성계에서 측정한 $t_3 + t_4$가 더 크다.

ㄷ. A의 관성계에서 빛이 거울에서 광원으로 가는 데 걸린 시간을 측정한 t_4는 광원과 거울 사이의 거리 L이 수축된 상태에서 광원이 빛에 가까워지고 있는 상태이기 때문에 빛이 진행하는 거리는 L보다 짧다. 따라서 $t_1 = t_2 > t_4$인데, $t_1 + t_2 < t_3 + t_4$가 성립하기 위해서는 t_3는 t_1 또는 t_2보다 커야 한다.

7 특수 상대성 이론

뮤온 입자의 운동

· 뮤온이 측정한 뮤온의 수명: t_0
· 뮤온이 측정한 뮤온의 이동 거리: $0.99ct_0$

뮤온   중성자
0.99c   0.99c

관찰자가 측정한 $h = 0.99ct_1$으로, 이 길이가 고유 길이이다.

지표면   관찰자

✗ 관찰자가 측정한 h는 $0.99ct_0$이다. → $0.99ct_1$
○ 중성자가 측정할 때 뮤온이 생성되어 붕괴할 때까지 걸린 시간은 t_0이다.
○ $t_1 > t_0$이다.

ㄴ. 뮤온과 중성자는 같은 속도로 이동하기 때문에 뮤온과 중성자 모두 뮤온이 생성되어 붕괴하는 순간까지 걸리는 시간은 t_0으로 측정한다.

ㄷ. 관찰자가 측정한 h는 $0.99ct_1$이고, 뮤온이 측정한 자신

의 이동 거리를 h_0이라고 하면 $h_0=0.99ct_0$이다. 이때 $h>h_0$이기 때문에 $t_1>t_0$이다.

바로 보기 ㄱ. 관찰자가 측정한 h는 고유 길이로 중성자가 $0.99c$의 속력으로 t_1만큼 진행한 거리와 같으므로 $h=0.99ct_1$이다.

8 핵분열 반응

자료 분석 + 핵분열 반응식

$$^{235}_{92}U+^{1}_{0}n \longrightarrow ^{141}_{56}Ba+^{92}_{36}Kr+3^{1}_{0}n+200 \text{ MeV}$$

우라늄 원자핵에 저속의 중성자가 흡수되면 불안정한 우라늄 원자핵이 분열하여 크립톤과 바륨으로 쪼개지면서 고속의 중성자 3개가 방출된다. 이 과정에서 질량 결손에 해당하는 만큼의 에너지가 방출된다.

선택지 분석

✕. 핵융합 반응에 대한 설명이다. → 핵분열
✕. A에 들어갈 말은 양성자이다. → 중성자
Ⓒ B에 들어갈 말로 '질량 결손'이 적절하다.

ㄷ. 핵융합 또는 핵분열 과정에서 질량 결손이 생기는데, 이 과정에서 질량 결손에 해당하는 만큼의 에너지가 방출된다.

바로 보기 ㄱ. 우라늄 원자핵이 크립톤과 바륨으로 쪼개지는 핵분열 반응이다.

ㄴ. 우라늄 원자핵에 중성자가 흡수되면 우라늄은 바륨과 크립톤, 그리고 3개의 중성자로 쪼개진다.

누구나 합격 전략
52~53쪽

01 ㄴ, ㄷ	**02** 2 kg	**03** ③	**04** ⑤
05 ①	**06** ①	**07** ④	**08** 0.5
09 ①	**10** ㄴ		

01 운동량과 충격량

ㄴ. 착지를 할 때 무릎을 구부리면 충돌 시간이 길어져 선수가 받는 충격력이 작아진다.

ㄷ. 자동차가 충돌할 때 에어백이 작동하면 충돌 시간이 길어져 사람이 받는 충격력이 작아진다.

바로 보기 ㄱ. 골프채를 일정한 힘으로 끝까지 휘두르면 충돌 시간이 길어져 골프공이 받는 충격량이 커지므로, 골프공의 속력이 빨라진다.

02 운동량 보존

충돌 전후 A, B의 운동량의 총합은 보존되므로

$4 \times 3+m \times 1=4 \times 2+m \times 3$에서 $m=2 \text{ kg}$이다.

03 운동량과 충격량

ㄱ. (가)에서 A와 B는 오른쪽, C는 왼쪽으로, (나)에서 A, B, C는 모두 왼쪽으로 움직여야 그림 (가), (나)의 상황을 만족시킬 수 있다. 즉, 충돌 전 (가)에서 A, B, C의 운동량의 합은 $P_0+2P_0-4P_0=-P_0$이고, 충돌 후 (나)에서 A, B, C의 운동량의 합은 $-P_0$이다.

ㄷ. (가)에서 B의 질량을 m, 속력을 v라고 하면 $2P_0=mv$이다. (나)에서 B의 속력을 v'라고 하면, $P_0=3mv'$이다. 따라서 B의 속력은 (가)에서가 (나)에서의 6배이다.

바로 보기 ㄴ. C의 운동 방향은 (가)와 (나)에서 모두 왼쪽 방향으로 같다.

04 운동량과 충격량

ㄱ. A와 B가 충돌한 후 A는 정지하고 충돌 과정에서 운동량은 보존되므로 A와 B가 충돌한 후 B의 속력을 v라고 하면 $2 \times 5=5 \times v$에서 $v=2 \text{ m/s}$이다.

ㄴ. A가 B로부터 받은 충격량은 $2 \times (0-5)=-10(\text{N} \cdot \text{s})$이다. 따라서 충격량의 크기는 $10 \text{ N} \cdot \text{s}$이다.

ㄷ. B가 벽으로부터 받은 충격량은 $5 \times (-1-2)=-15(\text{N} \cdot \text{s})$이므로 충격량의 크기는 $15 \text{ N} \cdot \text{s}$이고, A로부터 받은 충격량의 크기 $10 \text{ N} \cdot \text{s}$이다. 따라서 B가 A로부터 받은 평균 힘의 크기는 $\dfrac{10 \text{ N} \cdot \text{s}}{1 \text{ s}}=10 \text{ N}$이고, B가 벽으로부터 받은 평균 힘의 크기는 $\dfrac{15 \text{ N} \cdot \text{s}}{3 \text{ s}}=5 \text{ N}$이다.

05 운동량과 충격량

0~2초 동안 그래프 아래의 넓이는 $2 \text{ N} \cdot \text{s}$이고, 이는 물체의 운동량의 변화량과 같기 때문에 $3 \times v_1=2$에서 $v_1=\dfrac{2}{3} \text{ m/s}$이다. 0~3초 동안 그래프 아래의 넓이는 $\dfrac{9}{2} \text{ N} \cdot \text{s}$이고, 이는 물체의 운동량의 변화량과 같기 때문에 $3 \times v_2=\dfrac{9}{2}$에서 $v_2=\dfrac{3}{2} \text{ m/s}$이다. 따라서 $v_1 : v_2=4 : 9$이다.

06 역학적 에너지 보존

ㄱ. 1초일 때 B와 C는 실로 연결되어 같이 움직이고 있으므로 B와 C의 속력은 같다. 이때 운동 에너지의 크기는 C가 B의 2배이므로 질량도 C가 B의 2배이다. 따라서 B의 질량은 3 kg이다.

바로 보기 ㄴ. 역학적 에너지는 보존되므로 0초부터 1초까지 A, B, C의 중력 퍼텐셜 에너지 변화량의 합은 A, B,

C의 운동 에너지 증가량의 합과 같다. 0초부터 1초까지 A, B, C의 가속도는 1 m/s^2이므로 1초일 때 A, B, C의 속력은 $1 \text{ m/s}^2 \times 1 \text{ s} = 1 \text{ m/s}$이다. 따라서 A, B, C의 1초일 때 운동 에너지는 $\frac{1}{2} \times (3+3+6) \times 1^2 = 6(\text{J})$이므로 이 시간 동안 A, B, C의 중력 퍼텐셜 에너지 변화량의 합은 6 J이다.

ㄷ. 0초부터 2초까지 A, B, C에 작용한 알짜힘이 한 일의 양은 같은 시간 동안 A, B, C의 운동 에너지 증가량의 합과 같다. 2초일 때 A, B, C의 속력은 $1 \text{ m/s}^2 \times 2 \text{ s} = 2 \text{ m/s}$이므로 A, B, C의 운동 에너지는 $\frac{1}{2} \times (3+3+6) \times 2^2 = 24(\text{J})$이다. 따라서 알짜힘이 한 일의 양은 24 J이다.

07 역학적 에너지 보존

ㄱ. 손을 갑자기 치우면 물체는 평형점을 중심으로 진동 운동을 하게 된다. 평형점에서 용수철이 늘어난 길이를 x라고 하면, $kx = mg$이므로 평형점의 위치는 용수철이 처음의 길이 L_0에서 $\frac{mg}{k}$만큼 늘어난 위치이다. 이 위치를 지날 때 물체의 속도가 최대이다.

역학적 에너지 보존 법칙에 의해 물체의 중력 퍼텐셜 에너지 감소량은 용수철의 탄성 퍼텐셜 에너지 증가량과 물체의 운동 에너지 증가량의 합과 같아야 한다. 따라서 물체의 최대 속력을 v라고 하면,

$mg\frac{mg}{k} = \frac{1}{2}k\left(\frac{mg}{k}\right)^2 + \frac{1}{2}mv^2$에서 $v = \sqrt{\frac{m}{k}}g$이다.

ㄴ. 물체가 처음으로 정지할 때, 물체의 운동 에너지는 0이므로 용수철의 탄성 퍼텐셜 에너지 증가량과 물체의 중력 퍼텐셜 에너지 감소량은 같아야 한다. 따라서 물체가 처음으로 정지할 때 물체가 내려간 거리와 용수철이 늘어난 길이를 x라고 하면, $\frac{1}{2}kx^2 = mgx$에서 $x = \frac{2mg}{k}$이다. 즉, 물체의 중력 퍼텐셜 에너지 감소량은 $mgx = mg\frac{2mg}{k} = \frac{2m^2g^2}{k}$이다.

바로 보기 ㄷ. 손을 갑자기 치우지 않고 물체가 정지할 때까지 손을 서서히 내리면, 물체는 평형점에서 정지하게 된다. 평형점에서 용수철이 늘어난 길이는 $\frac{mg}{k}$이다.

08 열역학 과정

문제의 조건으로 각 과정에서 출입한 열(Q), 내부 에너지 변화량(ΔU), 일(W)을 정리해 보면 다음과 같다.

과정	$Q(\text{J})$	$\Delta U(\text{J})$	$W(\text{J})$
A → B	70	0	70
B → C	-50	-30	-20
C → A	30	30	0

즉, 열기관이 순환 과정에서 흡수하는 열은 총 100 J이고, 방출하는 열은 50 J이다. 따라서 열기관의 열효율은

$\frac{100 \text{ J} - 50 \text{ J}}{100 \text{ J}} = 0.5$이다.

09 특수 상대성 이론

ㄱ. A의 관성계에서 검출기와 P, Q 사이의 거리는 같고, P, Q에서 동시에 빛이 발생하였기 때문에 검출기에는 두 빛이 동시에 도달한다.

바로 보기 ㄴ. A의 관성계에서 P, Q에서 동시에 나온 빛이 검출기에 동시에 도달하기 때문에 B의 관성계에서도 P, Q에서 나온 빛은 검출기에 동시에 도달하는 것으로 관측된다. (B의 관성계에서는 Q에서 P보다 빛이 먼저 나와 검출기에는 두 빛이 동시에 도달하는 것으로 관측한다.)

ㄷ. B의 관성계에서 검출기와 P 사이의 거리는 L보다 짧게 측정된다.

10 핵융합 반응

ㄴ. ㉠은 ^4_2He으로 질량수는 4이다.

바로 보기 ㄱ. 핵융합 반응이다.

ㄷ. 핵융합 반응에서는 질량 결손에 해당하는 만큼의 에너지가 방출된다. 따라서 핵반응 후 질량의 합이 핵반응 전 질량의 합보다 작다.

창의·융합·코딩 전략 54~57쪽

| 01 ④ | 02 ③ | 03 ③ | 04 ④ | 05 ③ | 06 ⑤ |
| 07 ③ | 08 ⑤ | | | | |

01 운동량과 충격량

A: 포수가 공을 받을 때 손을 뒤로 빼면서 공을 받으면 충돌 시간이 길어져 포수가 받는 충격력의 크기는 작아진다.

B: 높은 곳에서 뛰어내릴 때 무릎을 구부리면서 착지를 하면 충돌 시간이 길어져 사람이 받는 충격력의 크기는 작아진다.

바로 보기 C: 같은 높이에서 각각 방석과 바닥에 달걀을 떨어뜨렸을 때, 달걀이 받는 충격량의 크기는 같다. 하지만 방석에 떨어진 달걀의 충돌 시간이 바닥에 떨어진 달걀에 비해 더 길기 때문에 달걀이 받는 충격력의 크기는 더 작다. 따라서 방석에 떨어진 달걀은 깨지지 않고, 바닥에 떨어진 달걀은 깨지는 것이다.

02 운동량 보존

ㄱ. 정지해 있던 두 수레가 분리되기 전 운동량의 합은 0이다. 따라서 A와 B가 분리되었을 때, A와 B의 운동 방향은 서로 반대이면서 운동량의 크기는 같아야 한다. 같은 시간 동안 이동한 거리는 속력을 의미하므로, 질량이 2배인 B의 이동 거리는 A의 이동 거리의 $\frac{1}{2}$배가 되어야 한다. 따라서 ㉠은 1(cm)이다.

ㄷ. A와 B가 분리되기 전 운동량의 총합은 0이었으므로 분리된 후 운동량의 총합도 0이어야 한다.

👁 **바로 보기** ㄴ. 이동 거리의 비가 1 : 4이므로 A와 B의 질량의 비는 4 : 1이어야 한다. 따라서 (라)에서 실험에 사용한 B의 질량은 0.25 kg이다.

03 운동량과 충격량

(가)의 그래프에서 그래프 아래의 넓이가 A가 받는 충격량의 크기이므로, A가 받는 충격량의 크기는 16 N·s이고, 충돌 과정에서 A가 받는 충격력의 크기는 충돌 시간이 2초이므로 $\frac{16}{2}=8(\text{N})$이다. (가), (나)에서 A가 받는 충격량의 크기는 같으므로, (나)에서 A가 받는 충격량의 크기는 16 N·s이고, A가 받는 충격력의 크기는 $\frac{16}{8}=2(\text{N})$이다. (다)에서 충돌 전후 운동량은 보존되므로 충돌 후 A의 속도를 v라고 하면, $4\times 8=4\times v+2\times 8$에서 $v=4$ m/s이다. 따라서 A의 운동량의 변화량의 크기는 $4\times(8-4)=16(\text{N·s})$이므로 A가 받는 충격량의 크기도 16 N·s이고, A가 받는 충격력의 크기는 $\frac{16}{2}=8(\text{N})$이다. (라)에서 A의 운동량의 변화량의 크기($=$충격량의 크기)는 $4\times(3-(-2))=20(\text{N·s})$이고, A가 받는 충격력의 크기는 $\frac{20}{2}=10(\text{N})$이다.

이를 정리하면 충격량의 크기가 같은 상황은 (가), (나), (다)이고, 충격력의 크기가 같은 상황은 (가), (다)이다.

04 운동량과 충격량

ㄱ. 빨대의 길이가 길수록 휴지에 힘이 작용하는 시간이 길어져 휴지의 발사 속도가 커지므로 휴지가 날아가는 거리는 길어진다.

ㄷ. 빨대의 길이가 길수록 휴지에 힘이 작용하는 시간이 길어지듯이 대포의 포신이 길수록 포탄에 힘이 작용하는 시간이 길어져 포탄을 멀리 보낼 수 있다.

👁 **바로 보기** ㄴ. 충격량은 물체에 작용하는 힘의 크기와 물체에 힘이 작용하는 시간에 각각 비례하지만, 이 실험만으로는 충격량과 물체에 작용하는 힘의 크기의 관계는 도출해낼 수 없고 충격량과 힘이 작용하는 시간의 관계만 도출할 수 있다.

05 역학적 에너지 보존

ㄱ. 실험 Ⅱ에서 용수철이 압축된 길이는 실험 Ⅰ의 2배이므로 용수철의 탄성 퍼텐셜 에너지는 실험 Ⅱ가 실험 Ⅰ의 4배이다. 따라서 수레의 중력 퍼텐셜 에너지도 실험 Ⅱ가 실험 Ⅰ의 4배가 되어야 하므로 ㉠은 2이다. 실험 Ⅲ에서 중력 퍼텐셜 에너지는 실험 Ⅰ에서의 9배이므로 실험 Ⅲ에서 용수철이 압축된 길이는 실험 Ⅰ의 3배가 되어야 한다. 따라서 ㉡은 0.3이고, ㉠$+$㉡$=2+0.3=2.3$이다.

ㄴ. 실험 Ⅰ에서 수레의 중력 퍼텐셜 에너지와 용수철의 탄성 퍼텐셜 에너지가 같으므로

$0.1\times 10\times 1=\frac{1}{2}\times k\times(0.1)^2$에서 200 N/m이다.

👁 **바로 보기** ㄷ. p에서 수레의 속력은 역학적 에너지 보존 법칙에 의해 $mgh=\frac{1}{2}mv^2$에서 $v=\sqrt{2gh}$이므로 질량과는 무관하다. 따라서 수레의 질량을 0.2 kg으로 변화시켜도 p에서 수레의 속력은 변하지 않는다.

06 역학적 에너지 보존

ㄱ, ㄴ, ㄷ. s는 용수철의 탄성력과 물체의 중력이 평형을 이루는 지점이다. 물체의 중력으로 인해 용수철이 늘어난 길이를 x라고 하면, $100\times x=2\times 10$에서 $x=0.2$ m이다. 따라서 물체가 r에 있을 때 용수철이 늘어난 길이는 0이므로, 탄성 퍼텐셜 에너지도 0이다. 평형 위치에 있는 물체를 아래로 0.6 m만큼 당겼다가 놓으면 물체는 평형점 s를 기준으로 진동한다.

p, q, s에서 물체의 속도를 각각 v_p, v_q, v_s라고 하고, 0.6 m 만큼 당긴 지점을 기준면으로 하면,

$\frac{1}{2}\times 100\times(0.8)^2$

$=\frac{1}{2}\times 100\times(0.4)^2+2\times 10\times 1.2+\frac{1}{2}\times 2\times v_p{}^2$

$=\frac{1}{2}\times 100\times(0.2)^2+2\times 10\times 1+\frac{1}{2}\times 2\times v_q{}^2$

$=\frac{1}{2}\times 100\times(0.2)^2+2\times 10\times 0.6+\frac{1}{2}\times 2\times v_s{}^2$

에서 $v_p=0$(㉠), $v_q=\sqrt{10}$ m/s(㉡), $v_s=3\sqrt{2}$ m/s(㉢)이다. (다)의 실험에서 물체를 아래로 0.8 m만큼 당겼다가 놓으면 물체는 평형점 s를 기준으로 진동한다. O, p, s에서 물체의 속도를 각각 $v_o{}'$, $v_p{}'$, $v_s{}'$라고 하고, 0.8 m만큼 당긴 지점을 기준면으로 하면,

$$\frac{1}{2}\times100\times1^2$$

$$=\frac{1}{2}\times100\times(0.6)^2+2\times10\times1.6+\frac{1}{2}\times2\times v_O'^2$$

$$=\frac{1}{2}\times100\times(0.4)^2+2\times10\times1.4+\frac{1}{2}\times2\times v_p'^2$$

$$=\frac{1}{2}\times100\times(0.2)^2+2\times10\times0.8+\frac{1}{2}\times2\times v_s'^2$$

에서 $v_O'=0$(ⓔ), $v_p'=\sqrt{14}$ m/s(ⓜ), $v_s'=4\sqrt{2}$ m/s(ⓗ)이다.

따라서 $v_p=v_O'$, $v_p'>v_q$, $\dfrac{v_s}{v_s'}=\dfrac{3}{4}$이다.

07 열기관과 열역학 과정

A: 과정 Ⅰ은 $\Delta U=0$(내부 에너지 변화량$=0$, 온도 변화 없음)이므로 등온 과정이다. 또한, $W=Q-\Delta U=a-0=a$이므로, 이 과정에서 기체가 외부에 하는 일은 a이다.

B: 과정 Ⅳ는 기체가 처음의 상태로 돌아가는 과정이므로 전체 순환 과정에서 내부 에너지 변화량은 0이어야 한다. 따라서 과정 Ⅳ에서 ΔU는 c이다. 한편, 과정 Ⅳ는 $Q=0$인 단열 과정으로 $W=Q-\Delta U=0-c=-c$이므로 기체가 외부로부터 받는 일의 양은 c이다.

바로 보기 C: $W=Q-\Delta U$로부터 과정 Ⅰ에서 기체가 하는 일의 양은 a, 과정 Ⅲ에서 기체가 받는 일의 양은 b이다. 따라서 순환 과정에서 기체가 하는 일의 양은

$a+c-b-c=a-b$이다.

08 특수 상대성 이론

ㄱ. t_A는 외부의 관측자가 측정한 지연(팽창)된 시간이고, t_B는 고유 시간이기 때문에 $t_A>t_B$이다.

ㄴ. A의 관성계에서는 빛이 대각선 경로를 따라 이동하는 것으로 관측되고, B의 관성계에서는 빛이 수직 경로를 따라 이동하는 것으로 관측된다. 따라서 $L_A>L_B$이다.

ㄷ. (나), (다), (라)의 설명을 수식으로 표현하면, $D_A=vt_A$, $D_B=vt_B$, $L_A=ct_A$, $L_B=ct_B$이다.

따라서 $\dfrac{D_A}{D_B}=\dfrac{L_A}{L_B}=\dfrac{t_A}{t_B}$이다.

01 ③　　**02** ④　　**03** ③　　**04** ①　　**05** ③
06 ①　　**07** ③　　**08** ④

01 등가속도 직선 운동

자료 분석 + 등가속도 직선 운동을 하는 물체의 위치 분석

학생과 실제 자동차 사이의 거리는 학생과 창문 사이의 거리의 100배이므로 이를 실제 위치로 환산한 후 자동차의 운동을 분석하면 다음 표와 같다.

시간(s)	0	1	2	3	4
창문을 통해 본 위치(cm)	0	1.5	6	13.5	24
실제 위치(m)	0	1.5	6	13.5	24
평균 속도(m/s)		1.5	4.5	7.5	10.5
가속도(m/s²)			3	3	3

선택지 분석

ㄱ. 0초부터 3초까지 자동차가 실제로 이동한 거리는 13.5 m이다.
✗. 자동차는 실제로 가속도의 크기가 $2\ \text{m/s}^2$인 등가속도 운동을 하고 있다. → $3\ \text{m/s}^2$
ㄷ. (나)의 그래프에서 4초일 때 자동차의 위치는 24 cm이다.

ㄱ. 0초부터 3초까지 학생이 창문을 통해 본 자동차의 이동 거리는 13.5 cm이므로 실제 자동차의 이동 거리는 이의 100배인 13.5 m이다.

ㄷ. 자동차의 가속도는 3 m/s²이므로 4초 동안 자동차가 실제 이동한 거리는 $\dfrac{1}{2}\times3\times4^2=24$(m)이다. 따라서 (나)의 그래프에서 4초일 때 자동차의 위치는 24 m의 $\dfrac{1}{100}$인 24 cm이다.

바로 보기 ㄴ. 분석 자료를 바탕으로 자동차는 가속도의 크기가 3 m/s²인 등가속도 운동을 한다는 것을 알 수 있다.

02 뉴턴 운동 법칙

자료 분석 + 실로 연결된 물체의 운동 분석

실험	수레와 수레 위 추의 총 질량	실에 매달린 추의 질량	운동하는 수레와 추의 전체 질량	알짜힘의 크기	가속도의 크기
Ⅰ	$2m$	$2m$	$4m$	$2mg$	$\dfrac{1}{2}g$
Ⅱ	$2m+m$	m	$4m$	mg	$\dfrac{1}{4}g$
Ⅲ	$2m+2m$	$2m$	$6m$	$2mg$	$\dfrac{1}{3}g$

선택지 분석

✗A　✗B　✗C　④A, B　✗B, C

A: 실험 Ⅰ과 Ⅲ은 알짜힘의 크기는 같고 운동하는 수레와 추의 전체 질량은 다르기 때문에 알짜힘의 크기가 일정할 때 가

속도의 크기는 질량에 반비례한다는 사실을 비교해 볼 수 있는 실험이다.

B: 가속도의 크기는 실험 I에서 $\frac{1}{2}g$, 실험 II에서 $\frac{1}{4}g$이다. 즉, 실험 I에서가 실험 II에서의 2배이다.

👁 바로 보기 C: 질량이 일정할 때 가속도의 크기가 알짜힘의 크기에 비례한다는 사실은 운동하는 수레와 추의 전체 질량이 같고 알짜힘의 크기가 다른 실험 I, II를 비교해야 알 수 있다.

03 운동량과 충격량

자료 분석 + 충돌 과정에서의 속도-시간 그래프 분석

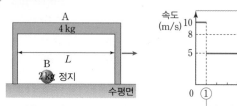

A, B의 충돌 전 운동량의 합: $4 \times 10 + 2 \times 0$
A, B의 1차 충돌 후 운동량의 합: $4 \times 5 + 2 \times v$
A, B의 2차 충돌 후 운동량의 합: $4 \times 8 + 2 \times v'$

선택지 분석

㉠ $L = 20$ m이다.
✗ $t = 9$초일 때, A와 B의 3차 충돌이 일어난다. ▶ 10초
㉢ B가 받는 충격량의 크기는 1초일 때가 5초일 때보다 8 N·s만큼 더 크다.

ㄱ. A와 B가 1차 충돌한 후 B의 속도를 v라고 하면, 운동량 보존 법칙에 의해 $4 \times 10 = 4 \times 5 + 2 \times v$에서 $v = 10$ m/s이다. A의 왼쪽에서 A와 B의 1차 충돌이 일어난 후, 두 물체의 상대 속도는 10 m/s − 5 m/s = 5 m/s이고, 4초 후 상자의 오른쪽 부분에서 2차 충돌이 일어난다. 따라서 상자의 너비 $L = 5$ m/s × 4 s = 20 m이다.

ㄷ. A의 운동량 변화량의 크기는 1초일 때,
4 kg × 5 m/s = 20 kg·m/s이고,
5초일 때 4 kg × 3 m/s = 12 kg·m/s이다. B가 받는 충격량의 크기는 A가 받는 충격량의 크기(운동량 변화량의 크기)와 같기 때문에 1초일 때가 5초일 때보다
20 N·s − 12 N·s = 8 N·s만큼 더 크다.

👁 바로 보기 ㄴ. 상자의 오른쪽에서 A와 B의 2차 충돌이 일어난 후 B의 속도를 v'라고 하면, 운동량 보존 법칙에 의해 $40 = 4 \times 8 + 2v'$에서 $v' = 4$ m/s이다. 2차 충돌 이후 두 물체의 상대 속도는 8 m/s − 4 m/s = 4 m/s이므로
$\frac{20 \text{ m}}{4 \text{ m/s}} = 5$초 후에 상자의 왼쪽에서 3차 충돌이 일어나게 된다. 따라서 3차 충돌이 일어나는 시간은 5초 + 5초 = 10초일 때이다.

04 열역학 과정

자료 분석 + 등압 과정

주사기 속 기체의 압력과 부피를 그래프로 나타내면 다음과 같다. 주사기의 피스톤이 서서히 이동하고, 대기압의 크기가 일정하다고 가정하면 각 과정은 모두 등압 과정으로 볼 수 있다.

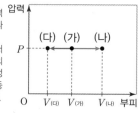

• (가) → (나) 과정: 열 흡수, 내부 에너지 증가, 외부에 일을 함.
• (나) → (다) 과정: 열 방출, 내부 에너지 감소, 외부에서 일을 받음.

선택지 분석

㉠ 기체의 내부 에너지는 (가)에서가 (나)에서보다 작다.
✗ (나)에서 기체가 흡수한 열은 기체가 한 일과 같다. ▶ 보다 크다.
✗ (다)에서 기체가 방출한 열은 기체의 내부 에너지 변화량과 같다. ▶ 보다 크다.

ㄱ. 압력이 대기압으로 같다고 가정하면, 부피는 (나)에서가 (가)에서보다 크기 때문에 보일 법칙에 의해 (나)에서의 온도가 (가)에서보다 높다. 따라서 내부 에너지도 (나)에서가 (가)에서보다 크다.

👁 바로 보기 ㄴ. (가) → (나) 과정에서 기체가 흡수한 열량은 기체의 내부 에너지 증가량과 기체가 외부에 한 일의 양의 합과 같으므로 기체가 흡수한 열량은 기체가 한 일의 양보다 크다.

ㄷ. (나) → (다) 과정에서 기체가 방출한 열량은 기체의 내부 에너지 감소량과 기체가 외부로부터 받은 일의 양의 합과 같으므로 기체가 방출한 열량은 기체의 내부 에너지 변화량보다 크다.

05 등가속도 직선 운동

자료 분석 + 등가속도 직선 운동을 하는 물체의 속도-시간 그래프

자동차의 속력을 m/s 단위로 나타내면 다음과 같다.

자동차의 속도-시간 그래프는 다음과 같다.

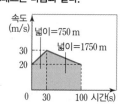

선택지 분석

㉠ 자동차가 r를 지나는 순간의 속력은 72 km/h이다.
㉡ q와 r 사이의 거리는 1750 m이다.
✗ p~q 구간과 q~r 구간에서 자동차의 가속도의 크기를 각각 a_1, a_2라고 하면, $a_1 : a_2 = 2 : 1$이다. ▶ 7 : 3

ㄱ. 자동차는 p를 $\dfrac{72000 \text{ m}}{3600 \text{ s}} = 20$ m/s의 속력으로 통과하

고, 30초 뒤 q를 $\dfrac{108000 \text{ m}}{3600 \text{ s}} = 30$ m/s의 속력으로 통과한

다. 따라서 p~q 사이의 거리는 $\dfrac{30+20}{2} \times 30 = 750$(m)

이다.

한편 자동차는 p~r 구간을 $\dfrac{90000 \text{ m}}{3600 \text{ s}} = 25$ m/s의 평균 속

력으로 100초 동안 이동하므로 p~r 구간의 거리는 25 m/s

× 100 s = 2500 m이다. r에서 자동차의 속력을 v라고 하면,

$\dfrac{30+v}{2}$의 평균 속력으로 70초 동안 이동한 q~r 사이의 거

리는 2500 m − 750 m = 1750 m이다.

$\dfrac{30+v}{2} \times 70 = 1750$에서 $v = 20$ m/s이므로 r에서 자동차

의 속력은 72 km/h이다.

ㄴ. q와 r 사이의 거리는 1750 m이다.

👁 **바로 보기**   ㄷ. $a_1 = \dfrac{30-20}{30} = \dfrac{1}{3}$(m/s²)이고,

$a_2 = \dfrac{30-20}{70} = \dfrac{1}{7}$(m/s²)이므로 $a_1 : a_2 = \dfrac{1}{3} : \dfrac{1}{7} = 7 : 3$

이다.

06   뉴턴 운동 법칙

자료 분석 +   줄에서의 운동 분석

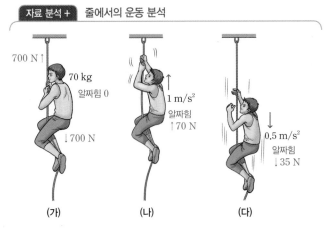

(가)   (나)   (다)

선택지 분석

◯ (가)에서 줄의 장력은 700 N이다.

✗ (나)에서 줄이 선수를 당기는 힘의 크기는 <u>70 N이다.</u> → 770 N

✗ (다)에서 줄과 선수 사이에 작용하는 마찰력의 크기는 <u>35 N이다.</u> → 665 N

ㄱ. (가)에서 선수에게 작용하는 알짜힘은 0이다. 선수에 작

용하는 중력이 70 kg × 10 m/s² = 700 N이므로 줄이 사

람을 당기는 힘 역시 700 N이고, 이 힘의 크기가 바로 줄의

장력이다.

👁 **바로 보기**   ㄴ. 줄이 선수를 당기는 힘의 크기를 T라고 하

고, 선수에 대한 운동 방정식을 적용하면 $70 \times 1 = T - 700$

에서 $T = 770$ N이다. 이때 선수가 줄을 당기는 힘과 줄이

선수를 당기는 힘은 작용 반작용 관계에 있다.

ㄷ. 선수가 미끄러져 내려올 때 선수의 손과 줄 사이에 마찰

력이 작용한다. 이 마찰력을 f라고 하고, 선수에 대한 운동

방정식을 적용하면 $70 \times \dfrac{1}{2} = 700 - f$에서 $f = 665$ N이다.

07   운동량과 충격량

자료 분석 +   충격량 및 평균 힘의 크기 분석

구분	질량 (kg)	속도 변화량 (m/s)	운동량의 변화량 (kg·m/s)	충격량의 크기 (N·s)	충돌 시간 (s)	평균 힘의 크기(N)
A	1000	20	20000	20000	4	5000
B	1500	10	15000	15000	2	7500

선택지 분석

◯ 실험 결과에서 그래프와 시간 축이 이루는 넓이가 더 넓은 것은 A이다.

◯ 충돌 과정에서 B가 받은 충격량의 크기는 15000 N·s이다.

✗ 충돌 과정에서 받은 평균 힘의 크기는 A가 B의 $\dfrac{3}{2}$배이다. → $\dfrac{2}{3}$배

ㄱ. 힘 − 시간 그래프에서 그래프와 시간 축이 이루는 넓이는

충격량(운동량 변화량)의 크기를 의미한다. 따라서 충격량의

크기가 더 큰 A가 B보다 그래프와 시간 축이 이루는 넓이가

더 넓어야 한다.

ㄴ. 충격량은 운동량의 변화량과 같으므로 충돌 과정에서 B

가 받은 충격량의 크기는 1500 × 10 = 15000(N·s)이다.

👁 **바로 보기**   ㄷ. 충돌 과정에서 A와 B가 받은 평균 힘의 크

기는 각각 $\dfrac{20000 \text{ N·s}}{4 \text{ s}} = 5000$ N, $\dfrac{15000 \text{ N·s}}{2 \text{ s}} = 7500$ N

이다. 즉, A가 B의 $\dfrac{2}{3}$배이다.

08   핵융합 반응

자료 분석 +   전하량 및 질량수 보존, 질량 결손에 의한 에너지

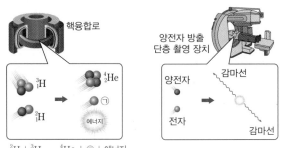

$^2_1\text{H} + ^3_1\text{H} \longrightarrow ^4_2\text{He} + ⊙ + \text{에너지}$

• 전하량 보존에 의해 ⊙의 전하량은 0이다.

• 질량수 보존에 의해 ⊙의 질량수는 1이다. → ⊙은 중성자(^1_0n)이다.

✗ ㉠은 양성자이다. → 중성자

ㄴ (가)에서 핵융합 전후 입자들의 질량수 합은 같다.

ㄷ (나)에서 양전자와 전자의 질량이 감마선의 에너지로 전환된다.

ㄴ. 핵융합 전후 질량수와 전하량은 모두 보존된다. 따라서 핵융합 전후 입자들의 질량수 합은 같다.

ㄷ. (나)에서 양전자와 전자가 만나 소멸하면서 질량 결손이 발생한다. 이때 양전자와 전자의 질량이 모두 감마선의 에너지로 전환된다.

👁 바로 보기   ㄱ. ㉠은 중성자이다.

01 ⑤	02 ③	03 ④	04 ⑤	05 ③
06 ①	07 ③	08 ①	09 ②	10 ④
11 ①				

01 등가속도 직선 운동

자료 분석 +   빗면에서의 물체의 운동

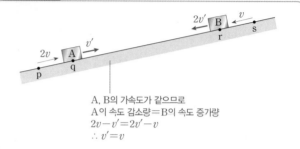

A, B의 가속도가 같으므로
A이 속도 감소량＝B이 속도 증가량
$2v - v' = 2v' - v$
$\therefore v' = v$

선택지 분석

㉠ $t = \dfrac{2L}{3v}$이다.

㉡ q와 r 사이의 거리는 $3L$이다.

㉢ A와 B가 처음으로 만나는 지점은 q로부터 $\dfrac{L}{4}$만큼 떨어진 곳이다.

ㄱ. t초 동안 A가 이동한 거리는 L, A의 평균 속도는 $\dfrac{2v+v}{2} = \dfrac{3}{2}v$이다.

따라서 $\dfrac{3}{2}vt = L$에서 $t = \dfrac{2L}{3v}$이다.

ㄴ. t초 동안 B의 평균 속도는 $\dfrac{v+2v}{2} = \dfrac{3}{2}v$이므로 t초 동안 이동한 거리는 $\dfrac{3}{2}vt = L$이다. 따라서 p와 q 사이의 거리와 r와 s 사이의 거리는 모두 L이므로 q와 r 사이의 거리는 $5L - L - L = 3L$이다.

ㄷ. (가)의 상태에서 A와 B가 처음으로 만나는 시간을 t', 빗면에서 A, B의 가속도의 크기를 a라고 할 때, t' 동안 A의 변위는 B의 변위보다 $5L$만큼 더 커야 한다. 따라서 $2vt' - \dfrac{1}{2}at'^2 = -vt' - \dfrac{1}{2}at' + 5L$에서 $t' = \dfrac{5L}{3v}$이다. 또한, a의 크기는 A가 t초 동안 속력이 v만큼 변하였기 때문에 $a = \dfrac{v}{t} = \dfrac{v}{\frac{2L}{3v}} = \dfrac{3v^2}{2L}$이다. t'와 a를 A의 변위인 $2vt' - \dfrac{1}{2}at'^2$에 대입하여 정리하면 $\dfrac{5}{4}L$이다. 이는 p로부터 빗면 위로 $\dfrac{5}{4}L$만큼 떨어진 위치이므로 q로부터는 $\dfrac{5}{4}L - L = \dfrac{L}{4}$만큼 떨어진 위치이다. A와 B는 이 지점에서 처음으로 만나게 된다.

02 등가속도 직선 운동

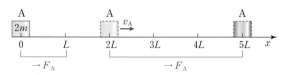

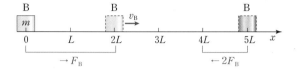

문제의 조건에 맞게 A, B의 속도 – 시간 그래프를 그리면 다음과 같다.

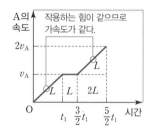 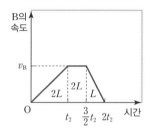

작용하는 힘이 같으므로 가속도가 같다.

선택지 분석

ㄱ. $v_B = \dfrac{4}{5}v_A$이다.

ㄴ. A와 B가 $x = \dfrac{L}{2}$인 지점을 지날 때 가속도의 크기는 A가 B의 $\dfrac{25}{8}$배이다.

✗. $x = 2L \sim 5L$인 구간에서 A가 받은 일을 W_A, $x = 0 \sim 2L$인 구간에서 B가 받은 일을 W_B라고 할 때, $\dfrac{W_A}{W_B} = \dfrac{33}{4}$이다. ▸ $\dfrac{75}{8}$

ㄱ. 문제의 조건에 맞게 A와 B의 속도 – 시간 그래프를 그리면 위의 자료와 같다.

이때 $x = 0$에서 출발하여 $x = 5L$에 도달하는 데 걸리는 시간은 B가 A의 2배이므로 $2 \times \dfrac{5}{2}t_1 = 2t_2$에서 $t_1 = \dfrac{2}{5}t_2$이다.

A의 속도 – 시간 그래프에서 $v_A t_1 = 2L$이고, B의 속도 – 시간 그래프에서 $v_B t_2 = 4L$이다.

따라서 $v_A = \dfrac{2L}{t_1} = \dfrac{2L}{\dfrac{2}{5}t_2} = \dfrac{5L}{t_2}$이고, $v_B = \dfrac{4L}{t_2}$이므로

$v_B = \dfrac{4}{5}v_A$이다.

ㄴ. $x = \dfrac{L}{2}$인 지점에서 A와 B의 가속도의 크기는 위의 속도 – 시간 그래프에서 각각 $a_A = \dfrac{v_A}{t_1}$, $a_B = \dfrac{v_B}{t_2}$이다.

따라서 $a_A = \dfrac{v_A}{t_1} = \dfrac{\dfrac{5v_B}{4}}{\dfrac{2t_2}{5}} = \dfrac{25v_B}{8t_2}$이므로 $a_A = \dfrac{25}{8}a_B$이다.

바로 보기 ㄷ. $\dfrac{W_A}{W_B} = \dfrac{F_A \times 3L}{F_B \times 2L} = \dfrac{2m \times a_A \times 3L}{m \times a_B \times 2L} = \dfrac{75}{8}$ 이다.

03 등가속도 직선 운동

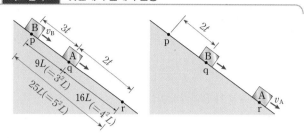

선택지 분석

✗ 1   ✗ 2   ✗ 3   ④ 4   ✗ 5

정지 상태에서 출발하여 등가속도 직선 운동을 하는 물체의 이동 거리는 $s = \dfrac{1}{2}at^2$로 시간의 제곱에 비례한다. p와 q 사이의 거리와 p와 r 사이의 거리의 비는 $9(= 3^2) : 25(= 5^2)$이므로 p에서 출발한 A가 q까지 이동하는 데 걸린 시간을 $3t$라고 하면, A가 p에서 r까지 이동하는 데 걸린 시간은 $5t$이다.

빗면에서 물체의 가속도를 a라고 하면, B는 p를 v_B의 속력으로 지나고 $2t$ 후에 q를 $v_B + 2at$의 속력으로 지나게 되며, 이때 이동 거리는 $9L$이다. 따라서 $\dfrac{v_B + v_B + 2at}{2} \times 2t = 9L$이다. 같은 방법으로 A는 $\dfrac{0 + 5at}{2} \times 5t = 25L$이다. 이 두 식을 정리하면,

$v_B = \dfrac{5}{4}at$이고, $v_A = 5at$이므로 $\dfrac{v_A}{v_B} = \dfrac{5at}{\dfrac{5}{4}at} = 4$이다.

04 등가속도 직선 운동

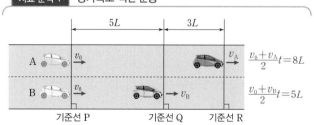

선택지 분석

ㄱ. 가속도의 크기는 A가 B의 2배이다.

✗. B의 가속도의 크기는 $\dfrac{3v_0{}^2}{5L}$이다. ▸ $\dfrac{3v_0{}^2}{2L}$

ㄷ. B가 R을 지날 때 속력은 $5v_0$이다.

ㄱ. A, B가 각각 R, Q에 도달하는 데 걸린 시간을 t, R에서 A의 속력을 v_A, Q에서 B의 속력을 v_B라고 하자. 평균 속력을 이용해 이동 거리를 구하면

$\dfrac{v_0+v_A}{2} \times t = 8L$, $\dfrac{v_0+v_B}{2} \times t = 5L$이다. 여기에 문제의 조건 $v_A = \dfrac{7}{4}v_B$를 대입하여 정리하면 $v_A = 7v_0$, $v_B = 4v_0$이다. A의 가속도의 크기를 a_A, B의 가속도의 크기를 a_B라고 하면 $a_A = \dfrac{7v_0 - v_0}{t} = \dfrac{6v_0}{t}$, $a_B = \dfrac{4v_0 - v_0}{t} = \dfrac{3v_0}{t}$이므로 가속도의 크기는 A가 B의 2배이다.

ㄷ. R에서 B의 속력을 $v_B{'}$라고 하면,
$2 \times a_B \times 8L = v_B{'}^2 - v_0{}^2$이다. 여기에 $a_B = \dfrac{3v_0{}^2}{2L}$을 대입한 후 정리하면 $v_B{'} = 5v_0$이다.

👁 **바로 보기**　ㄴ. $2 \times a_B \times 5L = (4v_0)^2 - v_0{}^2$에서 $a_B = \dfrac{3v_0{}^2}{2L}$이다.

05 등가속도 직선 운동

자료 분석 +　연직으로 이동하는 물체의 운동

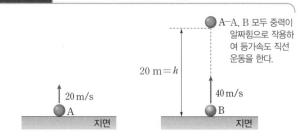

A–A, B 모두 중력이 알짜힘으로 작용하여 등가속도 직선 운동을 한다.

선택지 분석

✗. $t = $1초일 때, B를 던진다. → 2초
✗. $h = $40 m이다. → 20 m
ⓒ (나)에서 A는 1.25 m만큼 낙하한 후 B와 충돌한다.

ㄷ. (나)에서 A, B 모두 연직 아래 방향으로 등가속도 직선 운동을 한다. (나)의 상태에서 A와 B가 충돌할 때까지 걸린 시간을 t'라고 하면, t' 동안 A가 이동한 거리와 B가 이동한 거리의 합이 20 m이어야 한다.

따라서 $\dfrac{1}{2} \times 10 \times t'^2 + 40 \times t' - \dfrac{1}{2} \times 10 \times t'^2 = 20$에서 $t' = \dfrac{1}{2}$초이므로 A가 B와 충돌할 때까지 A가 낙하한 거리는 $\dfrac{1}{2} \times 10 \times \left(\dfrac{1}{2}\right)^2 = 1.25$(m)이다.

👁 **바로 보기**　ㄱ. (가)에서 A를 연직 위로 20 m/s의 속력으로 던졌을 때 A가 최고점에 도달하면 A의 속력이 0이 되므로, A가 최고점까지 도달하는 데까지 걸린 시간을 t라고 하면, $20 - 10t = 0$에서 $t = 2$초이다. 따라서 (나)에서 B를 던지는 시간은 $t = 2$초이다.

ㄴ. A가 최고점에 도달하는 높이 h는
$20 \times 2 - \dfrac{1}{2} \times 10 \times 2^2 = 20$(m)이다.

06 뉴턴 운동 법칙

자료 분석 +　힘의 평형

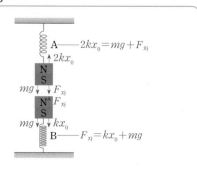

선택지 분석

㉠ $k = \dfrac{2mg}{x_0}$이다.
✗. 자석 사이에 작용하는 자기력의 크기는 mg이다. → $3mg$
✗. 용수철 B에 작용하는 알짜힘의 크기는 $2mg$이다. → 0

ㄱ. A, B와 2개의 자석 모두 정지 상태에 있으므로 각 물체에 작용하는 알짜힘은 모두 0이다.
자석 사이에 서로 잡아당기는 자기력의 크기를 $F_{\text{자}}$라고 하고, A에 연결된 자석에 힘의 평형 식을 적용해 보면,
$k(2x_0) = mg + F_{\text{자}}$이다.
또한, B에 연결된 자석에 힘의 평형 식을 적용해 보면,
$F_{\text{자}} = kx_0 + mg$이다.
따라서 $k(2x_0) = mg + F_{\text{자}} = mg + mg + kx_0$에서
$k = \dfrac{2mg}{x_0}$이다.

👁 **바로 보기**　ㄴ. $k(2x_0) = mg + F_{\text{자}}$에서 $k = \dfrac{2mg}{x_0}$이므로 $F_{\text{자}} = 3mg$이다.

ㄷ. B는 정지해 있기 때문에 B에 작용하는 알짜힘의 크기는 0이다.

07 뉴턴 운동 법칙

자료 분석 +　실로 연결된 물체의 운동, 속도–시간 그래프 분석

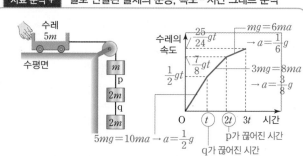

· $0 \sim t$, $t \sim 2t$, $2t \sim 3t$일 때 수레의 가속도는 각각 $\dfrac{1}{2}g$, $\dfrac{3}{8}g$, $\dfrac{1}{6}g$이다.
· t, $2t$, $3t$일 때 수레의 속도는 각각 $\dfrac{1}{2}gt$, $\dfrac{1}{2}gt + \dfrac{3}{8}gt = \dfrac{7}{8}gt$, $\dfrac{7}{8}gt + \dfrac{1}{6}gt = \dfrac{25}{24}gt$이다.

ㄱ. $1.5t$일 때 p가 질량이 m인 물체에 작용하는 힘의 크기는 $\frac{5}{4}mg$이다.

ㄴ. $2t\sim3t$ 동안 수레가 이동한 거리는 $\frac{23}{24}gt^2$이다.

✗. 수레에 작용하는 알짜힘의 크기는 $0.5t$일 때가 $1.5t$일 때의 5배이다. ➤ $\frac{4}{3}$배

ㄱ. $1.5t$일 때 수레의 가속도의 크기는 $\frac{3}{8}g$이므로 수레에 작용하는 알짜힘의 크기는 $\frac{15}{8}mg$이고, 이 힘의 크기는 수레에 연결된 실이 질량이 m인 물체에 위쪽 방향으로 작용하는 장력의 크기와 같다.

p가 질량이 m인 물체를 잡아당기는 힘의 크기를 T_p라고 하고, $1.5t$일 때 질량이 m인 물체에 대한 운동 방정식을 세워 보면 $\frac{3}{8}mg=mg+T_\mathrm{p}-\frac{15}{8}mg$이다. 따라서 $T_\mathrm{p}=\frac{5}{4}mg$이다.

ㄴ. $2t\sim3t$ 동안 수레가 이동한 거리는 수레의 속도 - 시간 그래프에서 $2t\sim3t$ 동안의 그래프 아래의 넓이로 구할 수 있다. 따라서 $2t\sim3t$ 동안 수레가 이동한 거리는

$\frac{1}{2}\times\left(\frac{7}{8}gt+\frac{25}{24}gt\right)\times t=\frac{23}{24}gt^2$이다.

🔍 바로 보기   ㄷ. $0.5t$일 때 수레의 가속도는 $\frac{1}{2}g$, $1.5t$일 때 수레의 가속도는 $\frac{3}{8}g$이므로 수레에 작용하는 알짜힘의 크기는 $0.5t$일 때가 $1.5t$일 때의 $\frac{4}{3}$배이다.

08 뉴턴 운동 법칙

자료 분석 + 빗면에서 실로 연결된 물체의 운동

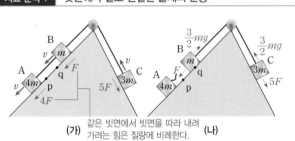

(가) 같은 빗면에서 빗면을 따라 내려 가려는 힘은 질량에 비례한다. (나)

(나)에서 B의 운동 방정식: $ma=\frac{3}{2}mg-F$

(나)에서 C의 운동 방정식: $3ma=5F-\frac{3}{2}mg$

➡ $F=\frac{3}{4}mg$, $a=\frac{3}{4}g$

ㄱ. p와 q 사이의 거리는 $\frac{2v^2}{3g}$이다.

✗. (가)에서 실이 A에 작용하는 힘의 크기는 $2mg$이다. ➤ $3mg$

✗. (나)에서 B가 p에 도달하는 순간 A의 속력은 $3v$이다. ➤ $2v$

ㄱ. B가 q에 도달했을 때 A와 B를 연결하고 있던 실이 끊어지면, B와 C는 가속도의 방향이 처음의 운동 방향과 반대이고, 가속도의 크기가 $a=\frac{3}{4}g$인 등가속도 직선 운동을 하게 된다. p와 q 사이의 거리를 s라고 하면, B의 속력은 q에서 v, p에서 0이므로 $2\times\frac{3}{4}g\times s=v^2$에서 $s=\frac{2v^2}{3g}$이다.

🔍 바로 보기   ㄴ. (가)에서 물체는 모두 등속 직선 운동을 하므로 A에 작용하는 알짜힘은 0이다.

(가)에서 A에 빗면 아래 방향으로 작용하는 힘의 크기는 $4F=4\times\frac{3}{4}mg=3mg$이므로 (가)에서 실이 A에 작용하는 힘의 크기도 $3mg$이다.

ㄷ. (나)에서 B는 p에서 정지하기 때문에 q에서 p까지 B가 이동하는 시간을 t라고 하면 $v-\frac{3}{4}gt=0$에서 $t=\frac{4v}{3g}$이다.

실이 끊긴 후, A의 가속도를 a'라고 하면 $4F=4ma'$에서 $a'=\frac{3}{4}g$이다.

따라서 t의 시간이 흐른 후 A의 속력을 v'라고 하면

$v'=v+a't=v+\frac{3g}{4}\times\frac{4v}{3g}=2v$이다.

09 뉴턴 운동 법칙

자료 분석 + 빗면에서 실로 연결된 물체의 운동

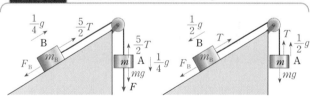

[F를 제거하기 전]	[F를 제거한 후]
① F를 제거하기 전 운동 방정식	② F를 제거한 후 운동 방정식
• A: $\frac{1}{4}mg=F+mg-\frac{5}{2}T$	• A: $\frac{1}{2}mg=T-mg$
• B: $\frac{1}{4}m_\mathrm{B}g=\frac{5}{2}T-F_\mathrm{B}$	• B: $\frac{1}{2}m_\mathrm{B}g=F_\mathrm{B}-T$

F를 제거하기 전과 제거한 후 A, B 운동 방정식을 연립하면,

$F=3mg$, $T=\frac{3}{2}mg$, $F_\mathrm{B}=3mg$, $m_\mathrm{B}=3m$이다.

✗. $F=2mg$이다. ➤ $3mg$

ㄴ. B의 질량은 $3m$이다.

✗. $T=mg$이다. ➤ $\frac{3}{2}mg$

ㄴ. B의 질량은 $3m$이다.

🔍 바로 보기   ㄱ. $F=3mg$이다.

ㄷ. $T=\frac{3}{2}mg$이다.

10 뉴턴 운동 법칙

자료 분석 + 실로 연결된 물체의 운동

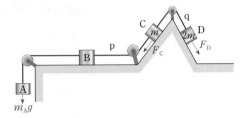

$m_A g$

- 실이 끊어지기 전:
① $m_A g + F_C = F_D$
- p가 끊어진 후
② $F_D - F_C = (2m + m) \times \dfrac{2}{9} g$
③ $F_D - \dfrac{5}{9} mg = 2m \times \dfrac{2}{9} g$
④ $m_A g = (m_A + m_B) \times \dfrac{2}{3} g$

➡ $F_D = mg$, $F_C = \dfrac{1}{3} mg$, $m_A = \dfrac{2}{3} m$, $m_B = \dfrac{1}{3} m$

선택지 분석

㉠ A의 질량은 $\dfrac{2}{3} m$이다.

✗. B의 질량은 ̲m̲이다. ⤷ $\dfrac{1}{3} m$

㉢ 정지 상태에서 q가 C에 작용하는 힘의 크기는 mg이다.

ㄱ. A의 질량은 $\dfrac{2}{3} m$이다.

ㄷ. 정지 상태에서 q가 C에 작용하는 힘의 크기와 D에 작용하는 힘의 크기는 같다.

D가 빗면 아래로 내려가려는 힘의 크기가 mg이므로 D에 작용하는 알짜힘이 0이 되기 위해서는 q가 D를 당기는 힘의 크기도 mg여야 한다.

바로 보기 ㄴ. p가 끊어진 후, 같은 시간 동안 이동한 거리는 A가 D의 3배이므로 가속도의 크기도 A가 D의 3배이다. 따라서 A와 B의 가속도의 크기는 $\dfrac{2}{9} g \times 3 = \dfrac{2}{3} g$이다.

이를 이용해 B의 질량을 m_B라고 하고, A, B의 운동 방정식을 세우면 $\dfrac{2}{3} mg = \left(\dfrac{2}{3} m + m_B \right) \dfrac{2}{3} g$이므로 $m_B = \dfrac{1}{3} m$이다.

11 뉴턴 운동 법칙

자료 분석 + 실로 연결된 물체의 운동에서 속도 - 시간 그래프 분석

그래프의 기울기＝가속도

속력 (m/s) 4
3 m/s²
1.5
1
1 m/s²

-3 m/s²

B
$\dfrac{5}{2}$ m/s²
A

0 1 $\dfrac{4}{3}$ 2 3 시간(s)

- p를 끊었을 때 A의 속력이 느려지므로 A의 처음 운동 방향은 오른쪽이다.
- B가 빗면 아래 방향으로 내려가려는 힘의 크기를 F_B라고 하고, 0~1초 동안 A, B에 대한 운동 방정식을 세우면 $F_2 - F_1 - F_B = (2 + m) \times 1$이다.
- 1~$\dfrac{4}{3}$초 동안 A에 대한 운동 방정식을 세우면, $F_1 = 2 \times 3 = 6$이다.
- 1~2초 동안 B에 대한 운동 방정식을 세우면 $F_2 - F_B = m \times 3$이다.
- 2~3초 동안 B에 대한 운동 방정식을 세우면 $F_B = m \times \dfrac{5}{2}$이다.

➡ 위의 총 4개의 운동 방정식을 연립하면,
$F_1 = 6$ N, $F_2 = 22$ N, $F_B = 10$ N, $m = 4$ kg임을 알 수 있다.

선택지 분석

✗. $m = \underline{2 \text{ kg}}$이다. ⤷ 4 kg

㉡ $t = 0.5$초일 때 p에 걸리는 장력의 크기는 F_1의 $\dfrac{4}{3}$배이다.

✗. F_2의 크기는 $\underline{10 \text{ N}}$이다. ⤷ 22 N

ㄴ. $t = 0.5$초일 때, 실 p의 장력을 T_p라고 하고, A에 대한 운동 방정식을 세우면 $T_p - F_1 = 2 \times 1$에서 $T_p = 8$ N으로 크기가 6 N인 F_1의 $\dfrac{4}{3}$배임을 알 수 있다.

바로 보기 ㄱ. $m = 4$ kg이다.

ㄷ. F_2의 크기는 22 N이다.

01 운동량과 충격량

자료 분석 + 운동량-시간 그래프 분석

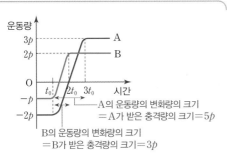

A의 운동량의 변화량의 크기
=A가 받은 충격량의 크기=5p

B의 운동량의 변화량의 크기
=B가 받은 충격량의 크기=3p

선택지 분석

✗ t_0 이전의 속력은 A가 B보다 크다. ➡ A와 B가 같다.

✗ B가 받는 충격량의 크기는 p이다. ➡ 3p

ⓒ 충돌 과정에서 공이 받는 평균 힘의 크기는 B가 A보다 크다.

ㄷ. A와 B가 받는 충격량의 크기는 각각 5p, 3p이고, 충돌 시간은 각각 $2t_0$, t_0이다. 따라서 A와 B가 받는 평균 힘의 크기는 각각 $\frac{5p}{2t_0}$, $\frac{3p}{t_0}$이므로 B가 받는 평균 힘의 크기가 A보다 크다.

바로 보기 ㄱ. t_0 이전의 운동량의 크기는 A가 B의 2배인데, 질량도 A가 B의 2배이므로 A와 B의 속력은 같다.

ㄴ. 충돌 과정에서 B가 받는 충격량의 크기는 3p이다.

02 운동량 보존

자료 분석 + 두 물체 사이의 거리-시간 그래프 분석

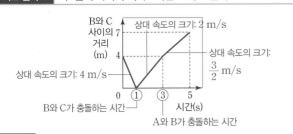

선택지 분석

ㄱ (가)에서 A의 속력은 2 m/s이다.

ㄴ 0초부터 5초까지 A가 이동한 거리는 8 m이다.

✗ 4초일 때 B의 속력은 1 m/s이다. ➡ $\frac{3}{2}$ m/s

ㄱ. 0~1초 동안 B와 C 사이의 거리는 서로 가까워지고, 두 물체의 상대 속도의 크기는 4 m/s이다. 따라서 이 시간 동안 B의 속력은 오른쪽으로 3 m/s이다. 1초일 때 B와 C가 충돌 후 B와 C 사이의 거리는 서로 멀어지고, 두 물체의 상

대 속도의 크기는 2 m/s이다. 이때 C의 속도를 v, B의 속도를 $v-2$라고 하고, 운동량 보존 법칙을 적용하면 $4 \times 3 - 2 \times 1 = 4 \times (v-2) + 2 \times v$에서 $v=3$ m/s이다. 즉, 1초일 때 B와 C가 충돌 후 B와 C는 각각 오른쪽으로 1 m/s, 3 m/s의 속력으로 운동한다.

3초일 때 A와 B가 충돌하게 되므로 3초 동안 A의 이동 거리는 B의 이동 거리보다 1 m 더 커야 한다. (가)에서 A의 속력을 v'라고 하면, 3초 동안 A의 이동 거리는 $v' \times 3$이다. B의 속력은 0~1초, 1~3초 동안 각각 3 m/s, 1 m/s이므로 3초 동안 B의 이동 거리는 $3 \times 1 + 1 \times 2 = 5$(m)이다. 즉 $v' \times 3 = 5 + 1$에서 $v' = 2$ m/s이다.

ㄴ. 3초일 때 A와 B가 충돌 후 B와 C 두 물체의 상대 속도의 크기는 $\frac{3}{2}$ m/s로 감소하므로 A와 B가 충돌 후 B의 속력이 $\frac{3}{2}$ m/s가 되었다는 것을 알 수 있다. 따라서 B와 충돌 후 A의 속력을 v''라고 하고, A와 B의 충돌 과정에서 운동량 보존 법칙을 적용하면 $2 \times 2 + 4 \times 1 = 2 \times v'' + 4 \times \frac{3}{2}$에서 $v'' = 1$ m/s이다. 즉, A의 속력은 0~3초, 3초~5초 동안 각각 2 m/s, 1 m/s이므로 0~5초 동안 A가 이동한 거리는 $2 \times 3 + 1 \times 2 = 8$(m)이다.

바로 보기 ㄷ. 4초일 때 B의 속력은 $\frac{3}{2}$ m/s이다.

03 역학적 에너지 보존

자료 분석 + 탄성력, 중력에 의한 역학적 에너지 보존

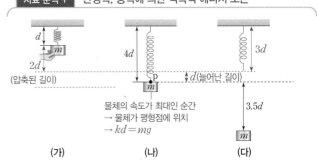

물체의 속도가 최대인 순간
→ 물체가 평형점에 위치
→ $kd = mg$

- $kd = mg$에서 $k = \frac{mg}{d}$

- (나)에서 물체의 중력 퍼텐셜 에너지를 0이라 하고, 운동 에너지를 E라고 할 때, (가)에서 역학적 에너지는 $\frac{1}{2}k(2d)^2 + 3mgd$이고, (나)에서 역학적 에너지는 $\frac{1}{2}kd^2 + E$이다.

선택지 분석

ㄱ $k = \frac{mg}{d}$이다.

✗ (다)에서 물체의 운동 에너지는 $4mgd$이다. ➡ 8mgd

ⓒ $t = \sqrt{\dfrac{d}{g}}$이다.

BOOK 1

ㄱ. (나)에서 물체의 속도가 최대인 지점은 용수철에 매단 물체에 작용하는 힘들이 평형을 이루는 지점이다. 용수철이 물체에 작용하는 중력 mg로 인해 d만큼 늘어나므로 $kd=mg$에서 $k=\dfrac{mg}{d}$이다.

ㄷ. (나)에서 물체의 속력은 $\dfrac{1}{2}mv^2=\dfrac{9}{2}mgd$에서 $v=3\sqrt{gd}$ 이고, (다)에서 물체의 속력은 $\dfrac{1}{2}mv^2=8mgd$에서 $v=4\sqrt{gd}$ 이다. 따라서 $4\sqrt{gd}=3\sqrt{gd}+gt$에서 $t=\dfrac{\sqrt{gd}}{g}=\sqrt{\dfrac{d}{g}}$이다.

👁 바로 보기   ㄴ. $\dfrac{1}{2}k(2d)^2+3mgd=\dfrac{1}{2}kd^2+E$에

$k=\dfrac{mg}{d}$을 대입해서 정리하면 $E=\dfrac{9}{2}mgd$이다.

(나) → (다) 과정에서 감소한 물체의 중력 퍼텐셜 에너지인 $\dfrac{7}{2}mgd$가 운동 에너지로 전환되기 때문에 (다)에서 물체의 운동 에너지는 $E=\dfrac{9}{2}mgd+\dfrac{7}{2}mgd=8mgd$이다.

04 역학적 에너지 보존

자료 분석 +   탄성력, 중력에 의한 역학적 에너지 보존

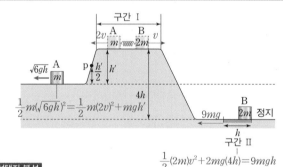

선택지 분석

✗. $k=\dfrac{4mgh}{d^2}$이다. ▶ $\dfrac{6mgh}{d^2}$

ⓛ $h'=h$이다.

ⓒ P에서 A의 속력은 $\sqrt{5gh}$이다.

ㄴ. 구간 Ⅰ로부터 h'만큼 내려간 지점에서 A에 역학적 에너지 보존 법칙을 적용하면

$\dfrac{1}{2}m(\sqrt{6gh})^2=\dfrac{1}{2}m(2\sqrt{gh})^2+mgh'$에서 $h'=h$이다.

ㄷ. p에서 A의 속력을 v'라고 하고, 역학적 에너지 보존 법칙을 적용하면 $3mgh=\dfrac{1}{2}mv'^2+mg\dfrac{h}{2}$에서 $v'=\sqrt{5gh}$이다.

👁 바로 보기

ㄱ. 구간 Ⅰ에서 A와 B가 용수철에서 완전히 분리되었을 때 운동량 보존 법칙에 의해 질량이 $\dfrac{1}{2}$배인 A의 속력이 B의 속력의 2배가 되어야 한다. 이때 B의 속력을 v라고 하면, B가

구간 Ⅰ로부터 $4h$만큼 내려간 수평면에서 B의 역학적 에너지는 $\dfrac{1}{2}(2m)v^2+(2m)g(4h)$이다. B는 구간 Ⅱ에서 $9mg$의 일정한 크기의 힘을 받고 h만큼 이동한 후 정지하기 때문에 B가 구간 Ⅱ에서 받은 일의 양과 구간 Ⅱ에 진입하기 전의 B의 역학적 에너지의 크기가 같아야 한다. 따라서 $\dfrac{1}{2}(2m)v^2+(2m)g(4h)=9mgh$에서 $v=\sqrt{gh}$이다. 즉, 구간 Ⅰ에서 A와 B가 용수철에서 완전히 분리되었을 때 A, B의 속력은 각각 $2\sqrt{gh}$, $\sqrt{gh}$이다. 구간 Ⅰ에서 용수철에 의한 탄성 퍼텐셜 에너지는 용수철에서 분리된 두 물체 A, B의 운동 에너지의 합과 같기 때문에 $\dfrac{1}{2}kd^2=\dfrac{1}{2}m(2v)^2+\dfrac{1}{2}(2m)v^2$에서 $k=\dfrac{6mgh}{d^2}$이다.

05 역학적 에너지 보존

자료 분석 +   탄성력, 중력에 의한 역학적 에너지 보존

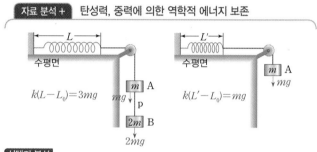

선택지 분석

㉠ $L-L_0=\dfrac{3mg}{k}$이다.

ⓛ $L'=\dfrac{L+2L_0}{3}$이다.

ⓒ (나)에서 A의 속력은 $\sqrt{\dfrac{4m}{k}}g$이다.

ㄱ. (가)에서 A, B에 작용하는 중력과 용수철의 탄성력이 힘의 평형을 이루고 있기 때문에 $k(L-L_0)=3mg$에서 $L-L_0=\dfrac{3mg}{k}$이다.

ㄴ. (나)에서 A의 속력은 평형점을 지날 때 최대이다. 즉, 용수철의 전체 길이가 L'일 때 용수철의 탄성력과 A에 작용하는 중력의 크기가 같기 때문에 $k(L'-L_0)=mg$이다. 이를 $k(L-L_0)=3mg$와 연립하면 $L'=\dfrac{L+2L_0}{3}$이다.

ㄷ. (나)에서 A의 속력을 v라고 하자. (나)에서 A는 (가)보다 $L-L'=\dfrac{2mg}{k}$만큼 위로 올라와 있는 상태이다. (가)와 (나)에서 역학적 에너지는 보존되므로 (가)에서의 역학적 에너지 $\dfrac{1}{2}k(L-L_0)^2$와 (나)에서의 역학적 에너지 $\dfrac{1}{2}k(L'-L_0)^2+\dfrac{1}{2}mv^2+mg(L-L')$는 같아야 한다.

$L - L_0 = \dfrac{3mg}{k}$, $L' - L_0 = \dfrac{mg}{k}$, $L - L' = \dfrac{2mg}{k}$ 를 이용해

두 식을 정리하면 $v = \sqrt{\dfrac{4m}{k}g}$ 이다.

06 열역학 과정

자료 분석 + 열역학 제1법칙과 단열 압축

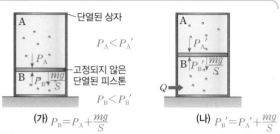

(가) $P_B = P_A + \dfrac{mg}{S}$ (나) $P_B' = P_A' + \dfrac{mg}{S}$

선택지 분석

ㄱ (가)에서 압력의 크기는 B가 A보다 $\dfrac{mg}{S}$ 만큼 더 크다.

✗ (나)에서 A의 온도는 T보다 낮다. → 높다

✗ (나)에서 A와 B의 온도는 같다. → B의 온도가 더 높다.

ㄱ. (가)에서 피스톤이 정지해 있기 때문에 이상 기체 A, B

의 압력을 P_A, P_B라고 하면, $P_B = P_A + \dfrac{mg}{S}$ 이다.

바로 보기 ㄴ. (가) → (나) 과정에서 A는 단열 압축되므로
부피는 작아지고 압력이 커지면서 온도는 높아진다. 따라서
A의 온도는 T보다 높다.

ㄷ. (나)에서 A, B 두 기체의 압력을 P_A', P_B'라고 하면

$P_B' = P_A' + \dfrac{mg}{S}$ 이다.

이때 두 기체의 부피가 같기 때문에 압력이 더 큰 B의 온도가

A의 온도보다 더 높다.

07 특수 상대성 이론

자료 분석 + 특수 상대성 이론

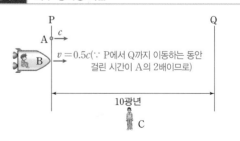

선택지 분석

ㄱ 기준선 Q는 $0.5c$의 속력으로 다가온다.

ㄴ 기준선 P가 우주선을 지나는 순간부터 기준선 Q가 우주선에 도달할 때까지
걸리는 시간은 20년보다 작다.

✗ C의 시간은 자신의 시간보다 빠르게 간다. → 느리게

ㄱ. C가 측정한 우주선의 속력은 $0.5c$이다. 따라서 B가 측정
할 때 기준선 Q는 $0.5c$의 속력으로 B에게 다가온다.

ㄴ. C가 측정한 P와 Q 사이의 거리 10광년은 고유 길이이
다. 따라서 B가 측정할 때 P와 Q 사이의 거리는 길이 수축에
의해 10광년보다 짧게 관측되므로 기준선 P가 우주선을 지나
는 순간부터 기준선 Q가 우주선에 도달할 때까지 걸리는 시간
은 20년보다 작다.

바로 보기 ㄷ. B가 관측할 때 C가 운동하고 있으므로 C의
시간은 자신의 시간보다 느리게 간다.

08 핵융합 반응

자료 분석 + 핵융합 반응식

$$A + {}_1^3H \longrightarrow {}_2^4He + {}_0^1n + 에너지$$

• 전하량 보존: A의 전하량 $+1 = 2 + 0$이므로 A의 전하량은 1이다.
• 질량수 보존: A의 질량수 $+3 = 4 + 1$이므로 A의 질량수는 2이다.
➡ A는 ${}_1^2H$이다.

선택지 분석

✗ ⊙에 해당하는 것은 ${}_2^4He$이다. → ${}_1^2H$, ${}_1^3H$

ㄴ A는 ${}_1^2H$이다.

ㄷ ⊙이 ⓛ이 되는 과정에서 질량 결손에 의해 에너지가 발생한다.

ㄴ. 핵융합 과정에서 질량수와 전하량이 보존되기 때문에 A
에 해당하는 것은 ${}_1^2H$이다.

ㄷ. 핵융합 과정에서 질량 결손에 해당하는 만큼의 에너지가
방출된다.

바로 보기 ㄱ. 문제 조건에서 ⊙은 ${}_1^2H$, ${}_1^3H$이다.

09 핵융합 반응

자료 분석 + 핵융합 반응식

종류	질량(u)
${}_1^1p$	1.008
${}_1^1H$	1.007
${}_1^2H$	2.014
${}_1^3H$	3.016
${}_2^4He$	4.003
${}_3^7Li$	7.016

• ${}_1^2H + \boxed{⊙} \longrightarrow {}_1^3H + {}_1^1H + E_1$

• ${}_3^7Li + {}_1^1p \longrightarrow {}_2^4He + \boxed{ⓛ} + E_2$

• 전하량과 질량수는 보존되므로 ⊙의 전하량은 1, 질량
수는 2이다. 즉 ⊙은 ${}_1^2H$이다.
• ⓛ의 전하량은 2, 질량수는 4이다. 즉, ⓛ은 ${}_2^4He$이다.

선택지 분석

ㄱ ⊙의 전하량은 1이다.

✗ ⓛ의 질량(u)은 3.016이다. → 4.003

ㄷ $E_1 < E_2$이다.

ㄱ. ⊙은 ^2_1H로 전하량은 1이다.

ㄷ. 첫 번째 핵반응식에서 질량 결손은
$(2 \times 2.014) - (3.016 + 1.007) = 0.005(\text{u})$이고,
두 번째 핵반응식에서 질량 결손은
$(7.016 + 1.008) - 2 \times (4.003) = 0.018(\text{u})$이다. 따라서 질량 결손이 더 많은 두 번째 핵반응에서 더 큰 에너지가 만들어지기 때문에 $E_1 < E_2$이다.

👁 바로 보기 ㄴ. ⓒ은 ^4_2He으로 질량(u)은 4.003이다.

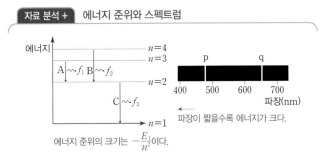

Book 2

WEEK 1

II 물질과 전자기장

DAY 1 개념 돌파 전략 ① 확인 Q
8~9쪽

[5강] **1** 작용 반작용　　**2** 불연속　　**3** 차이　　**4** 라이먼
5 띠 간격(띠틈)　　**6** 절연체-반도체-도체　　**7** 전자, 양공
8 p형, n형

1 전기력은 두 전하 사이의 상호 작용이므로 각 전하에 작용하는 전기력은 크기는 같고 방향은 반대인 작용 반작용 관계이다.

3 보어의 원자 모형에 따르면 전자는 특정한 에너지만 가질 수 있고, 특정한 에너지 사이를 전이하는 과정에서는 그 에너지 차이만큼의 에너지를 가진 빛을 흡수하거나 방출한다.

6 전도띠로 전이가 쉬울수록 전기 전도성이 좋은 물질이며, 띠 간격이 작을수록 전자의 전이가 쉽다.

8 순방향 바이어스는 p형 반도체 쪽에 (+)극, n형 반도체 쪽에 (−)극을 연결한 경우이다. 따라서 순방향 바이어스가 연결되면 전류는 p형 반도체에서 n형 반도체 쪽으로 흐른다.

DAY 1 개념 돌파 전략 ① 확인 Q
10~11쪽

[6강] **1** N　　**2** 증가, 감소　　**3** 클수록, 작을수록　　**4** 2
5 자석　　**6** 강자성체　　**7** 반대　　**8** 빨리, 많이, 강할수록

4 솔레노이드 내부에서 자기장의 세기는 솔레노이드에 흐르는 전류의 세기와 단위 길이당 코일의 감은 수에 각각 비례한다. 따라서 코일의 감은 수를 유지한 채 솔레노이드의 길이를 절반으로 감소시키면 단위 길이당 코일의 감은 수가 2배가 되므로 자기장의 세기도 2배가 된다.

DAY 1 개념 돌파 전략 ②
12~13쪽

1 ①　　**2** p: f_2, q: f_1　　**3** ④
4 종이면에 수직으로 들어가는 방향, B_0
5 A: 반자성체, B: 강자성체, C: 상자성체　　**6** ⑤

1 전기력
ㄴ. C의 전하량의 크기는 A의 4배이고, B의 전하량의 크기는 A와 같으므로 B가 A에 작용하는 전기력의 크기는 C가 A에 작용하는 전기력의 크기의 $\frac{9}{4}$배이다. 따라서 A에 작용하는 전기력의 방향은 B가 A에 작용하는 전기력의 방향과 같은 $+x$ 방향이다.

👁️ **바로 보기** ㄱ. A와 C가 B에 작용하는 전기력의 합이 0이므로 전하량의 크기는 C가 A의 4배이다.
ㄷ. A와 B의 전하량의 크기가 같으므로 B가 C에 작용하는 전기력의 크기가 A가 C에 작용하는 전기력의 크기보다 크다. 따라서 C에 작용하는 전기력의 방향은 $-x$ 방향이다.

2 에너지 준위와 스펙트럼

자료 분석 + 에너지 준위와 스펙트럼

- 에너지 준위의 차이만큼의 에너지를 갖는 빛이 흡수되거나 방출된다.
- 방출되거나 흡수된 빛의 에너지는 $E = hf = \dfrac{hc}{\lambda}$ 이다.

(나)에서 p와 q는 가시광선 영역의 빛이고, (가)에서 가시광선 영역의 빛은 f_1 또는 f_2이다. 이때 파장이 짧은 p의 에너지가 더 크므로 p는 f_2에 해당하고, q는 f_1에 해당한다.

3 p-n 접합 다이오드
ㄱ. A는 도체이므로 원자가 띠와 전도띠가 일부 겹쳐 있다. 즉, 띠 간격이 없다.
ㄷ. LED에서 빛이 방출되고 있으므로 순방향 연결이고 B는 p형 반도체, C는 n형 반도체이다. 따라서 C의 주요 전하 운반자는 전자이다.

👁️ **바로 보기** ㄴ. B는 p형 반도체이므로 원자가 전자가 3개인 원소를 도핑한 반도체이다.

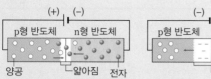
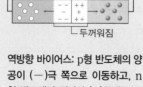
4 전류에 의한 자기장

(가)의 P에서 원형 도선에 의한 자기장의 세기는 B_0이고, 방향은 종이면에서 수직으로 나오는 방향이다. (나)의 P에서 원형 도선과 직선 도선에 의한 합성 자기장은 0이므로 직선 도선에 의한 자기장의 세기는 B_0이고, 방향은 종이면에 수직으로 들어가는 방향이다. 전류의 세기를 2배로 증가시키면 자기장의 세기도 2배가 되므로 직선 전류에 의한 자기장의 세기는 $2B_0$가 된다. 따라서 P에서 합성 자기장의 세기는 B_0, 방향은 종이면에 수직으로 들어가는 방향이다.

5 자성체

외부 자기장의 방향과 반대 방향으로 자기화되는 물질은 반자성체이며, 외부 자기장을 제거해도 자기화된 상태를 오래 유지하는 물질은 강자성체이다.

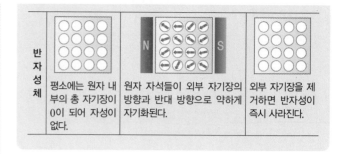
6 전자기 유도

ㄱ. 코일에서 뺀 막대에 의해 원형 도선에 유도 전류가 발생하고 있으므로 막대는 자기화된 상태를 유지하고 있는 강자성체임을 알 수 있다.

ㄴ, ㄷ. (나)에서와 같이 원형 도선에 시계 반대 방향으로 유도 전류가 발생하려면 P 쪽은 S극, 막대의 아랫면은 N극이 되어야 한다. 자기화에 의해 P 쪽이 S극이 되기 위해서는 a가 (+)극, b가 (−)극이 되어야 한다.

DAY 2 필수 체크 전략 ①

14~17쪽

❶-1 ㄱ, ㄴ, ㄷ ❷-1 ㄱ, ㄴ, ㄷ ❸-1 ㄱ, ㄴ ❹-1 ㄱ, ㄴ
❺-1 ㄱ, ㄴ, ㄷ ❻-1 ㄴ, ㄷ ❼-1 ③

❶-1 전기력

ㄱ. 같은 종류의 전하를 띤 B와 D 사이에는 밀어내는 전기력이 작용한다.

ㄴ. O에서 q가 받는 전기력이 0이 되기 위해서는 A와 C의 전하량의 크기가 같고, B와 D의 전하량의 크기가 같아야 한다. B와 D의 전하량의 크기는 같고 A와 B, A와 D 사이의 거리는 같으므로 B가 A에 작용하는 전기력의 크기와 D가 A에 작용하는 전기력의 크기는 같다.

ㄷ. C 대신 음(−)전하로 교체하면 같은 종류의 전하를 띤 A와 q 사이에서는 서로 밀어내는 힘, 다른 종류의 전하를 띤 C와 q 사이에서는 서로 당기는 힘이 작용한다. 따라서 q에는 A에서 C를 향하는 방향으로 알짜힘이 작용한다.

❷-1 에너지 준위

ㄱ, ㄴ. $hf_a = E_3 - E_1$, $hf_b = E_3 - E_2$, $hf_c = E_2 - E_1$이므로 $f_a = f_b + f_c$이다. 따라서 ㉠은 1.9 eV이다.

ㄷ. 바닥상태는 E_1인 상태이므로 $E_2 - E_1$의 에너지가 방출할 수 있는 최소의 에너지이고, 이때의 진동수는 f_c이다.

③-1 스펙트럼

자료 분석 + 흡수 스펙트럼과 방출 스펙트럼

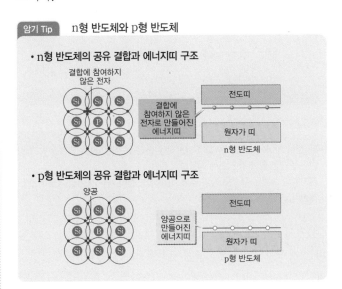

흡수 스펙트럼

(가)

(나)

400 ⓐ ⓑ 600 ⓒ 700 파장(nm)

방출 스펙트럼

(가)의 검은 선은 특정한 파장의
빛을 흡수해서 나타나는 선

(나)의 밝은 선은 특정한 파장의
빛을 방출해서 나타나는 선

→ 진동수가 작다.
→ 에너지가 작다.

선택지 분석

ㄱ. (가)에서 흡수 스펙트럼이 나타나는 까닭은 수소 내의 전자가 에너지를 흡수하기 때문이다.

ㄴ. (나)에서 방출되는 광자의 에너지는 ⓒ가 ⓑ보다 작다.

✗ (나)에서 방출되는 광자의 속력은 ⓐ가 ⓑ보다 크다. → ⓐ와 ⓑ가 같다.

ㄱ. 전자가 높은 에너지 준위로 전이하는 과정에서 특정한 파장의 빛을 흡수한다.

ㄴ. 광자의 에너지는 파장이 짧을수록, 진동수가 클수록 크다. 따라서 파장이 큰 ⓒ의 에너지는 ⓑ보다 작다.

바로 보기 ㄷ. 빛(전자기파)의 속력은 매질이 결정하므로 ⓐ와 ⓑ의 속력은 같다.

④-1 에너지띠와 전기 전도성

A는 도체, B는 반도체이다.

ㄱ. 전도띠로 전이한 전자는 상대적으로 자유롭게 운동할 수 있다.

ㄴ. 반도체의 온도가 높을수록 전도띠로 전이하는 전자의 수가 많아져 전기 전도성이 좋아진다.

바로 보기 ㄷ. 도체는 온도가 높아질수록 저항의 크기가 커지고, 반도체는 온도가 높아질수록 저항의 크기가 작아지므로 B의 그래프는 Y이다.

⑤-1 전자와 양공

ㄱ, ㄴ. 순수한 반도체에서 원자가 띠의 양공은 전도띠로 전자가 전이해서 생긴 것이므로 양공의 수가 많을수록 전도띠로 전이한 자유 전자의 수가 많다. 따라서 양공의 수가 많은 B의 전기 전도도가 A보다 크다.

ㄷ. A는 B보다 양공의 수가 적으므로 띠 간격이 B보다 크다는 것을 알 수 있다. 따라서 전자가 전이할 수 있는 최소 에너지는 A가 B보다 크다.

⑥-1 p-n 접합 다이오드

ㄴ. a에 연결했을 때 LED에서 빛이 방출되고 있다. 따라서 p형 반도체의 X는 양공, n형 반도체의 Y는 전자이다.

ㄷ. 스위치 S를 b에 연결하면 다이오드에 대해 역방향 연결이므로 주요 전하 운반자인 X, Y는 접합면으로부터 멀어진다.

바로 보기 ㄱ. 스위치 S를 a에 연결했을 때가 순방향 연결이므로 A는 p형 반도체, B는 n형 반도체이다. (나)는 양공보다 전자의 수가 많으므로 n형 반도체, 즉 B의 에너지띠 구조이다.

암기 Tip n형 반도체와 p형 반도체

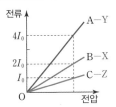

• n형 반도체의 공유 결합과 에너지띠 구조

결합에 참여하지
않은 전자

결합에 참여하지 않은 전자로 만들어진 에너지띠

전도띠

원자가 띠

n형 반도체

• p형 반도체의 공유 결합과 에너지띠 구조

양공

양공으로 만들어진 에너지띠

전도띠

원자가 띠

p형 반도체

⑦-1 저항의 크기

자료 분석 + 저항의 크기

전류

4I_0

2I_0

I_0

O ─── 전압

A−Y

B−X

C−Z

전류−전압 그래프에서 기울기는
저항의 역수를 나타낸다.
→ 기울기가 클수록 저항이 작다.

금속 막대	길이	단면적
X	L	S
Y	L	$2S$
Z	$2L$	S

저항은 길이에 비례하고, 단면적에 반비례하므로 저항의 비는
$X : Y : Z = \dfrac{L}{S} : \dfrac{L}{2S} : \dfrac{2L}{S} = 2 : 1 : 4$이다.

선택지 분석

	A	B	C		A	B	C
✗	X	Y	Z		✗ X	Z	Y
③	Y	X	Z		✗ Y	Z	X
✗	Z	X	Y				

전류−전압 그래프의 기울기의 크기는 A>B>C 순이므로 저항의 크기는 C>B>A 순이다. 표에 제시된 단면적과 길이를 이용하여 저항의 크기를 구하면 저항의 크기는 Z>X>Y 순이다.

DAY 2 필수 체크 전략 ② | 18~19쪽

[최다 오답 문제]

1 ③ **2** ⑤ **3** ③ **4** 20 : 27 **5** ② **6** ㄴ **7** ② **8** ①

1 전기력

자료 분석 + 쿨롱 법칙

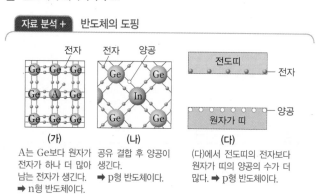

- 두 전하 사이에 작용하는 전기력은 작용 반작용 관계이므로 크기는 같고 방향은 반대인 힘이 각 전하에 작용하게 된다.
- 전기력의 크기는 두 전하량의 곱에 비례하고, 전하 사이의 거리 제곱에 반비례한다.

(가)에서 A만 옮겨 (나)가 되었을 때 C에 작용하는 $+x$ 방향의 전기력이 증가하였으므로 (나)에서 A와 C는 서로 당기는 방향으로 전기력이 작용해야 한다. 따라서 A는 음$(-)$전하이고, (가)에서 C에 작용하는 전기력이 $+x$ 방향이기 위해서는 B와 C가 서로 밀어내야 하므로 B는 양$(+)$전하이다. (가)에서 A와 B 사이의 전기력의 크기를 f_1, A와 C 사이의 전기력의 크기를 f_2라고 하면 A에 작용하는 전기력의 크기는 $f_1 + f_2 = 2F$ …①이다. (가)에서 A와 C 사이에 작용하는 전기력의 크기는 f_2, B와 C 사이의 전기력의 크기를 f_3이라고 하면 C에 작용하는 전기력의 크기는 $f_3 - f_2 = F$ …②이다. (나)에서 B와 C 사이에 작용하는 전기력의 크기는 f_3이고, A와 C 사이에 작용하는 전기력의 크기는 $4f_2$이므로 $4f_2 + f_3 = 2F$ …③이다. 따라서 식 ①, ②, ③을 연립하면 $f_1 = \dfrac{9}{5}F$, $f_2 = \dfrac{1}{5}F$이다. (다)에서 A와 C 사이에 작용하는 전기력의 크기는 $4f_2$이고, A와 B 사이에 작용하는 전기력의 크기는 f_1이므로 $f_1 - 4f_2 = F$이고, 방향은 $+x$ 방향이다.

2 반도체의 에너지띠 구조

자료 분석 + 반도체의 도핑

전자   전자   양공

| | | 전도띠 | 전자 |
| (가) | (나) | 원자가 띠 | 양공 |

(가) A는 Ge보다 원자가 전자가 하나 더 많아 남는 전자가 생긴다. ➡ n형 반도체이다.

(나) 공유 결합 후 양공이 생긴다. ➡ p형 반도체이다.

(다) (다)에서 전도띠의 전자보다 원자가 띠의 양공의 수가 더 많다. ➡ p형 반도체이다.

선택지 분석

ㄱ. (가)에서 A는 인듐보다 원자가 전자가 많다.
ㄴ. (다)는 (나)의 에너지띠 구조를 나타낸 것이다.
ㄷ. (나)의 반도체는 원자가 띠 바로 위에 새로운 에너지 준위가 생긴다.

ㄱ. (나)를 보면 전자가 비어 있는 양공이 형성된 것을 알 수 있고, 이는 인듐의 원자가 전자가 3개이기 때문에 나타난다. 따라서 원자가 전자가 5개인 A는 인듐보다 원자가 전자가 많다.

ㄴ. 양공의 밀도가 전자의 밀도보다 높은 반도체는 p형 반도체이다. 따라서 (다)는 p형 반도체인 (나)의 에너지띠 구조를 나타낸 것이다.

ㄷ. p형 반도체는 원자가 띠 바로 위에 새로운 에너지 준위가 형성되고, n형 반도체는 전도띠 바로 아래에 새로운 에너지 준위가 형성된다. 따라서 p형 반도체인 (나)는 원자가 띠 바로 위에 새로운 준위가 생긴다.

3 전기력

자료 분석 + 에너지 준위와 스펙트럼

스펙트럼의 왼쪽으로 갈수록 진동수 차이가 작은 것은 에너지 차이가 점점 작아진다는 것이다.

← 진동수가 크다.

- 양자수가 클수록 에너지 준위 값은 커지고, 양자수가 클수록 에너지 준위 값의 차이는 점점 작아진다.
- $n=2$로 전이할 때, 양자수가 클수록 방출되는 빛의 에너지 차이는 점점 작아진다.

선택지 분석

ㄱ. 4개의 스펙트럼 선은 가시광선 영역이다.
ㄴ. 진동수가 가장 큰 스펙트럼 선은 f_a에 해당하는 스펙트럼 선이다.
ㄷ. 보어의 수소원자 모형에서 $f_b - f_c$에 해당하는 진동수를 가진 빛은 흡수할 수 없다. → 있다

ㄱ. $n=2$로 전이하는 발머 계열에서는 가시광선이 방출된다. 따라서 4개의 스펙트럼 선은 모두 가시광선 영역에 해당한다.

ㄴ. (나)에서 스펙트럼의 왼쪽으로 갈수록 진동수 차이가 작아지는 것은 에너지 차이가 점점 작아지는 것이므로 더 높은 에너지 준위에서 전이하는 것을 나타낸 것이다.

바로 보기 ㄷ. f_b는 E_5에 E_2로 전이할 때 방출되며, f_c는 E_4에서 E_2로 전이할 때 방출된다. 따라서 $f_b - f_c$의 빛의 에너지는 E_5와 E_4의 차이 값과 같다. 따라서 보어의 수소 원자 모형에서 흡수되거나 방출될 수 있다.

4 전자의 전이

자료 분석 + 보어의 수소 원자 모형

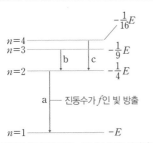

보어의 수소 원자 모형에서 전자의 전이는 에너지 준위 사이에서만 일어날 수 있으며, 이때 방출되는 에너지는 빛의 형태로 방출된다.

a에서 방출되는 빛의 에너지는 $\frac{3}{4}E$이며, 이때 진동수를 f라고 했으므로 $f = \frac{3E}{4h}$이다.

b에서 방출되는 빛의 에너지는 $\frac{5}{36}E$이므로

$f_b = \frac{5E}{36h} = \frac{5}{27}f$이다.

c에서 방출되는 빛의 에너지는 $\frac{3}{16}E$이므로

$f_c = \frac{3E}{16h} = \frac{1}{4}f$이다.

따라서 $f_b : f_c = \frac{5}{27}f : \frac{1}{4}f = 20 : 27$이다.

5 전기 전도성

자료 분석 + 에너지띠와 전기 전도도

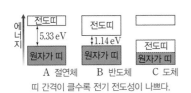 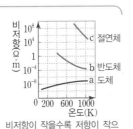

띠 간격이 클수록 전기 전도성이 나쁘다.

비저항이 작을수록 저항이 작으므로 전기 전도성은 좋아진다.

선택지 분석

✗. (가)에서 B는 절연체이다. → 반도체
(L). (나)에서 a는 C의 비저항을 나타낸 것이다.
✗. (나)에서 1000 K에서 전기 전도도는 c에서가 b에서보다 크다. → 작다

ㄴ. 도체는 온도가 증가할수록 비저항이 증가하고, 절연체와 반도체는 온도가 증가할수록 비저항이 감소한다. 따라서 a는 도체인 C의 비저항을 나타낸 것이다.

바로 보기 ㄱ. 띠 간격이 가장 넓은 A가 절연체, 띠 간격이 없는 C가 도체, B는 반도체이다.

ㄷ. 비저항이 클수록 전기 전도도는 작다.

6 발광 다이오드(LED)

자료 분석 + 발광 다이오드(LED)

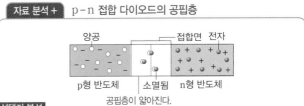

LED에 불이 켜지기 위해서는 순방향으로 연결되어야 한다.
➡ LED에 순방향 연결되면 전류는 p형 반도체에서 n형 반도체 방향으로 흐른다.

선택지 분석

✗. 전류의 방향이 ⓐ일 때 A에서 빛이 방출된다. → B
(L). 전류의 방향이 ⓑ일 때 B에서 전자와 양공은 접합면으로부터 멀어진다.
✗. 원자가 띠와 전도띠 사이의 간격은 A가 B보다 크다. → 작다

ㄴ. 전류의 방향이 ⓑ일 때, A에 대해 순방향 연결, B에 대해서는 역방향 연결이다. 따라서 B에서는 전자와 양공이 접합면으로부터 멀어진다.

바로 보기 ㄱ. 전류의 방향이 ⓐ일 때 B에 대해 순방향 연결이므로 B에서는 빛이 방출되고, A에서는 빛이 방출되지 않는다.

ㄷ. 빨간색이 빛이 초록색 빛보다 에너지가 작으므로 LED의 띠 간격은 A가 더 작다.

7 p-n 접합 다이오드의 연결

자료 분석 + p-n 접합 다이오드의 공핍층

양공   접합면 전자

p형 반도체   소멸됨   n형 반도체
공핍층이 얇아진다.

선택지 분석

① p형 반도체와 n형 반도체를 접합하면 n형 반도체의 전자가 p형 반도체의 양공 자리로 전이한다.
② 전자의 전이에 의해 접합면에서 p형 반도체 쪽은 양(+)전하층이, n형 반도체 쪽은 음(−)전하층이 형성된다. → 양(+)전하 → 음(−)전하
③ 양(+)전하층과 음(−)전하층의 전기적 에너지 차이에 의해 전압이 발생한다.
④ 전기적 에너지 차이에 의해 전자의 이동이 더 이상 이루어지지 않을 때 형성된 특정한 층을 공핍층이라 한다.
⑤ p-n 접합 다이오드에 순방향 전압을 걸면 공핍층은 얇아진다.

① p형 반도체는 양공의 밀도가 높고 n형 반도체는 전자의 밀도가 높아 전자가 양공 자리로 전이한다.

③, ④ 공핍층은 양(+)전하층과 음(−)전하층에 의한 전기적 에너지 차이, 즉 전위차에 의해 발생한다. 또한 전자의 전이가 더 이상 이루어지지 않을 때 전위차가 유지된다.

⑤ 순방향 전압은 p형 반도체 쪽에 (+)극, n형 반도체 쪽에 (−)극을 연결하므로 p형 반도체 쪽 음(−)전하 층의 두께가 감소하고 n형 반도체 쪽 양(+)전하 층의 두께가 감소한다. 따라서 공핍층이 얇아진다.

BOOK 2

😊 **바로 보기** ② p형 반도체의 양공 자리에 n형 반도체의 전자가 전이하면서 p형 반도체 쪽은 음(−)전하층, n형 반도체 쪽은 양(+)전하층이 형성된다.

8 p-n 접합 다이오드

자료 분석 + p-n 접합 다이오드의 연결

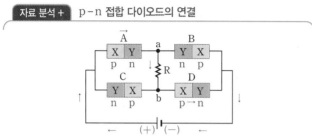

선택지 분석

ㄱ 빛이 방출되는 LED는 A와 D이다.
✗ B와 C의 Y에서 양공은 접합면 쪽으로 이동한다. → 전자는 접합면으로부터 멀어진다.
✗ 전원의 방향을 반대로 하면 전류의 방향은 b → R → a이다. → a→R→b

ㄱ. a → R → b로 전류가 흐르기 위해서는 A와 D에 전류가 흘러야 하므로 A와 D에서 빛이 방출된다.

😊 **바로 보기** ㄴ. A와 D에서 빛이 방출되고 있으므로 X가 p형 반도체, Y가 n형 반도체이다. B와 C는 전원에 대해 역방향 연결이므로 전자와 양공은 접합면으로부터 멀어진다.

ㄷ. 전원의 방향을 반대로 하면 B와 C에 대해 순방향 연결이므로 전류의 방향은 a → R → b이다.

DAY 3 필수 체크 전략 ①
20~23쪽

❶-1 $2B_0$, $-y$ 방향   ❷-1 B, 종이면에 수직으로 들어가는 방향   ❸-1 ㄱ, ㄴ   ❹-1 $2B$ ❺-1 ㄱ
❻-1 ㄴ   ❼-1 A

❶-1 직선 도선에 의한 자기장
직선 도선에 의한 자기장의 세기는 전류의 세기에 비례하고, 도선으로부터 직선 거리에 반비례한다. 자기장의 방향은 오른손의 엄지손가락이 전류의 방향을 향할 때, 네 손가락이 도선을 감아쥐는 방향이다. 따라서 P에서 자기장의 방향은 $-y$ 방향이며, 자기장의 세기는 Q에서의 2배인 $2B_0$이다.

❷-1 원형 도선에 의한 자기장
P에서 전류에 의한 자기장의 세기가 B이고 방향은 종이면에서 수직으로 나오는 방향이다. 원형 도선 중심에서 자기장의 세기는 도선에 흐르는 전류의 세기에 비례하고, 원형 도선의 반지름에 반비례한다. 따라서 종이면에서 수직으로 나오는

방향을 (+)로 하면 Q에서 자기장은 $B-2B=-B$이다. 즉, Q에서 자기장의 세기는 B이고 방향은 종이면에 수직으로 들어가는 방향이다.

❸-1 직선 도선과 원형 도선에 의한 자기장
ㄱ. (가)의 P에서 원형 도선에 의한 자기장의 방향은 종이면에서 수직으로 나오는 방향이고 자기장의 세기가 B_0이다. (나)의 P에서 자기장의 방향은 (가)와 동일하게 종이면에서 수직으로 나오는 방향이며, 자기장의 세기는 $2B_0$이므로 직선 도선에 의한 자기장의 방향은 종이면에서 수직으로 나오는 방향, 자기장의 세기는 B_0이다. 따라서 직선 도선에 흐르는 전류의 방향은 ⓐ이다.

ㄴ. 원형 도선에 흐르는 전류의 방향만 반대가 되면 원형 도선에 의한 자기장의 세기는 그대로 B_0이고, 자기장의 방향만 종이면에 수직으로 들어가는 방향으로 바뀌므로 P에서 자기장의 세기는 0이 된다.

😊 **바로 보기** ㄷ. P에서 원형 도선에 의한 자기장의 세기와 방향은 일정하게 유지되며, 직선 도선으로부터 P까지의 거리가 증가할수록 직선 도선에 의한 자기장의 세기는 점점 작아지므로 자기장의 세기는 감소한다. 그러나 원형 도선에 의한 자기장과 직선 도선에 의한 자기장의 방향은 그대로 종이면에서 수직으로 나오는 방향으로 유지되므로 자기장의 방향은 그대로 종이면에서 수직으로 나오는 방향이다.

암기 Tip 도선에 의한 자기장의 방향

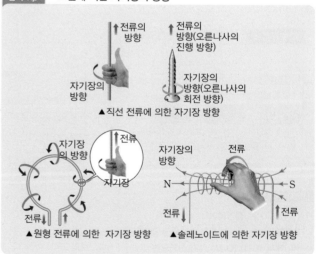

❹-1 솔레노이드에 의한 자기장
솔레노이드 내부의 자기장의 세기는 솔레노이드에 흐르는 전류의 세기에 비례하고, 단위 길이당 코일의 감은 수에 비례한다. 따라서 전류의 세기를 2배로 증가시키면 자기장의 세기도 2배로 증가한다.

⑤-1 자성체

ㄱ. +y 방향의 균일한 자기장 영역에서 A와 B는 서로 당기는 방향의 자기력이 작용하고 있으므로 A와 B 모두 외부 자기장과 같은 방향으로 자기화된 것이다. 따라서 A는 +y 방향으로 자기화된다.

바로 보기 ㄴ. A는 +y 방향으로 자기화되었으므로 A의 아랫면이 S극, 윗면이 N극으로 자기화된다.

ㄷ. 외부 자기장이 사라지면 A와 B 사이에는 자기력이 작용하지 않으므로 A, B 모두 자기화된 상태가 오래 유지되지 않는 상자성체이다.

⑥-1 전자기 유도

자료 분석 + 원형 도선에 유도되는 전류

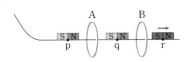

- p를 지날 때 A와 B를 통과하는 자기 선속은 증가한다.
- q를 지날 때 A를 통과하는 자기 선속은 감소하고, B를 통과하는 자기 선속은 증가한다.
- r를 지날 때 A와 B를 통과하는 자기 선속은 감소한다.

선택지 분석

✗. 자석이 p를 지날 때 A에 흐르는 전류와 B에 흐르는 전류의 방향은 서로 반대이다. → 같다

Ⓛ B에 흐르는 전류의 세기는 자석이 q를 지날 때가 r를 지날 때보다 크다.

✗. 자석에 작용하는 알짜힘의 방향은 p에서와 r에서가 서로 반대이다. → 같다

ㄴ. 자석이 운동할 때 자석에 작용하는 자기력의 방향은 항상 운동 방향과 반대 방향이므로 q를 지날 때가 r를 지날 때보다 속력이 빠르다. 따라서 자기 선속 변화율은 q를 지날 때가 r를 지날 때보다 크기 때문에 유도 전류의 세기는 q를 지날 때가 r를 지날 때보다 크다.

바로 보기 ㄱ. 자석이 p를 지날 때 A와 B를 통과하는 자기 선속은 모두 증가한다. A와 B에는 자기 선속의 증가를 방해하는 방향으로 유도 전류가 흐르므로 흐르는 전류의 방향은 같다.

ㄷ. 자석에 작용하는 자기력의 방향은 항상 운동 방향과 반대 방향이므로 p에서와 r에서가 같다.

⑦-1 전자기 유도

균일한 자기장 영역에서 금속 고리를 운동시킬 때, 고리를 통과하는 자기 선속은 자기장이 고리를 통과하는 넓이가 변할 때 변한다. 따라서 자기장이 통과하는 넓이가 점점 증가하는 A에서만 유도 전류가 흐르고, 자기장을 통과하는 넓이가 달라지지 않는 B와 C에서는 유도 전류가 흐르지 않는다.

DAY 3 필수 체크 전략 ② | 24~25쪽

[최다 오답 문제]

1 ㄱ, ㄷ   **2** $\frac{5}{6}B_0$ **3** ㄱ, ㄷ   **4** ㄱ   **5** ㄱ   **6** 인력

7 ②   **8** ㄱ, ㄴ

1 직선 도선에 의한 자기장

자료 분석 + 직선 도선에 의한 자기장

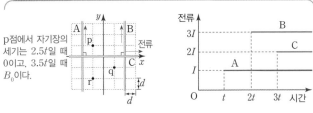

p점에서 자기장의 세기는 2.5t일 때 0이고, 3.5t일 때 B_0이다.

- 2.5t일 때 p점에서 자기장의 세기가 0이므로 A와 B에 흐르는 전류에 의한 자기장의 세기는 같고, 방향은 반대이다.
- 3.5t일 때 p점에서 A와 B에 의한 자기장의 세기는 0이고, 합성 자기장의 세기는 B_0이므로 C에 흐르는 전류에 의한 자기장의 세기는 B_0이고, C에는 +x 방향으로 전류가 흐르기 때문에 합성 자기장의 방향은 xy 평면에서 수직으로 나오는 방향이다.
- 1.5t일 때 p점에서 자기장은 A에 의한 자기장만 존재하며 3.5t일 때와 합성 자기장의 방향이 반대이다. 따라서 자기장은 xy 평면에 수직으로 들어가는 방향이여야 하므로 A와 B에는 +y 방향으로 전류가 흐른다.

선택지 분석

Ⓖ A와 B에 흐르는 전류의 방향은 같다.

✗. 2.5t일 때 q점에서 자기장의 세기는 $4B_0$이다. → $\frac{4}{3}B_0$

Ⓒ 3.5t일 때 자기장의 세기는 r점에서가 q점에서보다 크다.

ㄱ. 2.5t일 때는 A와 B에만 전류가 흐르고, p점에서 자기장의 세기는 0이므로 A와 B에 흐르는 전류의 방향은 같다.

ㄷ. 3.5t일 때 r점에서 A와 B에 의한 자기장은 0, C에 의한 자기장은 xy 평면에 수직으로 들어가는 방향으로 $k\frac{2I}{2d}$이므로 합성 자기장의 세기는 $k\frac{I}{d}$이다. q점에서 A에 의해서는 xy 평면에 수직으로 들어가는 방향으로 $k\frac{I}{3d}$, B에 의해서는 xy 평면에서 수직으로 나오는 방향으로 $k\frac{3I}{d}$, C에 의해서는 xy 평면에 수직으로 들어가는 방향으로 $k\frac{2I}{d}$이므로 합성 자기장은 xy 평면에서 수직으로 나오는 방향으로 $k\frac{2I}{3d}$이다.

바로 보기 ㄴ. 3.5t일 때 p점에서 C에 의한 자기장의 세기 $B_0 = k\frac{2I}{d}$이다. 2.5t일 때 q점에서 A에 의해서는 xy 평면에 수직으로 들어가는 방향으로 $k\frac{I}{3d} = \frac{1}{6}B_0$, B에 의해서는 xy 평면에서 수직으로 나오는 방향으로 $k\frac{3I}{d} = \frac{3}{2}B_0$이므로 합성 자기장은 xy 평면에서 수직으로 나오는 방향으로 $\frac{4}{3}B_0$이다.

BOOK 2

2 원형 도선에 의한 자기장

자료 분석 + 원형 도선에 의한 자기장

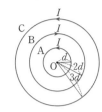

O에서 A에 의한 자기장의 세기가 B_0이므로
B에 의한 자기장의 세기는 $\dfrac{B_0}{2}$,
C에 의한 자기장의 세기는 $\dfrac{B_0}{3}$이다.

A와 C에 의한 자기장의 방향은 종이면에서 수직으로 나오는 방향, B에 의한 자기장의 방향은 종이면에 수직으로 들어가는 방향이다.

따라서 총 합성 자기장은 종이면에서 수직으로 나오는 방향으로 $B_0 - \dfrac{B_0}{2} + \dfrac{B_0}{3} = \dfrac{5B_0}{6}$이다.

3 자기장의 합성

자료 분석 + 도선에 의한 자기장

P에 흐르는 전류		O에서 P, Q에 흐르는 전류에 의한 자기장의 세기
세기	방향	
0	없음	B_0
I_0	⊙ 시계 반대 방향	0
$2I_0$	시계 방향	ⓒ $3B_0$

• P에 흐르는 전류의 세기가 0일 때 O에서는 Q에 흐르는 전류에 의한 자기장만 존재한다.
• P에 흐르는 전류의 세기가 I_0일 때, O에서 자기장의 세기가 0이 되려면 두 도선 P, Q에 의한 자기장의 방향은 반대가 되어야 한다.

선택지 분석

⊙ O에서 Q에 흐르는 전류에 의한 자기장의 방향은 xy평면에 수직으로 들어가는 방향이다.
✘. ⊙은 시계 방향이다. → 시계 반대 방향
ⓒ ⓒ은 $2B_0$보다 크다.

ㄱ. Q에 흐르는 전류의 방향은 $-y$ 방향이므로 O에서 자기장의 방향은 xy 평면에 수직으로 들어가는 방향이다.

ㄷ. P에 흐르는 전류의 세기가 I_0일 때 O에서 P에 흐르는 전류에 의한 자기장의 세기는 B_0이므로 $2I_0$일 때 O에서 자기장의 세기는 $2B_0$이다. 이때 P에 흐르는 전류의 방향은 시계 방향이므로 O에는 xy 평면에 수직으로 들어가는 방향의 자기장이 형성된다. 따라서 O에서 P, Q에 의한 자기장의 세기는 $3B_0$가 된다.

👁 바로 보기 ㄴ. P에 흐르는 전류의 세기가 I_0일 때 O에서 자기장의 세기가 0이 되기 위해서는 P에 의한 자기장이 xy 평면에서 수직으로 나오는 방향이여야 하므로 전류는 시계 반대 방향으로 흘러야 한다.

4 솔레노이드에 의한 자기장과 자성체

자료 분석 + 상자성체와 강자성체

두 솔레노이드에 의한 자기장의 방향은 왼쪽에서 오른쪽으로 향하는 방향이다.

선택지 분석

⊙ 두 막대 사이에는 인력이 작용한다.
✘. a점에서 자기장의 방향은 왼쪽 방향이다. → 오른쪽
✘. S를 열어 전류가 흐르지 않으면, 두 막대 사이에는 척력이 작용한다. → 인력

ㄱ. 상자성 막대와 강자성 막대는 모두 외부 자기장과 같은 방향으로 자기화되기 때문에 두 막대 사이에는 서로 당기는 인력이 작용한다.

👁 바로 보기 ㄴ. 솔레노이드에 의한 자기장 방향과 같은 방향으로 강자성 막대와 상자성 막대가 자기화되기 때문에 a점에서 자기장의 방향은 오른쪽 방향이다.

ㄷ. S를 열면 강자성 막대는 자기화된 상태를 비교적 오래 유지하기 때문에 자석과 같은 역할을 할 수 있다. 따라서 상자성 막대는 약하게 자기화되어 두 막대 사이에는 서로 당기는 인력이 작용한다.

5 자성체

자료 분석 + 자성체

막대 자석
P → P   Q → Q   수평면
당기는 힘   밀어내는 힘

(가)   (나)
P
Q

• (가)에서 막대자석과 P 사이에는 서로 당기는 힘, 막대자석과 Q 사이에는 서로 밀어내는 힘이 작용한다. ➡ P는 강자성체, Q는 반자성체이다.
• (나)에서 서로 밀어내는 힘이 작용하면 용수철저울의 측정값은 감소하고, 서로 당기는 힘이 작용하면 용수철저울의 측정값은 증가한다.

선택지 분석

⊙ P는 자석에 의한 자기장과 같은 방향으로 자기화된다.
✘. Q는 자석을 제거해도 자기화된 상태를 비교적 오래 유지한다. → 바로 사라진다
✘. (나)에서 용수철저울에 측정되는 값은 P의 무게보다 크다. → 작다

ㄱ. P는 자석과 서로 당기는 힘, Q는 자석과 서로 밀어내는 힘이 작용하므로 P가 강자성체, Q가 반자성체이다. 즉, 강자성체인 P는 자석에 의한 자기장과 같은 방향으로 자기화된다.

👁 바로 보기 ㄴ. 반자성체인 Q는 외부 자기장이 사라지면 자기화된 상태가 바로 사라진다.

ㄷ. 자기화된 강자성체는 자석과 같은 역할을 하므로 반자성체와는 서로 밀어내는 자기력이 작용한다. 따라서 용수철저울에 측정되는 값은 P의 무게보다 작다.

6 자성체와 전자기 유도

자료 분석 + 자성체

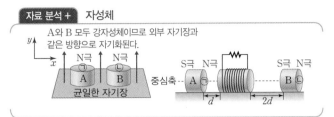

A와 B 모두 강자성체이므로 외부 자기장과 같은 방향으로 자기화된다.

㉠, ㉡은 모두 N극으로 자기화되었으므로 솔레노이드와 A 사이의 거리를 멀어지게 하면 솔레노이드 내부에는 자기장이 오른쪽 방향으로 형성되도록 유도 전류가 흐르며, 이는 솔레노이드의 오른쪽 면이 N극이라고 할 수 있다. 따라서 솔레노이드와 B 사이에는 서로 당기는 자기력, 즉 인력이 작용한다.

7 전자기 유도

자료 분석 + 시간에 따른 자기장 변화

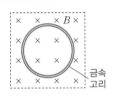

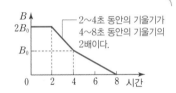

2~4초 동안의 기울기가 4~8초 동안의 기울기의 2배이다.

선택지 분석

⨉ 0 ② 0.5I ⨉ I ⨉ 1.5I ⨉ 2I

자기장 – 시간 그래프에서 기울기는 시간에 따른 자기장 변화율이고, 자기장이 통과하는 금속 고리의 면적은 일정하므로 유도 기전력의 크기는 자기장 – 시간 그래프의 기울기에 비례한다. 따라서 3초일 때 기울기 크기가 6초일 때 기울기 크기의 2배이므로 유도 전류의 세기도 2배이다.

8 전자기 유도

자료 분석 + 자기장 영역에 들어가는 고리 도선

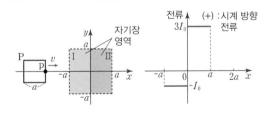

- p점이 $-a$~0 범위에 있을 때: 영역 I에 의한 자기 선속 증가
- p점이 0~a 범위에 있을 때: 영역 I에 의한 자기 선속 감소, 영역 II에 의한 자기 선속 증가
- p점이 a~$2a$ 범위에 있을 때: 영역 II에 의한 자기 선속 감소

선택지 분석

㉠ 영역 I의 자기장의 방향은 xy 평면에 수직으로 들어가는 방향이다.
㉡ 영역 II의 자기장의 세기는 영역 I의 2배이다.
⨉ p의 위치가 $x=1.5a$일 때 P에 흐르는 전류의 방향은 시계 방향이다.
　　　　　　　　　　　　　　　　└→ 시계 반대

ㄱ. p점이 $-a$~0 범위에 있을 때 시계 반대 방향의 전류가 흐르고 영역 I에 의한 자기 선속은 증가하고 있으므로 영역 I과 반대 방향의 자기장이 발생하도록 유도 전류가 흘러야 한다. 따라서 영역 I의 자기장 방향은 xy 평면에 수직으로 들어가는 방향이다.

ㄴ. p점이 0~a 범위에 있을 때 시계 방향의 전류가 흐르고 있으며 영역 I에 의한 자기 선속이 감소하므로 이에 의한 유도 전류가 시계 방향으로 I_0의 세기로 형성되며, 영역 II의 자기 선속 증가에 의한 유도 전류는 시계 방향으로 $2I_0$만큼 형성되어야 한다. 따라서 영역 II의 자기장의 세기는 영역 I의 2배, 자기장의 방향은 xy 평면에서 수직으로 나오는 방향이 되어야 한다.

바로 보기 ㄷ. 영역 II의 자기장의 방향은 xy 평면에서 수직으로 나오는 방향이고 p점의 위치가 $1.5a$일 때는 자기 선속이 감소하므로, 이에 의한 유도 전류의 방향은 시계 반대 방향이 되어야 한다.

누구나 합격 전략 | 26~27쪽

01 3 : 2	**02** ①	**03** ㄱ	**04** ②
05 ⑤	**06** ②	**07** $\frac{1}{2}B_0$	**08** ②
09 ①			

01 전기력

전기력의 크기는 두 전하의 전하량 곱에 비례하고, 전하 사이의 거리 제곱에 반비례하므로

$$F_{(가)} : F_{(가)} = \frac{2q^2}{r^2} : \frac{3q^2}{(1.5r)^2} = 3 : 2$$이다.

02 에너지띠와 전기 전도성

자료 분석 + 에너지띠와 전기 전도성

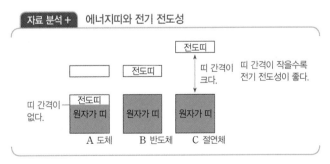

A는 띠 간격이 없으므로 도체, B와 C 중에서 띠 간격이 더 큰 C가 절연체이다.

03 반도체

자료 분석 + 반도체의 도핑

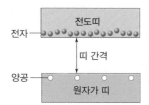

전도띠의 전자 밀도가 원자 가띠의 양공의 밀도보다 많으므로 이 반도체의 주요 전하 운반자는 전자이다.
➡ n형 반도체이다.

선택지 분석

ㄱ. n형 반도체의 에너지띠 구조를 나타낸 것이다.

✗. 도핑한 반도체는 음(−)전하를 띤다. ➙ 중성을

✗. 전도띠로 전이한 전자들의 에너지는 모두 같다. ➙ 다르다

ㄱ. 주요 전하 운반자가 전자이므로 그림은 n형 반도체의 에너지띠 구조를 나타낸 것이다.

바로 보기 ㄴ. 도핑한 반도체는 중성인 순수 반도체에 중성인 원자를 도핑하는 것이므로 도핑한 반도체 역시 중성이다.

ㄷ. 전도띠로 전이한 전자들은 다양한 에너지를 지닌 채 자유롭게 움직일 수 있는 자유 전자이다.

04 에너지 준위와 전이

자료 분석 + 에너지 준위와 전이

- a에서 흡수하는 에너지: $E_2 - E_1$
- b에서 흡수하는 에너지: $E_3 - E_2$
- c에서 방출하는 에너지: $E_3 - E_1$

선택지 분석

✗. $\lambda_c = \lambda_a + \lambda_b$이다. ➙ $\frac{1}{\lambda_c} = \frac{1}{\lambda_a} + \frac{1}{\lambda_b}$

ⓛ $n=1$인 상태에 있던 전자가 빛 c를 흡수하면 $n=3$인 상태로 전이할 수 있다.

✗. $n=2$인 상태에 있던 전자가 빛 a를 흡수하면 $n=3$인 상태로 전이할 수 있다. ➙ 없다

ㄴ. 방출하는 에너지만큼 흡수하면 높은 에너지 상태로 전이할 수 있다.

바로 보기 ㄱ. 에너지 준위 차이만큼 빛의 형태로 에너지를 방출하고 흡수하므로 $f_c = f_a + f_b$, $\frac{1}{\lambda_c} = \frac{1}{\lambda_a} + \frac{1}{\lambda_b}$이다.

ㄷ. 빛 a는 $n=1$과 $n=2$의 에너지 준위 차이만큼이므로 $n=2$에서 $n=3$으로 전이하기 위해서는 해당 에너지 준위 차이만큼 흡수해야 한다. 즉, 빛 b를 흡수하면 $n=2$에서 $n=3$으로 전이할 수 있다.

05 p-n 접합 다이오드

ㄱ. 전구에 불이 켜져 있으므로 다이오드는 순방향 연결되어 있다. 따라서 X는 p형 반도체, Y는 n형 반도체이다.

ㄴ. n형 반도체인 Y의 주요 전하 운반자는 전자이다.

ㄷ. 전원의 극을 반대로 하면 역방향 연결이므로 전류가 흐르지 않아 전구의 불이 꺼진다.

06 직선 전류에 의한 자기장

ㄴ. R에서 A와 B에 의한 자기장의 방향은 같은 방향이며 xy 평면에서 수직으로 나오는 방향이여야 하므로 전류의 방향은 $-y$ 방향이여야 한다.

바로 보기 ㄱ. P에서 자기장의 세기가 0이므로 A와 B에 의한 자기장의 세기는 같고 방향은 반대여야 한다. 따라서 전류의 방향은 같고 전류의 세기는 B에서가 A의 2배이다.

ㄷ. A에 흐르는 전류의 세기를 2배로 하면 A와 B의 전류의 세기가 같아지므로 A와 B의 가운데 지점에서 자기장의 세기가 0이 된다.

07 원형 전류에 의한 자기장

(가)에서 A로부터 거리 r인 지점에서 자기장의 세기는 B_0이고 방향은 xy 평면에 수직으로 들어가는 방향이다. (나)의 원형 도선의 중심에서 A에 의한 자기장의 세기는 $\frac{1}{2}B_0$이고 방향은 xy 평면에 수직으로 들어가는 방향이다. 따라서 원형 도선에 의한 자기장의 세기는 $\frac{1}{2}B_0$이고 방향은 xy 평면에서 수직으로 나오는 방향이다.

08 자성

ㄴ. B와 자석 사이에 서로 당기는 자기력이 작용하므로 B는 자석에 의한 자기장과 같은 방향으로 자기화된다.

바로 보기 ㄱ. A와 자석 사이에 서로 밀어내는 자기력이 작용하므로 A는 자석에 의한 자기장과 반대 방향으로 자기화된다.

ㄷ. A와 B는 자석에 의한 자기장의 영향에서 벗어난 이후 자기력이 작용하지 않으므로 자기화된 상태를 오래 유지하지 못한다.

09 전자기 유도

자료 분석 + 자기장 – 시간 그래프의 분석

 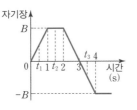

- t_1일 때는 자기장의 세기가 증가하므로 도선을 통과하는 자기 선속이 증가하고, t_3일 때도 자기장의 세기가 증가하므로 도선을 통과하는 자기 선속이 증가한다.
- t_1일 때 자기장 – 시간 그래프의 기울기와 t_3일 때 자기장 – 시간 그래프의 기울기의 크기가 같으므로 자기 선속 변화율의 크기는 같다.

선택지 분석

㉠ t_1일 때 도선을 통과하는 자기 선속은 증가한다.

✗. t_2일 때 유도되는 전류의 세기는 일정하다. → 0이다

✗. t_3일 때 유도 전류의 세기는 t_1일 때보다 크다. → 때와 같다

ㄱ. t_1일 때 도선을 통과하는 자기 선속은 증가한다.

👁 바로 보기   ㄴ. t_2일 때 자기장이 일정하므로 도선을 통과하는 자기 선속의 변화가 없어 유도 전류는 발생하지 않는다.

ㄷ. t_3일 때와 t_1일 때의 자기장 – 시간 그래프의 기울기의 크기가 같으므로 자기 선속 변화율의 크기가 같다. 따라서 유도 전류의 세기는 같다.

창의·융합·코딩 전략 | 28~31쪽

01 ②   02 A: 양(+)전하, B: 중성, C: 음(−)전하   03 ⑤

04 ①   05 ①   06 ③   07 (가): 자기화된 상태를 비교적 오래 유지한다. (나): 외부 자기장과 같은 방향으로 자기화된다.

08 ⑤

---

01 원자 모형의 발전

자료 분석 + 원자 모형의 발전

(가)	(나)	(다)
전자가 원자핵을 중심으로 특정한 궤도에서 원운동한다.	(+)전하를 띤 원자의 바다에 전자가 균일하게 분포한다.	전자가 원자핵을 중심으로 임의의 궤도에서 원운동한다.

- (가)는 보어의 원자 모형이다.
- (나)는 톰슨의 원자 모형이다.
- (다)는 러더퍼드의 원자 모형이다.

선택지 분석

✗. (가)의 원자 모형은 원자핵의 존재를 확인하였다. → (다)

㉡ (나)의 원자 모형은 전자의 존재를 확인하였다.

✗. (다)의 원자 모형은 원자에서 방출되는 빛의 선 스펙트럼을 설명할 수 있다. → (가)

ㄴ. 톰슨은 음극선 실험을 통해 전자의 존재를 확인하였다.

👁 바로 보기   ㄱ. 보어의 원자 모형은 에너지 준위와 전자가 존재할 수 있는 특정한 궤도를 확인하였다.

ㄷ. 러더퍼드의 원자 모형은 원자 모형에서 방출되는 빛의 에너지가 특정한 에너지만 정의되는 것을 설명할 수 없다. 이를 설명할 수 있는 원자 모형은 보어의 원자 모형이다.

---

02 전기력

자료 분석 + 전기력

구분	A	B	C
(가)의 결과	밀려남	끌려옴	끌려옴
(나)의 결과	끌려옴	움직이지 않음	끌려옴

- (가)의 결과
  (+)전하로 대전된 금속 막대를 가까이 하였을 때 A는 밀려나고, B, C는 끌려오므로 금속 막대에 가까운 곳이 A는 양(+)전하로, B, C는 음(−)전하로 대전되어 있다. 이때 B는 정전기 유도에 의해 대전된 것이다.
- (나)의 결과
  중성인 금속 막대를 가까이 하였을 때 A와 C는 끌려온다. 이는 A, C 전체가 대전되어 있기 때문에 정전기 유도에 의해 서로 당기는 힘이 작용한 것이다. 반면 B는 중성 상태이므로 전기력이 작용하지 않는다.

---

03 스펙트럼

자료 분석 + 스펙트럼

(가)의 결과

(나)의 결과

(다)의 결과

(가)는 연속 스펙트럼, (나)는 방출 스펙트럼, (다)는 흡수 스펙트럼이 나타나며, (나)와 (다)에선 동일한 수소 기체를 사용하였으므로 선 스펙트럼의 위치는 같다.

ㄱ. 백열등 빛에 의한 스펙트럼은 연속 스펙트럼의 형태이다.

ㄴ. 선 스펙트럼이 불연속적으로 나타나는 것은 방출되는 빛의 에너지가 불연속적인 것이며, 이는 수소 원자의 전자 에너지가 불연속적인 에너지 준위를 형성하기 때문이다.

ㄷ. 동일한 수소 기체에서 에너지 준위는 동일하기 때문에 방출하거나 흡수하는 에너지는 동일하다. 따라서 선 스펙트럼의 위치도 같다.

04 에너지띠 구조

에너지띠는 무수히 많은 원자의 에너지 준위가 겹쳐서 형성된 것이다. 따라서 에너지띠에 존재하는 전자는 특정한 에너지 준위의 에너지를 갖는 것과 동일하므로 모두 에너지가 같지 않다. 반도체는 적당한 띠 간격을 갖고 있기 때문에 실온에 해당하는 열에너지를 흡수한 경우 전자의 전이가 가능하다.

05 발광 다이오드

자료 분석 + p-n 접합 다이오드

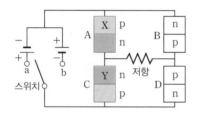

· a에 연결했을 때는 B와 C에 대해 순방향 연결, b에 연결했을 때는 A와 D에 대해 순방향 연결이다.
· 순방향 연결일 때는 p형 반도체 쪽에 (+)극, n형 반도체 쪽에 (−)극을 연결한다.

ㄱ. b에 연결했을 때 A와 D가 순방향 연결이므로 X는 p형 반도체이다.

🔍 바로 보기 ㄴ. b에 연결했을 때 C는 역방향 연결이므로 Y는 n형 반도체이다. n형 반도체에 역방향 연결되면 주요 전하 운반자인 전자는 접합면으로부터 멀어진다.

ㄷ. 저항에 흐르는 전류의 방향은 항상 왼쪽에서 오른쪽 방향이다.

06 직선 전류에 의한 자기장

A: 오른손의 엄지손가락이 전류의 방향을 향할 때 나머지 네 손가락이 도선을 감아쥐는 방향이 자기장의 방향이다. 따라서 직선 도선 아래에 놓인 나침반 자침의 N극은 서쪽으로 회전한다.

B: 직선 도선의 위쪽에서 자기장의 방향은 동쪽이므로 나침반을 도선 위쪽으로 옮기면 자침의 N극은 동쪽으로 회전한다.

🔍 바로 보기 C: 전류의 세기를 증가시키면 자기장의 세기가 세지지만 방향은 변하지 않는다. 따라서 나침반 자침의 회전 방향도 변하지 않는다.

07 자성체

강자성체: 외부 자기장과 같은 방향으로 강하게 자기화되는 물질로, 외부 자기장이 사라져도 자기화된 상태를 비교적 오래 유지한다.

상자성체: 외부 자기장과 같은 방향으로 약하게 자기화되는 물질로서 외부 자기장이 사라지면 자기화된 상태가 바로 사라진다.

반자성체: 외부 자기장과 반대 방향으로 자기화되는 물질로, 외부 자기장이 사라지면 자기화된 상태가 바로 사라진다.

08 전자기 유도

자료 분석 + 전자기 유도

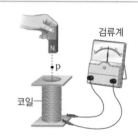

검류계

N

p

코일

· 실험 과정 (나)와 같이 N극을 아래로 하고 p점을 지날 때는 코일을 통과하는 아랫방향의 자기 선속이 증가하는 상황이다.
· 실험 과정 (라)와 같이 S극을 아래로 하고 p점을 지날 때는 코일을 통과하는 윗방향의 자기 선속이 증가하는 상황이다.
· 자석을 접근하는 속력을 빠르게 하면 자기 선속 변화율의 크기가 크므로 유도 전류의 세기가 크다.

유도 전류가 (다)에서와 반대 방향으로 더 세게 흘러야 하므로 가장 적절한 것은 ⑤이다.

Book 2

WEEK 2

Ⅲ 파동과 정보 통신

DAY 1 개념 돌파 전략 ① 확인 Q

34~35쪽

[7강] **1** 진동　　**2** 변하지 않는다　　**3** 파장, 진동수
4 법선, 진행 방향　　**5** 코어　　**6** 진동수　　**7** 위상　　**8** 상쇄

1 파동을 전달하는 물질인 매질은 파동의 진행 방향으로 이동하지 않고, 제자리에서 진동만 하며 파동을 전달해 주는 역할을 한다.

2 파원에서 발생한 진동이 전달되는 현상이 파동이므로 파원에서 결정된 진동수는 파동이 진행하는 과정에서 변하지 않는다. 즉, 파동이 진행하는 도중 매질이 달라지더라도 주기나 진동수는 변하지 않는다.

3 변위 – 위치 그래프에서는 진폭과 파장을 알 수 있고, 변위 – 시간 그래프에서는 진폭과 주기, 주기의 역수인 진동수를 알 수 있다.

4 입사각은 입사 파동의 진행 방향이 법선과 이루는 각이고, 굴절각은 굴절 파동의 진행 방향이 법선과 이루는 각이다.

5 광섬유는 전반사를 이용하는 장치이므로 빛이 굴절률이 큰 매질에서 작은 매질로 진행해야 한다. 따라서 코어의 굴절률이 클래딩의 굴절률보다 커야 한다.

6 전자기파(광자)의 에너지는 진동수가 클수록, 또는 파장이 짧을수록 크다.

7 위상은 매질의 변위와 진동 상태를 모두 포함하고 있는 물리량이며, 파동이 진행한 거리에 따른 위상을 통해 어떤 간섭을 하는지 파악할 수 있다.

8 물결파가 보강 간섭을 하는 지점에서는 수면의 높이가 최대로 진동하고, 상쇄 간섭을 하는 지점에서는 수면의 높이가 변하지 않고 일정하다.

DAY 1 개념 돌파 전략 ① 확인 Q

36~37쪽

[8강] **1** 방출되지 않는다　　**2** 짧다　　**3** 최대 운동 에너지
4 색 필터　　**5** 짧다　　**6** 파동성　　**7** 파동
8 작은

1 문턱 진동수보다 작은 진동수의 빛은 아무리 세기를 강하게 하더라도 광자 1개의 에너지가 작으므로 광전 효과가 일어나지 않는다.

2 금속의 일함수가 클수록 문턱 진동수가 큰 것이므로 광전자가 방출되기 위한 빛의 에너지가 커야 한다. 따라서 광전자가 방출되기 위한 빛의 진동수가 커야 하므로 파장은 짧아야 한다.

3 방출되는 광전자의 최대 운동 에너지는 광자의 에너지에서 일함수만큼을 뺀 값이다. 광자의 에너지는 진동수가 클수록 크기 때문에 진동수가 클수록 방출되는 광전자의 최대 운동 에너지도 커진다.

4 CCD는 색 필터를 투과한 빛의 에너지에 따라 방출되는 광전자의 에너지와 양이 달라진다. 따라서 이에 따른 전기 신호가 달라지므로 이를 이용하여 영상 정보를 전기 신호로 전환시킨다.

5 $E_\mathrm{k} = \dfrac{1}{2}mv^2 = \dfrac{p^2}{2m}$으로 입자의 운동 에너지가 클수록 운동량의 크기가 크다. 또한 $\lambda = \dfrac{h}{p}$로 입자의 운동량이 클수록 물질파 파장은 짧다. 즉, 입자의 운동 에너지가 클수록 물질파 파장이 짧다.

6 전자에 의한 회절무늬는 전자가 파동성을 지니고 있다는 결정적 증거이다.

7 니켈 결정이 회절 격자 역할을 하므로 전자선의 파동성에 의해 회절이 일어나고 간섭을 일으킨다.

8 전자 현미경은 가시광선보다 파장이 짧은 전자선을 이용한다. 따라서 광학 현미경보다 분해능이 좋기 때문에 광학 현미경보다 더 작은 물질을 관찰할 수 있다.

BOOK 2

DAY 1 개념 돌파 전략 ②

38~39쪽

1 ④ **2** ① **3** ② **4** ① **5** ① **6** ②

1 파동의 속력

자료 분석 + 변위–거리, 변위–시간 그래프의 해석

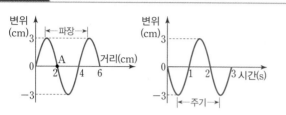

- (가)에서 파동의 파장은 4 cm임을 알 수 있다.
- (나)에서 파동의 주기는 2초임을 알 수 있다.

파동의 진행 속력은 $\dfrac{\text{파장}}{\text{주기}}=\dfrac{4\ \text{cm}}{2\ \text{s}}=2\ \text{cm/s}$이다.

2 굴절 법칙

자료 분석 + 굴절 법칙

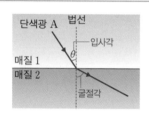

입사각이 굴절각보다 작기 때문에 단색광의 속력은 매질 1에서가 매질 2에서보다 느리다.

선택지 분석

ㄱ 단색광의 속력은 매질 2에서가 매질 1에서보다 빠르다.
✗ 단색광의 주기는 매질 1에서가 매질 2에서보다 크다. → 와 같다
✗ θ를 증가시켜도 단색광 A는 전반사할 수 없다. → 있다

ㄱ. 입사각이 굴절각보다 작기 때문에 단색광의 속력은 매질 1에서가 매질 2에서보다 느리다.

바로 보기 ㄴ. 단색광의 주기는 파원에서 결정되며, 진행하는 과정에서 매질이 변화해도 일정하게 유지된다.

ㄷ. 속력이 느린 매질에서 빠른 매질로 진행하는 경우이므로 입사각이 임계각보다 크면 단색광은 전반사할 수 있다.

암기 Tip 굴절 법칙

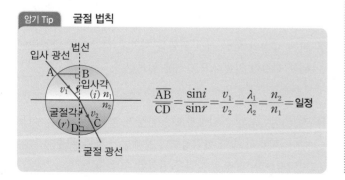

$\dfrac{\overline{\text{AB}}}{\overline{\text{CD}}}=\dfrac{\sin i}{\sin r}=\dfrac{v_1}{v_2}=\dfrac{\lambda_1}{\lambda_2}=\dfrac{n_2}{n_1}=$ 일정

3 물결파의 간섭

자료 분석 + 물결파의 간섭

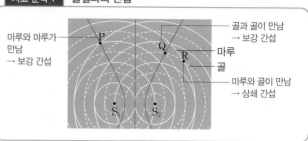

위상이 같은 두 파동이 한 지점에서 만났을 때 보강 간섭, 위상이 반대인 두 파동이 한 지점에서 만났을 때 상쇄 간섭이 나타난다.

4 광전 효과

ㄱ. 광전자가 튀어나오고 있으므로 단색광의 진동수는 문턱 진동수보다 크다.

바로 보기 ㄴ. 광전자가 튀어나오는 것은 빛의 파동성으로 설명할 수 없으며 광양자설의 근거가 되었다.

ㄷ. 튀어나오는 광전자의 수를 증가시키기 위해서는 금속판에 쪼여주는 광자의 수가 많아야 하므로 단색광의 세기를 증가시켜야 한다.

5 물질의 파동성

ㄴ. 니켈 결정에 입사한 전자선의 간섭은 전자의 파동성, 즉 물질의 파동성에 의해 나타나는 현상이다.

바로 보기 ㄱ. CCD는 빛의 입자성을 이용한 장치이다.

ㄷ. X선의 회절은 전자기파의 회절이므로 전자기파의 파동성에 의해 나타나는 현상이다.

6 물질파

운동 에너지 $E_k=\dfrac{1}{2}mv^2=\dfrac{p^2}{2m}$이며, 물질파 파장은

$\lambda=\dfrac{h}{p}=\dfrac{h}{\sqrt{2mE_k}}$이다. 따라서

$\lambda_A:\lambda_B=\dfrac{h}{\sqrt{2\times 4m\times 2E}}:\dfrac{h}{\sqrt{2\times 2m\times E}}=1:2$이다.

DAY 2 필수 체크 전략 ①

40~43쪽

❶-1 ㄴ, ㄷ   **❷**-1 매질 1 < 매질 2 < 매질 3
❸-1 ㄱ, ㄴ, ㄷ   **❹**-1 ㄱ, ㄷ   **❺**-1 ㄴ, ㄷ   **❻**-1 ㄱ, ㄷ
❼-1 ㄱ, ㄷ   **❽**-1 ㄱ, ㄴ, ㄷ

① -1 파동의 진행

ㄴ. (가)에서 파동의 파장은 4 cm이고, (나)에서 파동의 주기는 2초이므로 파동의 속력은 2 cm/s이다.

ㄷ. A점은 0초 직후 변위가 아랫방향이므로 파동의 진행 방향은 왼쪽 방향이다.

[바로 보기] ㄱ. 파동의 진폭은 진동 중심으로부터 최대 변위이므로 3 cm이다.

② -1 파동의 굴절

[자료 분석+] 파동의 굴절

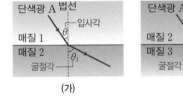

(가)   (나)

• 속력이 느린 매질에서 속력이 빠른 매질로 진행할 때 입사각<굴절각이다.
• (가)와 (나)에서 모두 입사각이 굴절각보다 작으므로 파동의 속력은 매질 1< 매질 2< 매질 3 순으로 빠르다.

(가)에서 단색광의 속력은 매질 1< 매질 2이고, (나)에서 단색광의 속력은 매질 2< 매질 3이다. 즉, 단색광의 속력은 매질 1< 매질 2< 매질 3 순으로 빠르다.

③ -1 전반사

[자료 분석+] 전반사

코어와 클래딩 사이에서는 전반사가 일어나고 있으며 P점에서 입사각 i가 감소할수록 코어와 클래딩 사이의 입사각 θ는 증가한다.

[선택지 분석]

㉠ $n_1 > n_2$이다.
㉡ θ는 임계각보다 크다.
㉢ A를 i보다 작은 각으로 P에 입사시키면, 코어와 클래딩의 경계면에 도달한 A는 전반사한다.

ㄱ, ㄴ. 코어와 클래딩 사이에서 단색광이 전반사하고 있으므로 코어의 굴절률은 클래딩의 굴절률보다 커야 하며, 입사각 θ는 임계각보다 커야 한다.

ㄷ. P에서 입사각 i가 작아지면 코어와 클래딩 사이의 입사각 θ는 더 커지므로 전반사한다.

④ -1 광섬유

ㄱ. 광섬유는 전반사를 이용한 장치이다.

ㄷ. 전반사를 이용한 장치이므로 코어의 굴절률은 클래딩의 굴절률보다 커야 한다.

[바로 보기] ㄴ. 코어의 굴절률이 클래딩의 굴절률보다 크기 때문에 빛의 속력은 코어에서가 클래딩에서보다 느리다.

⑤ -1 전자기파

ㄴ. 전자기파의 진동수가 클수록 에너지는 크다.

ㄷ. X선은 감마선보다는 진동수가 작고 자외선보다는 진동수가 크다.

[바로 보기] ㄱ. 전자기파의 진동수가 클수록 파장은 짧다. 따라서 C가 B보다 파장이 짧다.

[암기 Tip] 전자기파의 이용

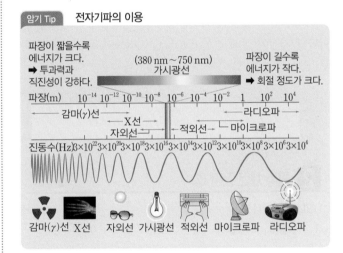

⑥ -1 파동의 중첩

[자료 분석+] 파동의 중첩

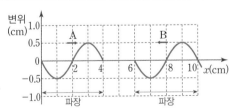

$x=5$ cm인 지점에서 두 파동의 위상은 반대이다.

[선택지 분석]

㉠ A의 진동수와 B의 진동수는 0.5 Hz로 같다.
✗ $x=5$ cm 지점에서의 최대 진폭은 1 cm이다. → 0이다
㉢ $x=6$ cm 지점에서의 최대 진폭은 1 cm이다.

ㄱ. A, B의 속력은 모두 2 cm/s이고 파장은 4 cm이므로 진동수는 0.5 Hz이다.

ㄷ. $x=6$ cm인 지점에서는 1.5초 지난 후에 마루와 마루가 만나므로 최대 진폭은 1 cm이다.

👁️**바로 보기**　ㄴ. $x=5$ cm인 지점에서 두 파동의 위상은 반대이므로 상쇄 간섭이 일어나 진폭은 0이다.

❼-1 수면파의 간섭

ㄱ. P점은 골과 골이 만나므로 보강 간섭 하는 지점이다.

ㄷ. Q점은 마루와 골이 만나므로 상쇄 간섭 하는 지점이다.

👁️**바로 보기**　ㄴ. 보강 간섭 지점은 두 파동이 같은 위상으로 만나 합성되므로 진폭이 $2A$가 된다.

❽-1 소리의 간섭

ㄱ. P점은 두 스피커로부터의 경로차가 0이므로 도달한 두 소리의 위상은 같다.

ㄴ. Q점은 상쇄 간섭 지점이므로 도달한 두 소리의 위상은 반대이다.

ㄷ. 소리의 크기는 진폭이 클수록 크기 때문에 보강 간섭이 나타난 지점이 상쇄 간섭이 나타난 지점보다 소리가 크게 들린다.

DAY 2 필수 체크 전략 ②

|44~45쪽

[최다 오답 문제]

1 ㄱ　**2** ㄴ, ㄷ　**3** ③　**4** ②　**5** ③　**6** ③　**7** ①　**8** ③

1 파동의 표현

자료 분석 + 변위 – 위치, 변위 – 시간 그래프

(가)　(나)

- (가)에서 진폭은 A가 B의 2배이고, 파장은 B가 A의 2배이다.
- (나)에서 주기는 A가 B의 2배이다.

선택지 분석

ⓘ 파동의 진폭은 A가 B의 2배이다.
✗ 파동의 진동수는 A가 B의 2배이다. ┌ $\frac{1}{2}$배
✗ 파동의 속력은 A가 B의 2배이다. ┌ $\frac{1}{4}$배

ㄱ. 진폭은 진동 중심으로부터 최대 변위이므로 A가 B의 2배이다.

👁️**바로 보기**　ㄴ. 파동의 진동수는 주기의 역수이므로 B가 A의 2배이다.

ㄷ. 파동의 속력은 진동수×파장 또는 $\frac{파장}{주기}$이므로 B가 A의 4배이다.

2 파동의 굴절

자료 분석 + 파동의 굴절

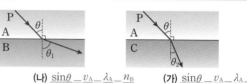

(나) $\frac{\sin\theta}{\sin\theta_1}=\frac{v_A}{v_B}=\frac{\lambda_A}{\lambda_B}=\frac{n_B}{n_A}$　(가) $\frac{\sin\theta}{\sin\theta_2}=\frac{v_A}{v_C}=\frac{\lambda_A}{\lambda_C}=\frac{n_C}{n_A}$

선택지 분석

✗ (가)에서 P의 진동수는 A에서가 B에서보다 작다. ┌ 와 같다
ⓛ (나)에서 P의 속력은 A에서가 C에서보다 크다.
ⓒ $\frac{\sin\theta_2}{\sin\theta_1}=\frac{n_B}{n_C}$이다.

ㄴ. (나)에서 입사각이 굴절각보다 크기 때문에 P의 속력은 A에서가 C에서보다 크다.

ㄷ. (가)와 (나)에서 적용한 굴절 법칙을 곱하면

$\frac{\sin\theta}{\sin\theta_1}\times\frac{\sin\theta_2}{\sin\theta}=\frac{n_B}{n_A}\times\frac{n_A}{n_C}$이므로 $\frac{\sin\theta_2}{\sin\theta_1}=\frac{n_B}{n_C}$와 같이 표현할 수 있다.

👁️**바로 보기**　ㄱ. 파동이 진행할 때 매질이 달라져도 진동수는 변하지 않는다.

3 광섬유와 전반사

자료 분석 + 광섬유와 전반사

(가)　(나)

- 임계각은 굴절률의 차이가 작을수록 크기 때문에 X와 Y 사이의 임계각이 Z와 Y 사이의 임계각보다 크다.
- θ_0이 증가하면 코어와 클래딩 사이의 입사각은 감소한다.

선택지 분석

ⓘ (가)에서 A를 θ_0보다 큰 입사각으로 X에 입사시키면 A는 X와 Y의 경계면에서 전반사하지 않는다.
✗ (나)에서 Z와 Y 사이의 임계각은 θ_1보다 크다. ┌ 작다
ⓒ (나)에서 A는 Z와 Y의 경계면에서 전반사한다.

ㄱ. θ_0보다 큰 입사각으로 입사시키면 X에서 Y로 입사할 때의 입사각은 θ_1보다 작아진다. 따라서 임계각보다 작은 입사각으로 입사하므로 전반사하지 않는다.

ㄷ. Z의 굴절률이 X보다 크기 때문에 공기에서 Z로 θ_0으로 입사했을 때 굴절각은 (가)에서보다 (나)에서가 더 작고, 코어에서 클래딩으로 진행할 때의 입사각은 (가)에서보다 (나)에서가 더 크다. 또한, 임계각은 (나)에서가 더 작기 때문에 (나)에서 A는 전반사한다.

👁 바로 보기   ㄴ. 두 매질의 굴절률의 차이가 클수록 임계각은 작아진다. 따라서 Z와 Y 사이의 임계각은 θ_1보다 작다.

4 파동의 굴절

자료 분석 +   파동의 굴절

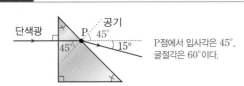

P점에서 입사각은 45°, 굴절각은 60°이다.

선택지 분석

⊠ $\dfrac{\sqrt{6}}{2}$ ② $\dfrac{\sqrt{6}}{3}$ ⊠ $\dfrac{\sqrt{6}}{4}$ ⊠ $\dfrac{\sqrt{3}}{2}$ ⊠ $\dfrac{\sqrt{3}}{3}$

프리즘의 굴절률을 n이라고 했을 때 P점에서의 임계각의 사인값은 $\dfrac{\sin\theta_C}{\sin 90°}=\sin\theta_C=\dfrac{1}{n}$이다($\because$ 공기의 굴절률이 1). 입사각이 45°일 때 굴절각이 60°이므로 굴절 법칙을 적용하면 $\dfrac{\sin 45°}{\sin 60°}=\dfrac{\dfrac{\sqrt{2}}{2}}{\dfrac{\sqrt{3}}{2}}=\dfrac{\sqrt{6}}{3}=\dfrac{1}{n}$이다.

5 전자기파

👁 바로 보기   ③ 전자기파의 진행 방향은 전기장의 진동 방향과 자기장의 진동 방향에 각각 수직한 방향이다.

6 파동의 중첩과 독립성

자료 분석 +   파동의 중첩

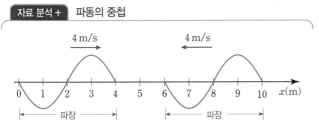

• 두 파동의 파장은 4 m이다.

선택지 분석

⊙ 두 파동의 주기는 1초이다.
ⓛ 0.5초 후 $x=5$ m인 지점의 변위는 0이다.
⊠ 두 파동이 만난 후 두 파동의 속력은 감소한다. → 변하지 않는다

ㄱ. 두 파동의 속력은 4 m/s, 파장은 4 m이므로 주기는 1초이다.

ㄴ. 0.5초 후 두 파동은 각각 2 m씩 이동하므로, $x=5$ m인 지점에서 두 파동은 상쇄 간섭 한다. 따라서 변위는 0이 된다.

👁 바로 보기   ㄷ. 파동은 중첩된 이후 서로에게 영향을 미치지 않고 자신의 성질을 유지하는 독립성을 지니고 있다. 따라서 속력이 변하지 않는다.

7 물결파에 의한 간섭

자료 분석 +   물결파에 의한 간섭

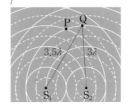

• P점은 마루와 마루가 만나는 보강 간섭, Q점은 마루와 골이 만나는 상쇄 간섭 지점이다.
• 보강 간섭 지점은 두 파원으로부터 경로차가 반파장의 짝수 배, 상쇄 간섭 지점은 두 파원으로부터 경로차가 반파장의 홀수 배이다.

선택지 분석

⊙ P점에서는 보강 간섭이 나타난다.
⊠ Q점의 수면의 높이가 가장 낮다. → 변하지 않는다
⊠ 두 파원에서 Q점까지의 경로차는 0.1 m이다. → 0.05 m

ㄱ. P점은 마루와 마루가 만나는 지점이므로 보강 간섭이 나타난다.

👁 바로 보기   ㄴ. Q점은 마루와 골이 만난 지점으로 수면의 높이가 변하지 않고 일정하게 유지되는 지점이다. 수면의 높이가 가장 낮은 지점은 골과 골이 만난 지점이다.

ㄷ. S_1로부터 Q점까지는 3.5λ만큼의 거리를 진행하고, S_2로부터 Q점까지는 3λ만큼의 거리를 진행한다. 따라서 두 파원에서 Q점까지의 경로차는 0.5λ, 즉 0.05 m이다.

8 얇은 막에 의한 간섭

자료 분석 +   얇은 막에 의한 간섭

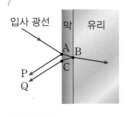

단색광이 A에서 반사할 때는 속력이 빠른 곳에서 느린 곳으로 입사하며, B에서 반사할 때는 속력이 느린 곳에서 빠른 곳으로 입사하는 상황이다.

선택지 분석

⊙ 단색광이 B에서 반사할 때, 위상은 변하지 않는다.
ⓛ B에서 반사각과 C에서 입사각의 크기는 같다.
⊠ 막의 두께가 무시할 수 있을 만큼 매우 얇으면 P와 Q는 보강 간섭 한다. → 상쇄

ㄱ. 빛이 속력이 느린 곳에서 빠른 곳으로 진행하며 반사할 때는 빛의 위상이 변하지 않는다.

ㄴ. B에서 입사각과 A에서 굴절각의 크기는 같으므로 B에서 반사각과 C에서 입사각의 크기도 같다.

바로 보기 ㄷ. 빛이 다른 매질로 진행할 때 매질에서의 속력에 따라 반사할 때 위상 변화가 다르게 나타난다. A에서 반사할 때는 위상이 반대가 되고, B에서 반사할 때는 위상이 변하지 않으므로 막이 매우 얇아 경로차를 무시할 수 있을 때 두 빛은 상쇄 간섭 한다.

DAY 3 필수 체크 전략 ①
46~49쪽

①-1 ㄱ, ㄴ **②**-1 ① **③**-1 ㄱ **④**-1 ㄱ
⑤-1 ㄱ, ㄷ **⑥**-1 ㄱ **⑦**-1 ㄴ, ㄷ

①-1 광전 효과

ㄱ. 초록색 빛을 비출 때 광전자가 튀어나오고 있으므로 초록색 빛의 진동수는 금속판의 문턱 진동수보다 크다.

ㄴ. 초록색 빛을 비출 때 광전자가 튀어나오고 있으므로 초록색보다 진동수가 큰 파란색 빛을 비출 때에도 광전자는 방출된다. 따라서 방출되는 광전자의 수는 증가한다.

바로 보기 ㄷ. 빨간색 빛은 초록색 빛보다 진동수가 작기 때문에 방출되는 광전자의 최대 운동 에너지, 즉 최대 속력이 증가할 수 없다.

②-1 광전 효과

광전자의 최대 운동 에너지 $E_k = hf - W$이다. 실험 Ⅰ에서 빛의 진동수는 f, 최대 운동 에너지는 E이므로 $E = hf - W$의 관계가 성립하며 실험 Ⅱ에서 빛의 진동수는 $2f$, 최대 운동 에너지는 $3E$이므로 $3E = h(2f) - W$의 관계가 성립한다. 따라서 $W = \frac{1}{2}hf$이다.

③-1 광 다이오드

자료 분석 + 광다이오드

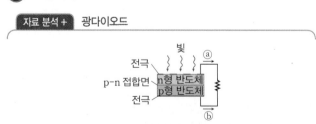

• 광 다이오드는 p-n 접합 다이오드로 구성되어 있다.
• 광자가 p-n 접합면으로 들어가면 접합면에서 전자-양공 쌍이 형성되고 전자는 n형 반도체 쪽으로, 양공은 p형 반도체 쪽으로 이동한다.
• 이동한 양공과 전자에 의해 n형 반도체 쪽은 (−)극, p형 반도체 쪽은 (+)극이 형성된다.

선택지 분석

㉠ 빛에 의해 p-n 접합면에서 전자-양공 쌍이 형성된다.
✗ 빛의 파동성을 이용한 장치이다. → 입자성
✗ 전류의 방향은 ⓐ이다. → ⓑ

ㄱ. 광 다이오드에서는 광전 효과에 의해 p-n 접합면에서 전자-양공 쌍이 형성된다.

바로 보기 ㄴ. 광전 효과에 의해 전자-양공 쌍이 형성되므로 빛의 입자성을 이용한 장치이다.

ㄷ. p형 반도체 쪽으로 양공이, n형 반도체 쪽으로 전자가 이동하면서 p형 반도체 쪽에 (+)극, n형 반도체 쪽에 (−)극이 형성되기 때문에 전류의 방향은 ⓑ이다.

④-1 물질파 파장

ㄱ. 물질파 파장은 운동량에 반비례한다. 속력이 v_0일 때 물질파 파장은 A가 B보다 크기 때문에 운동량의 크기는 A가 B보다 작다. 따라서 질량은 A가 B보다 작다.

바로 보기 ㄴ. 물질파 파장이 같으면 운동량의 크기도 같다.

ㄷ. 물질파 파장이 같을 때 운동량의 크기가 같으므로 운동 에너지는 질량에 반비례한다. 따라서 질량이 더 작은 A가 B보다 운동 에너지가 크다.

⑤-1 물질파의 간섭

자료 분석 + 물질파의 간섭

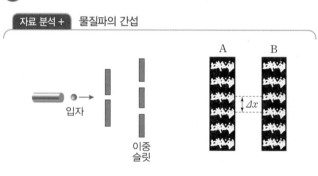

• A와 B의 같은 무늬는 파동성에 의해 나타나는 간섭무늬이다.
• 이웃한 간섭무늬 사이의 간격 $\Delta x = \frac{L\lambda}{d}$이다.

(d: 이중 슬릿 사이의 간격, L: 이중 슬릿과 형광판 사이의 거리, λ: 물질파의 파장)

선택지 분석

㉠ $x = 2v_0$이다.
✗ 물질파 파장은 A가 C보다 길다. → 짧다
㉢ Δx는 C를 이용했을 때가 A와 B를 이용했을 때보다 크다.

ㄱ. A와 B를 이용했을 때 간섭무늬 간격이 동일하므로 입자의 물질파 파장이 동일하다. 따라서 운동량의 크기가 같아야 하므로 $x = 2v_0$이다.

ㄷ. 물질파 파장은 C가 A와 B보다 길기 때문에 간섭무늬 간격은 C를 이용했을 때가 더 크다.

54 수능전략·물리학 Ⅰ

👁️ **바로 보기** ㄴ. A의 운동량은 $6m_0v_0$이고 C의 운동량은 $4m_0v_0$이다. 즉, 운동량의 크기는 A가 C보다 크기 때문에 물질파 파장은 A가 C보다 짧다.

⑥-1 전자선의 회절

ㄱ. 전자선에 의한 회절 무늬는 전자의 파동성에 의해 나타나는 것이다.

👁️ **바로 보기** ㄴ. 전자의 속력을 증가시키면 운동량이 증가하므로 물질파 파장은 짧아진다.

ㄷ. 파장이 길수록 회절이 잘 일어난다. 따라서 전자의 속력이 증가하면 파장이 짧아져 회절은 잘 일어나지 않는다.

⑦-1 전자 현미경

ㄴ. 3차원 입체상을 관찰할 수 있는 현미경은 주사 전자 현미경이다.

ㄷ. 주사 전자 현미경은 시료 표면을 전도성 물질로 감싸고 전도성 물질에서 방출되는 전자를 검출하여 상을 관측한다.

👁️ **바로 보기** ㄱ. 전자 현미경은 전자선의 물질파 파장을 이용하기 때문에 가시광선보다 더 짧은 파장을 이용한다. 즉 λ는 가시광선보다 파장이 짧다.

암기 Tip	전자 현미경

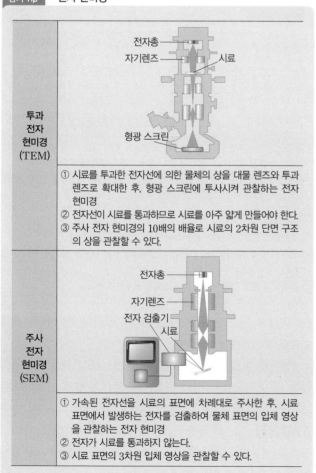

| 투과 전자 현미경 (TEM) | ① 시료를 투과한 전자선에 의한 물체의 상을 대물 렌즈와 투과 렌즈로 확대한 후, 형광 스크린에 투사시켜 관찰하는 전자 현미경
② 전자선이 시료를 통과하므로 시료를 아주 얇게 만들어야 한다.
③ 주사 전자 현미경의 10배의 배율로 시료의 2차원 단면 구조의 상을 관찰할 수 있다. |
| 주사 전자 현미경 (SEM) | ① 가속된 전자선을 시료의 표면에 차례대로 주사한 후, 시료 표면에서 발생하는 전자를 검출하여 물체 표면의 입체 영상을 관찰하는 전자 현미경
② 전자가 시료를 통과하지 않는다.
③ 시료 표면의 3차원 입체 영상을 관찰할 수 있다. |

DAY 3 필수 체크 전략 ② | 50~51쪽

[최다 오답 문제]

1 ⑤ **2** ㄱ, ㄴ, ㄷ **3** ㄱ, ㄴ **4** ㄱ, ㄴ **5** ③ **6** ③
7 ⑤ **8** ③

1 광전 효과와 광양자설

① 금속에서 광전자가 방출되기 위해서는 광자의 에너지가 특정한 값 이상이어야 한다. 즉, 문턱 진동수 이상의 빛을 비출 때 광전자가 방출된다.

② 방출되는 광전자의 최대 운동 에너지는 금속에 비추는 빛의 진동수와 관련 있으며 빛의 세기에는 무관하다. 빛의 세기는 광자의 수와 관련 있다.

③ 광양자설에 의하면 광자의 에너지가 특정 에너지 이상이면 광전자는 즉시 방출된다.

④ 광자의 에너지는 플랑크 상수와 진동수의 곱으로 정의된다. 즉, 광자의 에너지는 진동수에 비례한다.

👁️ **바로 보기** ⑤ 광자 1개의 에너지는 플랑크 상수와 진동수의 곱으로 정의되며, 광자의 흐름은 광자의 개수에 따라 결정되므로 빛은 불연속적인 에너지를 갖는 흐름으로 정의된다.

2 광자의 에너지와 일함수

자료 분석 +	광자의 진동수 및 파장과 일함수

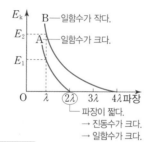

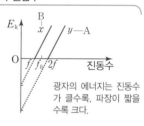

광자의 에너지는 진동수가 클수록, 파장이 짧을수록 크다.

선택지 분석

㉠ 금속의 일함수는 A가 B보다 크다.
㉡ f_0일 때 A에서 광전자가 방출되지 않는다.
㉢ $E_1 : E_2 = 2 : 3$이다.

ㄱ. 처음으로 광전자가 방출되는 파장은 A가 B보다 짧기 때문에 필요한 광자의 에너지는 A가 B보다 큰 것이다. 따라서 금속의 일함수는 A가 B보다 크다.

ㄴ. 일함수가 클수록 문턱 진동수가 크기 때문에 x는 B, y는 A이다. 따라서 f_0일 때 A에서는 광전자가 방출되지 않는다.

ㄷ. (가)에서 A의 일함수는 $\dfrac{hc}{2\lambda}$, B의 일함수는 $\dfrac{hc}{4\lambda}$이다. 따라서 $E_1 = \dfrac{hc}{\lambda} - \dfrac{hc}{2\lambda} = \dfrac{hc}{2\lambda}$이고 $E_2 = \dfrac{hc}{\lambda} - \dfrac{hc}{4\lambda} = \dfrac{3hc}{4\lambda}$이므로 $E_1 : E_2 = \dfrac{1}{2} : \dfrac{3}{4} = 2 : 3$이다.

3 광전 효과를 이용한 장치

광전 효과를 이용한 장치

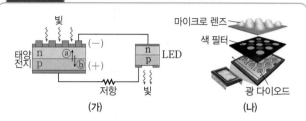

(가)   (나)

- (가)의 LED에서 빛이 방출되고 있기 때문에 태양 전지에 의해 LED에 순방향으로 전압이 연결되어야 한다.
- (나)에서 색 필터를 통과한 빛에 의한 광전 효과로 인해 빛 신호를 전기 신호로 전환한다.

선택지 분석

ㄱ (가)에서 전자의 이동 방향은 ⓐ이다.
ㄴ (나)에서 색 필터는 특정한 색의 빛만을 통과시키는 역할을 한다.
✗ (가)와 (나)는 모두 빛의 파동성을 이용한 장치이다. → 입자성

ㄱ. (가)의 LED에서 빛이 방출되기 위해서는 태양 전지의 아래쪽이 (＋)극, 위쪽이 (－)극이 되어야 한다. 따라서 태양 전지의 아래쪽이 p형 반도체, 위쪽이 n형 반도체이다. 따라서 빛이 입사하면 양공은 p형 반도체 쪽으로, 전자는 n형 반도체 쪽으로 이동하므로 전자는 ⓐ 방향으로 이동한다.

ㄴ. 색 필터는 특정한 색의 빛만을 통과시켜 특정색의 빛 신호를 변환시킨다.

바로 보기 ㄷ. (가)와 (나) 모두 빛의 입자성을 이용한 장치이다.

4 빛의 이중성

빛의 이중성

19세기 빛의 간섭 실험과 매질 내에서 빛의 속력 측정 실험 등으로 빛의 ㉠ 이 인정받게 되었다. 그러나 빛의 파동성으로 설명할 수 없는 광전 효과를 아인슈타인이 광양자설을 도입하여 설명한 이후 빛의 입자성도 인정받게 되었다.

- 빛의 이중성은 빛이 파동성과 입자성을 동시에 지니고 있다는 것이며, 물리적 상황을 해석할 때 파동으로 해석해야 할 경우도 있고 입자로 해석해야 할 경우도 있다.

선택지 분석

ㄱ ㉠은 '파동성'이다.
ㄴ 광양자설에 따르면 빛은 입자로 이루어져 있으며 빛의 에너지는 양자화되어 있다.
✗ 빛은 파동성과 입자성을 동시에 나타낼 수 있다. → 없다

ㄱ. 빛의 간섭 실험과 빛의 속력을 측정하는 실험은 빛의 파동성을 증명한 실험이다.

ㄴ. 광양자설에 따르면 빛은 광자라는 입자로 이루어져 있으며,

빛의 에너지는 광자 1개의 에너지 단위로 양자화되어 있다.

바로 보기 ㄷ. 빛은 파동성과 입자성을 동시에 지니고 있지만 그 특성이 동시에 나타날 수는 없다.

5 물질파 파장

운동 에너지와 물질파 파장의 관계

입자	운동 에너지	물질파 파장
A	$4E$	2λ
B	E	3λ

- 입자의 운동 에너지는 $E_k = \frac{1}{2}mv^2 = \frac{p^2}{2m}$ 이며, 물질파 파장은 $\lambda = \frac{h}{mv} = \frac{h}{p}$ 에서 $p = \frac{h}{\lambda}$ 이다.

A는 $4E = \frac{p_A^2}{2m_A} = \frac{1}{2m_A}\left(\frac{h}{2\lambda}\right)^2 = \frac{h^2}{8m_A\lambda^2}$ 이고,

B는 $E = \frac{p_B^2}{2m_B} = \frac{1}{2m_B}\left(\frac{h}{3\lambda}\right)^2 = \frac{h^2}{18m_B\lambda^2}$ 이다.

따라서 질량의 비는 $\frac{1}{32} : \frac{1}{18} = 9 : 16$ 이다.

6 전자선의 간섭

전자선의 간섭

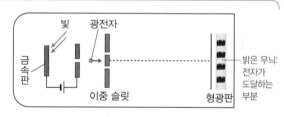

- 형광판의 밝은 부분은 전자가 많이 도달하여 빛이 많이 방출되는 부분이고, 어두운 부분은 전자가 도달하지 않아 빛이 방출되지 않는 부분이다.
- 전자선이 도달하는 부분과 도달하지 않는 부분이 반복되는 것은 입자성으로 설명할 수 없다. → 파동성으로 설명할 수 있다.

선택지 분석

ㄱ 광전자의 속력이 커지면 광전자의 물질파 파장은 짧아진다.
✗ 초록색 빛의 세기를 감소시켜도 간섭무늬의 밝은 부분은 밝기가 변하지 않는다. → 감소한다
ㄷ 금속판의 문턱 진동수는 빨간색 빛의 진동수보다 크다.

ㄱ. 속력이 커지면 운동량이 커지고, 물질파 파장은 입자의 운동량 크기에 반비례한다.

ㄷ. 빨간색 빛을 비추었을 때 금속판에서 광전자가 방출되지 않는 것은 금속판의 문턱 진동수가 빨간색 빛의 진동수보다 크기 때문이다.

바로 보기 ㄴ. 초록색 빛의 세기를 감소시키면 금속에서 방출되는 광전자의 수가 감소하므로 형광판에 도달하는 전자의 수가 감소하여 빛의 밝기가 감소한다.

7 물질의 이중성

자료 분석 + 물질의 이중성

드브로이는 파동이 입자의 성질을 갖는다면 전자와 같은 입자도 <u>ㄱ</u> 을 가질 것이라고 주장하고, 물질 입자가 나타내는 파동을 물질파 또는 드브로이파로 정의하였다. 파동과 마찬가지로 입자 역시 입자성과 파동성이 동시에 정의되는 이중성을 갖고 있다고 주장하였다.

물질의 이중성은 빛과 마찬가지로 물질도 파동성과 입자성을 동시에 지니고 있다는 것이며, 물리적 상황을 해석할 때 파동으로 해석해야 할 경우도 있고 입자로 해석해야 할 경우도 있다.

선택지 분석

ㄱ ㉠은 '파동성'이다.
ㄴ 물질파 파장은 입자의 운동량에 반비례한다.
ㄷ 입자의 파동성과 이중성은 동시에 나타날 수 없다.

ㄱ. 파동으로 알고 있던 빛이 입자성을 지니고 있는 것처럼 입자도 파동성을 지닐 수 있을 것이라고 주장하였다. 이를 물질의 이중성이라고 한다.

ㄴ. $\lambda=\dfrac{h}{mv}=\dfrac{h}{p}$이다. 즉, 물질파 파장은 입자의 운동량에 반비례한다.

ㄷ. 입자와 파동의 이중성은 그 성질이 동시에 관측될 수 없다.

8 전자 현미경

자료 분석 + 전자 현미경

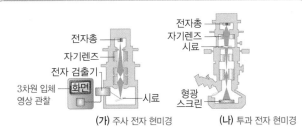

(가) 주사 전자 현미경   (나) 투과 전자 현미경

선택지 분석

ㄱ (가)는 시료의 입체 영상을 관찰할 수 있다.
ㄴ (나)는 시료를 얇게 만들어야 한다.
✗ (가)와 (나)에서 전자를 이용하는 까닭은 가시광선보다 파장이 길기 때문이다. ⌐→ 짧기

ㄱ. (가)는 주사 전자 현미경이다. 주사 전자 현미경은 3차원 입체 영상을 관찰할 수 있고, 투과 전자 현미경은 2차원 단면 영상을 관찰할 수 있다.

ㄴ. 투과 전자 현미경은 전자선이 시료를 투과할 때 변화하는 에너지를 이용하여 관측하는 장치이다. 따라서 시료를 얇게 만들어야 한다.

👁 바로 보기   ㄷ. 전자의 물질파 파장은 가시광선보다 파장이 짧고, 파장이 짧을수록 분해능이 좋기 때문에 전자 현미경은 광학 현미경보다 더 작은 물질을 관측할 수 있다.

누구나 합격 전략   52~53쪽

01 $-x$ 방향, 1 m/s	02 ④	03 ③
04 ①	05 ⑤	06 ⑤	07 $2.5hf_1$
08 ③	09 ①	10 ⑤	

01 파동의 요소

(가)에서 파동의 파장이 4 m, (나)에서 주기가 4초임을 알 수 있으므로 파동의 속력은 1 m/s이다. 또한, (나)에서 A점은 다음 순간 (＋)방향으로 진동하므로 (가)에서 파동은 $-x$ 방향으로 진행해야 한다.

02 파동의 굴절

자료 분석 + 파동의 굴절

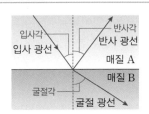

A에서 B로 진행하는 과정에서 입사각은 굴절각보다 작다.
→ A에서의 속력이 B에서보다 작다.
→ A의 굴절률이 B보다 크다.

선택지 분석

ㄱ A의 굴절률이 B의 굴절률보다 크다.
✗ 반사 광선의 속력이 굴절 광선의 속력보다 크다. ⌐→ 작다
ㄷ 굴절 광선의 파장은 입사 광선의 파장보다 길다.

ㄱ. 매질 A에서 B로 진행할 때 입사각이 굴절각보다 작으므로 속력은 A에서가 B에서보다 작다. 따라서 A의 굴절률은 B의 굴절률보다 크다.

ㄷ. 빛의 진동수는 매질이 달라져도 일정하기 때문에 파동의 속력이 증가하면 파장이 길어진다. 따라서 굴절 광선의 파장이 입사 광선의 파장보다 길다.

👁 바로 보기   ㄴ. 빛의 속력은 매질에 따라 결정되기 때문에 반사 광선의 속력은 입사 광선의 속력과 같다. 따라서 반사 광선의 속력은 굴절 광선의 속력보다 작다.

03 간섭에 의한 여러 가지 현상

ㄱ. 여객기 내부에서 엔진 소음을 제거하는 장치는 소리의 상쇄 간섭을 이용한다.

ㄷ. 안경 렌즈의 무반사 코팅은 렌즈의 윗면과 아랫면에서 반사한 빛의 상쇄 간섭을 이용다.

👁 바로 보기   ㄴ. 뜨거운 사막에서 보이는 신기루는 공기의 온도차에 의한 빛의 속력 차이로 인한 굴절로 인해 나타난다.

04 파동의 간섭

자료 분석 + 파동의 간섭

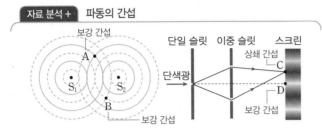

(가)의 A는 마루와 마루, B는 골과 골이 만나 보강 간섭이 일어나는 지점이고, (나)의 C는 위상이 반대인 두 빛이 만나 상쇄 간섭이 일어나는 지점이고, D는 위상이 같은 두 빛이 만나 보강 간섭이 일어나는 지점이다.

선택지 분석

㉠ A와 D는 보강 간섭이 일어나는 지점이다.

✘. B와 C는 상쇄 간섭이 일어나는 지점이다. → B는 보강 간섭

✘. B에서 수면의 높이는 시간이 지나도 변하지 않는다. → 계속 변한다.

ㄱ. A는 마루와 마루가 만난 지점, D는 밝은 무늬가 형성된 지점이므로 보강 간섭이 일어나는 지점이다.

바로 보기 ㄴ. B는 골과 골이 만나는 보강 간섭이 일어나는 지점, C는 어두운 무늬가 형성된 지점이므로 상쇄 간섭이 일어나는 지점이다.

ㄷ. B는 보강 간섭이 일어나는 지점이므로 수면의 높이가 시간에 따라 진동하며, 수면의 높이가 변하지 않는 지점은 상쇄 간섭이 일어나는 지점이다.

05 전반사

ㄴ. 빛이 코어와 클래딩 사이에서 전반사하고 있으므로 임계각은 입사각인 θ보다 작다.

ㄷ. 단색광 A를 i보다 작게 입사시키면 코어와 클래딩 사이의 입사각은 θ보다 커지기 때문에 A는 전반사한다.

바로 보기 ㄱ. 빛이 코어와 클래딩 사이에서 전반사하고 있으므로 굴절률은 코어가 클래딩보다 커야 한다. 즉, $n_1 > n_2$이다.

06 광전 효과

ㄱ. 광전 효과에 의해 전자가 금속판에서 방출되고 있으므로 검전기 전체는 양(+)전하로 대전된다.

ㄴ. 광전자가 방출되고 있으므로 진동수 f는 금속판의 문턱 진동수보다 크다.

ㄷ. 빛의 밝기를 증가시키면 광자의 수가 늘어나 방출되는 광전자의 수가 늘어난다. 따라서 검전기 전체가 띠는 양(+)전하의 전하량이 더 증가하므로 금속박은 더 벌어진다.

07 광전 효과

$2f_1$일 때 광전자가 방출되고 있으며, 이때 최대 운동 에너지는 hf_1이므로 $hf_1 = h \times 2f_1 - W$에서 $W = hf_1$이다. 따라서 진동수가 $3.5f_1$인 빛을 비추면 $h \times 3.5f_1 - W = 3.5hf_1 - hf_1 = 2.5hf_1$이므로 최대 운동 에너지는 $2.5hf_1$이다.

08 빛과 물질의 이중성

ㄱ. CCD는 광전 효과를 이용하여 빛 신호를 전기 신호로 전환하는 장치이다. 광전 효과는 빛의 입자성을 이용하여 설명할 수 있다.

ㄷ. 태양 전지에 특정 에너지 이상의 빛을 쪼여주면 회로에 전류가 흐르는 것은 광전 효과에 의해 p-n 접합면에서 전자-양공 쌍이 형성되기 때문이다.

바로 보기 ㄴ. 금속박에 X선을 입사시키면 전자기파의 회절 현상에 의해 회절 무늬가 나타난다. 이는 빛의 파동성을 이용하여 설명할 수 있다.

09 물질파

자료 분석 + 물질파에 의한 현상

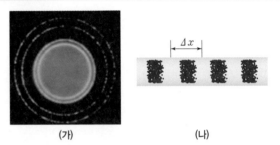

(가)　　　　　　　　(나)

• (가)는 금속의 회절 격자에 의해 전자선이 회절하여 나타난 회절 무늬이다.

• (나)는 전자선이 이중 슬릿에 의해 간섭하여 도달하는 지점과 도달하지 않는 지점이 반복하여 나타나는 간섭무늬이다.

선택지 분석

㉠ (가)와 (나)는 모두 전자의 파동성에 의해 나타나는 현상이다.

✘. (가)는 전자선의 반사에 의해 나타나는 현상이다. → 회절

✘. (나)에서 전자선의 속력을 증가시키면 Δx는 증가한다. → 감소한다

ㄱ. 전자의 회절과 간섭 현상은 입자의 파동성에 의해 나타나는 현상이다.

바로 보기 ㄴ. (가)는 전자선의 회절에 의해 나타나는 현상이다.

ㄷ. Δx는 이웃한 무늬 사이의 간격이며 무늬 사이의 간격은 파장이 길수록 크다. 따라서 전자선의 속력을 증가시키면 물질파 파장이 짧아지기 때문에 Δx는 감소한다.

10 전자 현미경

① 광학 현미경은 렌즈에 의한 굴절을 이용하는 장치이다.

② 전자 현미경은 전자선의 파동성을 이용한 장치이다.

③ 주사 전자 현미경은 시료 표면에 코팅한 전도성 물질에서 방출하는 전자를 검출하여 상을 관측하는 장치이다.

④ 투과 전자 현미경은 전자가 투과할 때 전자선의 에너지 변화를 이용하여 상을 관측하는 장치이다.

바로 보기 ⑤ 주사 전자 현미경은 투과 전자 현미경보다 분해능이 좋지 않다.

창의·융합·코딩 전략 | 54~57쪽

01 ②	**02** A: 마이크로파, B: X선, C: 자외선	**03** ①
04 ①	**05** ③ **06** ③ **07** ③ **08** ③	

01 파동의 요소

B: 파장은 매질이 1회 진동하는 동안 파동이 진행한 거리를 의미한다.

바로 보기 A: 진폭은 진동 중심에서 마루 또는 골까지의 거리를 의미한다.
C: 파동의 진동수는 파원에서 결정되며 매질이 달라지더라도 변하지 않는다. 매질이 변할 때 파동의 속력과 파장이 변한다.

02 전자기파

전자기파의 에너지는 진동수가 클수록, 또는 파장이 짧을수록 크다. 전자기파의 에너지가 클수록 투과력과 직진성이 좋으며 전자기파의 에너지가 작을수록 회절이 잘 일어나 통신에 용이하게 사용할 수 있다.

03 빛의 굴절

자료 분석 + 빛의 굴절

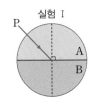 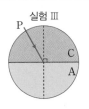

실험 Ⅰ 실험 Ⅱ 실험 Ⅲ

[실험 결과]

실험	입사각	굴절각
Ⅰ	$45°$	$30°$
Ⅱ	$30°$	$25°$
Ⅲ	$30°$	㉠

- 실험 Ⅰ : $\dfrac{\sin45°}{\sin30°}=\dfrac{v_A}{v_B}=\dfrac{\lambda_A}{\lambda_B}=\dfrac{n_B}{n_A}$ 이다.
- 실험 Ⅱ : $\dfrac{\sin30°}{\sin25}=\dfrac{v_B}{v_C}=\dfrac{\lambda_B}{\lambda_C}=\dfrac{n_C}{n_B}$ 이다.
- 실험 Ⅲ : $\dfrac{\sin30°}{\sin㉠}=\dfrac{v_C}{v_A}=\dfrac{\lambda_C}{\lambda_A}=\dfrac{n_A}{n_C}$ 이다.

선택지 분석
㉠ ㉠은 $45°$보다 크다.
✗. P의 파장은 A에서가 B에서보다 **짧다.** ↳ 길다
✗. 임계각은 P가 B에서 A로 진행할 때가 C에서 A로 진행할 때보다 **작다.** ↳ 크다

ㄱ. P의 속력은 A에서가 B에서보다 빠르고, B에서가 C에서보다 빠르다. 실험 Ⅰ과 Ⅱ의 결과를 이용하면 $\dfrac{\sin45°}{\sin25°}=\dfrac{v_A}{v_C}$ 이므로 입사각이 $30°$이면 ㉠은 $45°$보다 크다.

바로 보기 ㄴ. P의 속력은 A에서가 B에서보다 빠르므로 파장은 A에서가 더 길다.

ㄷ. 임계각은 두 매질의 굴절률 차이가 클수록 작다. B에서 A로 진행할 때가 $\sin\theta_c=\dfrac{n_A}{n_B}=\dfrac{\sin30°}{\sin45°}$, C에서 A로 진행할 때가 $\sin\theta_c=\dfrac{n_A}{n_C}=\dfrac{\sin25°}{\sin45°}$ 이므로 임계각은 C에서 A로 진행할 때가 더 작다.

04 전반사와 광섬유

A: 광섬유는 빛을 이용하여 정보를 전달하는 장치이므로 정보 전달이 빠르고 손실이 적다.

바로 보기 B: 광섬유에서 사용하는 전자기파는 적외선이다.
C: 코어와 클래딩 사이에서 전반사하기 위해서는 코어의 굴절률이 클래딩의 굴절률보다 커야 하고, 임계각을 작게 하기 위해서는 코어와 클래딩의 굴절률의 차이가 커야 한다. 따라서 굴절률이 가장 큰 물질 A를 코어, 굴절률이 가장 작은 물질 C를 클래딩으로 제작해야 한다.

05 광전 효과

자료 분석 + 광전 효과

과정	단색광의 종류	전류의 세기
Ⅰ	A	0 — 광전 효과가 발생하지 않음
	B	I_0
Ⅱ	B	$2I_0$

- 실험 Ⅰ에서 A를 비출 때 전류가 흐르지 않으므로 광전자가 방출되지 않았고, B를 비출 때 전류가 흐르므로 광전자가 방출되었다.
- 실험 Ⅱ에서 전류의 세기가 증가하였으므로 B를 비출 때 방출되는 광전자의 수가 증가한 것이다.

선택지 분석
㉠ 금속판의 문턱 진동수는 A의 진동수보다 크다.
㉡ B의 세기는 Ⅱ에서가 Ⅰ에서보다 세다.
✗. B에 의해 금속판에서 방출되는 광전자의 최대 운동 에너지는 Ⅱ에서가 Ⅰ에서보다 **크다.** ↳ 와 같다

ㄱ. A의 진동수는 문턱 진동수보다 작기 때문에 광전자가 방출되지 않는다.

ㄴ. 전류의 세기가 증가한 것은 방출되는 광전자의 수가 증가한 것이므로 B의 세기는 Ⅱ에서가 Ⅰ에서보다 세다.

바로 보기 ㄷ. 금속판에서 방출되는 광전자의 최대 운동 에너지는 진동수가 클수록 크다. Ⅰ과 Ⅱ에서 사용한 B의 진동수는 변하지 않았으므로 광전자의 최대 운동 에너지는 변하지 않는다.

06 물질파 증거

자료 분석 + 데이비슨 거머 실험

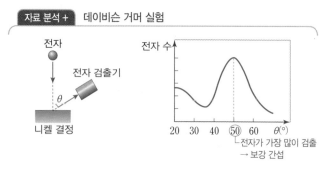

데이비슨과 거머 실험 결과 특정 각도에서 전자의 수가 많이 검출되었다. 이는 니켈 결정의 격자 사이가 슬릿의 역할을 하여 전자선에 의한 물질파가 회절하고, 이 회절에 의해 간섭 현상이 나타나기 때문이다.

선택지 분석

ㄱ 데이비슨과 거머의 실험으로 전자의 파동성의 증명되었다.

ㄴ 50°의 각으로 산란된 전자가 많은 것은 회절에 의한 보강 간섭으로 해석할 수 있다.

✗ 전자의 속력을 증가시켜도 50°의 각으로 산란된 전자의 수가 최대이다.
　　　　　　　　　　　　　　　　— 전자의 속력에 따라 달라진다.

ㄱ. 데이비슨과 거머의 실험은 전자의 물질파로 설명되므로 전자의 파동성의 증거이다.

ㄴ. 전자의 수가 많이 검출되는 것은 전자의 물질파 파장이 중첩되어 보강 간섭한 결과 전자가 발견될 확률에 대한 진폭이 커지기 때문이다.

바로 보기 ㄷ. 전자의 속력을 증가시키면 전자의 물질파 파장이 짧아지므로 간섭 조건이 달라진다.

07 빛과 물질의 이중성

A: 광전 효과는 빛의 파동성으로 설명할 수 없어 광양자설이라는 입자성이 등장하게 되었다.

C: 빛과 입자의 이중성은 그 특징이 동시에 나타나지는 않는다.

바로 보기 B: 입자의 운동 에너지는 $E_k = \frac{1}{2}mv^2 = \frac{p^2}{2m}$

에서 $p = \sqrt{2mE_k}$ 이며 물질파 파장은 $\lambda = \frac{h}{mv} = \frac{h}{p}$ 이다. 따라서 드브로이 파장은 운동량에 반비례하며, 운동량은 운동 에너지의 제곱근에 비례하므로 드브로이 파장은 운동 에너지의 제곱근에 반비례한다.

08 전자 현미경

자료 분석 + 전자 현미경

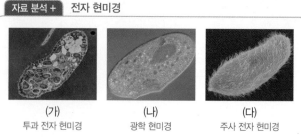

| (가) | (나) | (다) |
| 투과 전자 현미경 | 광학 현미경 | 주사 전자 현미경 |

(가)는 (나)보다 더 자세한 단면 구조를 관측할 수 있기 때문에 (가)는 투과 전자 현미경, (나)는 광학 현미경으로 관측한 모습이며, (다)는 3차원 입체상을 관측한 모습이므로 주사 전자 현미경으로 관측한 모습이다.

선택지 분석

ㄱ (가)는 투과 전자 현미경으로 관측한 결과이다.

✗ (나)를 관측한 현미경은 분해능이 가장 좋다. ┌→ 나쁘다

ㄷ (다)의 결과를 얻기 위해서는 시료를 전도성 물질로 코팅해야 한다.

ㄱ. (가)는 투과 전자 현미경으로 2차원 단면 구조를 관측한 결과이다.

ㄷ. (다)는 주사 전자 현미경으로, 시료를 전도성 물질로 코팅해야 한다.

바로 보기 ㄴ. (나)를 관측한 현미경은 광학 현미경으로 분해능이 가장 나쁘다.

| 01 ③ | 02 ③ | 03 ② | 04 ③ | 05 ③ |
| 06 ⑤ | 07 ③ | 08 ⑤ | | |

01 에너지띠와 전기 전도도

자료 분석 +   에너지띠와 전기 전도도

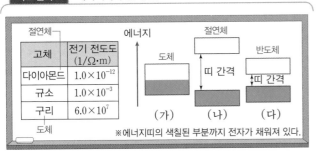

고체	전기 전도도 $(1/\Omega \cdot m)$
다이아몬드	1.0×10^{-12}
규소	1.0×10^{-3}
구리	6.0×10^{7}

※에너지띠의 색칠된 부분까지 전자가 채워져 있다.

• 전기 전도도가 클수록 전류가 잘 흐르는 물질이다.
• 에너지띠의 띠 간격이 클수록 전기 전도성이 나쁘다.

선택지 분석

~~학생A~~: 띠 간격은 다이아몬드가 규소보다 작아. → 커
~~학생B~~: 구리의 에너지띠 구조는 (다)야. → (가)
(학생C): 규소에 붕소를 도핑하면 전기 전도도가 커져.

C: 규소에 붕소를 도핑하면 남는 전자가 발생하여 전기 전도도가 커진다.

바로 보기   A: 절연체인 다이아몬드의 전기 전도도는 반도체인 규소보다 나쁘다. 따라서 띠 간격은 다이아몬드가 규소보다 더 크다.
B: 구리는 도체이므로 구리의 에너지띠 구조는 띠 간격이 없는 (가)이다.

02 전자기 유도

자료 분석 +   자기장 영역에 들어가는 사각형 도선

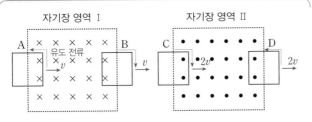

• 사각형 도선 내부에서 자기장을 통과하는 면적이 변하면 자기 선속 변화에 의한 유도 전류가 발생한다.
• 자기 선속 변화를 방해하는 방향으로 자기장이 발생하도록 사각형 도선에 유도 전류가 흐른다.

선택지 분석

(ㄱ) A와 D에서 도선에 흐르는 유도 전류의 방향은 시계 반대 방향이다.
✗. B와 C에서 도선에 흐르는 유도 전류의 방향은 시계 반대 방향이다. → 시계
(ㄷ) 유도 전류의 세기는 C, D에서가 A, B에서의 2배이다.

ㄱ. A에서는 도선을 통과하는 종이면에 수직으로 들어가는 방향의 자기 선속이 증가하므로 종이면에서 수직으로 나오는 방향의 자기장이 발생하도록 시계 반대 방향으로 유도 전류가 흐르고, D에서는 도선을 통과하는 종이면에서 수직으로 나오는 방향의 자기 선속이 감소하므로 종이면에서 수직으로 나오는 자기장이 발생하도록 시계 반대 방향으로 유도 전류가 흐른다. 즉, A와 D에서 도선에 흐르는 유도 전류의 방향은 시계 반대 방향이다.

ㄷ. 유도 전류의 세기는 자기 선속의 변화율의 크기에 비례한다. 사각형 도선의 이동 속력이 빠를수록 면적 변화가 크기 때문에 C, D에서 유도되는 전류의 세기가 A, B에서 유도되는 전류의 세기의 2배이다.

바로 보기   ㄴ. B에서 도선을 통과하는 종이면에 수직으로 들어가는 방향의 자기 선속이 감소하므로 종이면에 수직으로 들어가는 방향의 자기장이 발생하도록 시계 방향으로 유도 전류가 흐르고, C에서 도선을 통과하는 종이면에서 수직으로 나오는 방향의 자기 선속이 증가하므로 종이면에 수직으로 들어가는 방향의 자기장이 발생하도록 시계 방향으로 유도 전류가 흐른다.

03 간섭에 의한 현상

자료 분석 +   파원으로부터의 경로차

구분	A	B	C	D
S_1로 부터의 거리	$r_1 - 2\lambda$	r_2	$r_1 - \dfrac{5\lambda}{2}$	$r_2 - \lambda$
S_2로 부터의 거리	r_1	r_2	$r_1 - \dfrac{5\lambda}{2}$	$r_2 - \dfrac{\lambda}{2}$

     경로차 2λ 경로차 0 경로차 0 경로차 $\dfrac{\lambda}{2}$

• S_1, S_2에서 위상이 반대인 물결파가 발생하고 있으므로
 → 경로차가 반파장의 짝수 배인 곳에서는 상쇄 간섭
 → 경로차가 반파장의 홀수 배인 곳에서는 보강 간섭

선택지 분석

✗. A에서는 ~~보강~~ 간섭이 일어난다. → 상쇄
(ㄴ) B와 C에서는 수면의 높이가 변하지 않는다.
✗. 물결파의 진동수를 2배로 증가시키면 D에서는 ~~보강~~ 간섭이 일어난다. → 상쇄

ㄴ. B와 C에서는 경로차가 0이기 때문에 두 물결파가 반대 위상으로 만나 상쇄 간섭한다. 따라서 수면의 높이는 변하지 않는다.

바로 보기   ㄱ. 두 파원으로부터 위상이 반대인 물결파가 발생하고 있기 때문에 경로차가 2λ인 A에서는 상쇄 간섭이 일어난다.

BOOK 2

ㄷ. 물결파의 진동수를 2배로 증가시키면 파장은 $\frac{1}{2}$배가 되므로 D에서의 경로차는 반파장의 2배이다. 따라서 두 물결파가 반대 위상으로 만나므로 상쇄 간섭이 일어난다.

04 빛과 물질의 이중성

전자선에 의한 회절

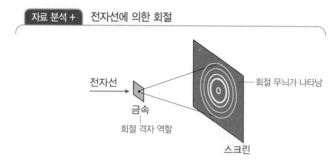

전자선 → 금속 (회절 격자 역할) → 스크린 · 회절 무늬가 나타남

금속은 전자선에 대한 회절 격자 역할을 하며, 전자선의 파동성에 의해 스크린에 회절 무늬가 발생하게 된다.

선택지 분석
ㄱ 전자의 파동성에 의해 나타나는 현상이다.
ㄴ 스크린에 검은 지점은 전자가 거의 도달하지 않는 지점이다.
✗ 전자선의 속력이 증가할수록 회절 무늬 사이 간격이 증가한다. → 감소

ㄱ. 전자선에 의한 회절 무늬는 전자의 파동성에 의해 나타나는 현상이다.

ㄴ. 스크린에 검은 지점은 전자가 거의 도달하지 않는 지점이며, 밝은 지점은 전자가 많이 도달하는 지점이다.

👁 바로 보기 ㄷ. 전자선의 속력이 증가하면 물질파 파장은 짧아진다. 파장이 짧을수록 회절이 잘 일어나지 않기 때문에 회절 무늬 사이 간격은 감소한다.

05 전기력

자료 분석 + 전하에 의한 전기력

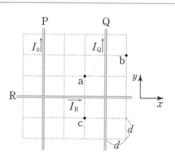

(가)에서 A와 B는 서로 밀어내는 전기력이 작용하고 있다.
➡ A와 B는 같은 종류의 전하를 띤다.

선택지 분석
ㄱ (가), (나)에서 B에 작용하는 알짜힘은 모두 0이다.
ㄴ B는 양(+)전하로 대전되어 있다.
✗ A에 작용하는 전기력과 C에 작용하는 전기력의 방향은 같다. → 반대이다

ㄱ. B는 정지해 있으므로 B에 작용하는 알짜힘은 0이다.

ㄴ. (가)에서 A와 B 사이에는 서로 밀어내는 전기력이 작용하므로 A, B는 같은 종류의 전하를 띤다. 또한, (나)에서 A와 C에 의해 B에 작용하는 전기력의 합력이 0이어야 하므로 A, B, C는 모두 같은 종류의 전하로 대전되어 있음을 알 수 있다.

👁 바로 보기 ㄷ. A와 B, B와 C, A와 C 사이에는 서로 밀어내는 전기력이 작용하므로 A와 C에 작용하는 전기력의 방향은 반대이다.

06 직선 도선에 의한 자기장

자료 분석 + 직선 도선에 의한 자기장

xy 평면에 수직으로 들어가는 방향을 (−)방향이라 하고, a점에서 각 도선에 의한 자기장을 B_P, B_Q, B_R라고 하면 a, b, c점에서의 자기장은 다음과 같다.
$$B_a = -B_P + B_Q + B_R$$
$$B_b = -\frac{1}{2}B_P - B_Q + \frac{1}{2}B_R$$
$$B_c = -B_P + B_Q - B_R$$

선택지 분석
ㄱ R에 흐르는 전류의 세기는 I_0보다 작다.
ㄴ b에서 자기장의 방향은 xy 평면에 수직으로 들어가는 방향이다.
ㄷ Q에 흐르는 전류의 방향을 반대로 하면 c에서 자기장의 세기는 a에서 자기장의 세기의 3배이다.

a에서의 자기장은 b에서의 자기장과 세기는 같고 방향은 반대이므로 $B_a = -B_b$ ➡
$$-B_P + B_Q + B_R = -\left(-\frac{1}{2}B_P - B_Q + \frac{1}{2}B_R\right)$$
따라서 $B_P = B_R$이다.
b에서의 자기장은 c에서의 자기장과 세기와 방향이 같으므로 $B_b = B_c$ ➡
$$-\frac{1}{2}B_P - B_Q + \frac{1}{2}B_R = -B_P + B_Q - B_R$$
따라서 $B_P = B_Q$이다.

ㄱ. a에서 P에 의한 자기장의 세기는 R에 의한 자기장 세기와 같으므로 $\frac{I_0}{2d} = \frac{I_R}{d}$에서 $I_R = \frac{1}{2}I_0$이다.

ㄴ. a에서 자기장의 방향은 xy 평면에서 수직으로 나오는 방향이므로 b에서 자기장의 방향은 xy 평면에 수직으로 들어가는 방향이다.

ㄷ. $B_P = B_R = B_Q$이므로 Q에 흐르는 전류의 방향을 반대로 하면 a에서의 자기장은 $-B_P - B_Q + B_R = -B_P$, c에서의 자기장은 $-B_P - B_Q - B_R = -3B_P$가 되므로 c에서 자기장의 세기는 a에서 자기장의 세기의 3배이다.

07 광섬유

물질	굴절률	물질	굴절률
물	1.33	파라핀	1.44
비결정 수정	1.46	유리	1.52
사파이어	1.77	다이아몬드	2.42

광섬유에서의 임계각을 θ_C라고 하면 $\sin\theta_C = \dfrac{n_{클래딩}}{n_{코어}}$이다.

➡ 굴절률 차이가 클수록 임계각이 작다.

선택지 분석

ㄱ. A에서는 전기 신호를 빛 신호로 전환한다.

ㄴ. 코어를 다이아몬드로 교체하면 코어와 클래딩 경계면에서의 임계각은 더 작아진다.

✗. 코어를 파라핀, 클래딩을 사파이어로 교체하면 B에 도달하는 신호의 양은 증가한다. ┌→ 감소한다

ㄱ. 광섬유를 이용해야 하므로 전기 신호를 빛 신호로 전환해야 한다.

ㄴ. 코어를 다이아몬드로 교체하면 코어와 클래딩의 굴절률 차이가 더 커지므로 임계각은 더 작아진다.

👁 바로 보기 ㄷ. 코어를 파라핀, 클래딩을 사파이어로 교체하면 전반사가 일어나지 않기 때문에 B에 도달하는 신호의 양은 감소한다.

08 전자 현미경

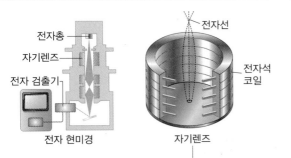

전자총 / 자기렌즈 / 전자 검출기 / 전자 현미경 / 전자선 / 전자석 코일 / 자기렌즈

자기렌즈는 일반 광학렌즈처럼 전자선의 경로를 휘어지게 하여 물질의 확대된 상을 얻는 장치이다.

선택지 분석

ㄱ. ㉠은 물질의 파동성을 이용한다.

ㄴ. ㉡은 자기장을 이용하여 전자선의 경로를 휘게 하는 역할을 한다.

ㄷ. ㉢의 물질파 파장은 가시광선의 파장보다 짧다.

ㄱ. 전자 현미경은 전자선의 파동성을 이용한 장치이다.

ㄴ. 자기렌즈는 전자선의 경로를 휘게 하여 확대된 상을 얻기 위한 장치이다.

ㄷ. 전자의 속력이 빠를수록 물질파 파장은 짧아진다. 물질파 파장은 가시광선의 파장보다 짧기 때문에 분해능이 좋아 더 작은 물질을 관측할 수 있다.

01 ①	02 ③	03 ③	04 ⑤	05 ⑤
06 ⑤	07 ⑤	08 ①	09 ④	10 ④
11 ③	12 ①	13 ⑤		

01 전기력

자료 분석 + 점전하 사이의 전기력

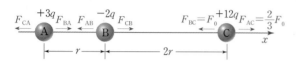

A, B 사이에 작용하는 전기력의 크기 $F_0 = k\dfrac{6q^2}{r^2}$을 기준으로 전기력을 적용한다.

선택지 분석

㉠ A가 B에 작용하는 전기력과 B가 A에 작용하는 전기력의 방향은 반대이다.

✗ C를 가만히 놓은 순간 C에 작용하는 알짜힘의 크기는 F_0이다. → $\dfrac{1}{3}F_0$

✗ C를 가만히 놓은 직후 C는 $+x$ 방향으로 운동하기 시작한다. → $-x$ 방향

ㄱ. 두 전하 사이에 작용하는 전기력은 작용 반작용 관계이므로 크기는 같고 방향은 반대인 힘이 작용한다.

바로 보기 ㄴ. A가 C에 작용하는 전기력의 크기는

$k\dfrac{36q^2}{(3r)^2} = k\dfrac{4q^2}{r^2} = \dfrac{2}{3}F_0$이며 방향은 $+x$ 방향이고, B가 C

에 작용하는 전기력의 크기는 $k\dfrac{24q^2}{(2r)^2} = k\dfrac{6q^2}{r^2} = F_0$이며 방

향은 $-x$ 방향이다. 따라서 C에 작용하는 알짜힘은 $-x$ 방

향으로 $\dfrac{1}{3}F_0$이다.

ㄷ. C에 작용하는 알짜힘의 방향은 $-x$ 방향이므로 C를 놓은 직후 C는 $-x$ 방향으로 운동하기 시작한다.

02 전기력

자료 분석 + 전하에 의한 전기력

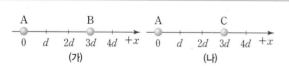

(가)에서 $x = 4d$인 지점에서 $+Q$에 작용하는 전기력이 0이므로 A와 B의 전하의 종류는 다르다.

(나)에서 $x = d$인 지점에서 $+Q$에 작용하는 전기력이 0이므로 A와 C의 전하의 종류는 같다.

선택지 분석

㉠ B와 C의 전하의 종류는 다르다.

㉡ A와 C 사이에는 밀어내는 전기력이 작용한다.

✗ A와 B 사이에 음($-$)전하를 둘 때, 작용하는 전기력이 0이 되는 지점이 존재한다. → 존재하지 않는다

ㄱ. A와 B의 전하의 종류는 다르고, A와 C의 전하의 종류는 같기 때문에 B와 C의 전하의 종류는 다르다.

ㄴ. A와 C의 전하의 종류는 같기 때문에 A와 C 사이에는 서로 밀어내는 전기력이 작용한다.

바로 보기 ㄷ. A와 B의 전하의 종류는 다르므로 그 사이에서 전기력이 0이 되는 지점은 존재할 수 없다.

03 에너지띠

자료 분석 + 에너지띠

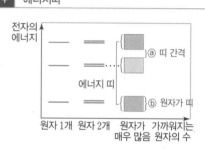

원자에서 전자가 가질 수 있는 에너지는 불연속인 에너지 준위를 이루고 있다. 원자가 무수히 많이 모이게 되면 원자 사이에 상호 작용에 의해 에너지 준위가 겹쳐지게 되며, 띠의 형태를 이루게 된다.

선택지 분석

㉠ 원자가 2개일 때 에너지 준위가 달라지는 것은 원자 사이의 상호 작용 때문이다.

㉡ 전자는 ⓐ 영역에 해당하는 에너지를 가질 수 없다.

✗ 에너지띠 ⓑ에 존재하는 전자가 가질 수 있는 에너지는 연속적이다. → 불연속적

ㄱ. 원자가 결합하게 되면 두 원자 사이의 전기력에 의해 에너지 준위가 추가된다.

ㄴ. 띠 간격은 에너지 준위가 겹쳐지지 않은 영역이므로 전자는 그 영역의 에너지를 가질 수 없다.

바로 보기 ㄷ. 띠의 형태를 이루고 있지만 에너지 준위가 미세한 차이를 두고 형성되어 있으므로 에너지는 연속적이지 않다.

04 에너지 준위

자료 분석 + 에너지 준위와 스펙트럼

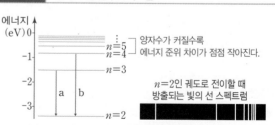

(가)에서 a, b 중 에너지 차이가 큰 빛은 b이며, (나)에서 $n = 2$로 전이하는 스펙트럼 간격이 촘촘해질수록 에너지 차이는 점점 작아진다.

ㄱ. 전자가 $n=2$인 궤도에 머물러 있는 동안에는 빛이 방출되지 않는다.

ㄴ. 방출되는 빛의 진동수는 a에서가 b에서보다 작다.

ㄷ. 스펙트럼의 오른쪽으로 갈수록 큰 양자수에서 전이된 빛의 선 스펙트럼 이다.

ㄱ. 보어의 수소 원자 모형에서 특정한 궤도에 존재하는 전자 는 안정한 상태를 유지한다.

ㄴ. 에너지 차이가 b가 a보다 크기 때문에 방출되는 빛의 에 너지는 b가 a보다 크다. 따라서 빛의 진동수는 b에서가 a에 서보다 크다.

ㄷ. 스펙트럼의 오른쪽으로 갈수록 스펙트럼 간격이 촘촘해 지기 때문에 에너지 차이가 더 작아진다.

$n=2$인 궤도로 전이하는 과정에서 에너지 차이는 전이하기 전 에너지 준위의 양자수가 커질수록 작아진다. 따라서 (나) 에서 오른쪽으로 갈수록 큰 양자수에서 전이된 빛의 스펙트 럼임을 알 수 있다.

05 다이오드의 정류 작용

자료 분석 + 다이오드의 정류 작용

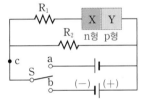

• S를 a에 연결한 경우: R_2에만 전류가 흐름
• S를 b에 연결한 경우: R_1, R_2에 전류가 흐름

전류의 세기가 줄어들 때는 회로의 합성 저항의 크기가 커질 때이다. 회로의 합 성 저항의 크기는 저항을 하나만 연결했을 때보다 병렬로 연결했을 때 더 작아 진다.

ㄱ. X는 n형 반도체이다.

ㄴ. S를 a에 연결했을 때 p-n 접합면에서 공핍층은 두꺼워진다.

ㄷ. S를 b에 연결했을 때 n형 반도체에 있는 전자들은 p-n 접합면 쪽으로 이 동한다.

ㄱ. 스위치 S를 b에 연결했을 때가 c에 흐르는 전류의 세기 가 더 크므로 스위치 S를 b에 연결했을 때가 저항이 병렬로 연결된 상황이다. 따라서 b에 연결했을 때가 다이오드에 대 해 순방향 연결된 상황이므로 X는 n형 반도체, Y는 p형 반 도체이다.

ㄴ. 스위치 S를 a에 연결했을 때 다이오드는 역방향 연결되 었으므로 공핍층은 두꺼워진다.

ㄷ. 스위치 S를 b에 연결했을 때 다이오드는 순방향 연결되 었으므로 주요 전하 운반자는 접합면 쪽으로 이동한다.

06 발광 다이오드(LED)

자료 분석 + 발광 다이오드(LED)

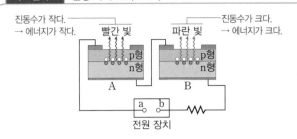

두 LED에서 빛이 방출되고 있으므로 두 LED 모두 순방향 연결되어 있으며, 빨간 빛의 에너지는 파란 빛의 에너지보다 작다.

ㄱ. 다이오드의 접합면에서 전도띠에 있던 전자가 전이하면서 빛이 방출된다.

ㄴ. p형 반도체의 원자가 띠와 n형 반도체의 전도띠 사이의 에너지 차는 A가 B보다 작다.

ㄷ. 전원장치의 두 극 a, b를 반대로 바꾸면 빛은 방출되지 않는다.

ㄱ. 전도띠에 있던 전자가 원자가 띠로 전이하면서 에너지가 작아지고, 그 차이만큼 빛의 형태로 에너지가 방출된다.

ㄴ. 원자가 띠와 전도띠 사이의 에너지 차이만큼만 에너지를 방출하게 되며, 빨간 빛의 에너지가 파란 빛의 에너지보다 작 으므로 에너지 차는 A가 B보다 작다.

ㄷ. 역방향으로 연결했을 때는 발광 다이오드에서 빛이 방출 되지 않는다.

07 전류에 의한 자기장

자료 분석 + 직선 도선에 의한 자기장

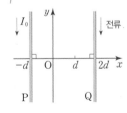

실험	Q에 흐르는 전류의 세기	O에서 자기장 방향	O에서 자기장 세기
I	0	⊙	B_0
II	I_1	×	$2B_0$

⊙: xy 평면에서 수직으로 나오는 방향
×: xy 평면에 수직으로 들어가는 방향

Q에 흐르는 전류의 세기가 0일 때를 기준으로 P에 흐르는 전류의 방향을 파악 할 수 있으며, 실험 II에서 자기장의 방향이 반대가 되는 것을 바탕으로 Q에 의 한 자기장과 P에 의한 자기장이 반대 방향임을 알 수 있다.

실험 I의 O점에서 자기장의 방향은 xy 평면에서 수직으로 나오는 방향이므로 P에는 $-y$ 방향으로 전류가 흘러야 하며, $k\dfrac{I_0}{d}=B_0$으로 정의할 수 있다. Q에 흐르는 전류의 세기가 I_1 일 때 원점 O에는 xy 평면에 수직으로 들어가는 방향의 자기 장이 형성되므로 Q에 흐르는 전류의 방향은 $-y$ 방향이어야 하며 Q에 의한 자기장의 세기는 $3B_0$이 되어야 한다. 따라서 $3B_0=3k\dfrac{I_0}{d}=k\dfrac{6I_0}{2d}$에서 $I_1=6I_0$이다.

BOOK 2

08 직선 도선에 의한 자기장

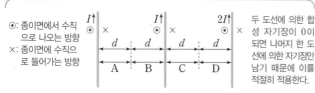

⊙: 종이면에서 수직
으로 나오는 방향
×: 종이면에 수직으
로 들어가는 방향

두 도선에 의한 합
성 자기장이 0이
되면 나머지 한 도
선에 의한 자기장만
남기 때문에 이를
적절히 적용한다.

선택지 분석

과 나오는 방향이 모두 존재한다.◄

㉠ B 영역에서 자기장의 방향은 종이면에서 수직으로 나오는 방향이다.

✗ C 영역에서의 자기장의 방향은 종이면에 수직으로 들어가는 방향이다.

✗ A 영역과 D 영역에서는 자기장이 0이 되는 지점이 존재한다.
→ D 영역에는 자기장이 0이 되는 지점이 존재한다.

ㄱ. A와 B 영역의 가운데 경계에서 왼쪽 두 도선에 의한 자기장은 0이므로 B 영역은 왼쪽 두 도선 중 가운데 있는 도선에 의한 영향력이 크다. 따라서 B 영역에서 왼쪽 두 도선에 의한 자기장은 종이면에서 수직으로 나오는 방향이며, $2I$의 전류가 흐르는 도선에 의한 자기장 역시 종이면에서 수직으로 나오는 방향이므로 B 영역에서 자기장의 방향은 종이면에서 수직으로 나오는 방향이다.

👁 **바로 보기** ㄴ. C 영역에서 가운데 도선으로부터 $\frac{2}{3}d$인 지점에서 가운데 도선과 맨 오른쪽 도선에 의한 자기장은 0이 된다. 따라서 가운데 도선으로부터 $\frac{2}{3}d$인 지점으로부터 $2I$인 전류가 흐르는 도선 쪽으로 이동하면 $2I$에 의한 영향력이 강해지고 종이면에 수직으로 들어가는 방향의 자기장의 세기는 감소한다. 따라서 C 영역에는 종이면에서 수직으로 나오는 방향의 자기장이 존재할 수 있다.

ㄷ. A 영역에서는 가장 왼쪽에 있는 도선에 의한 자기장과 가운데, 가장 오른쪽에 있는 도선에 의한 자기장의 방향이 반대이므로 가장 왼쪽 도선 근처 영역인 A 영역에서 자기장이 0이 되는 지점이 존재한다. C와 D 영역의 가운데 경계에서 종이면에서 수직으로 나오는 방향을 (+)로 할 때 세 도선에 의한 자기장은 $-k\frac{I}{3d} - k\frac{I}{d} + k\frac{2I}{3} = k\frac{2}{3}I$으로 종이면에서 수직으로 나오는 방향이다. 따라서 D 영역에는 자기장이 0인 지점이 존재하지 않는다.

09 전자기 유도

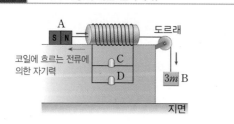

A

S N

도르래

코일에 흐르는 전류에
의한 자기력

C

D

$3m$ B

지면

B가 낙하하는 과정에서 전자기 유도에 의한 자기력이 A에 작용하기 때문에 물체의 가속도는 계속 변한다.

선택지 분석

✗ B는 등가속도 운동을 한다. → 하지 않는다

㉡ C에 불이 켜졌을 때 C에 흐르는 전류의 방향은 A의 운동 방향과 같다.

㉢ C에 불이 켜졌을 때와 D에 불이 켜졌을 때 A가 받는 자기력의 방향은 같다.

ㄴ. A가 솔레노이드의 왼쪽에 들어가기 직전에는 솔레노이드를 통과하는 오른쪽 방향의 자기 선속이 증가하므로 솔레노이드에는 왼쪽 방향의 자기장이 발생하도록 유도 전류가 흐른다.

이때 C가 켜지기 때문에 C에 대해 오른쪽으로 전류가 흐를 때가 순방향 연결이다.

ㄷ. A가 솔레노이드의 왼쪽 면에 접근할 때와 솔레노이드 오른쪽 면에서 멀어질 때 작용하는 자기력의 방향은 항상 왼쪽 방향이다.

👁 **바로 보기** ㄱ. 전자기 유도에 의한 자기력의 크기는 계속 변하기 때문에 B는 등가속도 운동을 하지 않는다.

10 자성과 자기력

물체

자석

아크릴 관

전자저울

N

물체	저울 측정값(N)
없음	1.000
A	1.001
B	0.998

측정값이 증가했으므로 A는 반자성체

측정값이 감소했으므로 B는 상자성체

저울의 측정값이 증가하는 경우는 물체와 자석 사이에 밀어내는 힘이 작용하는 것이고, 감소하는 경우는 물체와 자석 사이에 당기는 힘이 작용하는 것이다.

선택지 분석

㉠ 자석이 A에 작용하는 힘의 크기는 자석이 B에 작용하는 힘의 크기보다 작다.

✗ 자석을 제거해도 A는 자기화된 상태가 오래 유지된다.

㉢ B는 상자성체이다. → 즉시 사라진다

ㄱ. 자석이 A에 작용하는 힘의 크기는 원래 무게에 비해 늘어난 0.001 N이고 자석이 B에 작용하는 힘의 크기는 원래 무게에 비해 감소한 0.002 N이다.

따라서 자석이 A에 작용하는 힘의 크기가 B에 작용하는 힘의 크기보다 작다.

ㄷ. B와 물체는 서로 당기는 힘이 작용하기 때문에 B는 상자성체이다.

👁 **바로 보기** ㄴ. A는 반자성체이므로 자석을 제거하면 자기화된 상태가 즉시 사라진다.

11 자성과 전자기 유도

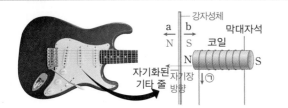

막대자석에 의해 기타 줄이 자기화되고, 자기화된 기타 줄의 진동에 의해 코일에 유도 전류가 발생한다.

선택지 분석

ㄱ. 기타 줄이 a 방향으로 움직일 때 코일을 통과하는 자기 선속은 감소한다.
ㄴ. 기타 줄이 b 방향으로 움직일 때 코일에는 ㉠ 방향으로 전류가 흐른다.
✗. 코일 중심에 있는 막대자석을 제거하여도 코일에는 유도 전류가 흐를 수 있다. ► 없다

ㄱ. 자기화된 기타 줄이 멀어지고 있으므로 기타 줄에 의한 자기 선속은 감소한다.

ㄴ. 기타 줄은 강자성체이므로 기타 줄의 오른쪽 면은 S극으로 자기화된다. 따라서 S극이 접근할 때이므로 이를 방지하기 위해 유도 전류는 ㉠ 방향으로 흐른다.

👁️ 바로 보기 ㄷ. 막대 자석을 제거하면 기타 줄이 자기화되지 않기 때문에 코일 내부의 자기 선속 변화를 발생시킬 수 없다. 따라서 유도 전류는 흐르지 않는다.

12 전자기 유도

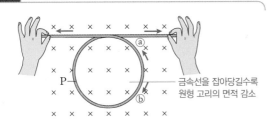

줄을 양 옆으로 당겨 반지름을 일정하게 감소시키면 고리를 통과하는 자기 선속이 감소한다. 이때 원형 고리의 면적은 반지름 제곱에 비례하므로, 원형 고리의 반지름이 작아질수록 면적의 변화율은 작아진다.

선택지 분석

ㄱ. 유도 전류의 방향은 ⓑ이다.
✗. 유도 기전력의 크기는 일정하다. ► 일정하지 않다
✗. 원형 부분 P의 내부를 통과하는 자기 선속 변화율의 크기는 일정하다. ► 일정하지 않다

ㄱ. 종이면에 수직으로 들어가는 방향의 자기 선속이 감소하고 있으므로 종이면에 수직으로 들어가는 방향의 자기장이 발생하도록 유도 전류는 ⓑ 방향으로 흘러야 한다.

👁️ 바로 보기 ㄴ, ㄷ. 자기 선속의 변화율이 반지름이 작아질수록 점점 더 작아지므로 유도 기전력의 크기는 일정하지 않다.

13 전자기 유도

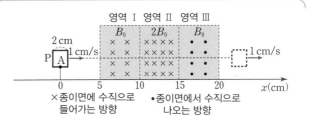

A점의 위치에 따른 자기 선속 변화는 다음과 같다.
• $t=4$~6초, $x=4$ cm~6 cm: 영역 Ⅰ에 의한 자기 선속 증가
• $t=9$~11초, $x=9$ cm~11 cm: 영역 Ⅰ에 의한 자기 선속 감소, 영역 Ⅱ에 의한 자기 선속 증가
• $t=14$~16초, $x=14$ cm~16 cm: 영역 Ⅱ에 의한 자기 선속 감소, 영역 Ⅲ에 의한 자기 선속 증가
• $t=19$~21초, $x=19$ cm~21 cm: 영역 Ⅲ에 의한 자기 선속 감소

선택지 분석

ㄱ. 4초일 때 유도되는 전류의 세기는 I이다.
ㄴ. 12초일 때 유도되는 전류의 세기는 0이다.
ㄷ. 15초일 때 유도되는 전류의 세기는 20초일 때 유도되는 전류의 세기의 3배이다.

ㄱ. 4초일 때 유도되는 전류는 종이면에 수직으로 들어가는 방향으로 B_0의 자기장이 증가하는 효과에 의한 것이다. 10초일 때는 영역 Ⅰ에 의해서는 종이면에 수직으로 들어가는 방향으로 B_0의 자기장이 감소하는 효과와 영역 Ⅱ에 의해서는 종이면에 수직으로 들어가는 방향으로 $2B_0$의 자기장이 증가하는 효과에 의해 유도 전류가 흐른다. 즉, 10초일 때 종이면에 수직으로 들어가는 방향으로 B_0의 자기장이 증가하는 효과에 의해 I의 전류가 흐르므로 4초일 때 유도되는 전류의 세기도 I이다.

ㄴ. 12초일 때 고리를 통과하는 자기 선속 변화는 없다. 따라서 유도 전류의 세기는 0이다.

ㄷ. 15초일 때 유도되는 전류는 종이면에 수직으로 들어가는 방향으로 $2B_0$의 자기장이 감소하는 효과와 종이면에서 수직으로 나오는 방향으로 B_0의 자기장이 증가하는 효과에 의한 것이며, 20초일 때는 종이면에 수직으로 나오는 방향으로 B_0의 자기장이 감소하는 효과에 의한 것이다. 따라서 유도 전류의 세기는 15초일 때가 20초일 때의 3배이다.

BOOK 2

01 ④	02 ③	03 ①	04 ②	05 ④
06 ④	07 ③	08 ①	09 ③	10 ①
11 ③	12 ②	13 ③		

01 파동의 진행

자료 분석 + 파동의 진행

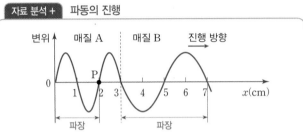

변위–위치 그래프이므로 이 그래프에서는 파장과 진폭을 알 수 있으며, 파동이 매질 A에서 B로 진행하는 과정에서 파동의 진동수는 변하지 않는다.

선택지 분석

✗ 1초 후 P점의 변위의 크기는 **최대이다.** → 최소

ㄴ A에서 파동의 속도은 0.1 m/s이다.

ㄷ B에서 파동의 주기는 0.2초이다.

ㄴ. A에서 파장은 2 cm이므로 파동의 속력은 2 cm×5 Hz =10 cm/s=0.1 m/s이다.

ㄷ. A에서 B로 파장이 진행할 때 진동수와 주기는 변하지 않는다.

따라서 주기는 A에서와 같은 0.2초이다.

🔅 바로 보기 ㄱ. 진동수가 5 Hz이므로 진동수의 역수인 주기는 0.2초이다.

따라서 1초 후에 P점은 현재 상태와 변위가 같으므로 변위의 크기는 최소이다.

02 파동의 진행

자료 분석 + 파동의 진행

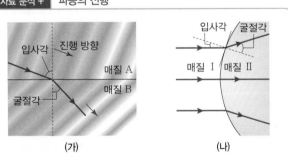

(가) (나)

• (가)에서 A에서의 입사각이 B에서의 굴절각보다 크므로 파동의 진행 속력은 A에서가 더 빠르다.

• (나)에서 I에서의 입사각이 II에서의 굴절각보다 작으므로 파동의 진행 속력은 I에서가 더 느리다.

선택지 분석

ㄱ (가)에서 이웃한 파면 사이의 거리는 A에서가 B에서보다 크다.

✗ (나)에서 I에서의 입사각은 II에서의 굴절각보다 크다. → 작다

ㄷ I은 B이다.

ㄱ. 이웃한 파면 사이의 거리는 파장을 의미한다. 파동의 진행 속력은 A에서가 B에서보다 빠르므로 파장은 A에서가 B에서보다 크다.

ㄷ. I에서 파동의 진행 속력이 더 느리므로 I은 B이다.

🔅 바로 보기 ㄴ. 입사각과 굴절각은 매질의 경계면에 수직한 법선을 기준으로 측정하므로 I에서의 입사각이 II에서의 굴절각보다 작다.

03 파동의 굴절과 전반사

자료 분석 + 파동의 굴절과 전반사

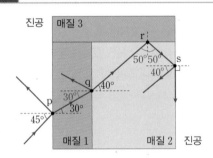

• p점에서 입사각은 45°, 굴절각은 30°

• q점에서 입사각은 30°, 굴절각은 40° → 굴절률: 매질 1＞매질 2

• r점에서 입사각은 50° 전반사 일어남 → 굴절률: 매질 2＞매질 3

• s점에서 입사각은 40°, 굴절각은 90°

선택지 분석

ㄱ 매질 1에 단색광의 속력은 $\frac{\sqrt{2}}{2}c$이다.

✗ q, s에서 반사한 빛은 위상이 **반대**가 된다. → 같다

✗ 매질 2와 매질 3의 경계면에서의 임계각은 40°보다 **작다.** → 크다

ㄱ. p점에 굴절 법칙을 적용하면 $\frac{\sin45°}{\sin30°}=\frac{c}{v_1}$이므로 $v_1=\frac{\sqrt{2}}{2}c$이다.

🔅 바로 보기 ㄴ. 매질 1에서가 매질 2에서보다 빛의 속력이 더 느리므로 q점에서 반사할 때는 위상이 그대로 유지되고, 매질 2에서가 진공보다 빛의 속력이 느리므로 s점에서 반사할 때는 위상이 그대로 유지된다. 따라서 q, s에서 반사한 빛은 위상이 같다.

ㄷ. 매질 2와 진공 사이에서의 임계각이 40°이므로 진공보다 굴절률이 큰 매질 3으로 진행할 때의 임계각은 40°보다 크다.

04 파동의 굴절

자료 분석 + 빛의 굴절

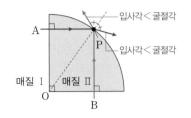

P로 입사한 A의 입사각을 θ라 하면 P로 입사한 B의 입사각은 $90°-\theta$이다.

선택지 분석

✗ ㄱ. A의 속력은 Ⅱ에서가 Ⅰ에서보다 <u>크다</u>. → 작다

✗ ㄴ. B의 파장은 Ⅱ에서가 Ⅰ에서보다 <u>길다</u>. → 짧다

ⓒ ㄷ. 두 빛의 진동수는 매질 Ⅰ과 매질 Ⅱ에서 변하지 않는다.

ㄷ. 빛의 진동수는 매질이 달라져도 변하지 않는다.

👁 **바로 보기** ㄱ. P에서 A는 입사각보다 굴절각이 더 크기 때문에 Ⅱ에서의 속력이 Ⅰ에서보다 작다.

ㄴ. P에서 B는 입사각보다 굴절각이 더 크기 때문에 Ⅱ에서 속력이 Ⅰ에서보다 작다. 따라서 파장도 Ⅱ에서가 Ⅰ에서보다 짧다.

05 광섬유

자료 분석 + 광섬유와 굴절률

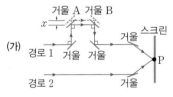

(가)   (나)

(나)에서 파장이 길어질수록 매질에 대한 굴절률이 점점 작아진다. 즉, 빛의 속력은 점점 빨라진다.

선택지 분석

✗ ㄱ. 가시광선의 속력은 c에서 가장 빠르다. → 느리다

ⓛ ㄴ. 클래딩을 b로 만들었다면 코어는 c로 만들어야 한다.

ⓒ ㄷ. 광섬유를 a와 b로 만들었을 때의 임계각이 a와 c로 만들었을 때의 임계각보다 크다.

ㄴ. 코어의 굴절률이 클래딩의 굴절률보다 커야 전반사가 일어날 수 있다.

ㄷ. 굴절률의 차이가 클수록 굴절률의 비가 작게 나타나기 때문에 임계각은 더 작아진다.

👁 **바로 보기** ㄱ. 모든 파장 영역에서 c의 굴절률이 가장 크므로 가시광선의 속력은 c에서 가장 느리다.

06 전반사와 광통신

자료 분석 + 전반사와 광통신

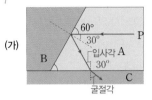

A에서 B로 진행하는 P는 전반사하고 있으며, A에서 C로 진행하는 P는 굴절하고 있다. A에서 C로 진행할 때 입사각은 굴절각보다 작다.

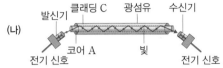

선택지 분석

✗ ㄱ. P의 속력은 A에서 가장 빠르다. → 느리다

ⓛ ㄴ. (나)에서 코어에서 클래딩으로 향하는 빛은 입사각이 30°보다 커야 한다.

ⓒ ㄷ. (나)에서 클래딩을 B로 바꾸면 빛 신호의 전반사가 더 많은 범위에서 나타난다.

ㄴ. A에서 C로 입사각 30°로 진행할 때 전반사하지 않으므로 (나)에서 전반사하려면 입사각이 30°보다 커야 한다.

ㄷ. 임계각은 A에서 B로 진행할 때가 A에서 C로 진행할 때가 더 작으므로 전반사가 더 많은 범위에서 나타난다.

👁 **바로 보기** ㄱ. A에서 B로 진행할 때는 전반사가 일어나므로 P의 속력은 A에서가 B에서보다 느리다. 또한, A에서 C로 진행할 때 입사각이 굴절각보다 작으므로 P의 속력은 A에서가 가장 느리다.

07 빛의 간섭

자료 분석 + 빛의 간섭

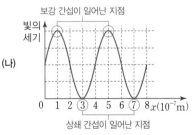

(가)에서 경로 1로 빛이 진행하는 거리는 경로 2로 진행하는 경로의 길이에 비해 수직 방향으로 진행하는 거리만큼 더 진행한다.

선택지 분석

⊙ ㄱ. $x=3\times10^{-7}$ m일 때 P에 도달하는 두 빛의 위상은 반대이다.

✗ ㄴ. $x=5\times10^{-7}$ m일 때 P에 도달하는 두 빛의 경로차는 10^{-6} m이다.

ⓒ ㄷ. 레이저 빛의 파장은 8×10^{-7} m이다. → 보다 크다

BOOK 2

ㄱ. $x=3\times10^{-7}$ m일 때 빛의 세기가 0이므로 두 빛은 상쇄 간섭 한다. 즉 P에 도달하는 두 빛의 위상이 반대이다.

ㄷ. 이웃한 보강 간섭 또는 이웃한 상쇄 간섭 사이의 경로차는 한 파장만큼 차이난다. 따라서 두 상쇄 간섭 지점 사이의 경로차는 $2\times\Delta x$만큼이며 이는 한 파장에 해당한다. 따라서 레이저 빛의 파장은 8×10^{-7} m이다.

👁 **바로 보기** ㄴ. $x=5\times10^{-7}$ m일 때 P에 도달하는 두 빛의 경로차는 $2x$에 거울까지의 두 연직 거리를 더한 만큼이다. 따라서 $2x=10^{-6}$ m보다 크다.

08 전하 결합 소재(CCD)

자료 분석 + 전하 결합 소재(CCD)

광 다이오드

CCD는 광 다이오드를 이용한 장치이며, 광 다이오드는 빛이 입사하게 되면 전자-양공 쌍이 형성되어 전류가 흐르는 장치이다.

선택지 분석

ㄱ CCD의 광 다이오드에서 광전 효과에 의해 전하가 발생한다.

✗ CCD에 입사하는 빛의 세기가 클수록 광 다이오드에서 발생하는 전자의 속력은 증가한다. → 진동수가

✗ CCD에 입사하는 빛의 진동수가 클수록 광 다이오드에서 발생하는 전하의 수는 증가한다. → 세기가

ㄱ. 광 다이오드에서 전자-양공 쌍이 형성되는 과정은 광전 효과에 의한 현상이다.

👁 **바로 보기** ㄴ. 입사하는 빛의 세기가 클수록 광전 효과에 의한 광전자의 수가 증가한다. 전자의 속력은 빛의 진동수와 관계 있다.

ㄷ. 빛의 진동수가 클수록 광전 효과에 의한 광전자의 최대 운동 에너지가 증가한다. 발생하는 전하의 수는 빛의 세기와 관계 있다.

09 광전 효과와 광전류

자료 분석 + 광전류와 광자의 에너지

8초일 때부터 광전류가 흐르지 않기 때문에 금속판에서 방출되는 광전자는 존재하지 않는다.

선택지 분석

ㄱ 금속의 한계(문턱) 진동수는 $4f$이다.

✗ 4초부터 6초까지 빛의 세기는 점점 감소한다.

ㄷ 전자의 최대 운동 에너지는 2초일 때가 6초일 때의 2배이다.

ㄱ. 8초일 때 빛의 진동수는 $4f$이며, 이때부터 광전자는 방출되지 않으므로 금속의 한계(문턱) 진동수는 $4f$이다.

ㄷ. 2초일 때 광자의 에너지는 $8hf$, 6초일 때 광자의 에너지는 $6hf$이므로 2초일 때 전자의 최대 운동 에너지는 $8hf-4hf=4hf$, 6초일 때 전자의 최대 운동 에너지는 $6hf-4hf=2hf$이다.

👁 **바로 보기** ㄴ. 4초부터 6초까지 광전류의 세기가 일정하므로 방출되는 광전자의 수는 일정하다. 따라서 빛의 세기도 일정하다.

10 광전 효과

자료 분석 + 광전 효과

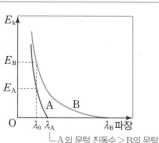

A의 문턱 진동수 > B의 문턱 진동수

운동 에너지가 0이 될 때의 파장보다 짧은 파장의 빛을 비추어야만 광전자가 방출된다. 이 지점에서의 에너지가 금속의 일함수에 해당한다.

A의 일함수는 $\dfrac{hc}{\lambda_A}$, B의 일함수는 $\dfrac{hc}{\lambda_B}$이므로 λ_0인 빛을 비추었을 때 방출되는 광전자의 최대 운동 에너지는 다음과 같다.

$$E_B=\frac{hc}{\lambda_0}-\frac{hc}{\lambda_B},$$
$$E_A=\frac{hc}{\lambda_0}-\frac{hc}{\lambda_A}$$

$\lambda_B=3\lambda_A$이므로, $E_B-E_A=-\dfrac{hc}{3\lambda_A}+\dfrac{hc}{\lambda_A}=\dfrac{2hc}{3\lambda_A}=\dfrac{2hc}{\lambda_B}$

이다. 따라서 B의 일함수는 $\dfrac{E_B-E_A}{2}$이다.

11 전자선의 간섭

자료 분석 + 전자선의 간섭

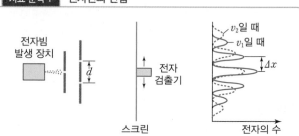

- Δx는 이웃한 무늬 사이의 간격이며, 이웃한 무늬 사이의 간격은 파장이 길수록, 슬릿과 스크린 사이 거리가 길수록, 이중 슬릿 사이의 간격 d가 작을수록 커진다.
- v_2일 때 Δx가 더 크다. → v_2일 때 파장이 더 길다. → 파장은 운동량에 반비례하므로 속력을 비교하면 $v_1 > v_2$이다.

선택지 분석

ㄱ. 물질파의 파장은 v_2일 때가 v_1일 때보다 더 길다.
ㄴ. 전자의 운동량은 v_2일 때가 v_1일 때보다 더 크다. → 작다
ㄷ. 전자의 파동성에 의해 나타나는 현상이다.

ㄱ. 이웃한 무늬 사이의 간격은 v_2일 때가 더 크기 때문에 v_2일 때가 파장이 더 길다.

ㄷ. 간섭무늬는 전자의 파동성에 의해서 나타나는 현상이다.

바로 보기 ㄴ. 물질파 파장은 운동량이 클수록 짧다. 따라서 전자의 운동량은 v_2일 때가 v_1일 때보다 작다.

12 물질파 파장

자료 분석 + 등가속도 운동과 물질파 파장

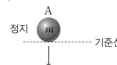

정지한 물체에 일정한 중력이 작용하여 등가속도 운동을 하였을 때 이동 거리는 $2as = v^2$에 의해 물체의 나중 속력 제곱에 비례한다.

d만큼 움직였을 때 나중 속력을 v_1이라 하면 $2gd = v_1^2 - 0$, $2d$만큼 움직였을 때 나중 속력을 v_2라 하면 $2g2d = v_2^2 - 0$이다. 따라서 운동량의 비를 구하면 $\sqrt{2} : 2$이고, 물질파 파장은 운동량 크기에 반비례하므로 $\lambda_1 : \lambda_2 = \dfrac{1}{\sqrt{2}} : \dfrac{1}{2} = \sqrt{2} : 1$이다.

13 전자 현미경과 물질파 파장

자료 분석 + 주사 전자 현미경

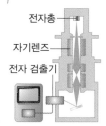

전자총
자기렌즈
전자 검출기

주사 전자 현미경은 전자선이 시료를 코팅한 전도성 물질로 입사하여 재방출된 전자를 검출하여 물질을 관측하는 현미경이다. 주사 전자 현미경은 3차원 입체 구조를 관측할 수 있다.

선택지 분석

ㄱ. A는 시료를 전도성 물질로 코팅해서 관측해야한다.
ㄴ. 실험 I에서보다 실험 II에서 더 작은 시료를 관측할 수 있다.
ㄷ. 전자의 물질파 파장은 실험 I에서가 실험 II에서의 2배이다. → $\sqrt{2}$배

ㄱ. 재방출 되는 전자를 검출하는 방식이므로 시료의 표면을 전도성 물질로 코팅해야 한다.

ㄴ. 실험 I에서 전자의 운동 에너지가 E_0이므로 물질파 파장

은 $\dfrac{h}{\sqrt{2mE_0}}$이고 실험 II에서 전자의 운동 에너지가 $2E_0$이므로 물질파 파장은 $\dfrac{h}{\sqrt{4mE_0}}$이다. 따라서 파장은 실험 II에서 더 짧기 때문에 분해능은 실험 II에서 더 좋아 더 작은 시료를 관측할 수 있다.

바로 보기 ㄷ. 물질파 파장은 실험 I에서가 실험 II에서의 $\sqrt{2}$배이다.

BOOK 2

memo